# Τα μυστικά του αποτελεσματικού γονέα

Αφιερωμένο στους
γονείς - μαθητές & στα
παιδιά - δασκάλους

Με αγάπη,

Τέτα - Κωστής

12/4/2014

Τα μυστικά του αποτελεσματικού γονέα

Τίτλος πρωτοτύπου: Parent Effectiveness Training



Φειδίου 18, Αθήνα 106 78, τηλ.: 210 5234415, fax: 210 5241863, http://www.erevnites.gr/

Μετάφραση: Ζωή-Μυρτώ Ρηγοπούλου

Επιστημονική επιμέλεια: Αλέξανδρος Παπάγος - Gordon Hellas

http://www.gordonhellas.gr

email: info@gordonhellas.gr

Γλωσσική επιμέλεια: Συλβί Ρηγοπούλου

Σχεδίαση εξωφύλλου: Γιάννης Κουρούδης

Τεχνική επεξεργασία - εκτύπωση: Βιβλιοσυνεργατική

ISBN: 978-960-368-452-7

# Τα μυστικά
# του αποτελεσματικού γονέα

## ΕΝΑ ΠΡΩΤΟΠΟΡΙΑΚΟ ΠΡΟΓΡΑΜΜΑ
## ΓΙΑ ΤΗΝ ΑΝΑΤΡΟΦΗ ΥΠΕΥΘΥΝΩΝ ΠΑΙΔΙΩΝ

δρ. Thomas Gordon

ΕΡΕΥΝΗΤΕΣ

# Σεμινάρια γονέων

## ΕΚΠΑΙΔΕΥΣΗ ΑΠΟΤΕΛΕΣΜΑΤΙΚΟΥ ΓΟΝΕΑ

Το πρόγραμμα Εκπαίδευσης Αποτελεσματικού Γονέα (ΕΑΓ) διδάσκεται στην Ελλάδα σύμφωνα με τις οδηγίες και τα πρότυπα του ιδρυτή του Gordon Training International, Thomas Gordon. Ο μη κερδοσκοπικός οργανισμός Gordon Hellas εκπροσωπεί το Gordon Training International και παρέχει τη δυνατότητα παρακολούθησης μιας σειράς σεμιναρίων του Thomas Gordon.

Στόχος των σεμιναρίων ΕΑΓ είναι να εφοδιάσουν τους γονείς με τις απαραίτητες δεξιότητες, ώστε να αναθρέψουν τα παιδιά με τρόπο που προωθεί το αίσθημα της υπευθυνότητας, της αυτονομίας, της αυτοπειθαρχίας, της συνεργασίας, του κοινωνικού ενδιαφέροντος και της χρησιμότητάς τους στο κοινωνικό σύνολο. Αυτό το πετυχαίνει όχι με αυταρχικό ή υποχωρητικό τρόπο, αλλά μέσα από την καλλιέργεια των έμφυτων θετικών στοιχείων που έχει κάθε άτομο. Κλειδί για ένα τέτοιο αποτέλεσμα είναι η σχέση γονέα–παιδιού. Οι δεξιότητες αυτές βοηθούν στο να δημιουργηθεί μια στενή και αρμονική σχέση ώστε ακόμη και οι δύσκολες στιγμές αντιπαράθεσης να αντιμετωπίζονται με λιγότερη ένταση και, το σημαντικότερο, η σχέση να παραμένει ανέπαφη.

Φιλοδοξία του σεμιναρίου δεν είναι απλώς να μεταδώσει κάποιες γνώσεις, αλλά να θέσει γερές βάσεις πρακτικής μάθησης, η οποία θα φέρει πραγματικά και αναγνωρίσιμα αποτελέσματα στην οικογένεια. Το σεμινάριο, εκτός από τις διαλέξεις μικρού μήκους που περιλαμβάνει, δίνει ιδιαίτερη έμφαση σε πρακτικές ασκήσεις, παιχνίδια ρόλων (role plays), συζητήσεις και ανταλλαγές απόψεων και εμπειριών. Οι πέντε άξονες που αναπτύσσονται στα σεμινάρια είναι:

- Πώς να διευκολύνω το παιδί μου να λύνει τα προβλήματά του αποτελεσματικά χωρίς να γίνομαι παρεμβατικός.
- Πώς να διεκδικώ τις ανάγκες μου όταν παρεμποδίζονται από το παιδί μου, χωρίς να διακινδυνεύω τη σχέση μου μαζί του.
- Πώς να προλαμβάνω πιθανές συγκρούσεις με τις δεξιότητες πρόληψης.
- Πώς να διευθετώ τις συγκρούσεις αναγκών, όταν προκύπτουν, με ισότιμο και δημοκρατικό τρόπο.
- Πώς να χειρίζομαι τις συγκρούσεις αξιών με σεβασμό και ευαισθησία.

**Αλέκος Παπάγος**
*Σύμβουλος PCA, University of Strathclyde, Glasgow UK*
*Εκπρόσωπος GTI (Gordon Training International) στην Ελλάδα*
*Πιστοποιημένος Εκπαιδευτής PET (Parent Effectiveness Training)*
*Πιστοποιημένος Εκπαιδευτής Εκπαιδευτών PET*

# Ευχαριστίες

Θέλω να ευχαριστήσω την πρωτότοκη κόρη μου, την Judy Gordon Verret. Χάρη σ' εκείνη είχα την ευκαιρία να ελέγξω και να επικυρώσω την αποτελεσματικότητα των δεξιοτήτων της Εκπαίδευσης Αποτελεσματικού Γονέα στην ίδια μου την οικογένεια. Αργότερα, ως νεαρή έφηβη, ασχολήθηκε με ερωτηματολόγια γονέων που είχαν ολοκληρώσει την τάξη της Εκπαίδευσης. Οι αναφορές της μου χάρισαν πολλά παραδείγματα για την αποτελεσματικότητα των τεχνικών της Εκπαίδευσης στις οικογένειες. Επίσης, χάρη σ' εκείνη μπορώ σήμερα να απολαμβάνω ως παππούς τα δύο υπέροχα, στοργικά κι «εκπαιδευμένα στην αποτελεσματικότητα» παιδιά της.

Θέλω να ευχαριστήσω τη δευτερότοκη κόρη μου, τη Michelle Adams, για την ανάληψη μεγάλου μέρους της ευθύνης για την τριακοστή επετειακή έκδοση του βιβλίου *Εκπαίδευση Αποτελεσματικού Γονέα*. Κι εκείνη, επίσης, υπήρξε παιδί της Εκπαίδευσης, αποδίδοντας αξιοπιστία στις δεξιότητες θετικής επικοινωνίας και επίλυσης συγκρούσεων της Εκπαίδευσης. Όπως και η Judy, έτσι και η Michelle, δεν τιμωρήθηκαν ποτέ. Συχνά οι φίλοι της την ρωτούσαν πώς λειτουργούσαν τα πράγματα στην οικογένειά μας, κι εκείνη απαντούσε: «Στην οικογένειά μας δεν υπάρχει αφεντικό. Φτιάχνουμε μαζί τους κανόνες». Νιώθω πολύ ικανοποιημένος ως γονέας βλέποντας πόσο στενές και ανθεκτικές φιλίες έχει.

Θέλω επίσης να ευχαριστήσω τη γυναίκα μου, τη Linda. Αν και προέρχεται από μια οικογένεια που συχνά χρησιμοποιούσε την τιμωρία, η Linda υιοθέτησε τον μη εξουσιαστικό τρόπο ανατροφής της Εκπαίδευσης και είναι εξαίρετη ακροάτρια. Την αγαπάμε πολύ, η Michelle κι εγώ, αλλά και οι πολυάριθμοι φίλοι της.

Η Linda έχει γράψει δύο βιβλία, το ένα εκ των οποίων δείχνει στις γυναίκες πώς να αναλάβουν την ευθύνη της ζωής τους, και το άλλο, με τίτλο *Be Your Best*, εφαρμόζει το μοντέλο της Εκπαίδευσης σε όλα τα είδη των σχέσεων.

Θέλω να εκφράσω τη βαθιά μου εκτίμηση σε όλους τους δασκάλους της Εκπαίδευσης Αποτελεσματικού Γονέα, τόσο στις ΗΠΑ όσο και σε ολόκληρο τον κόσμο, που έχουν αφιερωθεί στο να βοηθήσουν τους γονείς να μάθουν αυτούς τους ειρηνικούς, δημοκρατικούς και μη τιμωρητικούς τρόπους ανατροφής των παιδιών τους.

Τέλος, θέλω να εκφράσω τις ευχαριστίες μου στην Elisabeth Rapoport, την εκδότριά μου στις εκδόσεις Crown Publishers, επειδή μου μίλησε για τη σημασία που είχε η Εκπαίδευση στη δική της οικογένεια, αλλά και επειδή μου υπέδειξε πως ήταν καιρός για μια ανανεωμένη έκδοση του βιβλίου αυτού.

Thomas Gordon

# Περιεχόμενα

# Πρόλογος

Ο Peter Wyden επέμενε να γράψω το βιβλίο αυτό. Όταν πρόβαλα αντιρρήσεις, βάλθηκε να μου «πουλήσει» την ιδέα, λέγοντάς μου ότι ένα τέτοιο βιβλίο θα άλλαζε τις ζωές των γονέων, βοηθώντας τους να αναθρέψουν πιο υπεύθυνα κι αυτοπειθαρχημένα παιδιά, και πως σε περίπτωση που αυτό δεν ήταν αρκετό κίνητρο, ο ίδιος θα με βοηθούσε και προσωπικά να επιμεληθώ το χειρόγραφο. Εκείνος είχε γράψει πολλά βιβλία και είχε εκδώσει εκατοντάδες, οπότε φαντάστηκα πως ήξερε τι έλεγε. Ήξερε, πράγματι. Το βιβλίο έγινε μπεστ-σέλερ. Βοήθησε να αλλάξουν οι ζωές εκατομμυρίων ανθρώπων, παρήγαγε εκατοντάδες άλλα βιβλία για τη συμπεριφορά των γονέων και σύμφωνα με το Ίδρυμα Pew, αποτέλεσε πρότυπο για περισσότερα από 50.000 εκπαιδευτικά προγράμματα για γονείς στις ΗΠΑ και ποιος ξέρει πόσα σε άλλες χώρες.

Το μοντέλο που ανάπτυξα και περιγράφω στο βιβλίο έχει γίνει, με τα χρόνια, αναπόσπαστο μέρος του τρόπου με τον οποίο όλοι μιλάμε για την επικοινωνία και την επίλυση των συγκρούσεων. Σχεδόν όλοι, στις μέρες μας, έχουν ακούσει για την Ενεργητική ακρόαση, τα Εγώ-μηνύματα, και την επίλυση των συγκρούσεων με τη μέθοδο της «μη ήττας». Αρκετά νωρίς, μάθαμε πως το μοντέλο αυτό –γνωστό ως το μοντέλο Gordon– δεν εφαρμόζεται μόνο στις σχέσεις γονέων-παιδιών: Εφαρμόζεται σε όλες τις σχέσεις – στο σπίτι, τη δουλειά, το σχολείο και τον έξω κόσμο γενικά. Η ορολογία του μπορεί να συναντηθεί σε κείμενα ψυχολογίας, βιβλία, μαθήματα για στελέχη επιχειρήσεων, τάξεις εκπαίδευσης ενηλίκων και, στην πραγματικότητα, παντού όπου η διαπροσωπική επικοινωνία και η επίλυση συγκρούσεων αποτελούν σημαντικά θέματα.

Με τον καιρό, μπόρεσα να συνειδητοποιήσω πως καθώς οι άνθρωποι χρησιμοποιούν αυτές τις μεθόδους και τις δεξιότητες, οι σχέσεις τους γίνονται όλο και πιο δημοκρατικές. Οι δημοκρατικές αυτές σχέσεις δημιουργούν καλύτερη υγεία και ευημερία. Όταν οι άνθρωποι γίνονται αποδεκτοί, όταν είναι ελεύθεροι να εκφράσουν τους εαυτούς τους και μπορούν να συμμετάσχουν στη λήψη των αποφάσεων που τους αφορούν, χαίρουν μεγαλύτερης αυτοεκτίμησης και αυτοπεποίθησης, και αποβάλλουν την αίσθηση αδυναμίας, την πανταχού παρούσα στις αυταρχικές οικογένειες.

Οι δεξιότητες αυτές είναι αναγκαίες για την παγκόσμια ειρήνη. Οι δημοκρατικές οικογένειες είναι ειρηνικές οικογένειες, κι όταν υπάρχουν αρκετές ειρηνικές οικογένειες, έχουμε μια κοινωνία που απορρίπτει τη βία και θεωρεί τον πόλεμο απαράδεκτο.

Κάτι το οποίο δεν σκέφτηκα, όταν έγραφα το βιβλίο, ήταν η εξέλιξη της ζωής.

Απλώς δεν είχα κοιτάξει αρκετά μακριά στο μέλλον για να δω ότι παιδιά αναθρεμμένα με τις δεξιότητες της Εκπαίδευσης Αποτελεσματικού Γονέα όχι μόνο θα γίνονταν υγιέστεροι και πιο ευτυχισμένοι ενήλικοι, αλλά επίσης θα γίνονταν δημοκρατικοί γονείς και οι ίδιοι, συνεχίζοντας τον κύκλο της μη βίας στην επόμενη γενιά. Είναι μεγάλη ικανοποίηση για μένα να έχω ζήσει τόσο, ώστε να έχω μιλήσει σε πολλούς νέους ανθρώπους, οι παππούδες και οι γιαγιάδες των οποίων είχαν φέρει την Εκπαίδευση στην οικογένειά τους.

Ένας φίλος μου είπε κάποτε: «Σε κάθε άνθρωπο χαρίζεται μία τουλάχιστον μεγάλη θετική έκπληξη στη ζωή του». Υποθέτω ότι η μεγαλύτερη θετική έκπληξη της δικής μου ζωής ήταν πως ο Peter Wyden είχε δίκιο. Όχι μόνο η Εκπαίδευση Αποτελεσματικού Γονέα διαδόθηκε σε ολόκληρη την Αμερική, αλλά και το βιβλίο μεταφράστηκε σε τριάντα γλώσσες και κυκλοφορεί σε πάνω από 4 εκατομμύρια αντίτυπα αυτήν τη στιγμή, ενώ το πρόγραμμα έχει παρουσιαστεί σε σαράντα τρεις χώρες. Αυτό δεν είναι απλώς μεγάλη έκπληξη – είναι εξαιτερικά ικανοποιητικό.

Έχουμε ανακαλύψει πως οι βασικές έννοιες και δεξιότητες της Εκπαίδευσης Αποτελεσματικού Γονέα εξακολουθούν να είναι τόσο έγκυρες σήμερα όσο ήταν περίπου τέσσερις δεκαετίες πριν, όταν δίδαξα το πρώτο μάθημα της Εκπαίδευσης σε μια ομάδα δεκαεπτά γονέων σε μια καφετέρια στην Πασαντένα της Καλιφόρνιας. Το μόνο που έχει αλλάξει είναι η ανάγκη για κάτι τέτοιο. Έχει γίνει μεγαλύτερη και πιο επιτακτική, καθώς όλο και περισσότερες μελέτες υποστηρίζουν το εύρημα πως το ξύλο, ο ξυλοδαρμός και οι άλλες μορφές βίας στο σπίτι προκαλούν βία στην κοινωνία. Το βιβλίο που κρατάτε στα χέρια σας περιέχει τρόπους αντιμετώπισης για την οικιακή βία και φέρνει, αντ' αυτής, ειρήνη και δημοκρατία.

Στα χρόνια που ακολούθησαν την πρώτη εκείνη ομάδα της Εκπαίδευσης, η κοινή γνώμη έχει κάνει μια σημαντική στροφή. Το 1975, περίπου το 95% των Αμερικανών υποστήριζαν τη σωματική τιμωρία των παιδιών στο σπίτι και το σχολείο. Πρόσφατες δημοσκοπήσεις δείχνουν πως λιγότεροι από τους μισούς εμμένουν σε αυτό, και πως το ποσοστό που υποστηρίζει τη σωματική τιμωρία συνεχίζει να μειώνεται με γρήγορους ρυθμούς – και είμαι ενθουσιασμένος γι' αυτό.

Είναι ειλικρινής μου επιθυμία να είναι το διάβασμα του βιβλίου αυτού μια επιβραβευτική και εμπλουτιστική εμπειρία για εσάς.

δρ. Thomas Gordon

Ακτή Σολάνα, Καλιφόρνια

# Εκπαίδευση Αποτελεσματικού Γονέα

# 1

## Οι γονείς κατηγορούνται, αλλά δεν εκπαιδεύονται

Όλοι κατηγορούν τους γονείς για τα προβλήματα της νεολαίας και για τα προβλήματα που οι νέοι φαίνεται να προκαλούν στην κοινωνία. Για όλα φταίνε οι γονείς, αποφαίνονται θλιμμένα οι ειδικοί της ψυχικής υγείας, ύστερα από μελέτη των ανησυχητικών στατιστικών στοιχείων για τον γοργά αυξανόμενο αριθμό των παιδιών και των νέων που εμφανίζουν σοβαρά ή πολύ σοβαρά συναισθηματικά προβλήματα, που γίνονται θύματα της εξάρτησης από τα ναρκωτικά ή φθάνουν ακόμη και στην αυτοκτονία. Οι πολιτικοί ηγέτες και τα όργανα επιβολής του νόμου κατηγορούν τους γονείς για την ανατροφή μιας γενιάς μελών συμμοριών, εφήβων που έχουν διαπράξει ανθρωποκτονίες, βίαιων μαθητών και εγκληματιών. Και όταν τα παιδιά αποτυγχάνουν στο σχολείο ή το εγκαταλείπουν απελπισμένα, οι δάσκαλοι και η σχολική ηγεσία ισχυρίζονται ότι φταίνε οι γονείς.

Ποιος όμως βοηθάει τους γονείς; Πόση προσπάθεια καταβάλλεται, ώστε να βοηθηθούν οι γονείς, για να γίνουν πιο αποτελεσματικοί στην ανατροφή των παιδιών; Πού μπορούν οι γονείς να μάθουν τι κάνουν λάθος και τι θα μπορούσαν να κάνουν διαφορετικά;

*Οι γονείς κατηγορούνται, αλλά δεν εκπαιδεύονται.* Εκατομμύρια νέες μητέρες και πατέρες αναλαμβάνουν κάθε χρόνο μια δουλειά που κατατάσσεται ανάμεσα στις πιο δύσκολες που μπορεί να κάνει κανείς: Να πάρουν ένα μωρό, ένα άτομο δηλαδή ολοκληρωτικά σχεδόν ανήμπορο, να αναλάβουν την πλήρη ευθύνη για τη σωματική και την ψυχική του υγεία και να το αναθρέψουν, ώστε να γίνει ένας παραγωγικός, συνεργάσιμος πολίτης. Υπάρχει πιο δύσκολο και πιο απαιτητικό επάγγελμα από αυτό; Κι όμως, πόσοι γονείς έχουν εκπαιδευτεί γι' αυτό; Πολύ περισσότεροι ασφαλώς τώρα απ' ό,τι το 1962, όταν αποφάσισα, στην Πασαντένα της Καλιφόρνιας, να διοργανώσω ένα εκπαιδευτικό πρόγραμμα για γονείς. Υπήρχαν μόνο 17 άτομα στην πρώτη μου τάξη, κυρίως γονείς που αντιμετώπιζαν ήδη σοβαρά προβλήματα με τα παιδιά τους.

Τώρα, ύστερα από τόσα χρόνια, κι έχοντας εκπαιδεύσει περισσότερους από 1,5 εκατομμύριο γονείς, έχουμε αποδείξει ότι το πρόγραμμά μας, που το ονομάζουμε Εκπαίδευση Γονέων στην Αποτελεσματικότητα, μπορεί να διδάξει στους πιο πολλούς γονείς τις δεξιότητες που χρειάζονται, για να γίνουν πιο αποτελεσματικοί στον ρόλο της ανατροφής των παιδιών.

Σε αυτό το ενδιαφέρον πρόγραμμα έχουμε δείξει ότι με ένα συγκεκριμένο είδος εκπαίδευσης πολλοί γονείς μπορούν να αυξήσουν σημαντικά την αποτελεσματικότητά τους στον γονεϊκό ρόλο τους. Μπορούν να αποκτήσουν πολύ συγκεκριμένες δεξιότητες, ικανές να κρατήσουν ανοιχτά τα κανάλια επικοινωνίας μεταξύ γονέων και παιδιών, και μάλιστα αμφίδρομα. Και μπορούν να μάθουν μια νέα μέθοδο επίλυσης των συγκρούσεων γονέων-παιδιών, που να συντελεί στην ενίσχυση και όχι την εξασθένιση της σχέσης.

Αυτό το πρόγραμμα μάς έχει πείσει ότι οι γονείς και τα παιδιά τους μπορούν να αναπτύξουν μια ζεστή, στενή σχέση, βασισμένη στην αμοιβαία αγάπη και τον σεβασμό. Έχει επίσης δείξει ότι το «χάσμα των γενεών» δεν υφίσταται στις οικογένειες.

Όταν εργαζόμουν ως κλινικός ψυχολόγος, ήμουν πεπεισμένος, όπως και οι περισσότεροι γονείς, ότι η περίοδος της επανάστασης κατά την εφηβεία είναι φυσιολογική και αναπόφευκτη, αποτέλεσμα της οικουμενικής επιθυμίας των νέων, να αποκτήσουν την ανεξαρτησία τους και να επαναστατήσουν κατά των γονέων τους. Ήμουν σίγουρος ότι η εφηβεία, όπως έχουν δείξει οι περισσότερες μελέτες, είναι χωρίς εξαίρεση μια περίοδος αναστάτωσης και έντασης για τις οικογένειες. Η εμπειρία μας από την Εκπαίδευση απέδειξε ότι έκανα λάθος. Επανειλημμένα, γονείς που είχαν εκπαιδευτεί σ' αυτήν αναφέρανε την απροσδόκητη απουσία εξέγερσης και αναταραχής στις οικογένειές τους.

Τώρα είμαι πεπεισμένος ότι *οι έφηβοι δεν επαναστατούν κατά των γονέων τους*. Επαναστατούν απλά εναντίον συγκεκριμένων επιβλαβών μεθόδων πειθαρχίας, που σχεδόν παγκοσμίως χρησιμοποιούν οι γονείς. Η αναταραχή και η διαφωνία στις οικογένειες μπορεί να είναι η εξαίρεση και όχι ο κανόνας, όταν οι γονείς μάθουν να ακολουθούν μια νέα μέθοδο επίλυσης των συγκρούσεων.

Επιπλέον, το πρόγραμμα της Εκπαίδευσης Αποτελεσματικού Γονέα έριξε νέο φως στην έννοια της τιμωρίας στην ανατροφή των παιδιών. Πολλοί από τους γονείς μας στην Εκπαίδευση μάς έχουν αποδείξει ότι η τιμωρία μπορεί να εκλείψει παντελώς από την πειθάρχηση των παιδιών, και εννοώ *όλα τα είδη τιμωρίας* και όχι απλώς τη σωματική. Οι γονείς μπορούν να μεγαλώσουν παιδιά που να είναι υπεύθυνα, αυτοπειθαρχημένα και συνεργάσιμα, χωρίς να στηρίζονται στο όπλο του φόβου. Μπορούν να μάθουν πώς να επηρεάζουν τα παιδιά, ώστε η συμπεριφορά τους να είναι αποτέλεσμα πραγματικού ενδιαφέροντος για τις ανάγκες των γονέων και όχι φόβου τιμωρίας ή απώλειας προνομίων.

Μήπως αυτό ακούγεται πολύ ωραίο για να είναι αληθινό; Πιθανόν. Το ίδιο ακουγόταν και στα δικά μου αυτιά, πριν αποκτήσω προσωπική εμπειρία από την εκπαίδευση γονέων στο πρόγραμμα. Όπως και οι περισσότεροι ειδικοί, είχα υποτιμήσει τους γονείς. Οι γονείς της Εκπαίδευσης μού έμαθαν πόσο ικανοί είναι να αλλάξουν, αν τους δοθεί η ευκαιρία να εκπαιδευτούν. Έχω τώρα μια νέα εμπιστοσύνη στην ικανότητα των γονέων να κατακτούν νέες γνώσεις και να αποκτούν νέες δεξιότητες. Οι γονείς μας στην Εκπαίδευση, με ελάχιστες εξαιρέσεις, είναι πρόθυμοι να μάθουν μια νέα προσέγγιση στην ανατροφή των παιδιών. Πρέπει όμως πρώτα να πεισθούν ότι οι νέες μέθοδοι θα αποδώσουν. Οι περισσότεροι γονείς γνωρίζουν ήδη ότι οι παλιές τους μέθοδοι είναι αναποτελεσματικές. Έτσι, οι γονείς της εποχής μας είναι έτοιμοι για αλλαγή και το πρόγραμμά μας έχει αποδείξει ότι μπορούν να αλλάξουν.

Έχουμε ανταμειφθεί και από ένα άλλο αποτέλεσμα του προγράμματος. Ένας από τους αρχικούς μας στόχους ήταν να διδάξουμε στους γονείς κάποιες από τις ιδιαίτερες δεξιότητες που χρησιμοποιούν επαγγελματίες σύμβουλοι και θεραπευτές ειδικά εκπαιδευμένοι στο να βοηθούν παιδιά να ξεπερνούν συναισθηματικά προβλήματα και δυσπροσαρμοστική συμπεριφορά. Μπορεί να φανεί παράξενο ή ακόμη και αλαζονικό το ότι είχαμε τέτοιες φιλοδοξίες. Όσο όμως και αν φαίνεται υπερβολικό σε μερικούς γονείς (και σε αρκετούς επαγγελματίες), γνωρίζουμε πλέον ότι ακόμη και γονείς που δεν είχαν ποτέ καμία σχέση με μαθήματα ψυχολογίας μπορούν να διδαχθούν τις δοκιμασμένες αυτές δεξιότητες και να μάθουν πώς και πότε να τις εφαρμόζουν αποτελεσματικά, για να βοηθήσουν τα ίδια τους τα παιδιά.

Κατά τη διάρκεια ανάπτυξης της Εκπαίδευσης Αποτελεσματικού Γονέα, αναγκαστήκαμε να αποδεχτούμε μια πραγματικότητα που μερικές φορές μας αποθαρρύνει, συχνότερα όμως μας παρακινεί ακόμα περισσότερο: Οι γονείς σήμερα στηρίζονται, σχεδόν παγκοσμίως, στις ίδιες μεθόδους ανατροφής των παιδιών και αντιμετώπισης των οικογενειακών προβλημάτων που χρησιμοποιούσαν οι δικοί τους γονείς, οι γονείς των γονέων τους, οι γονείς των παππούδων τους. Αντίθετα απ' ό,τι συμβαίνει με άλλους θεσμούς της κοινωνίας, η σχέση γονέων-παιδιών φαίνεται να έχει παραμείνει αναλλοίωτη. Οι γονείς στηρίζονται σε μεθόδους που εφαρμόζονταν πριν από δύο χιλιάδες χρόνια!

Αυτό δεν σημαίνει ότι το ανθρώπινο γένος δεν έχει αποκτήσει νέες γνώσεις γύρω από τις ανθρώπινες σχέσεις. Το αντίθετο. Η ψυχολογία, γενική και εξελικτική, και άλλες συμπεριφοριστικές επιστήμες έχουν συλλέξει εντυπωσιακές νέες γνώσεις για τα παιδιά, τους γονείς, τις διαπροσωπικές σχέσεις, για το πώς να βοηθάει κανείς ένα άλλο πρόσωπο να εξελίσσεται, πώς να δημιουργεί ένα ψυχολογικά υγιές περιβάλλον για τους ανθρώπους. Πολλά είναι γνωστά για την αποτελεσματική, διαπροσωπική επικοινωνία, τον αντίκτυπο της εξουσίας στις ανθρώπινες σχέσεις, την εποικοδομητική επίλυση συγκρούσεων κ.ο.κ.

Το βιβλίο αυτό παρουσιάζει με περιεκτικό τρόπο τι χρειάζεται για την εγκαθίδρυση και τη διατήρηση μιας αποτελεσματικής *συνολικής σχέσης* με ένα παιδί, κάτω από οποιεσδήποτε συνθήκες. Οι γονείς θα μάθουν όχι μόνο μεθόδους και δεξιότητες, αλλά επίσης πότε και γιατί πρέπει να τις εφαρμόζουν και για ποιο σκοπό. Θα τους δοθεί ένα *ολοκληρωμένο σύστημα* αρχών αλλά και τεχνικών. Πιστεύω ότι πρέπει να πούμε στους γονείς τα πάντα, όλα όσα γνωρίζουμε για τη δημιουργία αποτελεσματικών σχέσεων γονέων-παιδιών, αρχίζοντας με κάποια βασικά στοιχεία για το τι συμβαίνει σε όλες τις σχέσεις μεταξύ δυο ανθρώπων. Τότε θα καταλάβουν γιατί χρησιμοποιούν τις μεθόδους της Εκπαίδευσης Αποτελεσματικού Γονέα, πότε πρέπει να τις χρησιμοποιούν και ποιο θα είναι το αποτέλεσμα. Οι γονείς θα έχουν την ευκαιρία να γίνουν *οι ίδιοι ειδικοί* στην αντιμετώπιση όλων των αναπόφευκτων προβλημάτων που παρουσιάζονται στη σχέση γονέα-παιδιού.

Στο βιβλίο αυτό, θα παρουσιάσουμε στους γονείς *όλα όσα γνωρίζουμε*, ολοκληρωμένα κι όχι αποσπασματικά. Θα περιγράψουμε λεπτομερώς ένα αποτελεσματικό μοντέλο σχέσεων γονέων-παιδιών, που συχνά εμπλουτίζεται με παραδείγματα από την εμπειρία μας. Πολλοί γονείς θεωρούν την Εκπαίδευση αρκετά επαναστατική, επειδή διαφέρει εντυπωσιακά από τα παραδοσιακά μοντέλα. Και όμως, είναι κατάλληλη για γονείς με πολύ μικρά παιδιά, όπως επίσης και για γονείς εφήβων, γονείς παιδιών με ειδικές ανάγκες ή γονείς με «φυσιολογικά» παιδιά.

Η Εκπαίδευση θα περιγραφεί με όρους γνωστούς σε όλους και όχι με τεχνική ορολογία. Μερικοί γονείς μπορεί στην αρχή να διαφωνήσουν με κάποιες από τις νέες έννοιες, πολύ λίγοι όμως θα δυσκολευτούν να τις κατανοήσουν.

Επειδή οι αναγνώστες δεν θα είναι σε θέση να εκφράσουν τις ανησυχίες τους προσωπικά σε κάποιον εκπαιδευτή, παραθέτουμε μερικές ερωτήσεις και απαντήσεις που μπορεί να φανούν βοηθητικές για το ξεκίνημα.

*ΕΡΩΤΗΣΗ:* Η Εκπαίδευση Αποτελεσματικού Γονέα είναι μια ακόμα επιτρεπτική προσέγγιση στην ανατροφή των παιδιών;

*ΑΠΑΝΤΗΣΗ:* Σίγουρα όχι. Οι επιτρεπτικοί γονείς αντιμετωπίζουν τις ίδιες δυσκολίες με τους υπερβολικά αυστηρούς γονείς, γιατί συχνά τα παιδιά τους γίνονται εγωκεντρικά, ατίθασα, μη συνεργάσιμα και αδιάφορα για τις ανάγκες των γονέων τους.

*ΕΡΩΤΗΣΗ:* Μπορεί ο ένας γονέας να εφαρμόσει αυτήν τη νέα προσέγγιση αποτελεσματικά, όταν ο άλλος επιμένει στην παλιά προσέγγιση;

*ΑΠΑΝΤΗΣΗ:* Ναι και όχι. Αν μόνο ο ένας γονέας αρχίσει να εφαρμόζει τη νέα αυτή προσέγγιση, θα υπάρξει κάποια βελτίωση στη σχέση αυτού του γονέα με τα παιδιά. Όμως η σχέση μεταξύ του άλλου γονέα και των παιδιών μπορεί να χειροτερέψει. Είναι επομένως πολύ καλύτερο να μάθουν και οι δύο γονείς τις νέες μεθόδους. Επιπλέον, όταν και οι δύο γονείς προσπαθούν να μάθουν μαζί αυτήν τη νέα προσέγγιση, μπορούν να βοηθήσουν αρκετά ο ένας τον άλλον.

*ΕΡΩΤΗΣΗ:* Μήπως οι γονείς χάσουν την επιρροή τους στα παιδιά με αυτήν τη νέα προσέγγιση; Μήπως παραιτηθούν από την ευθύνη τού να καθοδηγούν και να κατευθύνουν τη ζωή των παιδιών τους;

*ΑΠΑΝΤΗΣΗ:* Καθώς οι γονείς θα διαβάζουν τα πρώτα κεφάλαια, ίσως να σχηματίσουν αυτή την εντύπωση. Ένα βιβλίο αναγκαστικά παρουσιάζει ένα σύστημα βήμα προς βήμα. Τα πρώτα κεφάλαια ασχολούνται με τρόπους παροχής βοήθειας στα παιδιά, ώστε να βρίσκουν *τις δικές τους* λύσεις στα προβλήματα που αυτά *τα ίδια συναντούν.* Σε αυτές τις περιπτώσεις, ο ρόλος του αποτελεσματικού γονέα θα φαίνεται διαφορετικός, πολύ πιο παθητικός ή «μη καθοδηγητικός», σε σχέση με αυτό που έχουν συνηθίσει οι γονείς. Τα παρακάτω κεφάλαια, ωστόσο, ασχολούνται με το πώς να τροποποιήσετε μη αποδεκτές συμπεριφορές των παιδιών και πώς να τα επηρεάσετε, ώστε να ενδιαφέρονται για τις ανάγκες που έχετε ως γονείς. Για τέτοιες καταστάσεις, θα σας παρατεθούν συγκεκριμένοι τρόποι για να γίνετε ακόμη πιο υπεύθυνοι γονείς, και να αποκτήσετε ακόμη μεγαλύτερη επιρροή απ' όση έχετε τώρα. Ίσως σας βοηθούσε, αν κοιτάζατε τον πίνακα περιεχομένων για τα θέματα που καλύπτουν τα παρακάτω κεφάλαια.

Το βιβλίο αυτό διδάσκει στους γονείς μια μάλλον εύκολη στην εκμάθηση μέθοδο ενθάρρυνσης των παιδιών να αναλαμβάνουν την ευθύνη να βρίσκουν τις δικές τους λύσεις στα δικά τους προβλήματα, και δείχνει πώς οι γονείς μπορούν να εφαρμόσουν τη μέθοδο αυτή ευθύς αμέσως στο σπίτι τους. Οι γονείς που την μαθαίνουν (ονομάζεται «Ενεργητική ακρόαση») μπορεί να βιώσουν αυτό που οι γονείς που εκπαιδεύτηκαν στο πρόγραμμα έχουν περιγράψει ως εξής:

> «Είναι μεγάλη ανακούφιση να μη σκέπτομαι ότι πρέπει να έχω όλες τις λύσεις στα προβλήματα των παιδιών μου».
>
> «Η Εκπαίδευση Αποτελεσματικού Γονέα με έκανε να έχω πολύ μεγαλύτερη εμπιστοσύνη στην ικανότητα των παιδιών μου να λύνουν μόνα τους τα προβλήματά τους».
>
> «Έμεινα έκπληκτη διαπιστώνοντας πόσο αποτελεσματικά λειτουργεί η Ενεργητική ακρόαση. Τα παιδιά μου βρίσκουν λύσεις στα προβλήματά τους, που συχνά είναι πολύ καλύτερες από οποιαδήποτε λύση θα μπορούσα να τους δώσω εγώ».
>
> «Νομίζω ότι πάντα ένιωθα πολύ άβολα να παίζω τον ρόλο του Θεού, καθώς θεωρούσα ότι θα έπρεπε να γνωρίζω τι πρέπει να κάνουν τα παιδιά μου, όταν έχουν προβλήματα».

Σήμερα, χιλιάδες έφηβοι έχουν «απολύσει» τους γονείς τους και μάλιστα για σοβαρούς λόγους, όπως πιστεύουν οι ίδιοι.

«Η μαμά μου δεν καταλαβαίνει τα παιδιά της ηλικίας μου».
«Σιχαίνομαι να γυρίζω σπίτι και να μου κάνουν διάλεξη κάθε βράδυ».
«Ποτέ δεν λέω τίποτα στους γονείς μου. Και να το έκανα, δεν θα καταλάβαιναν».
«Θέλω ο μπαμπάς μου να μ' αφήσει ήσυχο».
«Μόλις μπορέσω, θα φύγω από το σπίτι. Δεν αντέχω να μου κολλάνε για τα πάντα».

Οι γονείς των παιδιών αυτών γνωρίζουν συνήθως πολύ καλά ότι έχουν χάσει την επιρροή τους, όπως φαίνεται από τις παρακάτω δηλώσεις, που έγιναν στις τάξεις μας της Εκπαίδευσης:

«Δεν έχω πια καμιά απολύτως επιρροή στον δεκαεξάχρονο γιο μου».
«Έχουμε σηκώσει τα χέρια ψηλά με τη Σάλι».
«Ο Ρίκι δεν τρώει πια μαζί μας, και σπανίως μάς απευθύνει τον λόγο. Τώρα θέλει να φτιάξει δωμάτιο στο γκαράζ».
«Ο Μαρκ ποτέ δεν είναι στο σπίτι. Και ποτέ δεν μου λέει πού πηγαίνει ή τι κάνει. Αν τον ρωτήσω καμιά φορά, μου απαντάει ότι δεν με αφορά».

Προσωπικά θεωρώ τραγικό το ότι μία από τις δυνητικά πιο στενές και πιο ικανοποιητικές σχέσεις στη ζωή μας, πολύ συχνά δημιουργεί τόσο αρνητικά συναισθήματα. Γιατί τόσο πολλοί έφηβοι φθάνουν στο σημείο να βλέπουν τους γονείς τους σαν τον «εχθρό»; Γιατί υπάρχει τέτοιο χάσμα γενεών ανάμεσα στους γονείς και τα παιδιά; Γιατί γονείς και παιδιά στην κοινωνία μας βρίσκονται κυριολεκτικά σε πόλεμο μεταξύ τους;

Το κεφάλαιο 14 ασχολείται με αυτές τις ερωτήσεις και δείχνει γιατί δεν είναι αναγκαίο για τα παιδιά να εναντιώνονται και να επαναστατούν ενάντια στους γονείς τους. Η Εκπαίδευση Αποτελεσματικού Γονέα *είναι επαναστατική, δεν είναι όμως μια μέθοδος που προκαλεί επανάσταση*. Αντίθετα, είναι μια μέθοδος που μπορεί να βοηθήσει τους γονείς να μην απορριφθούν απ' τα παιδιά τους, μια μέθοδος που μπορεί να προλάβει τον πόλεμο στο σπίτι και να φέρει πιο κοντά τους γονείς και τα παιδιά, αντί να τους εναντιώνει μεταξύ τους, σαν εχθρικούς ανταγωνιστές.

Γονείς που αρχικά μπορεί να τείνουν να απορρίψουν τις μεθόδους μας ως υπερβολικά επαναστατικές, μπορεί να βρουν το κίνητρο να τις μελετήσουν με ανοιχτό μυαλό, αν διαβάσουν το παρακάτω απόσπασμα από μια ιστορία που μας διηγήθηκαν μια μητέρα κι ένας πατέρας μετά την ολοκλήρωση του προγράμματος.

«Ο Μπιλ στα δεκάξι του ήταν το μεγαλύτερό μας πρόβλημα. Είχε αποξενωθεί. Είχε γίνει ατίθασος και τελείως ανεύθυνος. Είχε αρχίσει να αποτυγχάνει στα μαθήματα στο σχολείο. Ποτέ δεν ερχόταν στο σπίτι τις συμφωνημένες ώρες, παρουσιάζοντας ως δικαιολογίες σκασμένα λάστιχα, σπασμένα ρολόγια και άδεια ντεπόζιτα βενζίνης. Τον κατασκοπεύσαμε και είδαμε ότι έλεγε ψέματα. Τον τιμωρήσαμε. Του πήραμε την άδεια οδήγησης. Του κόψαμε το χαρτζιλίκι. Οι συζητήσεις μας ήταν γεμάτες αλληλοκατηγόριες. Δεν είχαμε κανένα αποτέλεσμα. Μετά από μια βίαιη διένεξη, ξάπλωσε στο πάτωμα της κουζίνας, κλοτσούσε, τσίριζε και φώναζε ότι τρελαινόταν. Τότε γραφτήκαμε στο πρόγραμμα για γονείς του δρ. Gordon. Η αλλαγή δεν ήλθε αμέσως... Ποτέ δεν είχαμε νιώσει σαν μια μονάδα, μια ζεστή, αγαπημένη, γεμάτη πραγματικό ενδιαφέρον οικογένεια. Αυτό επιτεύχθηκε μόνο μετά από μεγάλες αλλαγές στη στάση μας και τις αξίες μας... Αυτή η νέα ιδέα, να είσαι πρόσωπο –ένα δυνατό, ξεχωριστό πρόσωπο, που να εκφράζει τις αξίες του, αλλά να μην τις επιβάλλει στον άλλον, και να λειτουργεί ως θετικό πρότυπο– αυτό ήταν το κρίσιμο σημείο. Αποκτήσαμε πολύ μεγαλύτερη επιρροή... Από την επανάσταση και τα ξεσπάσματα θυμού, από την αποτυχία στο σχολείο ο Μπιλ άλλαξε κι έγινε ένα ανοιχτό, φιλικό, στοργικό πρόσωπο, που αποκαλεί του γονείς του «δύο από τα αγαπημένα μου πρόσωπα»... Τελικά επέστρεψε στην οικογένεια... Έχω μια σχέση μαζί του που ποτέ δεν θεωρούσα δυνατή, γεμάτη αγάπη, εμπιστοσύνη και ανεξαρτησία. Έχει κινητοποιηθεί πολύ εσωτερικά και, όταν ο καθένας από εμάς κάνει το ίδιο, πραγματικά ζούμε και αναπτυσσόμαστε ως οικογένεια».

Οι γονείς που μαθαίνουν να χρησιμοποιούν τους νέους μας τρόπους έκφρασης των συναισθημάτων τους δεν κινδυνεύουν να μεγαλώσουν ένα παιδί σαν το δεκαεξάχρονο αγόρι που ήρθε στο γραφείο μου και μου ανακοίνωσε ξεκάθαρα:

«Δεν είμαι υποχρεωμένος να κάνω τίποτα στο σπίτι. Γιατί θα έπρεπε; Είναι καθήκον των γονιών μου να με φροντίζουν. Είναι υποχρεωμένοι από τον νόμο να το κάνουν. Δεν τους ζήτησα εγώ να γεννηθώ, έτσι δεν είναι;»

Όταν άκουσα αυτά που είπε ο νεαρός, και τα οποία ασφαλώς πίστευε, το μόνο που μπορούσα να σκεφτώ ήταν: «Τι είδους ανθρώπους δημιουργούμε, αν τα παιδιά έχουν το δικαίωμα να μεγαλώνουν με την εντύπωση ότι ο κόσμος τούς χρωστάει τόσο πολλά, μολονότι αυτά ανταποδίδουν τόσο λίγα; Τι είδους πολίτες στέλνουν οι γονείς στον κόσμο; Τι είδους κοινωνία θα φτιάξουν αυτά τα εγωκεντρικά πλάσματα;»

Όλοι σχεδόν οι γονείς μπορούν να καταταχθούν χονδρικά σε τρεις κατηγορίες: τους «νικητές», τους «ηττημένους» και τους «αμφιταλαντευόμενους». Οι γονείς της πρώτης κατηγορίας υπερασπίζονται σθεναρά και δικαιολογούν πειστικά το δικαίωμά τους να ασκούν εξουσία ή δύναμη στο παιδί τους. Πιστεύουν στον περιορισμό, στη θέσπιση ορίων, στην απαίτηση συγκεκριμένων συμπεριφορών, στην έκδοση διαταγών, καθώς και στην απαίτηση υπακοής. Χρησιμοποιούν απειλές τιμωρίας για να κάνουν το παιδί να υπακούσει, και επιβάλλουν τιμωρίες, όταν το παιδί δεν υπακούει. Όταν υπάρχει σύγκρουση μεταξύ των αναγκών των γονέων και εκείνων του παιδιού, οι γονείς αυτοί πάντοτε επιλύουν τη σύγκρουση κατά τέτοιον τρόπο, ώστε *ο γονέας να κερδίζει και το παιδί να χάνει.* Γενικά, τέτοιοι γονείς εκλογικεύουν τη «νίκη» τους με στερεότυπο σκεπτικό, όπως: «Έτσι με ανάθρεψαν οι γονείς μου και βγήκα πολύ καλός/ή», «Είναι για το καλό του παιδιού», «Τα παιδιά πραγματικά χρειάζονται τη γονεϊκή εξουσία» ή απλώς με την αόριστη άποψη ότι «Είναι ευθύνη των γονέων να χρησιμοποιούν την εξουσία τους για το καλό του παιδιού, επειδή οι γονείς γνωρίζουν καλύτερα τι είναι σωστό και τι λάθος».

Η δεύτερη κατηγορία γονέων, κάπως μικρότερη αριθμητικά από την κατηγορία των «νικητών», αφήνουν στα παιδιά τους μεγάλη ελευθερία τις περισσότερες φορές. Συνειδητά αποφεύγουν να θέτουν όρια και παραδέχονται με υπερηφάνεια ότι αποφεύγουν εντελώς τις αυταρχικές μεθόδους. Όταν δημιουργείται σύγκρουση μεταξύ των αναγκών του γονέα και εκείνων του παιδιού, σχεδόν σταθερά *το παιδί κερδίζει και ο γονέας χάνει,* γιατί αυτοί οι γονείς πιστεύουν ότι είναι επιζήμιο να ματαιώνονται οι ανάγκες του παιδιού.

Ίσως η μεγαλύτερη κατηγορία γονέων είναι αυτοί που βρίσκουν ότι είναι αδύνατο να ακολουθούν σταθερά τη μία ή την άλλη από τις δύο παραπάνω προσεγγίσεις. Συνεπώς, στην προσπάθειά τους να επιτύχουν τη σωστή αναλογία που να συνδυάζει και τα δύο, αμφιταλαντεύονται ανάμεσα στην αυστηρότητα και την επιείκεια, τη σκληρότητα και την ανεκτικότητα, την απαγόρευση και την επιτρεπτικότητα, τη νίκη και την ήττα. Όπως μας είπε μια μητέρα:

> «Προσπαθώ να είμαι επιτρεπτική με τα παιδιά μου, μέχρι που γίνονται τόσο άτακτα, που δεν μπορώ να τα υποφέρω άλλο. Τότε αισθάνομαι ότι πρέπει να αλλάξω και αρχίζω να χρησιμοποιώ την εξουσία μου, μέχρι που γίνομαι τόσο αυστηρή, που δεν μπορώ να υποφέρω τον εαυτό μου».

Οι γονείς που μοιράστηκαν μαζί μας τέτοιου είδους συναισθήματα σε μια από τις τάξεις του προγράμματος, αναφέρονταν χωρίς να το συνειδητοποιούν στον μεγάλο αριθμό των γονέων που ανήκουν στην «αμφιταλαντευόμενη ομάδα». Αυτοί είναι οι γονείς που προφανώς είναι οι περισσότερο μπερδεμένοι και αβέβαιοι, και των οποίων τα παιδιά, όπως θα δούμε αργότερα, είναι συχνά τα πιο προβληματικά.

Το μεγαλύτερο δίλημμα των σημερινών γονέων είναι ότι βλέπουν μόνο δύο προσεγγίσεις στον χειρισμό των συγκρούσεων στο σπίτι – συγκρούσεων που είναι αναπόφευκτες μεταξύ γονέων και παιδιών. Δεν βλέπουν παρά μόνο δύο εναλλακτικές μεθόδους στην ανατροφή των παιδιών. Μερικοί επιλέγουν την προσέγγιση «Εγώ κερδίζω - εσύ χάνεις», άλλοι το «Εσύ κερδίζεις - εγώ χάνω», ενώ ορισμένοι προφανώς δεν μπορούν να αποφασίσουν μεταξύ των δύο.

Οι γονείς στην Εκπαίδευση μαθαίνουν έκπληκτοι ότι υπάρχει και μια άλλη εναλλακτική μέθοδος στις δύο μεθόδους «νίκης-ήττας». Την ονομάζουμε μέθοδο επίλυσης συγκρούσεων «μη ήττας» και το να βοηθήσουμε τους γονείς να μάθουν πώς να τη χρησιμοποιούν αποτελεσματικά αποτελεί έναν από τους κύριους σκοπούς του προγράμματος. Μολονότι αυτή η μέθοδος χρησιμοποιείται εδώ και πολλά χρόνια στην επίλυση άλλων συγκρούσεων, ελάχιστοι γονείς έχουν σκεφτεί ποτέ τη μέθοδο αυτή ως μέθοδο επίλυσης των συγκρούσεων γονέων-παιδιών.

Πολλοί σύζυγοι επιλύουν τις μεταξύ τους συγκρούσεις με αμοιβαία επίλυση του προβλήματος. Το ίδιο κάνουν και οι συνέταιροι στις επιχειρήσεις. Τα εργατικά συνδικάτα και η εργοδοσία διαπραγματεύονται συμβόλαια που δεσμεύουν και τους δύο. Τα περιουσιακά ζητήματα στα διαζύγια συχνά ρυθμίζονται με κοινή, συναινετική απόφαση. Ακόμη και τα παιδιά συχνά επιλύουν τις συγκρούσεις τους με αμοιβαία συμφωνία ή ανεπίσημα συμβόλαια, που γίνονται αποδεκτά και από τα δύο μέρη («Αν εσύ κάνεις αυτό, τότε δέχομαι να κάνω κι εγώ εκείνο»). Με αυξανόμενη συχνότητα, οι επιχειρήσεις εκπαιδεύουν τα στελέχη τους να χρησιμοποιούν συμμετοχικές διαδικασίες στη λήψη αποφάσεων για την επίλυση των συγκρούσεων.

Η μέθοδος «μη ήττας» δεν είναι ούτε τέχνασμα ούτε ο γρήγορος δρόμος για την αποτελεσματικότητα του γονέα, κι απαιτεί μια μάλλον βασική αλλαγή στη νοοτροπία των περισσότερων γονέων απέναντι στα παιδιά τους. Απαιτεί χρόνο για να χρησιμοποιηθεί στην οικογένεια και προϋποθέτει ότι οι γονείς θα έχουν μάθει πρώτα τις δεξιότητες της ακρόασης που δεν αξιολογεί και της ειλικρινούς επικοινωνίας των συναισθημάτων τους. Γι' αυτό, η μέθοδος της «μη ήττας» περιγράφεται και παρουσιάζεται αρκετά αργότερα στο βιβλίο.

Η θέση της στο βιβλίο, ωστόσο, δεν αντανακλά την πραγματική αξία της μεθόδου «μη ήττας» στη συνολική μας προσέγγιση στην ανατροφή των παιδιών. Στην πραγματικότητα, αυτή η νέα μέθοδος δημιουργίας πειθαρχίας στο σπίτι μέσω αποτελεσματικής διαχείρισης της σύγκρουσης αποτελεί την καρδιά και την ψυχή της φιλοσοφίας μας. Είναι το σημαντικότερο κλειδί της αποτελεσματικότητας των γονέων. Όσοι γονείς αφιερώσουν τον χρόνο που χρειάζεται για να την κατανοήσουν και στη συνέχεια να την εφαρμόσουν συνειδητά στο σπίτι, ως εναλλακτική μέθοδο στις δύο μεθόδους «νίκης-ήττας», ανταμείβονται πλουσιοπάροχα, συνήθως πολύ περισσότερο απ' όσο ελπίζουν και προσδοκούν.

# 2

## Οι γονείς είναι άνθρωποι, όχι θεοί

Όταν οι άνθρωποι γίνονται γονείς, κάτι παράξενο και ατυχές συμβαίνει. Αρχίζουν να αναλαμβάνουν ή να υποδύονται ένα ρόλο και ξεχνούν ότι είναι πρόσωπα. Τώρα που έχουν εισέλθει στον ιερό γονεϊκό κόσμο αισθάνονται ότι πρέπει να ενδυθούν τον μανδύα των «γονέων». Προσπαθούν ειλικρινά να συμπεριφερθούν με συγκεκριμένους τρόπους, γιατί έτσι πιστεύουν ότι πρέπει να συμπεριφέρονται οι γονείς. Η Χέδερ και ο Τζέιμς Μάρκινσον, δύο ανθρώπινα όντα, ξαφνικά μεταμορφώνονται σε κύριο και κυρία Μάρκινσον, γονείς.

Η μεταμόρφωση αυτή είναι ατυχής, γιατί πολύ συχνά έχει ως αποτέλεσμα να ξεχνούν οι γονείς ότι εξακολουθούν να είναι άνθρωποι με ανθρώπινες αδυναμίες, άτομα με προσωπικούς περιορισμούς, πραγματικοί άνθρωποι με πραγματικά συναισθήματα. Ξεχνώντας την ανθρώπινη υπόστασή τους, όταν οι άνθρωποι γίνονται γονείς, συχνά παύουν να είναι ανθρώπινοι. Δεν αισθάνονται πλέον ελεύθεροι να είναι ο εαυτός τους, να εκφράζουν αυτό που αισθάνονται στις διάφορες στιγμές. Ως γονείς πλέον, έχουν καθήκον να είναι κάτι καλύτερο από απλά πρόσωπα.

Αυτό το τρομερό φορτίο ευθύνης είναι μια πρόκληση γι' αυτά τα άτομα που μετατρέπονται σε γονείς. Αισθάνονται ότι τα συναισθήματά τους πρέπει πάντοτε να είναι στοργικά απέναντι στα παιδιά τους, να είναι άνευ όρων αποδεκτικοί και ανεκτικοί, να βάζουν στην άκρη τις δικές τους εγωιστικές ανάγκες και να θυσιάζονται για τα παιδιά τους, να είναι πάντοτε δίκαιοι και, πάνω απ' όλα, να μην κάνουν τα σφάλματα των δικών τους γονέων.

Αν και οι καλές αυτές προθέσεις είναι κατανοητές και αξιοθαύμαστες, συνήθως κάνουν τους γονείς λιγότερο παρά περισσότερο αποτελεσματικούς. Το πρώτο σοβαρό σφάλμα που μπορεί να κάνει κανείς, όταν γίνεται γονέας, είναι να ξεχάσει ότι είναι κι αυτός άνθρωπος. Ο αποτελεσματικός γονέας επιτρέπει στον εαυτό του να είναι ένα πρόσωπο – ένα αληθινό πρόσωπο. Τα παιδιά εκτιμούν βαθύτατα αυτή την ιδιότητα του αληθινού και του ανθρώπινου στους γονείς τους. Συχνά μάλιστα το λένε: «Ο πατέρας μου δεν είναι *δήθεν*» ή «Η μητέρα μου είναι φοβερό *άτομο*». Καθώς μπαίνουν στην εφηβεία, τα παιδιά μερικές φορές λένε: «Οι γονείς μου είναι περισσότερο σαν *φίλοι* παρά γονείς. Είναι χαλαροί τύποι. Κάνουν λάθη, όπως όλοι, αλλά μου αρέσουν έτσι όπως είναι».

Τι μας λένε αυτά τα παιδιά; Είναι πολύ εμφανές ότι θέλουν να είναι οι γονείς τους άνθρωποι, όχι θεοί. Αντιδρούν θετικά στους γονείς, όταν αυτοί είναι ανθρώπινοι και όχι ηθοποιοί που παίζουν κάποιο ρόλο, που υποκρίνονται κάτι που δεν είναι.

Πώς μπορούν οι γονείς να *είναι* πρόσωπα για τα παιδιά τους; Πώς μπορούν να διατηρήσουν την ποιότητα της γνησιότητας στον γονεϊκό τους ρόλο; Σε αυτό το κεφάλαιο θέλουμε να δείξουμε στους γονείς ότι δεν είναι απαραίτητο να απαρνηθούν την ανθρώπινη υπόστασή τους για να γίνουν αποτελεσματικοί γονείς. Μπορείτε να αποδεχτείτε τον εαυτό σας ως ένα πρόσωπο που έχει θετικά αλλά και αρνητικά συναισθήματα απέναντι στα παιδιά του. *Ούτε πρέπει να είστε πάντα συνεπείς για να είστε αποτελεσματικοί γονείς.* Δεν χρειάζεται να υποκρίνεστε ότι έχετε συναισθήματα αποδοχής ή στοργής για ένα παιδί, όταν στην πραγματικότητα δεν αισθάνεστε έτσι. Επίσης, δεν είστε υποχρεωμένοι να έχετε τα ίδια συναισθήματα στοργής και αποδοχής προς όλα τα παιδιά σας. Τέλος, δεν είναι ανάγκη να έχετε με τον σύντροφό σας ενιαίο μέτωπο στις σχέσεις σας με τα παιδιά. Αντίθετα, είναι σημαντικό να μάθετε να αναγνωρίζετε τι είναι αυτό που *αισθάνεστε*. Διαπιστώσαμε ότι τα διαγράμματα βοηθάνε τους γονείς να αναγνωρίζουν τι αισθάνονται και τι τους κάνει να αισθάνονται διαφορετικά σε διαφορετικές καταστάσεις.

## Η έννοια της αποδοχής

Όλοι οι γονείς είναι πρόσωπα που πότε πότε έχουν δύο διαφορετικά είδη συναισθημάτων απέναντι στα παιδιά τους: αποδοχής και μη αποδοχής. Οι γονείς που είναι «αληθινά πρόσωπα» άλλοτε νιώθουν ότι αποδέχονται αυτά που κάνει το παιδί και άλλοτε όχι.

Η συμπεριφορά είναι κάτι που το παιδί σας κάνει ή λέει. Δεν είναι *η κρίση σας* για τη συμπεριφορά του. Για παράδειγμα, ένα παιδί που αφήνει τα ρούχα του στο πάτωμα εκδηλώνει μια συμπεριφορά. Το να το χαρακτηρίζετε ως «τσαπατσούλικο» είναι μια κρίση της συμπεριφοράς αυτής.

Όλες οι πιθανές συμπεριφορές του παιδιού σας –όλα όσα θα μπορούσε πιθανόν να πει ή να κάνει– μπορούν να αναπαρασταθούν με ένα ορθογώνιο ή, όπως το αποκαλώ, με το Παράθυρο της συμπεριφοράς.

Όλες
οι
πιθανές
συμπεριφορές
του
παιδιού
σας

Προφανώς, κάποιες από τις συμπεριφορές του παιδιού μπορείτε να τις αποδεχτείτε εύκολα, ενώ κάποιες άλλες όχι. Μπορείτε να αναπαραστήσετε αυτήν τη διαφορά χωρίζοντας το ορθογώνιο σε μια *περιοχή αποδοχής* και μια *περιοχή μη αποδοχής*. Τοποθετούμε όλες τις αποδεκτές συμπεριφορές στο πάνω μέρος του παραθύρου και όλες τις μη αποδεκτές συμπεριφορές στο κάτω μέρος.

Αποδεκτές
συμπεριφορές

Μη αποδεκτές
συμπεριφορές

Η παρακολούθηση τηλεόρασης από το παιδί σας το Σάββατο το πρωί, συμπεριφορά που σας επιτρέπει να κάνετε ανενόχλητα τις δουλειές του σπιτιού, μπορεί να είναι μια αποδεκτή συμπεριφορά. Αν το παιδί σας έχει τον ήχο τόσο δυνατά, ώστε να σας τρελαίνει, τότε η συμπεριφορά αυτή είναι μη αποδεκτή.

Προφανώς η γραμμή που χωρίζει τα δύο μέρη του ορθογωνίου θα μετατοπίζεται, ανάλογα με τους γονείς. Μια μητέρα μπορεί να βρίσκει ελάχιστες συμπεριφορές του παιδιού της μη αποδεκτές και συνεπώς πολύ συχνά να αισθάνεται ζεστά και αποδεκτικά ως προς το παιδί της.

Αποδεκτές
συμπεριφορές

Μη αποδεκτές
συμπεριφορές

**Ένας σχετικά «αποδεκτικός» γονέας**

Μια άλλη μητέρα μπορεί να βρίσκει πολλές από τις συμπεριφορές του παιδιού της μη αποδεκτές, και πολύ *σπάνια* να είναι σε θέση να αισθάνεται ζεστά και αποδεκτικά ως προς το παιδί της.

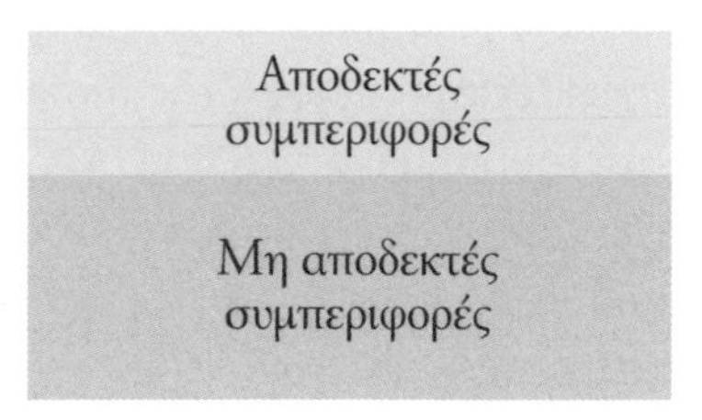


**Ένας σχετικά «μη αποδεκτικός» γονέας**

Το πόσο αποδεκτικός είναι ένας γονέας προς ένα παιδί εξαρτάται *εν μέρει* από το πώς λειτουργεί ο ίδιος ο γονέας ως άνθρωπος. Μερικοί γονείς, εξαιτίας του χαρακτήρα τους και μόνο, έχουν τη δυνατότητα να είναι πολύ αποδεκτικοί με τα παιδιά τους. Είναι πολύ ενδιαφέρον το ότι τέτοιοι γονείς συνήθως είναι αποδεκτικοί γενικότερα με τους ανθρώπους. Η αποδεκτικότητα είναι χαρακτηριστικό της προσωπικότητάς τους – της εσωτερικής τους σιγουριάς, του υψηλού επιπέδου ανεκτικότητάς τους, του γεγονότος ότι συμπαθούν τον εαυτό τους, του γεγονότος ότι τα συναισθήματά τους για τον εαυτό τους δεν εξαρτώνται διόλου απ' όσα συμβαίνουν γύρω τους και μιας σειράς άλλων τέτοιων χαρακτηριστικών της προσωπικότητάς τους. Ο καθένας μας έχει γνωρίσει τέτοιους ανθρώπους· μολονότι μπορεί να μη γνωρίζετε τι τους διαμόρφωσε έτσι, τους θεωρείτε «αποδεκτικά άτομα». Νιώθετε άνετα κοντά σε τέτοια άτομα: Μπορείτε να τους μιλήσετε ανοιχτά, να αφήσετε τον εαυτό σας ελεύθερο. Μπορείτε να είστε ο εαυτός σας.

Άλλοι γονείς, ως άτομα, είναι σαφώς μη αποδεκτικοί προς τους άλλους. Θεωρούν, με κάποιον τρόπο, τις περισσότερες συμπεριφορές των άλλων μη αποδεκτές. Αν τους παρατηρήσετε με τα παιδιά τους, μπορεί να απορήσετε γιατί τόσο πολλές συμπεριφορές, που σε εσάς φαίνονται αποδεκτές, είναι γι' αυτούς μη αποδεκτές. Μέσα σας μπορεί να λέτε: «Ελάτε πια, αφήστε τα παιδιά ήσυχα, δεν ενοχλούν κανέναν!»

Συχνά αυτοί οι άνθρωποι έχουν πολύ αυστηρές και άκαμπτες απόψεις ως προς το πώς «πρέπει» να συμπεριφέρονται οι άλλοι, ποια συμπεριφορά είναι «καλή» και ποια «κακή», όχι μόνο για τα παιδιά αλλά για τον καθένα. Ίσως να αισθάνεστε απροσδιόριστα άβολα κοντά σε τέτοιους ανθρώπους, πιθανόν επειδή έχετε αμφιβολίες για το κατά πόσο σας αποδέχονται.

Πρόσφατα, παρατηρούσα μια μητέρα με τους δύο μικρούς της γιους σε ένα σουπερμάρκετ. Κατά τη γνώμη μου τα αγόρια συμπεριφέρονται μάλλον καλά. Δεν έκαναν φασαρία ούτε δημιουργούσαν κανένα πρόβλημα. Και όμως, η μητέρα αυτή έλεγε συνεχώς στα αγόρια τι να κάνουν και τι να μην κάνουν: «Ελάτε εδώ δίπλα μου, τώρα», «Μην αγγίζετε το καρότσι», «Θα κουνηθείτε; Κλείνετε τον δρόμο», «Κάντε γρήγορα», «Μην αγγίζετε τα τρόφιμα», «Αφήστε κάτω τις σακούλες». Ήταν σαν αυτή η μητέρα να μην μπορούσε να αποδεχτεί *τίποτε* από αυτά που έκαναν τα παιδιά.

Μολονότι η γραμμή που χωρίζει την περιοχή της αποδοχής από εκείνη της μη αποδοχής εν μέρει επηρεάζεται από παράγοντες που συνδέονται *αποκλειστικά με τον γονέα*, ο βαθμός της αποδοχής καθορίζεται επίσης και από *το παιδί*. Είναι πιο δύσκολο να αισθάνεται κανείς αποδεκτικά προς ορισμένα παιδιά, καθώς αυτά μπορεί να είναι ιδιαίτερα επιθετικά και ζωηρά ή να εμφανίζουν χαρακτηριστικά που κάποιος δεν συμπαθεί ιδιαίτερα. Ένα παιδί που αρχίζει τη ζωή του με αρρώστιες ή που δεν πηγαίνει εύκολα για ύπνο ή που κλαίει συχνά ή έχει κολικούς, είναι κατανοητό πως σίγουρα θα γινόταν πιο δύσκολα αποδεκτό από τους περισσότερους γονείς.

Η άποψη που υποστηρίζεται σε πολλά βιβλία και άρθρα γραμμένα για γονείς, ότι ένας γονέας θα πρέπει να αισθάνεται το ίδιο αποδεκτικός απέναντι σε κάθε του παιδί, δεν είναι μόνο εσφαλμένη, αλλά έχει κάνει πολλούς γονείς να νιώθουν ένοχοι, όταν βιώνουν διαφορετικά επίπεδα αποδοχής απέναντι στα παιδιά τους. Οι περισσότεροι άνθρωποι εύκολα θα συμφωνούσαν ότι έχουν διαφορετικά επίπεδα αποδοχής για τους ενήλικες που γνωρίζουν. Γιατί θα έπρεπε να ισχύει κάτι άλλο για το πώς αισθάνονται προς τα παιδιά;

Το γεγονός ότι η αποδοχή των γονέων ενός συγκεκριμένου παιδιού επηρεάζεται από τα χαρακτηριστικά του παιδιού αυτού μπορεί να σχηματοποιηθεί ως εξής:

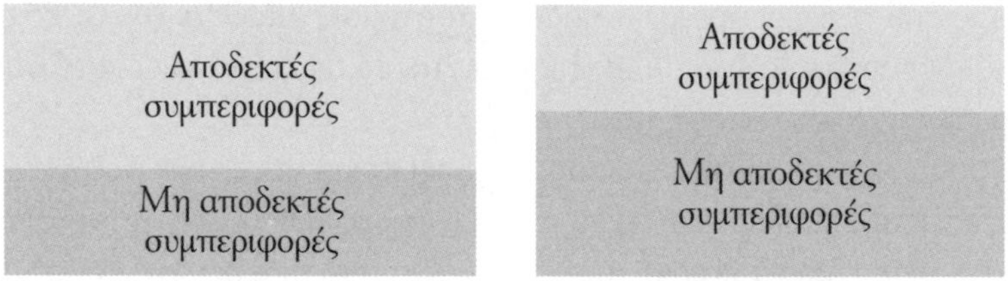

| Γονείς με παιδί Α | Γονείς με παιδί Β |
|---|---|
| Αποδεκτές συμπεριφορές | Αποδεκτές συμπεριφορές |
| Μη αποδεκτές συμπεριφορές | Μη αποδεκτές συμπεριφορές |

Μερικοί γονείς βρίσκουν ευκολότερο να ανεχτούν τα κορίτσια παρά τα αγόρια, και άλλοι το αντίθετο. Για μερικούς γονείς τα πολύ κινητικά παιδιά γίνονται δύσκολα αποδεκτά. Τα παιδιά που επιδεικνύουν έντονη περιέργεια και τους αρέσει να εξερευνούν πολλά πράγματα μόνα τους γίνονται δυσκολότερα αποδεκτά από μερικούς γονείς από ό,τι τα παιδιά που είναι περισσότερο παθητικά και εξαρτημένα. Έχω γνωρίσει κάποια παιδιά που, χωρίς να καταλαβαίνω γιατί, είχαν τέτοια χάρη και γοητεία, που είχα την αίσθηση ότι θα μπορούσα να αποδεχτώ σχεδόν οτιδήποτε κι αν έκαναν. Είχα επίσης την ατυχία να συναντήσω κάποια παιδιά που η παρουσία τους στον χώρο μού ήταν δυσάρεστη, και μεγάλο μέρος της συμπεριφοράς αυτών των παιδιών μού φαινόταν μη αποδεκτή.

Ένα άλλο γεγονός μεγάλης σημασίας είναι ότι η διαχωριστική γραμμή μεταξύ της αποδοχής και της μη αποδοχής δεν παραμένει σταθερή, αλλά μετακινείται προς τα πάνω και προς τα κάτω. Επηρεάζεται από πολλούς παράγοντες, συμπεριλαμβανομένης της διάθεσης του γονέα εκείνη τη στιγμή, καθώς και από την κατάσταση στην οποία βρίσκονται ο γονέας και το παιδί.

Ένας γονέας που σε μια συγκεκριμένη στιγμή αισθάνεται ενεργητικός, υγιής και ευχαριστημένος με τον εαυτό του είναι πολύ πιθανόν ότι θα αποδέχεται τις περισσότερες από τις συμπεριφορές του παιδιού του. Ελάχιστα πράγματα από αυτά που κάνει το παιδί ενοχλούν ένα γονέα, όταν αισθάνεται ωραία με τον εαυτό του.

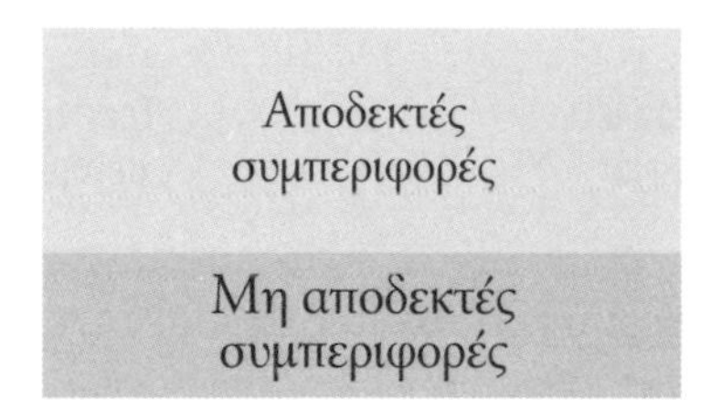


**Γονέας που αισθάνεται ωραία με τον εαυτό του**

Όταν ο γονέας αισθάνεται εξαντλημένος, γιατί του λείπει ύπνος ή έχει πονοκέφαλο ή είναι εξοργισμένος με τον εαυτό του, πολλά πράγματα από αυτά που κάνει το παιδί θα μπορούσαν να τον ενοχλήσουν.

Αυτή η ασυνέπεια μπορεί να παρασταθεί ως εξής:

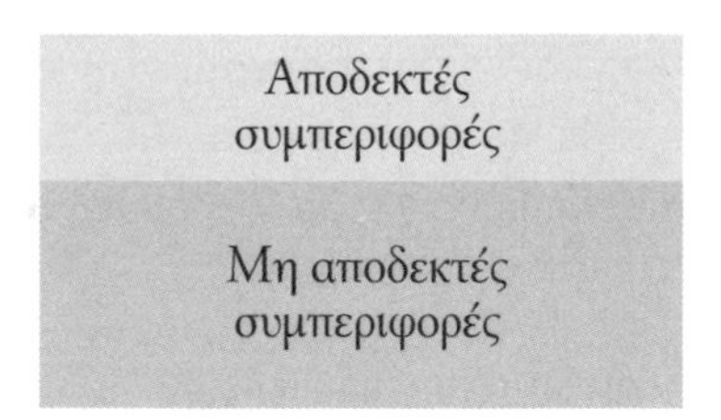


**Γονέας που αισθάνεται άσχημα με τον εαυτό του**

Επίσης, τα συναισθήματα αποδοχής του γονέα μεταβάλλονται από τη μία κατάσταση στην άλλη. Όλοι οι γονείς παραδέχονται ότι συνήθως είναι πολύ λιγότερο αποδεκτικοί απέναντι στις συμπεριφορές των παιδιών τους, όταν η οικογένεια επισκέπτεται τους φίλους, παρά όταν είναι μόνοι στο σπίτι τους. Παρατηρήστε, επίσης, πώς το επίπεδο ανοχής των γονέων για τη συμπεριφορά των παιδιών τους αλλάζει ξαφνικά, όταν έρχονται επίσκεψη ο παππούς με τη γιαγιά!

Θα πρέπει συχνά να προκαλεί σύγχυση στα παιδιά το γεγονός ότι οι γονείς τους θυμώνουν με τους τρόπους τους στο τραπέζι, όταν κάνουν κάποια επίσκεψη, μολονότι οι ίδιοι τρόποι γίνονται αποδεκτοί, όταν η οικογένεια βρίσκεται στο σπίτι της.

Αυτή η ασυνέπεια μπορεί να παρασταθεί ως εξής:

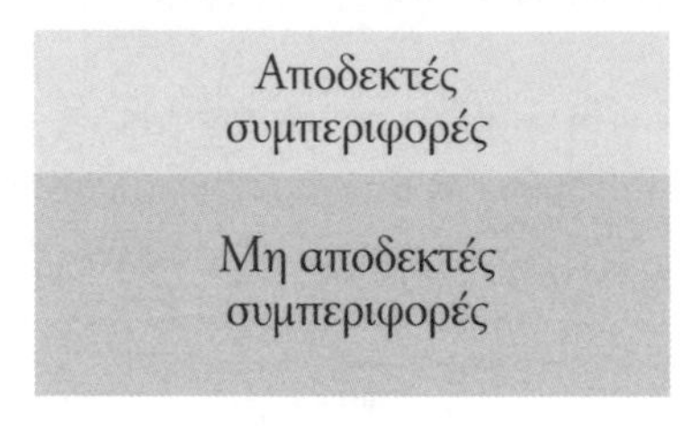


**Τρόποι στο τραπέζι με συντροφιά**

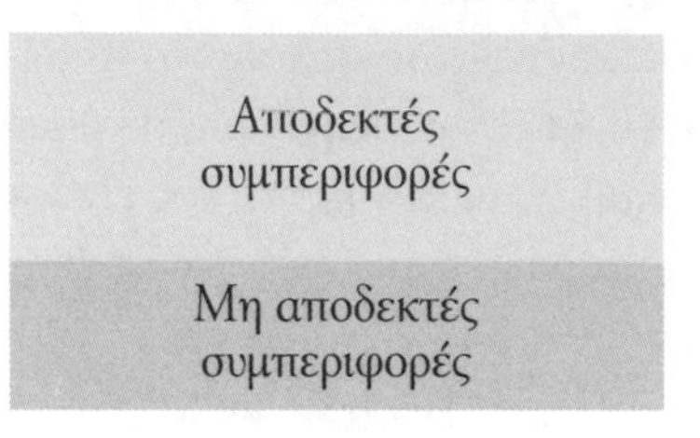


**Τρόποι στο τραπέζι με την οικογένεια**

Η ύπαρξη δύο γονέων περιπλέκει ακόμη περισσότερο την εικόνα της αποδοχής στην οικογένεια. Κατ' αρχάς, συχνά ο ένας γονέας είναι πιο αποδεκτικός από τον άλλον.

> Ο Τζακ, ένα δυνατό, δραστήριο πεντάχρονο αγόρι, παίρνει μια μπάλα και αρχίζει να την πετά στον αδελφό του στο σαλόνι. Η μητέρα γίνεται έξω φρενών και το θεωρεί εντελώς απαράδεκτο, γιατί φοβάται μήπως ο Τζακ σπάσει κάτι στο σαλόνι. Ο πατέρας, όμως, όχι μόνο αποδέχεται αυτήν τη συμπεριφορά, αλλά και λέει με περηφάνια: «Κοίτα τον Τζακ, θα γίνει μεγάλος παίκτης. Κοίτα τι πάσα έδωσε!» Επιπλέον, το όριο αποδοχής κάθε γονέα μετατοπίζεται σε διαφορετικές στιγμές, ανάλογα με την περίπτωση και την κατάσταση, στην οποία βρίσκεται. Επομένως δεν είναι δυνατόν μια μητέρα και ένας πατέρας να αισθάνονται πάντα το ίδιο για την ίδια συμπεριφορά του παιδιού τους μια δεδομένη στιγμή.

## Οι γονείς ενδέχεται να είναι –και θα είναι– ασυνεπείς

Αναπόφευκτα, λοιπόν, οι γονείς θα είναι ασυνεπείς. Πώς θα μπορούσαν να είναι οτιδήποτε άλλο, από τη στιγμή που τα συναισθήματά τους αλλάζουν από μέρα σε μέρα, από παιδί σε παιδί και από περίσταση σε περίσταση; Ως αποτέλεσμα, στο Παράθυρο συμπεριφοράς του κάθε γονέα, η γραμμή που χωρίζει τις αποδεκτές από τις μη αποδεκτές συμπεριφορές κυμαίνεται ανάλογα:

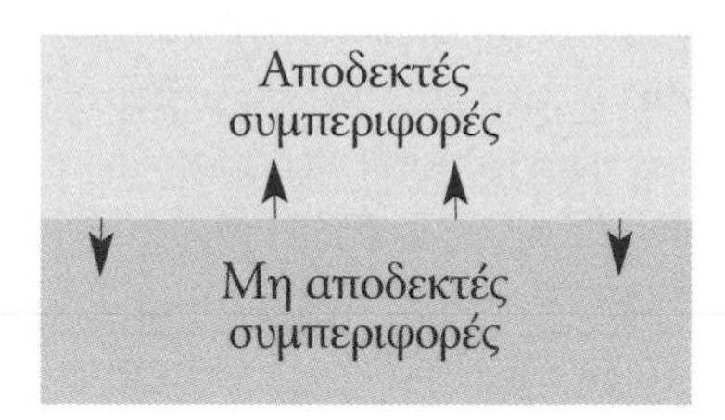


Αν οι γονείς προσπαθούσαν να είναι σταθεροί, δεν θα ήταν αληθινοί. Η παραδοσιακή συμβουλή προς τους γονείς, ότι πρέπει να είναι πάντα σταθεροί (συνεπείς) με τα παιδιά τους, αγνοεί το γεγονός ότι οι καταστάσεις είναι διαφορετικές, τα παιδιά είναι διαφορετικά, και ο πατέρας και η μητέρα είναι άνθρωποι διαφορετικοί μεταξύ τους. Επιπλέον, μια τέτοια συμβουλή έχει την αρνητική συνέπεια να κάνει τους γονείς να υποκρίνονται, να παριστάνουν ένα πρόσωπο του οποίου τα συναισθήματα είναι πάντα τα ίδια.

## Οι γονείς δεν είναι υποχρεωμένοι να προτάσουν ένα «ενιαίο μέτωπο»

Ακόμα πιο σημαντικό είναι το γεγονός ότι η συμβουλή να είναι συνεπείς έχει κάνει πολλούς γονείς να πιστεύουν ότι πρέπει να συμμερίζονται πάντα τα ίδια συναισθήματα, να προτάσουν ένα ενιαίο γονεϊκό μέτωπο απέναντι στα παιδιά τους. Κάτι τέτοιο είναι ανοησία. Κι όμως, είναι μια από τις πιο βαθιά ριζωμένες πεποιθήσεις στην ανατροφή των παιδιών. Οι γονείς, σύμφωνα με την παραδοσιακή αυτή άποψη, θα πρέπει πάντοτε να υποστηρίζουν ο ένας τον άλλον, έτσι ώστε να δίνουν στο παιδί να καταλάβει πως και οι δύο γονείς αισθάνονται το ίδιο για μια συγκεκριμένη συμπεριφορά.

Εκτός από την εμφανή αδικία αυτής της στρατηγικής –συμμαχία δύο έναντι ενός– αυτό συχνά προωθεί κάτι το μη αυθεντικό εκ μέρους του ενός γονέα.

Το δωμάτιο του δεκαεξάχρονου κοριτσιού συνήθως δεν είναι τόσο καθαρό, ώστε να ικανοποιεί τα κριτήρια της μητέρας του: Οι συνήθειες καθαριότητας αυτής της κόρης δεν είναι αποδεκτές από τη μητέρα (βρίσκονται στην περιοχή μη αποδοχής). Ο πατέρας της, ωστόσο, βρίσκει το δωμάτιο καθαρό και τακτοποιημένο σε επίπεδο αποδεκτό. Η ίδια συμπεριφορά βρίσκεται μέσα στην περιοχή αποδοχής του πατέρα. Η μητέρα πιέζει τον πατέρα να αισθανθεί το ίδιο με εκείνη για το δωμάτιο, έτσι ώστε να μπορέσουν να προτάξουν ένα ενιαίο μέτωπο (και έτσι να ασκήσουν μεγαλύτερη επίδραση στην κόρη). Αν ο πατέρας υποχωρήσει, θα είναι σε ασυμφωνία με τα πραγματικά του συναισθήματα.

Ένα εξάχρονο αγόρι παίζει με το φορτηγό του και κάνει περισσότερο θόρυβο απ' όσο μπορεί να ανεχθεί ο πατέρας του. Η μητέρα, όμως, δεν ενοχλείται καθόλου. Είναι ενθουσιασμένη που το παιδί παίζει μόνο του, αντί να τρέχει από πίσω της, όπως έκανε όλη την ημέρα. Ο πατέρας πλησιάζει τη μητέρα: «Γιατί δεν κάνεις κάτι για να σταματήσει όλη αυτή τη φασαρία;» Αν η μητέρα υποχωρήσει, θα είναι σε ασυμφωνία με τα πραγματικά της συναισθήματα.

## Ανειλικρινής αποδοχή

Κανένας γονέας δεν αποδέχεται ποτέ όλες τις συμπεριφορές ενός παιδιού. Μερικές συμπεριφορές ενός παιδιού θα βρίσκονται πάντοτε στην «περιοχή της μη αποδοχής» ενός γονέα. Έχω γνωρίσει γονείς των οποίων το «όριο αποδοχής» βρίσκεται πολύ χαμηλά στο ορθογώνιό μας, ποτέ όμως δεν γνώρισα ένα γονέα που να «αποδέχεται άνευ όρων». Μερικοί γονείς παριστάνουν ότι αποδέχονται τις περισσότερες από τις συμπεριφορές του παιδιού τους, τέτοιοι γονείς όμως παίζουν τον ρόλο του «καλού γονέα». Οπότε, ένα μέρος της αποδοχής τους είναι ψεύτικο. Εξωτερικά μπορεί να ενεργούν με μια συμπεριφορά αποδοχής, εσωτερικά όμως δεν αισθάνονται αποδοχή.

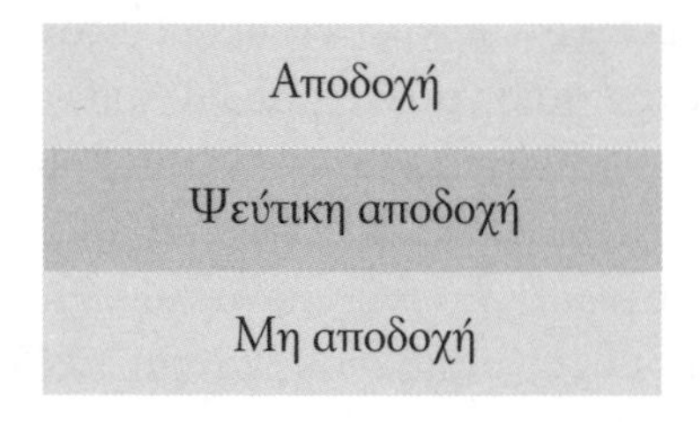


Ας υποθέσουμε ότι μια μητέρα εκνευρίζεται, επειδή το πεντάχρονο παιδί της μένει ξύπνιο μέχρι αργά. Η μητέρα έχει τις δικές της ανάγκες – π.χ. να διαβάσει ένα καινούργιο βιβλίο. Θα προτιμούσε να διαβάσει παρά να αφιερώσει χρόνο στο παιδί της. Ανησυχεί επίσης που το παιδί της δεν θα κοιμηθεί αρκετά και θα είναι εκνευρισμένο την άλλη μέρα ή ίσως και να κρυολογήσει. Και όμως, αυτή η μητέρα, προσπαθώντας να ακολουθήσει την «επιτρεπτική» μέθοδο, αποφεύγει να απαιτήσει από το παιδί της κάτι που φοβάται ότι έρχεται σε αντίθεση με τις αρχές της. Αυτή η μητέρα δεν μπορεί παρά να δείχνει «ψεύτικη αποδοχή». Μπορεί να ενεργεί σαν να αποδέχεται το ότι το παιδί της μένει ξύπνιο, μέσα της όμως δεν το αποδέχεται καθόλου. Αισθάνεται αρκετά εκνευρισμένη, ίσως και θυμωμένη, και αναμφίβολα ενοχλημένη, επειδή οι ανάγκες της δεν ικανοποιούνται.

Ποιες είναι οι συνέπειες σε ένα παιδί, όταν ο γονέας δείχνει ψεύτικη αποδοχή;

Τα παιδιά, όπως όλοι γνωρίζουμε, είναι εξαιρετικά ευαίσθητα στις θέσεις των γονέων τους. Είναι μάλλον αλάνθαστα στο να αντιλαμβάνονται τα πραγματικά συναισθήματα των γονέων τους, γιατί οι γονείς στέλνουν «μη λεκτικά μηνύματα» στα παιδιά τους, σημάδια που τα παιδιά αντιλαμβάνονται, άλλοτε συνειδητά και άλλοτε ασυνείδητα. Ένας γονέας που εσωτερικά είναι ενοχλημένος ή εκνευρισμένος δεν μπορεί παρά να δώσει κάποια ανεπαίσθητα σημάδια: ένα συνοφρύωμα, ένα σηκωμένο φρύδι, ένα συγκεκριμένο τόνο φωνής, μια ιδιαίτερη χειρονομία, μια ένταση στους μυς του προσώπου. Ακόμη και πολύ μικρά παιδιά αντιλαμβάνονται αυτά τα σημάδια και μαθαίνουν από την πείρα τους ότι συνήθως οι ενδείξεις αυτές μαρτυρούν πως η μαμά δεν αποδέχεται πραγματικά αυτό που κάνουν. Επομένως, το παιδί είναι σε θέση να νιώσει ότι δεν το εγκρίνουν: Εκείνη τη συγκεκριμένη στιγμή αισθάνεται ότι δεν είναι αρεστό στον πατέρα ή τη μητέρα του.

Τι συμβαίνει, όταν η μητέρα αισθάνεται ότι στην πραγματικότητα δεν αποδέχεται, αλλά με τη *συμπεριφορά* της παριστάνει ότι αποδέχεται το παιδί; Το παιδί λαμβάνει και αυτό το συμπεριφοριστικό μήνυμα. Τώρα έχει όντως μπερδευτεί. Παίρνει «ανάμεικτα μηνύματα» ή αντιθετικές ενδείξεις, μια *συμπεριφορά* που του λέει ότι δεν υπάρχει πρόβλημα να μείνει ξάγρυπνο, αλλά και *μη λεκτικά* σημάδια που του λένε ότι η μητέρα στην πραγματικότητα δεν θέλει να μείνει ξάγρυπνο. Αυτό το παιδί βρίσκεται σε δίλημμα. Θέλει να μείνει ξύπνιο, θέλει όμως και να το αγαπάνε (να το αποδέχονται). Το να μείνει ξάγρυπνο φαίνεται να γίνεται αποδεκτό από τη μητέρα, κι όμως το πρόσωπό της είναι συνοφρυωμένο. Τι πρέπει να κάνει τώρα;

Το να βάζουμε το παιδί μπροστά σε ένα τέτοιο δίλημμα μπορεί να βλάψει σοβαρά την ψυχική του υγεία. Ο καθένας γνωρίζει πόσο απογοητευμένος και ανήσυχος νιώθει, όταν δεν γνωρίζει ποια συμπεριφορά να επιλέξει, γιατί παίρνει αντιφατικά μηνύματα από ένα άλλο πρόσωπο. Υποθέστε ότι ρωτάτε μια οικοδέσποινα αν μπορείτε να καπνίσετε στο σπίτι της. Αυτή σας απαντά: «Δεν με πειράζει». Και όμως, όταν ανάβετε το τσιγάρο σας, τα μάτια και το πρόσωπό της εκδηλώνουν μη λεκτικά σημάδια που σας λένε ότι στην πραγματικότητα την πειράζει. Τι κάνετε τότε; Ρωτάτε ίσως: «Σίγουρα δεν σε πειράζει;» Ή σβήνετε το τσιγάρο σας και νιώθετε ενοχλημένος. Ή συνεχίζετε να καπνίζετε, νιώθοντας συνεχώς ότι η συμπεριφορά σας δεν αρέσει στην οικοδέσποινα.

Τα παιδιά βιώνουν το ίδιο είδος διλήμματος, όταν συναντούν αποδοχή που τους φαίνεται ανειλικρινής. Αν τα παιδιά εκτίθενται συχνά σε τέτοιες καταστάσεις, μπορεί να νιώσουν ότι δεν αγαπιούνται. Μπορεί να οδηγηθούν στο να κάνουν συχνά «τσεκαρίσματα», να νιώθουν πολύ μεγάλο άγχος, να καλλιεργούν συναισθήματα ανασφάλειας κ.λπ.

Έχω καταλήξει στο ότι ο πιο δύσκολος στην αντιμετώπισή του γονέας για τα παιδιά μπορεί να είναι ο γλυκομίλητος, ο «επιτρεπτικός», ο μη απαιτητικός γονέας, που ενεργεί σαν να αποδέχεται, ενώ με ανεπαίσθητο τρόπο εκδηλώνει μη αποδοχή.

Υπάρχει ένα σοβαρό επακόλουθο της ψεύτικης αποδοχής και αυτό μακροπρόθεσμα μπορεί να είναι ακόμα πιο επιβλαβές για τη σχέση γονέα-παιδιού. Όταν ένα παιδί παίρνει «ανάμεικτα μηνύματα», μπορεί να αρχίσει να έχει σοβαρές αμφιβολίες για την ειλικρίνεια και τη γνησιότητα του πατέρα ή της μητέρας του. Μαθαίνει από πολλές εμπειρίες του ότι συχνά η μητέρα λέει κάτι, ενώ αισθάνεται κάτι άλλο. Τελικά, το παιδί φθάνει στο σημείο να δυσπιστεί απέναντι σ' έναν τέτοιο γονέα. Ακολουθούν κάποια συναισθήματα που μερικοί έφηβοι μοιράστηκαν μαζί μου:

> «Η μητέρα μου είναι υποκρίτρια. Κάνει τη γλυκιά, ενώ στην πραγματικότητα δεν είναι».
>
> «Δεν μπορώ να εμπιστευθώ ποτέ τους γονείς μου, γιατί, μολονότι δεν το λένε, ξέρω ότι δεν εγκρίνουν πολλά από τα πράγματα που κάνω».
>
> «Συμπεριφέρομαι έτσι, γιατί σκέφτομαι ότι τον πατέρα μου δεν τον πειράζει όποια ώρα κι αν γυρίσω σπίτι. Αν όμως γυρίσω πολύ αργά, την άλλη μέρα δεν μου μιλάει».
>
> «Οι γονείς μου δεν είναι καθόλου αυστηροί. Με αφήνουν να κάνω πάρα πολλά από αυτά που θέλω να κάνω. Μπορώ όμως να καταλάβω τι δεν εγκρίνουν».
>
> «Κάθε φορά που κάθομαι στο τραπέζι φορώντας το σκουλαρίκι στη μύτη μου, η μητέρα μου έχει ένα δυσαρεστημένο ύφος στο πρόσωπό της. Δεν λέει όμως ποτέ τίποτε».
>
> «Η μητέρα μου είναι τόσο γλυκιά και δείχνει τέτοια κατανόηση πάντοτε, όμως ξέρω ότι δεν της αρέσει αυτό που είμαι. Συμπαθεί περισσότερο τον αδελφό μου, γιατί εκείνος της μοιάζει περισσότερο».

Όταν τα παιδιά έχουν τέτοια συναισθήματα, είναι φανερό ότι οι γονείς τους δεν έχουν αποκρύψει επιτυχώς τα αληθινά τους συναισθήματά ή τις απόψεις τους, αν και οι ίδιοι μπορεί να νομίζουν ότι το έχουν επιτύχει. *Σε μια σχέση τόσο στενή και μακροχρόνια, όπως η σχέση γονέα-παιδιού, τα πραγματικά συναισθήματα του γονέα σπάνια μπορούν να κρυφτούν από το παιδί.*

Συνεπώς, όταν οι γονείς επηρεάζονται από τους υποστηρικτές της «επιτρεπτικότητας» και προσπαθούν να συμπεριφέρονται με έναν τρόπο αποδοχής, που όμως υπερβαίνει τις πραγματικές τους διαθέσεις, βλάπτουν σοβαρά τη σχέση με τα παιδιά τους και τους προκαλούν ψυχολογικά τραύματα. Οι γονείς πρέπει να καταλάβουν ότι θα ήταν προτιμότερο να μην προσπαθούν να διευρύνουν την περιοχή της αποδοχής τους πέρα από το πραγματικό όριό τους. Είναι πολύ προτιμότερο για τους γονείς να συνειδητοποιούν πότε δεν έχουν συναισθήματα αποδοχής, και να μην υποκρίνονται ότι έχουν.

**Μπορείτε να αποδεχτείτε το παιδί αλλά όχι τη συμπεριφορά του;**

Δεν γνωρίζω από πού προήλθε αυτή η άποψη, έτυχε όμως μεγάλης αποδοχής και άσκησε μεγάλη γοητεία, ειδικά σε γονείς που επηρεάστηκαν μεν από τους υποστηρικτές της επιτρεπτικότητας, είναι όμως αρκετά ειλικρινείς με τον εαυτό τους, ώστε να διαπιστώσουν ότι δεν αποδέχονται πάντοτε τη συμπεριφορά των παιδιών τους. Κατέληξα στην πεποίθηση ότι πρόκειται για μια ακόμη εσφαλμένη και επιζήμια άποψη, που εμποδίζει τους γονείς να είναι αληθινοί. Ενώ μπορεί να μετριάζει λίγο την ενοχή που συνήθως νιώθουν οι γονείς, όταν δεν αποδέχονται τα παιδιά τους, στην πραγματικότητα αυτή η ιδέα έχει βλάψει πολλές σχέσεις γονέων-παιδιών.

Αυτή η άποψη έχει δώσει επιστημονικό άλλοθι στους γονείς να χρησιμοποιούν την εξουσία ή τη δύναμή τους, για να περιορίζουν (να «βάζουν όρια» σε) συγκεκριμένες συμπεριφορές που δεν μπορούν να αποδεχτούν. Την έχουν ερμηνεύσει έτσι, ώστε να είναι δικαιολογημένοι να ελέγχουν, να περιορίζουν, να απαγορεύουν, να απαιτούν ή να αρνούνται, εφόσον το κάνουν αυτό με έναν έξυπνο τρόπο, ώστε το παιδί να το αντιλαμβάνεται ως απόρριψη όχι του ίδιου αλλά της *συμπεριφοράς* του. Εδώ βρίσκεται η πλάνη.

Πώς μπορείτε να αποδεχτείτε *το παιδί σας* ανεξάρτητα και αντίθετα από τα συναισθήματά σας μη αποδοχής απέναντι *σε οτιδήποτε το παιδί κάνει ή λέει*; Τι είναι «το παιδί», αν όχι ένα παιδί που συμπεριφέρεται, που ενεργεί κατά ένα συγκεκριμένο τρόπο σε μια συγκεκριμένη χρονική στιγμή; Είναι ένα *παιδί που συμπεριφέρεται* με ένα συγκεκριμένο τρόπο, απέναντι στο οποίο ο γονέας έχει κάποια συναισθήματα, ανεξάρτητα αν είναι συναισθήματα αποδοχής ή μη αποδοχής, και όχι κάποια αφηρημένη έννοια που ονομάζεται «παιδί».

Είμαι σίγουρος ότι και από τη δική του οπτική γωνία το παιδί αισθάνεται το ίδιο. Αν έχει την αίσθηση ότι δεν αποδέχεστε το να πατάει με τα λερωμένα του παπούτσια στον καινούργιο σας καναπέ, αμφιβάλλω πάρα πολύ αν μπορεί να συμπεράνει με ευφυΐα ότι, παρόλο που δεν σας αρέσει να βάζει τα πόδια του στον καναπέ, παρά ταύτα, το αποδέχεστε πολύ ως πρόσωπο. Μάλλον το αντίθετο: Αναμφίβολα το παιδί αισθάνεται ότι, εξαιτίας αυτού που *κάνει* ως πρόσωπο αυτήν τη στιγμή, εσείς δεν το αποδέχεστε καθόλου.

Το να κάνετε ένα παιδί να καταλάβει ότι οι γονείς του αποδέχονται *το ίδιο,* αλλά δεν αποδέχονται *την πράξη του,* ακόμη και αν ήταν δυνατό για ένα γονέα να διαχωρίσει αυτά τα δύο, πρέπει να είναι τόσο δύσκολο όσο το να το κάνετε να πιστέψει ότι το ξύλο που τρώει «πονάει περισσότερο τους γονείς του παρά το ίδιο».

Το κατά πόσο ένα παιδί αισθάνεται ότι δεν γίνεται αποδεκτό *ως πρόσωπο* εξαρτάται από το πόσες συμπεριφορές του δεν γίνονται αποδεκτές. Γονείς που βρίσκουν μη αποδεκτά πολλά από τα πράγματα που λένε ή κάνουν τα παιδιά τους αναπόφευκτα θα καλλιεργήσουν σε αυτά τα παιδιά ένα βαθύ συναίσθημα ότι δεν γίνονται αποδεκτά ως πρόσωπα. Αντίθετα, γονείς που αποδέχονται πολλά από τα πράγματα που λένε ή κάνουν τα παιδιά τους θα μεγαλώσουν παιδιά που μάλλον θα αισθάνονται αποδεκτά ως πρόσωπα.

Είναι προτιμότερο για εσάς να ομολογήσετε στον εαυτό σας (και στο παιδί) ότι δεν το αποδέχεστε ως πρόσωπο, όταν λέει ή κάνει κάτι κατά ένα συγκεκριμένο τρόπο μια συγκεκριμένη στιγμή. Έτσι το παιδί θα μάθει να σας βλέπει ως ανοιχτό και ειλικρινή, γιατί είστε αληθινός.

Επίσης, όταν λέτε σε ένα παιδί «Σε αποδέχομαι, αλλά σταμάτα αυτό που κάνεις», δεν έχετε την παραμικρή πιθανότητα να τροποποιήσει την αντίδρασή του με αυτό τον τρόπο χρήσης της εξουσίας. Στα παιδιά δεν αρέσει καθόλου να τους αρνούνται, να τα περιορίζουν ή να τους απαγορεύουν οι γονείς τους, ανεξάρτητα από το είδος της εξήγησης που συνοδεύει τη χρήση τέτοιας εξουσίας και δύναμης. Η «θέσπιση ορίων» είναι πολύ πιθανόν να πυροδοτήσει κάποια αντίδραση των παιδιών προς τους γονείς, με τη μορφή της αντίστασης, της εξέγερσης, των ψεμάτων και της έντονης δυσφορίας. Επιπλέον, υπάρχουν πολύ πιο αποτελεσματικές μέθοδοι επηρεασμού των παιδιών, για να αλλάξουν τη μη αποδεκτή από τους γονείς συμπεριφορά, από τη χρήση της γονεϊκής εξουσίας για τη θέσπιση ορίων ή τον περιορισμό.

## Πώς εμείς ορίζουμε τους γονείς που είναι πραγματικά πρόσωπα

Το Παράθυρο συμπεριφοράς βοηθάει τους γονείς να καταλάβουν τα δικά τους αναπόφευκτα συναισθήματα και τις συνθήκες που κάνουν τα συναισθήματα αυτά να αλλάζουν συνεχώς. Οι αληθινοί γονείς θα έχουν, αναπόφευκτα, συναισθήματα και αποδοχής και μη αποδοχής απέναντι στα παιδιά τους. Η στάση τους απέναντι στην ίδια συμπεριφορά δεν μπορεί να είναι πάντα η ίδια. Διαφέρουν ανάλογα με τη στιγμή. Δεν πρέπει (και δεν μπορούν) να κρύβουν τα πραγματικά τους συναισθήματα. Πρέπει να αποδέχονται το γεγονός ότι ο ένας γονέας μπορεί να αισθάνεται ότι αποδέχεται μια συμπεριφορά, ενώ ο άλλος δεν την αποδέχεται. Και πρέπει να κατανοούν ότι ο καθένας τους έχει, αναπόφευκτα, διαφορετικό επίπεδο αποδοχής για καθένα από τα παιδιά τους.

Οι γονείς είναι άνθρωποι, όχι θεοί. Δεν είναι υποχρεωμένοι να αποδέχονται άνευ όρων μια συμπεριφορά του παιδιού τους, ούτε ακόμη να την αποδέχονται πάντοτε. Ούτε πρέπει να κάνουν ότι αποδέχονται κάτι, όταν δεν το αποδέχονται. Ενώ τα παιδιά, χωρίς αμφιβολία, προτιμούν να τα αποδέχονται, μπορούν να χειριστούν εποικοδομητικά τα συναισθήματα μη αποδοχής των γονέων τους, όταν οι γονείς στέλνουν σαφή και ειλικρινή μηνύματα που αντιστοιχούν στα αληθινά τους συναισθήματα.

Αυτό όχι μόνο βοηθάει τα παιδιά να αντεπεξέλθουν ευκολότερα, αλλά θα βοηθήσει το κάθε παιδί να δει τον πατέρα ή τη μητέρα του σαν πραγματικό πρόσωπο – κατανοητό, ανθρώπινο, κάποιον με τον οποίο θα ήθελε να έχει σχέση.

## Ποιος έχει το πρόβλημα;

Μια βασική έννοια του μοντέλου της Εκπαίδευσης Αποτελεσματικού Γονέα είναι η αρχή της κατοχής του προβλήματος. Η σημασία της είναι τεράστια, καθώς πάρα πολλοί γονείς πέφτουν στην παγίδα να αναλαμβάνουν την ευθύνη να λύνουν προβλήματα που ανήκουν στα παιδιά τους, αντί να τα ενθαρρύνουν να λύνουν μόνα τους τα προβλήματά τους. Μας έχουν πει οι γονείς:

> «Το σημαντικότερο πράγμα που μου συνέβη, όταν έκανα την Εκπαίδευση, ήταν το να ξεκαθαρίσω τίνος ήταν το πρόβλημα. Ήταν σαφώς η πιο ουσιαστική συνειδητοποίηση. Απλώς με ευχαρίστησε απίστευτα το γεγονός ότι τα προβλήματα ήταν των παιδιών μου και δεν έπρεπε να ανήκουν σε μένα – και μου ανήκαν για χρόνια».

> «Τι ανακούφιση, να ανακαλύψω ότι δεν ήμουν υποχρεωμένος να λύνω τα προβλήματα των άλλων».

Η κατανόηση της αρχής της κατοχής του προβλήματος από τους γονείς μπορεί να βοηθήσει σημαντικά στο να αλλάξουν τη συμπεριφορά τους, απέναντι στα παιδιά τους. Η έννοια παρουσιάζεται στο Παράθυρο της συμπεριφοράς, το οποίο χρησιμοποιούμε για να διαφοροποιούμε τις αποδεκτές από τις μη αποδεκτές συμπεριφορές. Ωστόσο, χρειάζεται να προστεθεί και μια τρίτη περιοχή, όπως φαίνεται παρακάτω:

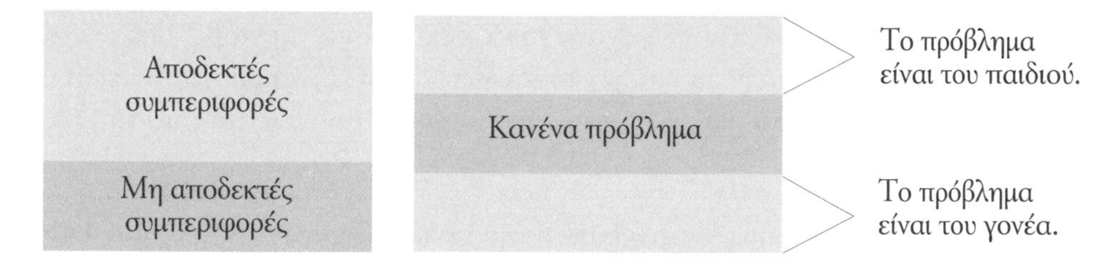


Ξεκινώντας από το κάτω μέρος του δεξιού ορθογωνίου, να θυμάστε ότι οι συμπεριφορές αυτές είναι μη αποδεκτές για τον γονέα, γιατί παρεμβαίνουν στα δικαιώματά του ή τον εμποδίζουν να ικανοποιήσει τις ανάγκες του.

Παραδείγματα:

Το παιδί χασομερά, ενώ ο γονέας βιάζεται.
Το παιδί ξεχνά να ειδοποιήσει ότι θα αργήσει για το δείπνο.
Ο έφηβος βάζει τη μουσική τόσο δυνατά, ώστε οι γονείς δεν μπορούν να ακούσουν ο ένας τον άλλο.

Τέτοιες συμπεριφορές σημαίνουν ότι *το πρόβλημα ανήκει στον γονέα* κι ότι εκείνος πρέπει να προσπαθήσει να τροποποιήσει τη συμπεριφορά που του το προκαλεί.

Στο πάνω μέρος του Παραθύρου της συμπεριφοράς, βλέπουμε συμπεριφορές του παιδιού που δείχνουν ότι το πρόβλημα ανήκει σε εκείνο – οι ανάγκες του παιδιού δεν ικανοποιούνται, το παιδί είναι δυστυχισμένο ή απογοητευμένο ή έχει προβλήματα.

Παραδείγματα:

Το παιδί έχει απορριφθεί από κάποιον φίλο του.
Το παιδί βρίσκει ότι τα μαθήματα του σχολείου είναι πολύ δύσκολα.
Το παιδί είναι θυμωμένο με τον δάσκαλό του.
Ο έφηβος είναι δυστυχισμένος, γιατί είναι υπέρβαρος.

Αυτά είναι προβλήματα που τα παιδιά τα βιώνουν στις δικές τους ζωές, ανεξάρτητα και έξω από τις ζωές των γονέων τους. Σε τέτοιες καταστάσεις, *το παιδί έχει το πρόβλημα.*

Η μεσαία περιοχή του παραθύρου αναπαριστά τη συμπεριφορά του παιδιού που δεν προκαλεί πρόβλημα ούτε στον γονέα ούτε στο παιδί. Είναι οι απολαυστικές στιγμές στη σχέση γονέα-παιδιού, όπου οι γονείς και τα παιδιά μπορούν να συνυπάρχουν σε μια σχέση χωρίς προβλήματα, να παίζουν μαζί, να συζητούν, να εργάζονται ή να μοιράζονται μια εμπειρία. Είναι μια *περιοχή χωρίς πρόβλημα.*

Όταν το πρόβλημα ανήκει στο παιδί, τότε οι γονείς συχνά μπαίνουν στον πειρασμό να επέμβουν και να αναλάβουν την ευθύνη να το λύσουν, και στη συνέχεια να κατηγορήσουν τους εαυτούς τους, όταν δεν μπορέσουν. Η Εκπαίδευση Αποτελεσματικού Γονέα προσφέρει στους γονείς έναν εναλλακτικό τρόπο για να βοηθήσουν τα παιδιά τους: Αφήστε το παιδί να κατέχει το πρόβλημά του και να βρει τις δικές του λύσεις. Αν και κάπως απλοποιημένη, η προσέγγιση αυτή αποτελείται από τα εξής στοιχεία:

1. Όλα τα παιδιά αναπόφευκτα θα συναντήσουν προβλήματα στη ζωή τους – όλων των ειδών.
2. Τα παιδιά έχουν απίστευτο έμφυτο δυναμικό να βρίσκουν καλές λύσεις στα προβλήματά τους.
3. Αν οι γονείς τούς δίνουν προκατασκευασμένες λύσεις, τα παιδιά θα παραμείνουν εξαρτημένα και θα αποτύχουν να αναπτύξουν τις δικές τους δεξιότητες ε-

πίλυσης προβλημάτων. Θα συνεχίσουν να απευθύνονται στους γονείς κάθε φορά που θα συναντούν ένα καινούργιο πρόβλημα.

4. Όταν οι γονείς αναλαμβάνουν τα προβλήματα των παιδιών τους, και κατά συνέπεια αναλαμβάνουν και ολόκληρη την ευθύνη να βρουν καλές λύσεις, αυτό γίνεται όχι μόνο ένα τρομερό φορτίο αλλά και μια ακατόρθωτη αποστολή. Κανείς δεν έχει την απέραντη σοφία να βρίσκει πάντα καλές λύσεις στα προσωπικά προβλήματα των άλλων ανθρώπων.

5. Όταν ένας γονέας μπορεί να αποδεχτεί ότι δεν είναι δικό του το πρόβλημα του παιδιού του, τότε μπορεί πολύ καλύτερα να λειτουργήσει ως αρωγός ή καταλύτης ή βοηθητικός φορέας, που θα βοηθήσει το παιδί στη διαδικασία τού να επιλύσει μόνο του το πρόβλημά του.

6. Τα παιδιά χρειάζονται βοήθεια με ορισμένα είδη προβλημάτων, μακροπρόθεσμα όμως το πιο αποτελεσματικό είδος βοήθειας είναι, παραδόξως, μια μορφή μη βοήθειας. Πιο συγκεκριμένα, είναι ένας τρόπος βοήθειας που αφήνει στο παιδί την ευθύνη να αναζητήσει και να βρει τις δικές του λύσεις. Στην Εκπαίδευση Αποτελεσματικού Γονέα το αποκαλούμε «Δεξιότητες ακρόασης».

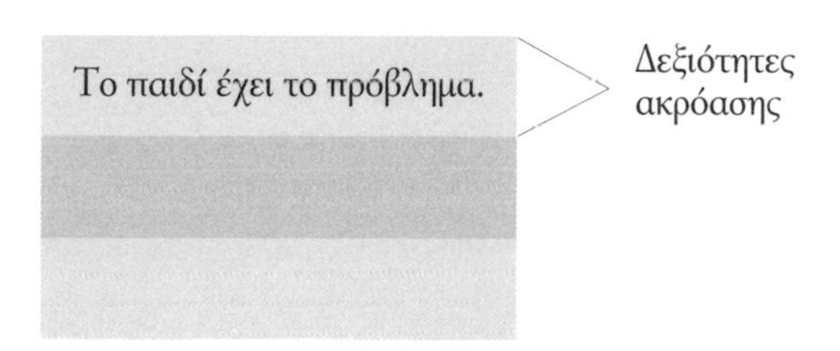


Όταν η συμπεριφορά του παιδιού προκαλεί πρόβλημα στον γονέα (συμπεριφορά που έχει προηγουμένως τοποθετηθεί στο τρίτο κάτω μέρος του Παραθύρου συμπεριφοράς), πρέπει να χρησιμοποιηθεί μια διαφορετική σειρά δεξιοτήτων. Πρόκειται για δεξιότητες που θα είναι αποτελεσματικές στο να επιφέρουν κάποια αλλαγή στη μη αποδεκτή συμπεριφορά του παιδιού. Όταν ένα παιδί εμπλέκεται στα δικαιώματα του γονέα ή κάνει κάτι που εμποδίζει τον γονέα να ικανοποιήσει τις ανάγκες του, ο γονέας έχει το πρόβλημα κι έτσι θα θελήσει να χρησιμοποιήσει δεξιότητες που να είναι χρήσιμες στον ίδιο. Στην εκπαίδευση τις ονομάζουμε «Δεξιότητες αντιπαράθεσης».

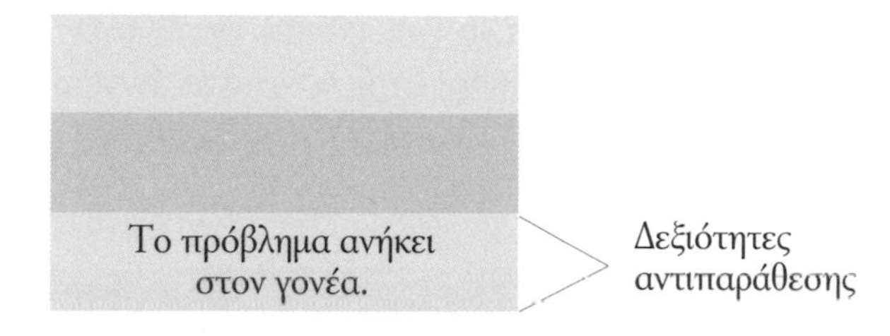

Όταν το πρόβλημα το αναλαμβάνει ο γονέας, επιζητά μια στάση που θα επικοινωνήσει στο παιδί: «Ε, έχω πρόβλημα και θέλω τη βοήθειά σου» – αρκετά διαφορετική στάση από εκείνη κατά την οποία το παιδί έχει το πρόβλημα και ο γονέας θέλει να επικοινωνήσει: «Φαίνεται πως έχεις πρόβλημα· χρειάζεσαι τη βοήθειά μου;»

Μπορούμε να δείξουμε διαγραμματικά σε τι συνίσταται η Εκπαίδευση Αποτελεσματικού Γονέα:

1. Διδάσκει στους γονείς δεξιότητες που θα συμβάλουν στη μείωση του αριθμού των προβλημάτων που ανήκουν στο παιδί (περιορίζοντας το επάνω ένα τρίτο του ορθογωνίου).
2. Διδάσκει στους γονείς πολύ διαφορετικές δεξιότητες που θα συμβάλουν στη μείωση του αριθμού των προβλημάτων που τους προκαλούν τα παιδιά τους (περιορίζοντας το κάτω ένα τρίτο του ορθογωνίου).

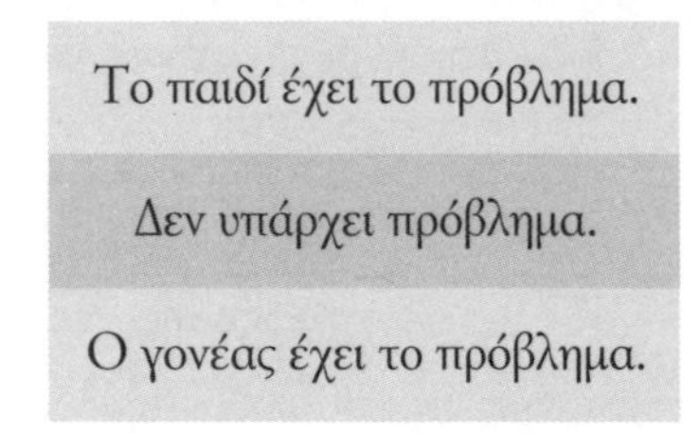


**Πριν από την Εκπαίδευση**

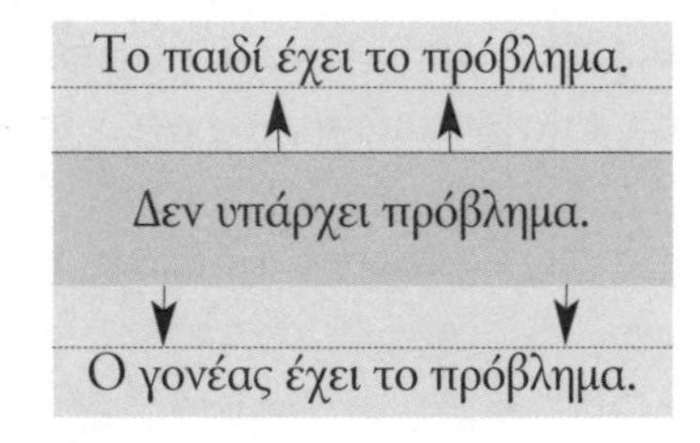


**Μετά την Εκπαίδευση**

Είναι σημαντικό να ταξινομούν πάντα οι γονείς κάθε πρόβλημα που παρουσιάζεται στη σχέση, έτσι ώστε να ξέρουν πότε να ακούσουν ενεργά και πότε να αντιπαρατεθούν. Προτείνω στους γονείς να αποκτήσουν τη συνήθεια να κάνουν στους εαυτούς τους την ερώτηση: «Ποιος έχει το πρόβλημα;»

Η επιτυχής εφαρμογή των δύο ομάδων δεξιοτήτων –της Ενεργητικής ακρόασης και της Αντιπαράθεσης– διευρύνει την περιοχή στην οποία δεν υπάρχει πρόβλημα, και κατανέμει πολύ περισσότερο χρόνο στη σχέση γονέα-παιδιού, όπου και οι δυο τους μπορούν να ικανοποιήσουν τις ανάγκες τους και να απολαύσουν τις ζωές τους μαζί.

Στα επόμενα τρία κεφάλαια, θα εστιάσω αποκλειστικά στις δεξιότητες ακρόασης – τις δεξιότητες που πρέπει να χρησιμοποιούν οι γονείς, όταν το παιδί έχει το πρόβλημα. Στη συνέχεια, θα εστιάσω στις δεξιότητες αντιπαράθεσης – εκείνες που μπορούν να χρησιμοποιήσουν οι γονείς, όταν εκείνοι έχουν το πρόβλημα.

# 3

## Πώς να ακούτε, ώστε να σας μιλάνε τα παιδιά σας: η γλώσσα της αποδοχής

Ένα δεκαπεντάχρονο κορίτσι, στο τέλος μιας από τις εβδομαδιαίες συμβουλευτικές συναντήσεις της μαζί μου, σηκώθηκε από την καρέκλα της, κοντοστάθηκε, πριν ανοίξει την πόρτα, και είπε:

«Αισθάνομαι ωραία που μπορώ να μιλάω σε κάποιον για το πώς πραγματικά νιώθω. Ποτέ δεν είχα μιλήσει προηγουμένως με κάποιον γι' αυτά τα πράγματα. Ποτέ δεν θα μπορούσα να μιλήσω έτσι με τους γονείς μου».

Οι γονείς ενός δεκαεξάχρονου αγοριού, που δεν τα πήγαινε καλά στο σχολείο, με ρώτησαν:

«Πώς θα κάνουμε τον Τζάστιν να μας εμπιστευτεί; Ποτέ δεν ξέρουμε τι σκέφτεται. Ξέρουμε ότι δεν είναι ευτυχισμένος, όμως δεν ξέρουμε τίποτε για το τι συμβαίνει μέσα του».

Ένα έξυπνο, ελκυστικό δεκατριάχρονο κορίτσι, που ήρθε σ' εμένα μαζί με δύο φίλες της, αφού είχε μόλις εγκαταλείψει το σπίτι της, έκανε το εξής αποκαλυπτικό σχόλιο για τις σχέσεις της με τη μητέρα της:

«Φθάσαμε στο σημείο να μην μπορούμε να μιλήσουμε καθόλου η μία στην άλλη, ακόμη και για ασήμαντα θέματα, όπως τα μαθήματα του σχολείου. Εάν φοβόμουνα ότι είχα αποτύχει σ' ένα διαγώνισμα και της έλεγα ότι δεν τα πήγα καλά, αυτή θα μου έλεγε «Και γιατί;» και θα θύμωνε μαζί μου. Έτσι άρχισα να λέω ψέματα. Δεν μου άρεσε να λέω ψέματα, όμως το έκανα και έφθασα στο σημείο να μη μ' ενοχλεί καθόλου... Τελικά ήταν σαν να ήμασταν δύο διαφορετικοί άνθρωποι που μιλούσαμε ο ένας στον άλλον – και κανείς δεν θα έδειχνε στον άλλον τα πραγματικά του συναισθήματα, τι *πραγματικά* σκεφτόμασταν».

Τα παραπάνω είναι συνηθισμένα παραδείγματα για το πώς τα παιδιά κλείνουν τις πύλες επικοινωνίας με τους γονείς τους, αρνούμενα να μοιραστούν μαζί τους τι πραγματικά συμβαίνει μέσα τους. Τα παιδιά μαθαίνουν ότι η συζήτηση με τους γονείς τους δεν βοηθάει και συχνά δεν είναι ασφαλής. Κατά συνέπεια, πολλοί γονείς χάνουν χιλιάδες ευκαιρίες να βοηθήσουν τα παιδιά τους με τα προβλήματα που εκείνα συναντούν στη ζωή τους.

Γιατί τόσο πολλοί γονείς «διαγράφονται» από τα παιδιά τους ως πηγή βοήθειας; Γιατί τα παιδιά σταματούν να μιλάνε στους γονείς τους για τα θέματα που πραγματικά τα ενοχλούν; Γιατί τόσο λίγοι γονείς τα καταφέρνουν να διατηρούν με τα παιδιά τους μια βοηθητική σχέση;

Και γιατί τα παιδιά βρίσκουν πολύ ευκολότερο να μιλάνε σε ικανούς επαγγελματίες συμβούλους παρά στους γονείς τους; Τι κάνει διαφορετικό ο επαγγελματίας σύμβουλος, που τον καθιστά ικανό να δημιουργήσει μια τέτοια βοηθητική σχέση με τα παιδιά;

Τα τελευταία χρόνια οι ψυχολόγοι βρήκαν κάποιες απαντήσεις σε αυτά τα ερωτήματα. Μέσα από έρευνα και κλινική εμπειρία αρχίζουμε να καταλαβαίνουμε τα απαραίτητα στοιχεία μιας αποτελεσματικής βοηθητικής σχέσης. Το πιο βασικό από αυτά είναι ίσως η «*γλώσσα της αποδοχής*».

## Η ΔΥΝΑΜΗ ΤΗΣ ΓΛΩΣΣΑΣ ΤΗΣ ΑΠΟΔΟΧΗΣ

Όταν ένα άτομο είναι σε θέση να αισθανθεί και να επικοινωνήσει τη γνήσια αποδοχή του προς κάποιον άλλο, διαθέτει την ικανότητα να γίνει μια σημαντική πηγή βοήθειας για τον άλλον. Η αποδοχή του άλλου, όπως αυτός είναι, είναι ένας σημαντικός παράγοντας καλλιέργειας μιας σχέσης, όπου το άλλο πρόσωπο μπορεί να μεγαλώσει, να αναπτυχθεί, να κάνει εποικοδομητικές αλλαγές, να μάθει να λύνει προβλήματα, να κινηθεί στην κατεύθυνση της ψυχικής υγείας, να γίνει πιο παραγωγικό και δημιουργικό, και να πραγματώσει πλήρως το δυναμικό του. Είναι ένα από αυτά τα απλά αλλά ωραία παράδοξα της ζωής: Όταν ένα άτομο αισθάνεται ότι γίνεται πραγματικά αποδεκτό από ένα άλλο, τότε νιώθει ελεύθερο να μετακινηθεί από εκεί που είναι και να αρχίσει να σκέπτεται για το πώς αυτό το ίδιο θέλει να αλλάξει, πώς θέλει να ωριμάσει, πώς μπορεί να διαφοροποιηθεί, πώς θα μπορούσε να γίνει, όσο το δυνατόν περισσότερο, αυτό που είναι ικανό να είναι.

Η αποδοχή είναι σαν το γόνιμο έδαφος που επιτρέπει σε ένα μικρό σποράκι να εξελιχθεί σε αυτό που είναι ικανό να γίνει, δηλαδή ένα όμορφο λουλούδι. Το χώμα απλώς *δίνει τη δυνατότητα* στο σποράκι να γίνει λουλούδι. *Απελευθερώνει* την ικανότητα του σπόρου να αναπτυχθεί, όμως η ικανότητα υπάρχει αποκλειστικά μέσα στον σπόρο. Όπως συμβαίνει με το σποράκι, το παιδί διαθέτει αποκλειστικά μέσα στον οργανισμό του την ικανότητα να αναπτύσσεται. Η αποδοχή είναι σαν το χώμα – απλώς δίνει τη δυνατότητα στο παιδί να πραγματώσει το δυναμικό του.

Γιατί η γονεϊκή αποδοχή έχει τόσο σημαντική θετική επίδραση στο παιδί; Αυτό δεν γίνεται γενικά κατανοητό από τους γονείς. Οι περισσότεροι άνθρωποι έχουν ανατραφεί πιστεύοντας ότι, αν αποδέχεστε ένα παιδί, αυτό θα παραμείνει ακριβώς όπως είναι· ότι ο καλύτερος τρόπος για να βοηθήσετε ένα παιδί να γίνει κάτι καλύτερο στο μέλλον είναι να του λέτε τι *δεν* αποδέχεστε σε αυτό τώρα.

Γι' αυτό, στην ανατροφή των παιδιών, οι περισσότεροι γονείς στηρίζονται πολύ στη γλώσσα της *μη αποδοχής*, πιστεύοντας ότι αυτός είναι ο καλύτερος τρόπος για να τα βοηθήσουν. Το «χώμα» που οι περισσότεροι γονείς παρέχουν για την ανάπτυξη των παιδιών τους είναι επιβαρυμένο με μηνύματα αξιολόγησης, κριτικής, επίκρισης, διδαχής, ηθικολογίας, νουθεσιών και εντολών, μηνύματα που μεταφέρουν τη *μη αποδοχή* του παιδιού όπως αυτό είναι.

Θυμάμαι τα λόγια ενός δεκατριάχρονου κοριτσιού που μόλις είχε αρχίσει να επαναστατεί ενάντια στις αξίες και τα πρότυπα των γονέων της:

> «Μου λένε τόσο συχνά πόσο κακή είμαι και πόσο χαζές είναι οι ιδέες μου και πόσο δεν μπορούν να μου έχουν εμπιστοσύνη, με αποτέλεσμα να κάνω ακόμα περισσότερα πράγματα που δεν τους αρέσουν. Αν ήδη με θεωρούν κακή και ηλίθια, μπορώ κάλλιστα να αρχίσω και να κάνω όλα αυτά τα πράγματα».

Το έξυπνο αυτό κορίτσι ήταν αρκετά σοφό για να καταλάβει την παλιά ρήση: «Αν λέτε σ' ένα παιδί αρκετά συχνά πόσο κακό είναι, σίγουρα θα γίνει κακό». Τα παιδιά συχνά εξελίσσονται σ' αυτό που τους λένε οι γονείς τους ότι είναι.

Εκτός απ' αυτό το αποτέλεσμα, η γλώσσα της μη αποδοχής προκαλεί δυσαρέσκεια στα παιδιά. Παύουν να συζητάνε με τους γονείς τους. Μαθαίνουν ότι είναι πολύ πιο βολικό να κρατάνε τα συναισθήματα και τα προβλήματά τους για τον εαυτό τους.

Η γλώσσα της αποδοχής δίνει τη δυνατότητα στα παιδιά να ανοιχτούν. Τους δίνει την ελευθερία να μοιραστούν τα συναισθήματα και τα προβλήματά τους. Οι επαγγελματίες θεραπευτές και οι σύμβουλοι έχουν δείξει πόσο ισχυρή μπορεί να γίνει μια τέτοια αποδοχή. Οι πιο αποτελεσματικοί θεραπευτές και σύμβουλοι είναι εκείνοι που μπορούν να επικοινωνήσουν στους ανθρώπους που τους επισκέπτονται για βοήθεια, το μήνυμα ότι πραγματικά τους αποδέχονται. Αυτός είναι ο λόγος που ακούει συχνά κανείς τους ανθρώπους να λένε ότι στη συμβουλευτική ή τη θεραπεία αισθάνθηκαν απολύτως ελεύθεροι από την κρίση του συμβούλου. Αναφέρουν ότι βίωσαν την ελευθερία να του πούνε τα χειρότερα πράγματα για τον εαυτό τους, γιατί ένιωθαν ότι ο σύμβουλός τους *θα τους αποδεχόταν*, ανεξάρτητα από το τι θα έλεγαν ή θα ένιωθαν. Μια τέτοια αποδοχή είναι ένα από τα πιο σημαντικά στοιχεία που συμβάλλουν στην ανάπτυξη και την αλλαγή που πραγματοποιείται μέσα από τη συμβουλευτική και τη θεραπεία.

Αντίστροφα, έχουμε επίσης μάθει από αυτούς τους επαγγελματίες θεραπευτές ότι η μη αποδοχή πολύ συχνά κάνει τους ανθρώπους να κλείνονται, τους κάνει να παίρνουν αμυντική στάση, προκαλεί δυσαρέσκεια, και τους κάνει να φοβούνται να μιλήσουν ή να εξετάσουν τον εαυτό τους. Συνεπώς, μέρος του «μυστικού της επιτυχίας», της ικανότητας του επαγγελματία θεραπευτή να επιφέρει αλλαγή και να βοηθήσει την εξέλιξη σε ανθρώπους με δυσκολίες, είναι η παρουσία αποδοχής στη σχέση του μαζί τους και η ικανότητά του να μιλάει τη γλώσσα της αποδοχής, έτσι ώστε αυτή να γίνεται γνήσια αισθητή από τον άλλον.

Εργαζόμενοι με γονείς στα προγράμματά μας της Εκπαίδευσης, αποδείξαμε ότι οι γονείς μπορούν να διδαχτούν τις ίδιες δεξιότητες που χρησιμοποιούν οι επαγγελματίες σύμβουλοι. Οι περισσότεροι γονείς μειώνουν δραστικά τη συχνότητα των μηνυμάτων που επικοινωνούν μη αποδοχή, και αποκτούν ένα απροσδόκητα υψηλό επίπεδο δεξιότητας, χρησιμοποιώντας τη γλώσσα της αποδοχής.

Όταν οι γονείς μαθαίνουν πώς να εκδηλώνουν με τα λόγια ένα εσωτερικό συναίσθημα αποδοχής προς το παιδί, αποκτούν το εργαλείο με το οποίο μπορούν να έχουν πάντα θεαματικά αποτελέσματα. Μπορούν να κάνουν το παιδί να μάθει να αποδέχεται και να αγαπά τον εαυτό του, και να αποκτήσει συναίσθηση της αξίας του. Μπορούν να διευκολύνουν σημαντικά την ανάπτυξή του και την πραγμάτωση του δυναμικού με το οποίο είναι προικισμένο εκ γενετής. Μπορούν να επιταχύνουν την πορεία του από την εξάρτηση προς την ανεξαρτητοποίηση και την αυτονομία. Μπορούν να το βοηθήσουν να μάθει να λύνει μόνο του τα προβλήματα που αναπόφευκτα δημιουργεί η ζωή, και μπορούν να το εφοδιάσουν με τη δύναμη να αντιμετωπίζει εποικοδομητικά τις συνήθεις απογοητεύσεις και λύπες της παιδικής και εφηβικής ηλικίας.

Από όλα τα θετικά αποτελέσματα της αποδοχής κανένα δεν είναι τόσο σημαντικό όσο το συναίσθημα του παιδιού ότι το αγαπάνε. Γιατί η αποδοχή κάποιου «όπως αυτός είναι» είναι πραγματικά μια πράξη αγάπης. Το να αισθάνεσαι ότι σε αποδέχονται ισοδυναμεί με το να αισθάνεσαι ότι σε αγαπούν. Και στην ψυχολογία μόλις έχουμε αρχίσει να καταλαβαίνουμε την τεράστια δύναμη τού να νιώθεις ότι σε αγαπάνε: Μπορεί να ενισχύσει την ανάπτυξη του σώματος και του πνεύματος και είναι ίσως η πιο αποτελεσματική θεραπευτική δύναμη που γνωρίζουμε για την αποκατάσταση της ψυχικής και της σωματικής βλάβης.

### Η αποδοχή πρέπει να εκφράζεται

Είναι άλλο πράγμα να αισθάνεται ο γονέας αποδοχή για ένα παιδί και άλλο να την κάνει αισθητή. Αν η αποδοχή του γονέα δεν επικοινωνείται στο παιδί, δεν μπορεί να το επηρεάσει καθόλου. Ο γονέας πρέπει να μάθει πώς να εκδηλώνει την αποδοχή του, ώστε το παιδί να την αισθάνεται κι αυτό.

Χρειάζονται ειδικές δεξιότητες, για να μπορέσει να το κάνει αυτό. Όμως, οι πιο πολλοί γονείς τείνουν να θεωρούν την αποδοχή κάτι παθητικό – μια διανοητική κατάσταση, μια στάση, ένα συναίσθημα. Σίγουρα η αποδοχή προέρχεται από το εσωτερικό μας, όμως για να έχει τη δύναμη να επηρεάσει αποτελεσματικά, θα πρέπει να εκφράζεται ή να εκδηλώνεται ενεργητικά. Ποτέ δεν μπορώ να είμαι σίγουρος ότι είμαι αποδεκτός από τον άλλον, μέχρι να το εκδηλώσει αυτό στην πράξη.

Ο επαγγελματίας ψυχολόγος, σύμβουλος ή ψυχοθεραπευτής, η αποτελεσματικότητα του οποίου ως φορέα βοήθειας εξαρτάται ιδαίτερα από την ικανότητά του να εκδηλώνει την αποδοχή του για τον πελάτη του, αφιερώνει χρόνια για να μάθει τρόπους να εφαρμόζει αυτήν τη στάση μέσα από τις επικοινωνιακές του συνήθειες. Με τη συστηματική εκπαίδευση και τη μακροχρόνια πείρα, οι επαγγελματίες σύμβουλοι αποκτούν ειδικές δεξιότητες στην εκδήλωση της αποδοχής τους. Μαθαίνουν ότι αυτό που τους κάνει να είναι βοηθητικοί ή όχι είναι αυτό που λένε.

Τα λόγια μπορούν να θεραπεύσουν και τα λόγια μπορούν να προκαλέσουν εποικοδομητική αλλαγή. Πρέπει όμως να είναι τα κατάλληλα λόγια.

Το ίδιο ισχύει και για τους γονείς. Ο τρόπος με τον οποίο μιλάνε στα παιδιά τους θα καθορίσει κατά πόσο η συζήτηση θα είναι βοηθητική ή καταστροφική. Ο αποτελεσματικός γονέας, όπως και ο αποτελεσματικός σύμβουλος, πρέπει να μάθει πώς να επικοινωνεί την αποδοχή του, και πρέπει να αποκτήσει τις ίδιες δεξιότητες επικοινωνίας.

Οι γονείς στα προγράμματά μας ρωτάνε με σκεπτικισμό: «Είναι δυνατόν ένας μη επαγγελματίας, όπως είμαι εγώ, να μάθει τις δεξιότητες ενός επαγγελματία συμβούλου;» Τριάντα χρόνια πριν, θα του απαντούσαμε «όχι». Ωστόσο, στις τάξεις μας, έχουμε δείξει ότι είναι δυνατόν για τους περισσότερους γονείς να μάθουν πώς να γίνουν αποτελεσματικοί φορείς βοήθειας για τα παιδιά τους. Γνωρίζουμε τώρα ότι αυτό που κάνει τον καλό σύμβουλο δεν είναι η γνώση της ψυχολογίας ή η θεωρητική κατανόηση του ανθρώπου. Είναι πρωτίστως θέμα μάθησης του πώς να μιλάει κανείς στους ανθρώπους με «εποικοδομητικό» τρόπο.

Οι ψυχολόγοι το ονομάζουν αυτό «θεραπευτική επικοινωνία», που σημαίνει ότι συγκεκριμένα είδη μηνυμάτων έχουν μια «θεραπευτική» ή υγιή επίδραση στα άτομα. Τα κάνουν να αισθάνονται καλύτερα, τα ενθαρρύνουν να μιλήσουν, τα βοηθάνε να εκφράζουν τα συναισθήματά τους, δημιουργούν ένα συναίσθημα αξίας ή αυτοεκτίμησης, μειώνουν την αίσθηση της απειλής ή τον φόβο, διευκολύνουν την ανάπτυξη και την εποικοδομητική αλλαγή.

Άλλα είδη ομιλίας είναι «μη θεραπευτικά» ή και καταστροφικά. Τέτοια μηνύματα τείνουν να κάνουν τους ανθρώπους να αισθάνονται επίκριση ή ενοχή· περιορίζουν την έκφραση ειλικρινών συναισθημάτων, απειλούν το άτομο, δημιουργούν συναισθήματα απαξίωσης ή μειωμένης αυτοεκτίμησης, εμποδίζουν την ανάπτυξη και την εποικοδομητική αλλαγή, και κάνουν το άτομο να υπερασπίζεται με μεγαλύτερο σθένος αυτό που είναι.

Αν και πολύ μικρός αριθμός γονέων διαθέτει διαισθητικά αυτήν τη θεραπευτική δεξιότητα, και συνεπώς είναι «απροσποίητοι», οι περισσότεροι γονείς πρέπει να περάσουν μέσα από τη διαδικασία τού να ξεμάθουν πρώτα τους «καταστροφικούς» τρόπους επικοινωνίας και μετά να μάθουν πιο εποικοδομητικούς τρόπους. Αυτό σημαίνει ότι οι γονείς πρέπει πρώτα να εκθέσουν τις τυπικές τους συνήθειες επικοινωνίας, για να δούνε οι ίδιοι με ποιον τρόπο τα λόγια τους είναι καταστροφικά ή μη θεραπευτικά. Έπειτα πρέπει να διδαχτούν μερικούς νέους τρόπους ανταπόκρισης στα παιδιά.

## ΜΗ ΛΕΚΤΙΚΗ ΕΚΦΡΑΣΗ ΤΗΣ ΑΠΟΔΟΧΗΣ

Μηνύματα στέλνουμε με τον προφορικό λόγο (με αυτά που λέμε) ή με αυτά που οι κοινωνικοί επιστήμονες ονομάζουν *μη λεκτικά μηνύματα* (χωρίς να χρησιμοποιούμε τον λόγο). Τα μη λεκτικά μηνύματα εκφράζονται με χειρονομίες, στάσεις του σώματος, εκφράσεις του προσώπου ή άλλες συμπεριφορές. Αν κουνήσετε το δεξί σας χέρι με κατεύθυνση από το μέρος σας προς το παιδί, είναι πολύ πιθανόν το παιδί να ερμηνεύσει αυτήν τη χειρονομία ως «Φύγε!» ή «Μακριά από μένα!» ή «Δεν θέλω να με ενοχλούν τώρα!» Αν κουνήσετε το δεξί σας χέρι με κατεύθυνση από το παιδί προς το μέρος σας, το παιδί προφανώς θα ερμηνεύσει αυτήν τη χειρονομία ως ένα μήνυμα «Έλα εδώ!» «Πλησίασε!» ή «Θα ήθελα να είσαι εδώ μαζί μου». Η πρώτη χειρονομία εκφράζει μη αποδοχή, η δεύτερη εκφράζει αποδοχή.

### Η μη παρέμβαση ως ένδειξη αποδοχής

Οι γονείς μπορούν να δείχνουν αποδοχή του παιδιού τους με το να μην παρεμβαίνουν στις δραστηριότητές του. Ας πάρουμε για παράδειγμα ένα παιδί που προσπαθεί να χτίσει κάστρα από άμμο στην παραλία. Ο γονέας που παραμένει μακριά από το παιδί και ασχολείται με μια δική του δραστηριότητα, επιτρέποντας στο παιδί να κάνει «λάθη» ή να δημουργήσει το δικό του μοναδικό κάστρο (το οποίο πιθανόν να μη μοιάζει με το σχέδιο που θα ακολουθούσε ο γονιός ή να μη μοιάζει καν με κάστρο), αυτός ο γονέας στέλνει ένα μη λεκτικό μήνυμα αποδοχής.

Το παιδί θα νιώσει «Αυτό που κάνω τώρα είναι εντάξει», «Η συμπεριφορά μου να κτίσω ένα κάστρο γίνεται αποδεκτή», «Η μαμά μου με αποδέχεται όταν κάνω αυτό που κάνω τώρα».

Το να μην ανακατεύεται κανείς, όταν το παιδί ασχολείται με κάποια δραστηριότητα, είναι ένας ισχυρός μη λεκτικός τρόπος έκφρασης αποδοχής. Πολλοί γονείς δεν καταλαβαίνουν πόσο συχνά επικοινωνούν μη αποδοχή προς τα παιδιά τους, απλώς και μόνο παρεμβαίνοντας, επεμβαίνοντας, εισβάλλοντας, ελέγχοντας ή συμμετέχοντας σε αυτό που κάνει το παιδί. Πάρα πολύ συχνά οι ενήλικες δεν αφήνουν τα παιδιά τους απλώς να υπάρχουν. Εισβάλλουν στον ιδιαίτερο χώρο του υπνοδωματίου τους ή εισβάλλουν στις προσωπικές και ιδιαίτερες σκέψεις τους, αρνούμενοι να τους επιτρέπουν την ατομικότητά τους. Συχνά αυτό είναι αποτέλεσμα των ανησυχιών των γονέων, των δικών τους συναισθημάτων ανασφάλειας.

Οι γονείς θέλουν τα παιδιά τους να μαθαίνουν («Να πώς θα έπρεπε πραγματικά να είναι ένα κάστρο»). Δεν νιώθουν άνετα, όταν τα παιδιά τους κάνουν κάποιο λάθος («Κτίσε το κάστρο πιο μακριά από το νερό, έτσι ώστε να μην γκρεμίσει το κύμα τα τείχη του»). Θέλουν να νιώσουν υπερήφανοι για τα επιτεύγματα των παιδιών τους («Κοιτάξτε τι ωραίο κάστρο έκανε ο Τζίμι μας!»). Επιβάλλουν στα παιδιά άκαμπτες, ενήλικες έννοιες για το σωστό και το λάθος («Δεν θα έπρεπε το κάστρο σου να έχει και τάφρο;»). Τρέφουν κρυφές φιλοδοξίες για τα παιδιά τους («Δεν πρόκειται να μάθεις τίποτε, χτίζοντας όλο το απόγευμα αυτό το πράγμα»). Ενδιαφέρονται υπερβολικά για το τι σκέπτονται οι άλλοι για τα παιδιά τους («Το κάστρο αυτό δεν είναι τόσο ωραίο όσο θα μπορούσες να το κάνεις»). Θέλουν να αισθάνονται ότι το παιδί τους τους χρειάζεται («Άσε τον μπαμπά να σε βοηθήσει») κ.λπ.

Επομένως, *το να μην κάνετε τίποτε* σε μια περίπτωση που το παιδί είναι απασχολημένο με κάποια δραστηριότητα μπορεί σαφώς να δώσει το μήνυμα ότι ως γονέας το αποδέχεστε. Η εμπειρία μου είναι ότι οι γονείς δεν επιτρέπουν αρκετά συχνά αυτό το είδος «ατομικότητας». Κατανοούμε ότι μια τέτοια στάση μη παρέμβασης είναι δύσκολη.

> Στο πρώτο πάρτι που έδωσε η μία μας κόρη την πρώτη της χρονιά στο γυμνάσιο, θυμάμαι ότι ένιωσα έντονα να με απορρίπτει, όταν μου είπε ότι οι πρωτότυπες και εποικοδομητικές προτάσεις μου για τη διασκέδαση των καλεσμένων της δεν ήταν καλοδεχούμενες. Μόνο αφού συνήλθα από την ελαφριά κατάθλιψή μου, αφού μου ζήτησε να μην ανακατευτώ, μπόρεσα να καταλάβω με ποιον τρόπο επικοινωνούσα μη λεκτικά μηνύματα μη αποδοχής, όπως: «Δεν μπορείς να

οργανώσεις μόνη σου ένα καλό πάρτι», «Χρειάζεσαι τη βοήθειά μου», «Δεν εμπιστεύομαι την κρίση σου», «Δεν είσαι τέλεια οικοδέσποινα», «Μπορεί να κάνεις κάποιο λάθος», «Δεν θέλω να αποτύχει αυτό το πάρτι» κ.λπ.

## Η παθητική ακρόαση ως ένδειξη αποδοχής

Το *να μη λέει κανείς τίποτε* μπορεί επίσης σαφώς να εκφράσει αποδοχή. Η σιωπή –η «παθητική ακρόαση»– είναι δυνητικά ένα μη λεκτικό μήνυμα και μπορεί να χρησιμοποιηθεί αποτελεσματικά, για να κάνει ένα άτομο να αισθανθεί ότι γίνεται γνήσια αποδεκτό. Άνθρωποι που προσφέρουν επαγγελματικά βοήθεια το γνωρίζουν καλά αυτό και κάνουν συστηματική χρήση της σιωπής στις συνεντεύξεις τους. Ένα άτομο που περιγράφει το πρώτο του ραντεβού με έναν ψυχολόγο ή ψυχίατρο συχνά αναφέρει: «Εκείνος δεν είπε τίποτα, όλο εγώ μιλούσα» ή «Του είπα όλα αυτά τα τρομερά πράγματα για μένα, αλλά εκείνος ούτε καν σχολίασε» ή «Δεν πίστευα ότι θα μπορούσα να του πω τίποτα, όμως μιλούσα ολόκληρη την ώρα».

Αυτό που περιγράφουν αυτά τα άτομα είναι η εμπειρία τους –πιθανότατα η *πρώτη* τους εμπειρία– να μιλούν με κάποιον που απλώς τους άκουγε. Μπορεί να είναι μια θαυμάσια εμπειρία, όταν η σιωπή ενός ατόμου σάς κάνει να αισθάνεστε ότι σας αποδέχεται. Τότε, η μη επικοινωνία επικοινωνεί πραγματικά κάτι, όπως στο παρακάτω απόσπασμα ανάμεσα σε μια μητέρα και την κόρη της, όταν η δεύτερη επέστρεψε στο σπίτι της από το γυμνάσιο:

*ΚΟΡΗ:* Με κάλεσαν στο γραφείο του υποδιευθυντή σήμερα.
*ΜΗΤΕΡΑ:* Ναι;
*ΚΟΡΗ:* Ναι, ο κύριος Φρανκς είπε ότι μιλούσα πολύ στην τάξη.
*ΜΗΤΕΡΑ:* Καταλαβαίνω.
*ΚΟΡΗ:* Δεν μπορώ να τον υποφέρω αυτόν το γέρο. Στέκεται εκεί πέρα και μιλάει για τα προβλήματά του ή τα εγγόνια του και περιμένει από εμάς να ενδιαφερθούμε. Είναι τόσο βαρετό, που δεν θα το πίστευες ποτέ.
*ΜΗΤΕΡΑ:* Χμ. Χμ.
*ΚΟΡΗ:* Δεν μπορείς να κάθεσαι σ' αυτή την τάξη και να μην κάνεις τίποτε! Θα τρελαθείς. Η Τζίνι κι εγώ καθόμαστε εκεί και κάνουμε αστεία, όταν αυτός μιλάει. Ω! Είναι ο χειρότερος καθηγητής που μπορείς να φανταστείς. Θυμώνω, όταν έχω έναν κακό καθηγητή.
*ΜΗΤΕΡΑ:* ...(Σιωπή).
*ΚΟΡΗ:* Τα πάω καλά όταν ο καθηγητής είναι καλός, αλλά αν έχω κάποιον σαν τον κύριο Φρανκς, πραγματικά δεν νιώθω ότι θα μπορούσα να μάθω κάτι. Γιατί ε-

πιτρέπουν σ' έναν τέτοιο τύπο να διδάσκει;

*ΜΗΤΕΡΑ:* (Ανασηκώνει τους ώμους).

*ΚΟΡΗ:* Υποθέτω ότι θα ήταν καλύτερα να το συνηθίσω, γιατί δεν θα έχω πάντοτε καλούς καθηγητές. Υπάρχουν περισσότεροι κακοί παρά καλοί καθηγητές και, αν αφήσω τους κακούς να με απογοητεύσουν, δεν θα πάρω τους βαθμούς που χρειάζομαι για να μπω σ' ένα καλό πανεπιστήμιο. Στην πραγματικότητα, τον εαυτό μου βλάπτω, φαντάζομαι.

Σε αυτό το σύντομο επεισόδιο φάνηκε καθαρά η αξία της σιωπής. Η παθητική ακρόαση της μητέρας έδωσε τη δυνατότητα στην κόρη να υπερβεί την αρχική αναφορά του γεγονότος, ότι τη στείλανε στον υποδιευθυντή. Της επέτρεψε να παραδεχτεί γιατί την τιμώρησαν, να απελευθερώσει τον θυμό της και τα συναισθήματα μίσους προς τον καθηγητή της, να αναλογιστεί τις συνέπειες της συνεχιζόμενης αντίδρασής της προς τους κακούς καθηγητές, και τελικά να φθάσει σε ένα δικό της ανεξάρτητο συμπέρασμα, ότι στην πραγματικότητα έβλαπτε τον εαυτό της με αυτήν τη συμπεριφορά. Κατά τη διάρκεια της σύντομης αυτής χρονικής περιόδου, που το κορίτσι αυτό έγινε *αποδεκτό, ωρίμασε.* Της δόθηκε το δικαίωμα να εκφράσει τα συναισθήματά της· βοηθήθηκε να κινηθεί *μόνη της* προς ένα είδος αυτόβουλης επίλυσης του προβλήματος. Από αυτό προέκυψε η δική της εποικοδομητική λύση, όσο αβέβαιη κι αν ήταν.

Η σιωπή της μητέρας διευκόλυνε αυτήν τη «στιγμή ανάπτυξης», αυτό το μικρό «βήμα ωρίμανσης», το παράδειγμα αυτό ενός οργανισμού στη διαδικασία της αλλαγής που πηγάζει από μέσα του. Τι τραγωδία θα ήταν για τη μητέρα, αν είχε χάσει την ευκαιρία να συμβάλει στην ανάπτυξη του παιδιού της, αν είχε παρέμβει στην επικοινωνία του παιδιού, διακόπτοντάς το με τυπικές αποκρίσεις μη αποδοχής, όπως:

«Τι έκανε, λέει; Σε στείλανε στον υποδιευθυντή; Ω, Θεέ μου!»

«Λοιπόν, αυτό θα πρέπει να σου γίνει μάθημα».

«Κοίτα, ο κ. Φρανκς δεν είναι τόσο κακός, έτσι δεν είναι;»

«Αγάπη μου, θα πρέπει να μάθεις να συγκρατείσαι».

«Καλά θα κάνεις να μάθεις να προσαρμόζεσαι σ' όλα τα είδη των καθηγητών».

Όλα αυτά τα μηνύματα, και πολλά ακόμη που οι γονείς συνηθίζουν να στέλνουν σε περιπτώσεις σαν αυτή, όχι μόνο θα είχαν επικοινωνήσει μη αποδοχή του παιδιού· θα είχαν σταματήσει κάθε περαιτέρω συζήτηση και θα είχαν εμποδίσει το κορίτσι να βρει κάποια λύση μόνο του.

Συνεπώς, το να μη λέει κανείς τίποτε, όπως και το να μην κάνει τίποτε, μπορεί να εκφράσει αποδοχή. Και η αποδοχή ενισχύει την εποικοδομητική ανάπτυξη και την αλλαγή.

## ΛΕΚΤΙΚΗ ΕΠΙΚΟΙΝΩΝΙΑ ΤΗΣ ΑΠΟΔΟΧΗΣ

Πολλοί γονείς συνειδητοποιούν ότι δεν μπορεί κανείς να παραμένει σιωπηλός για πολλή ώρα σε μια αλληλεπίδραση μεταξύ ανθρώπων. Οι άνθρωποι θέλουν κάποιο είδος λεκτικής επικοινωνίας. Προφανώς, οι γονείς πρέπει να μιλάνε στα παιδιά τους και τα παιδιά χρειάζονται την ομιλία των γονέων, για να έχουν μια στενή, ζωντανή σχέση.

Η ομιλία είναι απαραίτητη, *ο τρόπος* όμως με τον οποίο οι γονείς μιλάνε στα παιδιά τους είναι βασικός. Μπορώ να πω πολλά για τη σχέση γονέα-παιδιού, παρατηρώντας απλώς το είδος της λεκτικής επικοινωνίας ανάμεσα στον γονέα και το παιδί, ιδιαίτερα τον τρόπο με τον οποίο ο γονέας αντιδρά στα λεγόμενα του παιδιού. Οι γονείς πρέπει να εξετάσουν πώς αντιδρούν λεκτικά στα παιδιά, γιατί εδώ βρίσκεται το κλειδί της αποτελεσματικότητας κάθε γονέα.

Στις τάξεις μας της Εκπαίδευσης χρησιμοποιούμε μια άσκηση, για να βοηθήσουμε τους γονείς να αναγνωρίσουν τα είδη των λεκτικών αντιδράσεων που χρησιμοποιούν, όταν τα παιδιά τους τους πλησιάζουν έχοντας κάποια συναισθήματα ή προβλήματα. Αν θέλετε να δοκιμάσετε αυτή την άσκηση τώρα, αυτό που χρειάζεστε είναι ένα λευκό φύλλο χαρτί κι ένα μολύβι. Υποθέστε ότι το δεκαπεντάχρονο παιδί σας σας ανακοινώνει ένα βράδυ στο τραπέζι:

> «Το σχολείο είναι αηδία. Μας μαθαίνουν ένα σωρό ασήμαντα γεγονότα που δεν μας προσφέρουν τίποτε. Αποφάσισα να μην πάω στο πανεπιστήμιο. Δεν χρειάζεται κανείς πανεπιστημιακή μόρφωση, για να γίνει σημαντικός. Υπάρχουν πολλοί άλλοι τρόποι για να πάει κανείς μπροστά σε αυτό τον κόσμο».

Τώρα, γράψτε σ' ένα χαρτί πώς ακριβώς θα αντιδρούσατε λεκτικά σε αυτό το μήνυμα. Γράψτε τη λεκτική σας επικοινωνία – τις ακριβείς λέξεις που θα χρησιμοποιούσατε για να ανταποκριθείτε σε αυτό το μήνυμα του παιδιού σας.

Τώρα, αν έχετε γράψει την αντίδρασή σας, δοκιμάστε μια άλλη περίπτωση. Η δεκάχρονη κόρη σας σας λέει:

> «Δεν ξέρω τι πάει στραβά μαζί μου. Η Τζίνι με συμπαθούσε, αλλά τώρα δεν με συμπαθεί. Δεν έρχεται πια να παίξουμε. Κι αν πάω εγώ, αυτή πάντα παίζει με την Άσλεϊ και αυτές οι δυο παίζουν μαζί και διασκεδάζουν, ενώ εγώ κάθομαι εκεί μόνη μου. Τις μισώ και τις δυο».

Γράψτε πάλι ακριβώς τι θα λέγατε στην κόρη σας ως απάντηση σε αυτό το μήνυμα.

Να τώρα και μια άλλη περίπτωση, όπου ο ενδεκάχρονος γιος σας σας λέει:

«Γιατί πρέπει εγώ να φροντίζω την αυλή και να βγάζω έξω τα σκουπίδια; Η μητέρα του Ρέι δεν τον βάζει να κάνει τόσες δουλειές. Δεν είσαι δίκαιη! Τα παιδιά δεν θα έπρεπε να κάνουν τόσες δουλειές. Κανείς δεν αναγκάζεται να κάνει τόσα χαζοπράγματα όσα εγώ».

Γράψτε την αντίδρασή σας.

Και μία τελευταία περίπτωση: Ο πεντάχρονος γιος σας νιώθει όλο και πιο εκνευρισμένος, όταν δεν μπορεί να κερδίσει την προσοχή της μαμάς, του μπαμπά και των δύο καλεσμένων τους, μετά το φαγητό. Οι τέσσερίς σας συζητάτε έντονα, αναθερμαίνοντας τη φιλία σας μετά από μακρόχρονο χωρισμό. Ξαφνικά, ακούτε σοκαρισμένοι το μικρό σας αγόρι να φωνάζει δυνατά:

«Είστε όλοι χαζοί και ηλίθιοι! Σας μισώ».

Και πάλι, γράψτε ακριβώς τι θα λέγατε ως απόκριση σε αυτό το έντονο μήνυμα.

Οι διάφοροι τρόποι με τους οποίους μόλις αντιδράσατε σε αυτά τα μηνύματα, μπορούν να ταξινομηθούν σε κατηγορίες. Υπάρχουν περίπου δώδεκα διαφορετικές κατηγορίες, στις οποίες κατατάσσονται οι λεκτικές αντιδράσεις των γονέων. Παρατίθενται όλες παρακάτω. Πάρτε τις αντιδράσεις που γράψατε στο χαρτί σας και προσπαθήστε να ταξινομήσετε την καθεμιά στην κατηγορία που ταιριάζει καλύτερα.

1. ΕΝΤΟΛΗ, ΚΑΘΟΔΗΓΗΣΗ, ΔΙΑΤΑΓΗ
   Λέμε στο παιδί να κάνει κάτι, του δίνουμε μια εντολή ή διαταγή:
   «Δεν με νοιάζει τι κάνουν οι άλλοι γονείς, εσύ οφείλεις να κάνεις τις δουλειές στην αυλή!»
   «Μη μιλάς έτσι στη μητέρα σου!»
   «Γύρνα εκεί πίσω τώρα και παίξε με την Τζίνι και την Άσλεϊ!»
   «Σταμάτα να παραπονιέσαι!»

2. ΠΡΟΕΙΔΟΠΟΙΗΣΗ, ΕΠΙΠΛΗΞΗ, ΑΠΕΙΛΗ
   Λέμε στο παιδί ποιες συνέπειες θα υπάρξουν, αν κάνει κάτι:
   «Αν κάνεις αυτό, θα το μετανιώσεις!»
   «Μια ακόμη φράση σαν αυτή και θα φύγεις από το δωμάτιο!»
   «Θα ήταν προτιμότερο να μην το κάνεις αυτό, αν ξέρεις τι είναι καλό για εσένα!»

3. ΠΑΡΑΙΝΕΣΗ, ΗΘΙΚΟΛΟΓΙΑ, ΔΙΔΑΧΗ
   Λέμε στο παιδί τι πρέπει ή τι οφείλει να κάνει:

«Δεν θα έπρεπε να φέρεσαι έτσι».
«Οφείλεις να κάνεις αυτό...»
«Πρέπει πάντοτε να σέβεσαι τους μεγαλύτερούς σου».

4. ΣΥΜΒΟΥΛΗ, ΠΡΟΣΦΟΡΑ ΛΥΣΕΩΝ Ή ΥΠΟΔΕΙΞΕΩΝ
Λέμε στο παιδί πώς να λύσει ένα πρόβλημα, του δίνουμε συμβουλές ή υποδείξεις, του προσφέρουμε απαντήσεις ή λύσεις για λογαριασμό του:
«Γιατί δεν ζητάς από την Τζίνι και την Άσλεϊ να παίξετε εδώ;»
«Περίμενε ένα δύο χρόνια πριν αποφασίσεις για το πανεπιστήμιο».
«Σου συνιστώ να μιλήσεις στους δασκάλους σου γι' αυτό».
«Γίνε φίλη με άλλα κορίτσια».

5. ΚΗΡΥΓΜΑ, ΔΙΔΑΣΚΑΛΙΑ, ΛΟΓΙΚΗ ΕΠΙΧΕΙΡΗΜΑΤΟΛΟΓΙΑ
Προσπαθούμε να επηρεάσουμε το παιδί με γεγονότα, αντεπιχειρήματα, λογική, πληροφορίες ή με τις ίδιες μας τις απόψεις:
«Το πανεπιστήμιο μπορεί να είναι η καλύτερη εμπειρία που θα έχεις ποτέ».
«Τα παιδιά πρέπει να μάθουν πώς να τα πηγαίνουν καλά μεταξύ τους».
«Για να δούμε τα στοιχεία για τους πτυχιούχους του πανεπιστημίου».
«Αν τα παιδιά μάθουν να αναλαμβάνουν ευθύνες στο σπίτι, θα γίνουν αργότερα υπεύθυνοι πολίτες».
«Δες το κι έτσι: Η μητέρα σου χρειάζεται βοήθεια στο σπίτι».
«Όταν ήμουν στην ηλικία σου, έπρεπε να κάνω τα διπλά απ' αυτά που κάνεις εσύ».

6. ΚΡΙΤΙΚΗ, ΕΠΙΚΡΙΣΗ, ΔΙΑΦΩΝΙΑ, ΚΑΤΗΓΟΡΙΑ
Κάνουμε αρνητική κριτική ή αξιολόγηση του παιδιού:
«Δεν σκέπτεσαι καθαρά».
«Αυτό είναι πολύ ανώριμο».
«Κάνεις μεγάλο λάθος σ' αυτό».
«Διαφωνώ απόλυτα μαζί σου».

7. ΕΠΑΙΝΟΣ, ΣΥΜΦΩΝΙΑ
Προσφέρουμε θετική αξιολόγηση ή κριτική, συμφωνούμε:
«Λοιπόν, ναι, νομίζω ότι είσαι όμορφη».
«Έχεις την ικανότητα να τα πας καλά».
«Νομίζω ότι έχεις δίκιο».
«Συμφωνώ μαζί σου».

8. ΧΑΡΑΚΤΗΡΙΣΜΟΙ, ΓΕΛΟΙΟΠΟΙΗΣΗ, ΤΑΠΕΙΝΩΣΗ
Κάνουμε το παιδί να νιώθει ηλίθιο, το κατηγοριοποιούμε, το προσβάλλουμε:
«Είσαι ένα κακομαθημένο παλιόπαιδο».
«Για κοίτα εδώ, εξυπνάκια!»
«Κάνεις σαν θηρίο ανήμερο».
«Εντάξει, μωρουδάκι!»

9. ΕΡΜΗΝΕΙΑ, ΑΝΑΛΥΣΗ, ΔΙΑΓΝΩΣΗ
Λέμε στο παιδί ποια είναι τα κίνητρά του ή αναλύουμε γιατί κάνει ή λέει κάτι· του επικοινωνούμε το μήνυμα ότι το έχουμε καταλάβει ή έχουμε βγάλει κάποια διάγνωση γι' αυτό:
«Απλώς ζηλεύεις την Τζίνι».
«Το λες για να με πληγώσεις».
«Δεν το πιστεύεις αυτό».
«Αισθάνεσαι έτσι, γιατί δεν τα πας καλά στο σχολείο».

10. ΚΑΘΗΣΥΧΑΣΜΟΣ, ΣΥΜΠΑΘΕΙΑ, ΠΑΡΗΓΟΡΙΑ, ΥΠΟΣΤΗΡΙΞΗ
Προσπαθούμε να κάνουμε το παιδί να νιώσει καλύτερα, να ξεχάσει τα δυσάρεστα συναισθήματά του, προσπαθούμε να καθησυχάσουμε τα συναισθήματά του, αρνούμαστε τη δύναμή τους:
«Αύριο θα νιώθεις διαφορετικά».
«Όλα τα παιδιά το περνάνε αυτό κάποτε».
«Μη στεναχωριέσαι, τα πράγματα θα φτιάξουν».
«Θα μπορούσες να είσαι ένας εξαιρετικός μαθητής με τις δυνατότητες που έχεις».
«Κι εγώ επίσης σκεφτόμουνα έτσι».
«Το ξέρω, το σχολείο μπορεί να είναι πολύ βαρετό μερικές φορές».
«Συνήθως τα πας πολύ καλά με τα άλλα παιδιά».

11. ΔΙΕΡΕΥΝΗΣΗ, ΕΡΩΤΗΣΗ, ΑΝΑΚΡΙΣΗ
Προσπαθούμε να βρούμε αιτίες, κίνητρα, λόγους· αναζητούμε περισσότερη πληροφόρηση, για να βοηθήσουμε το παιδί να λύσει το πρόβλημα.
«Πότε άρχισες να αισθάνεσαι έτσι;»
«Γιατί νομίζεις ότι μισείς το σχολείο;»
«Σου λένε ποτέ τα παιδιά γιατί δεν θέλουν να παίξουν μαζί σου;»
«Σε πόσα άλλα παιδιά μίλησες για τις δουλειές που έχουν να κάνουν αυτά;»
«Ποιος σου έβαλε αυτή την ιδέα στο κεφάλι σου;»
«Τι θα κάνεις, αν δεν πας στο πανεπιστήμιο;»

12. ΑΠΟΣΥΡΣΗ, ΑΝΤΙΠΕΡΙΣΠΑΣΜΟΣ, ΧΙΟΥΜΟΡ, ΕΚΤΡΟΠΗ ΠΡΟΣΟΧΗΣ

Προσπαθούμε να απομακρύνουμε το παιδί από το πρόβλημα· αποσυρόμαστε οι ίδιοι από το πρόβλημα· προσπαθούμε να στρέψουμε αλλού την προσοχή του παιδιού, αστειευόμαστε, παραμερίζουμε το πρόβλημα:
«Ας το ξεχάσουμε».
«Ας μη μιλήσουμε γι' αυτό στο τραπέζι».
«Άντε, λοιπόν, ας μιλήσουμε για κάτι πιο ευχάριστο».
«Πώς τα πας στο μπάσκετ;»
«Πάω στοίχημα ότι ούτε ο πρόεδρος δεν έχει τόσο περίπλοκα προβλήματα σαν τα δικά σου».
«Τα έχουμε ξανασυζητήσει όλα αυτά».

Αν μπορέσατε να κατατάξετε καθεμιά από τις αντιδράσεις σας σε μία από αυτές τις κατηγορίες, είστε ένας αρκετά τυπικός γονέας. Αν κάποια από τις αντιδράσεις σας δεν ταιριάζει σε καμιά από αυτές τις δώδεκα κατηγορίες, κρατήστε τη για αργότερα, όταν θα παρουσιάσουμε κάποιες άλλες κατηγορίες αντιδράσεων στα μηνύματα των παιδιών. Ίσως αυτές οι αντιδράσεις σας να ταιριάζουν με μία από αυτές τις κατηγορίες.

Όταν οι γονείς κάνουν αυτές τις ασκήσεις στις τάξεις μας, πάνω από 90% των αντιδράσεων των περισσότερων γονέων εμπίπτουν σε αυτές τις δώδεκα κατηγορίες. Οι περισσότεροι από αυτούς τους γονείς νιώθουν έκπληκτοι με αυτή την ομοφωνία. Επίσης, οι περισσότεροι δεν είχαν ποτέ κάποιον να τους υποδείξει πώς ακριβώς να μιλάνε στα παιδιά τους, ποιους τρόπους επικοινωνίας να χρησιμοποιούν ως αντίδραση στα συναισθήματα και τα προβλήματα των παιδιών τους.

Οπωσδήποτε κάποιος γονέας θα ρωτήσει: «Και τώρα που ξέρουμε πώς μιλάμε, τι βγαίνει μ' αυτό; Τι υποτίθεται ότι θα μάθουμε από τη διαπίστωση ότι όλοι επικοινωνούμε κατ' αυτό τον τρόπο;»

## Τι γίνεται με τα δώδεκα «εμπόδια επικοινωνίας»;

Για να καταλάβουν οι γονείς ποια αποτελέσματα έχουν αυτά τα επικοινωνιακά εμπόδια στα παιδιά ή τις σχέσεις γονέων-παιδιών, πρέπει πρώτα να αντιληφθούν ότι οι λεκτικές αντιδράσεις τους συνήθως μεταφέρουν περισσότερα από ένα νοήματα ή μηνύματα. Για παράδειγμα, το να πείτε σε ένα κορίτσι, που μόλις παραπονέθηκε ότι η φίλη της δεν τη συμπαθεί ή δεν παίζει πια μαζί της: «Θα σου πρότεινα να προσπαθήσεις να φερθείς καλύτερα στην Τζίνι και ύστερα ίσως εκείνη να θελήσει να παίξει μαζί σου», μεταφέρει πολύ περισσότερα μηνύματα στο κορίτσι από το απλό «περιεχόμενο» της πρότασής σας. Το κορίτσι ίσως αντιλαμβάνεται κάποιο ή όλα τα παρακάτω κρυμμένα μηνύματα:

«Δεν αποδέχεσαι τα συναισθήματά μου, όπως τα αποδέχομαι εγώ, γι' αυτό θέλεις να αλλάξω».
«Δεν με εμπιστεύεσαι να λύσω μόνη μου αυτό το πρόβλημα».
«Νομίζεις ότι το σφάλμα είναι δικό μου».
«Νομίζεις ότι δεν είμαι τόσο έξυπνη όσο εσύ».
«Νομίζεις ότι κάνω κάτι κακό ή λάθος».

Ή όταν ένα παιδί λέει: «Απλώς δεν μπορώ να υποφέρω το σχολείο ή οτιδήποτε σχετικό με το σχολείο» κι εσείς αντιδράτε λέγοντας: «Α, όλοι μας νιώσαμε έτσι για το σχολείο κάποια στιγμή – θα το ξεπεράσεις», το παιδί μπορεί να λάβει τα παρακάτω πρόσθετα μηνύματα:

«Δεν θεωρείς τα συναισθήματά μου πολύ σημαντικά».
«Δεν μπορείς να με αποδεχτείς, αν αισθάνομαι όπως αισθάνομαι».
«Νομίζεις ότι δεν φταίει το σχολείο, αλλά εγώ».
«Τότε δεν με παίρνεις πολύ στα σοβαρά».
«Δεν νομίζεις ότι η γνώμη μου για το σχολείο είναι δικαιολογημένη».
«Δεν φαίνεται να νοιάζεσαι για το πώς αισθάνομαι».

Όταν οι γονείς λένε κάτι *σε* ένα παιδί, συχνά λένε κάτι *για* το παιδί. Να γιατί η επικοινωνία με ένα παιδί έχει τέτοια επίδραση στο παιδί ως πρόσωπο και τελικά έχει επίδραση στη σχέση γονέα-παιδιού. Κάθε φορά που μιλάτε σε ένα παιδί, προσθέτετε ένα ακόμη λιθαράκι, για να ορίσετε τη σχέση που χτίζεται μεταξύ σας και κάθε μήνυμα λέει κάτι στο παιδί για το τι σκέπτεστε γι' αυτό. Σταδιακά το παιδί δημιουργεί μια εικόνα για το πώς το αντιλαμβάνεστε ως πρόσωπο. Η συζήτηση μπορεί να είναι *εποικοδομητική* για το παιδί και για τη σχέση ή να είναι *καταστροφική*.

Ένας τρόπος με τον οποίο βοηθούμε τους γονείς να καταλάβουν πώς τα δώδεκα εμπόδια επικοινωνίας μπορεί να είναι καταστροφικά είναι να τους ζητήσουμε να θυμηθούν τις δικές τους αντιδράσεις, όταν αυτοί ανακοίνωσαν κάποτε τα συναισθήματά τους σε ένα φίλο. Όλοι οι γονείς στα προγράμματά μας αναφέρουν ότι τις περισσότερες φορές τα εμπόδια αυτά έχουν μια καταστροφική επίδραση πάνω τους ή στη σχέση τους με το πρόσωπο, στο οποίο λένε τα προβλήματά τους. Να μερικές από τις σκέψεις που αναφέρουν οι γονείς αυτοί:

Με κάνουν να σταματώ να μιλάω, με απομονώνουν.
Με κάνουν αμυντικό και αντιδραστικό.
Με κάνουν να επιχειρηματολογώ, να αντεπιτίθεμαι.
Με κάνουν να αισθάνομαι ανεπαρκής, κατώτερος.
Με κάνουν να αισθάνομαι απογοητευμένος ή θυμωμένος.
Με κάνουν να αισθάνομαι ένοχος ή κακός.
Με κάνουν να αισθάνομαι ότι υφίσταμαι πίεση να άλλάξω, ότι δεν γίνομαι αποδεκτός όπως είμαι.
Με κάνουν να αισθάνομαι ότι το άλλο πρόσωπο δεν με εμπιστεύεται να λύσω το πρόβλημά μου.
Με κάνουν να αισθάνομαι ότι με μεταχειρίζονται πατερναλιστικά, σαν να ήμουνα παιδί.
Με κάνουν να αισθάνομαι ότι δεν με καταλαβαίνουν.
Με κάνουν να αισθάνομαι ότι τα συναισθήματά μου δεν δικαιολογούνται.
Με κάνουν να αισθάνομαι ότι με διακόπτουν.
Με κάνουν να αισθάνομαι ματαιωμένος.
Με κάνουν να αισθάνομαι ότι βρίσκομαι στη θέση του μάρτυρα και εξετάζομαι κατ᾽ αντιπαράθεση.
Με κάνουν να αισθάνομαι ότι ο ακροατής απλώς δεν ενδιαφέρεται.

Οι γονείς στις τάξεις μας αναγνωρίζουν αμέσως ότι, αν τα δώδεκα επικοινωνιακά εμπόδια έχουν τέτοιες επιδράσεις στις σχέσεις τους με τους άλλους, προφανώς θα έχουν τις ίδιες επιδράσεις και στα παιδιά τους.

Και έχουν δίκιο. Αυτά τα δώδεκα είδη λεκτικών αντιδράσεων είναι αυτά που οι επαγγελματίες θεραπευτές και σύμβουλοι μαθαίνουν να αποφεύγουν, όταν εργάζονται με παιδιά. Αυτοί οι τρόποι αντίδρασης είναι δυνητικά «μη θεραπευτικοί» ή «καταστροφικοί». Οι επαγγελματίες μαθαίνουν να στηρίζονται σε άλλους τρόπους αντίδρασης στα μηνύματα των παιδιών, που φαίνεται ότι ενέχουν πολύ μικρότερο κίνδυνο να κάνουν το παιδί να σταματήσει να μιλάει, να το κάνουν να νιώσει ένοχο ή ανεπαρκές, να μειώσουν την αυτοεκτίμησή του, να προκαλέσουν αντίσταση, να προκαλέσουν δυσφορία, να το κάνουν να αισθανθεί ότι δεν το αποδέχονται κ.λπ.

Στο Παράρτημα του βιβλίου αυτού έχουμε καταχωρίσει τα δώδεκα αυτά εμπόδια επικοινωνίας, περιγράφοντας λεπτομερέστερα τις καταστροφικές συνέπειες που μπορεί να έχει το καθένα τους.

Όταν οι γονείς συνειδητοποιούν πόσο πολύ στηρίζονται στα δώδεκα εμπόδια επικοινωνίας, όλοι ανεξαιρέτως ρωτάνε με κάποια ανυπομονησία: «Πώς μπορούμε να αντιδράσουμε διαφορετικά; Ποιοι τρόποι μας μένουν;» Οι περισσότεροι γονείς δεν μπορούν να σκεφτούν εναλλακτικές αντιδράσεις. Όμως υπάρχουν μερικές.

## ΑΠΛΑ ΑΝΟΙΓΜΑΤΑ ΕΠΙΚΟΙΝΩΝΙΑΣ

Ένας από τους πιο αποτελεσματικούς και εποικοδομητικούς τρόπους αντίδρασης στα μηνύματα συναισθημάτων των παιδιών ή τα μηνύματα προβλημάτων είναι τα απλά «ανοίγματα επικοινωνίας», η «πρόσκληση να πουν περισσότερα». Πρόκειται για αντιδράσεις που δεν επικοινωνούν κάποια ιδέα, κρίση ή συναίσθημα του ακροατή, προσκαλούν όμως το παιδί να μοιραστεί τις δικές του ιδέες, τις κρίσεις ή τα συναισθήματα. Ανοίγουν την πόρτα για το παιδί, το προσκαλούν να μιλήσει. Οι απλούστερες από αυτές τις αντιδράσεις είναι ουδέτερες αντιδράσεις, όπως:

«Καταλαβαίνω».
«Ω».
«Μμμ».
«Κοίτα να δεις».
«Ενδιαφέρον».
«Πραγματικά».
«Μη μου πεις!»
«Όχι δα!»
«Το έκανες, ε;»
«Ώστε έτσι!»

Άλλες είναι πιο σαφείς, καθώς επικοινωνούν μια πρόσκληση να μιλήσει το παιδί ή να πει περισσότερα, όπως:

«Πες μου γι' αυτό».
«Θα ήθελα να ακούσω γι' αυτό».
«Πες μου περισσότερα».
«Θα με ενδιέφερε να ακούσω την άποψή σου».
«Θα ήθελες να μιλήσεις γι' αυτό;»
«Ας το συζητήσουμε».
«Ας ακούσουμε τι έχεις να πεις».
«Πες μου ολόκληρη την ιστορία».
«Λέγε, σ' ακούω».
«Φαίνεται ότι έχεις να πεις κάτι γι' αυτό».
«Αυτό φαίνεται να είναι κάτι σημαντικό για σένα».

Αυτά τα «ανοίγματα επικοινωνίας» ή οι προσκλήσεις για ομιλία μπορούν να γίνουν γόνιμοι διευκολυντές της επικοινωνίας με το άλλο άτομο. Ενθαρρύνουν τους ανθρώπους να αρχίσουν ή να συνεχίσουν να μιλάνε. Ταυτόχρονα «κρατάνε την μπάλα στη μεριά του άλλου». Δεν έχουν ως αποτέλεσμα να τους αρπάζετε την μπάλα, όπως κάνετε με τα μηνύματα που τους δίνετε, π.χ. την υποβολή ερωτήσεων, την παροχή συμβουλών, τον καθησυχασμό, την ηθικολογία κ.λπ. *Τα ανοίγματα αυτά κρατάνε τα συναισθήματα και τις σκέψεις σας έξω από τη διαδικασία επικοινωνίας.* Οι αντιδράσεις των παιδιών και των εφήβων σε αυτά εκπλήσσουν τους γονείς. Οι νέοι ενθαρρύνονται να έρθουν πιο κοντά, να ανοιχτούν και να εκφράσουν τα συναισθήματα και τις ιδέες τους. Όπως οι ενήλικες, έτσι και οι νέοι ευχαριστιούνται να μιλάνε και συνήθως μιλάνε, όταν κάποιος τους προσκαλέσει.

Αυτά τα ανοίγματα εποικοινωνούν επίσης αποδοχή του παιδιού και σεβασμό στο πρόσωπό του, καθώς στην ουσία τού λένε:

«Έχεις το δικαίωμα να εκφράσεις το πώς αισθάνεσαι».
«Σε σέβομαι ως πρόσωπο με ιδέες και συναισθήματα».
«Ίσως μάθω κάτι από σένα».
«Πραγματικά θέλω να ακούσω την άποψή σου».
«Αξίζει να ακούσει κανείς τις ιδέες σου».
«Ενδιαφέρομαι για σένα».
«Θέλω να σχετιστώ μαζί σου, να αρχίσω να σε γνωρίζω καλύτερα».

Ποιος δεν αντιδρά θετικά σε τέτοιες προσεγγίσεις; Ποιος ενήλικας δεν αισθάνεται ωραία, όταν τον κάνουν να νιώθει ότι αξίζει, ότι τον σέβονται, ότι είναι σημαντικός, ότι τον αποδέχονται, ότι είναι ενδιαφέρων; Και τα παιδιά δεν είναι διαφορετικά. Εκφράστε μια λεκτική πρόσκληση και μετά θα είναι καλύτερο να αποχωρήσετε και να μην παρεμβαίνετε, καθώς θα εκφράζονται και θα αναπτύσσονται. Θα μπορούσατε επίσης να μάθετε κάτι για τα παιδιά ή τον εαυτό σας στη διαδικασία αυτή.

## ΕΝΕΡΓΗΤΙΚΗ ΑΚΡΟΑΣΗ

Υπάρχει και ένας άλλος τρόπος αντίδρασης στα παιδιά, όταν έχουν εκείνα το πρόβλημα, απείρως πιο αποτελεσματικός από τα ανοίγματα επικοινωνίας, που είναι απλές προσκλήσεις για ομιλία. Αυτές απλώς ανοίγουν την πόρτα στα παιδιά για να μιλήσουν. Όμως οι γονείς χρειάζεται να μάθουν πώς θα κρατάνε την πόρτα ανοιχτή.

Πολύ πιο αποτελεσματική από την *παθητική ακρόαση* (σιωπή), η *ενεργητική ακρόαση* είναι ένας αξιοθαύμαστος τρόπος εμπλοκής του «αποστολέα» με τον «παραλήπτη». Ο *παραλήπτης είναι ενεργητικός* στη διαδικασία, όπως και ο αποστολέας. Όμως, για να μάθουν πώς να ακούνε ενεργητικά, οι γονείς συνήθως χρειάζεται να καταλάβουν περισσότερα για τη διαδικασία επικοινωνίας μεταξύ δύο προσώπων. Μερικά διαγράμματα θα βοηθήσουν.

Οποτεδήποτε αποφασίζει ένα παιδί να επικοινωνήσει με τους γονείς του, το κάνει γιατί έχει κάποια *ανάγκη*, γιατί κάτι συμβαίνει μέσα του. Κάτι θέλει· αισθάνεται δυσφορία· έχει ένα συναίσθημα για κάτι· είναι ενοχλημένο με κάτι· έχει ένα πρόβλημα. Τότε λέμε ότι ο οργανισμός του παιδιού βρίσκεται σε ένα είδος *ανισορροπίας*. Για να φέρει τον οργανισμό του πάλι σε μια κατάσταση ισορροπίας, το παιδί αποφασίζει να μιλήσει. Ας πούμε ότι το παιδί αισθάνεται πείνα.

ΠΑΙΔΙ

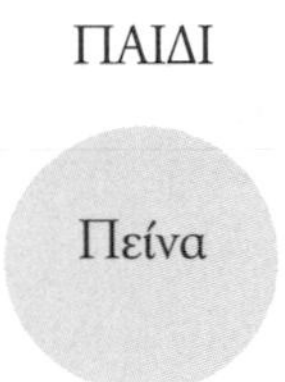


Για να απαλλαγεί από την πείνα (κατάσταση ανισορροπίας), το παιδί γίνεται «αποστολέας» επικοινωνώντας κάτι, το οποίο νομίζει ότι θα μπορούσε να του φέρει τροφή. Δεν μπορεί να εκφράσει αυτό που πραγματικά συμβαίνει μέσα του (την πείνα του), γιατί η πείνα είναι ένα πολύπλοκο σύνολο φυσιολογικών διαδικασιών που συμβαίνουν *μέσα στον οργανισμό*, όπου και πρέπει πάντοτε να παραμείνουν. Γι' αυτό, *για να εκφράσει δηλαδή σε κάποιον άλλον* την πείνα του, πρέπει να επιλέξει κάποιο σημάδι που πιστεύει ότι θα μπορούσε να εκφράσει στον άλλον το «πεινάω». Αυτή η διαδικασία επιλογής ονομάζεται «κωδικοποίηση»· το παιδί επιλέγει έναν *κώδικα.*

ΠΑΙΔΙ

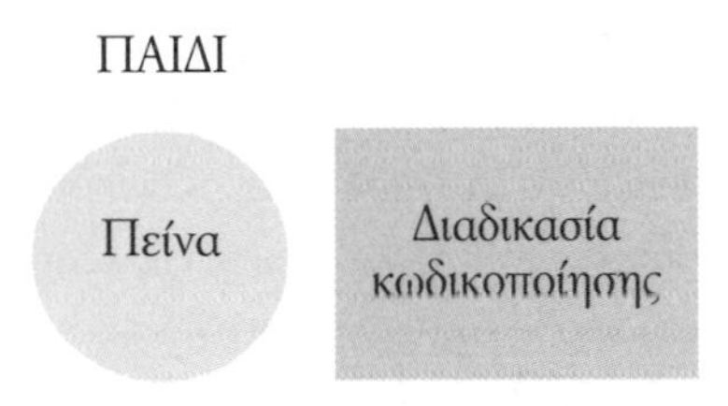


Ας πούμε ότι αυτό το συγκεκριμένο παιδί επιλέγει τον κώδικα: «Πότε θα είναι έτοιμο το φαγητό, μπαμπά;» Αυτός ο κώδικας ή ο συνδυασμός λεκτικών συμβόλων μεταφέρεται στην ατμόσφαιρα, όπου ο παραλήπτης (πατέρας) μπορεί να τον «πιάσει».

ΠΑΙΔΙ

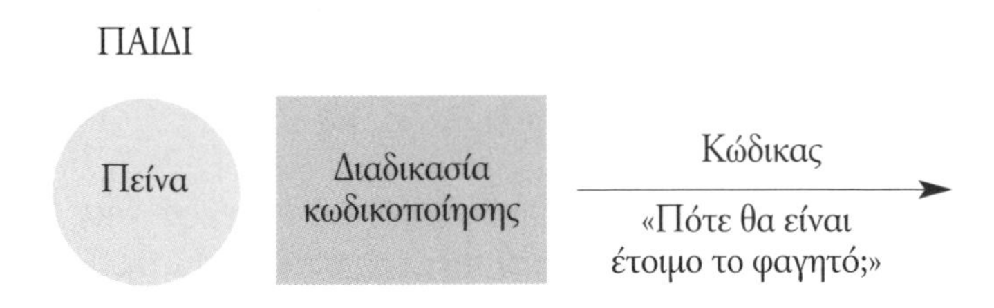


Όταν ο πατέρας πάρει το κωδικοποιημένο μήνυμα, θα πρέπει να περάσει μέσα από μία διαδικασία *αποκωδικοποίησής* του, έτσι ώστε να μπορέσει να καταλάβει το νόημά του σε σχέση με αυτό που συμβαίνει μέσα στο παιδί.

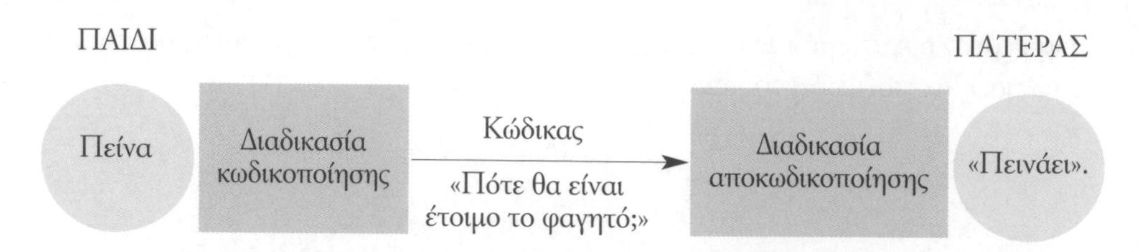


Αν ο πατέρας αποκωδικοποιήσει σωστά, θα καταλάβει ότι το παιδί πεινάει. Αν όμως ο πατέρας τύχει να αποκωδικοποιήσει έτσι το μήνυμα, ώστε αυτό να σημαίνει γι' αυτόν πως το παιδί θέλει να φάει γρήγορα για να μπορέσει να βγει έξω να παίξει, πριν πάει για ύπνο, τότε θα έχει καταλάβει λάθος, και η διαδικασία της επικοινωνίας θα έχει διακοπεί. Εδώ βρίσκεται η δυσκολία και το παιδί δεν το ξέρει, ούτε και ο πατέρας, γιατί το παιδί δεν μπορεί να δει τις σκέψεις του πατέρα του, όπως δεν μπορεί και ο πατέρας να δει μέσα στο παιδί.

Αυτό είναι που τόσο συχνά γίνεται λάθος στη διαδικασία επικοινωνίας μεταξύ δύο προσώπων: Υπάρχει μια παρεξήγηση του μηνύματος του αποστολέα από την πλευρά του παραλήπτη και κανείς από τους δύο δεν συνειδητοποιεί ότι υπάρχει αυτή η παρεξήγηση.

Ας υποθέσουμε, ωστόσο, ότι ο πατέρας αποφασίζει να ελέγξει την ακρίβεια της αποκωδικοποίησής του, για να βεβαιωθεί ότι δεν κατάλαβε λάθος. Μπορεί να το κάνει αυτό λέγοντας απλώς στο παιδί τις σκέψεις του, το αποτέλεσμα της διαδικασίας της αποκωδικοποίησης: «Θέλεις να παίξεις έξω πριν πας για ύπνο». Τώρα, έχοντας ακούσει την «ανατροφοδότηση» του πατέρα του, το παιδί είναι σε θέση να του πει ότι αποκωδικοποίησε λανθασμένα:

*ΠΑΙΔΙ:* Όχι, δεν εννοούσα αυτό, μπαμπά. Εννοούσα ότι πεινάω και θέλω το φαγητό να ετοιμαστεί γρήγορα.
*ΠΑΤΕΡΑΣ:* Α! καταλαβαίνω. Πεινάς πολύ. Τι θα έλεγες για λίγα κράκερ και φυστικοβούτυρο για να κρατηθείς; Δεν μπορούμε να φάμε πριν έρθει η μητέρα σου, περίπου σε μια ώρα.
*ΠΑΙΔΙ:* Καλή ιδέα. Νομίζω ότι θα πάρω λίγα.

Όταν ο πατέρας για πρώτη φορά «ανατροφοδότησε» το νόημα που έδωσε στο αρχικό μήνυμα του παιδιού, μπήκε στη διαδικασία της Ενεργητικής ακρόασης.

Σε αυτήν τη συγκεκριμένη περίπτωση, στην αρχή παρεξήγησε το μήνυμα του παιδιού και η ανατροφοδότησή του έδειξε ακριβώς αυτό, κι έτσι έστειλε έναν άλλον κώδικα, που τελικά οδήγησε στην πραγματική κατανόηση του μηνύματος του παιδιού. Αν ο πατέρας είχε κάνει ακριβή αποκωδικοποίηση την πρώτη φορά, η διαδικασία θα μπορούσε να απεικονιστεί ως εξής:

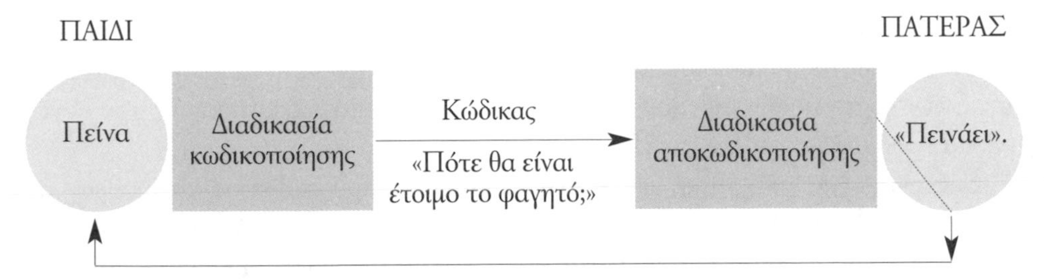


Ακολουθούν μερικά παραδείγματα Ενεργητικής ακρόασης:

1.
*ΠΑΙΔΙ (κλαίγοντας):* Ο Ντίλαν μού πήρε το φορτηγό μου.
*ΓΟΝΕΑΣ:* Σίγουρα νιώθεις άσχημα γι' αυτό. Δεν σου αρέσει, όταν το κάνει αυτό.
*ΠΑΙΔΙ:* Ναι, δεν μου αρέσει.

2.
*ΠΑΙΔΙ:* Δεν έχω κανέναν να παίξω από τότε που ο Χρήστος πήγε διακοπές. Δεν ξέρω τι να κάνω εδώ πέρα για να περάσει η ώρα μου.
*ΓΟΝΕΑΣ:* Σου λείπει ο Χρήστος, που θα έπαιζες μαζί του, και αναρωτιέσαι τι θα μπορούσες να κάνεις για να περάσεις την ώρα σου.
*ΠΑΙΔΙ:* Ναι. Μακάρι να μπορούσα να σκεφτώ κάτι.

3.
*ΠΑΙΔΙ:* Ξέρεις, έχω μια χαζή δασκάλα εφέτος. Δεν την αντέχω.
*ΓΟΝΕΑΣ:* Ακούγεται σαν να είσαι πραγματικά απογοητευμένος από τη δασκάλα σου.
*ΠΑΙΔΙ:* Ναι.

4.
*ΠΑΙΔΙ:* Μάντεψε, μπαμπά! Κατάφερα να μπω στην ομάδα του μπάσκετ.
*ΓΟΝΕΑΣ:* Πραγματικά νιώθεις υπέροχα γι' αυτό.
*ΠΑΙΔΙ:* Αλήθεια!

5.
*ΠΑΙΔΙ:* Μπαμπά, όταν ήσουνα μικρός, τι σου άρεσε σ' ένα κορίτσι; Τι σ' έκανε πραγματικά να σου αρέσει ένα κορίτσι;
*ΓΟΝΕΑΣ:* Φαίνεται ότι αναρωτιέσαι τι χρειάζεται για να αρέσεις στα αγόρια, έτσι δεν είναι;
*ΠΑΙΔΙ:* Ναι. Για κάποιο λόγο φαίνεται να μην τους αρέσω και δεν ξέρω γιατί.

Σε καθένα από αυτά τα παραδείγματα, ο γονέας αποκωδικοποίησε με ακρίβεια τα συναισθήματα του παιδιού, το τι συνέβαινε «μέσα» στο παιδί. Στη συνέχεια κάθε περίπτωσης, το παιδί επιβεβαίωσε την ακρίβεια της αποκωδικοποίησης του γονέα με μια έκφραση που δήλωνε: «Με άκουσες σωστά».

Συνεπώς, στην Ενεργητική ακρόαση ο παραλήπτης προσπαθεί να καταλάβει τι αισθάνεται ο αποστολέας ή τι σημαίνει το μήνυμά του. Έπειτα εκφράζει με δικά του λόγια (κώδικα) αυτό που κατάλαβε και το στέλνει πίσω για επιβεβαίωση από τον αποστολέα. Ο παραλήπτης δεν στέλνει ένα δικό του μήνυμα, όπως αξιολόγηση, γνώμη, συμβουλή, επιχείρημα, ανάλυση ή ερώτηση. Ανατροφοδοτεί *μόνον ό,τι νομίζει ότι εννοούσε το μήνυμα του αποστολέα,* τίποτα περισσότερο και τίποτα λιγότερο.

Ακολουθεί μια εκτενέστερη συνομιλία, στην οποία ο γονέας χρησιμοποιεί σταθερά την Ενεργητική ακρόαση. Παρατηρήστε πώς το παιδί επιβεβαιώνει κάθε φορά την ανατροφοδότηση του γονέα. Παρατηρήστε επίσης πώς η Ενεργητική ακρόαση διευκολύνει το παιδί να πει περισσότερα, να πάει βαθύτερα, να αναπτύξει παραπέρα τις σκέψεις του. Βλέπετε το προχώρημα; Παρατηρήστε ότι το παιδί αρχίζει να επαναπροσδιορίζει από μόνο του το πρόβλημά του. Έπειτα διστακτικά αρχίζει να έχει κάποιες ενοράσεις για τον εαυτό του και κάνει μια καλή αρχή προς τη λύση του προβλήματός του.

*ΜΑΡΙΑ:* Μακάρι να κρυολογούσα μια στο τόσο σαν την Τάνια. Είναι τυχερή.
*ΠΑΤΕΡΑΣ:* Νιώθεις σαν να αδικείσαι.
*ΜΑΡΙΑ:* Ναι, αυτή μπορεί να μην πηγαίνει στο σχολείο, ενώ εγώ ποτέ δεν λείπω.
*ΠΑΤΕΡΑΣ:* Θα ήθελες να μπορούσες να απουσιάζεις από το σχολείο περισσότερο.
*ΜΑΡΙΑ:* Ναι. Δεν μ' αρέσει να πηγαίνω στο σχολείο κάθε μέρα, μέρα με τη μέρα. Το βαρέθηκα.
*ΠΑΤΕΡΑΣ:* Πραγματικά κουράστηκες απ' το σχολείο.
*ΜΑΡΙΑ:* Μερικές φορές το μισώ.
*ΠΑΤΕΡΑΣ:* Δεν είναι ότι απλώς δεν σου αρέσει το σχολείο, καμιά φορά στ' αλήθεια το μισείς.
*ΜΑΡΙΑ:* Ακριβώς. Μισώ το διάβασμα στο σπίτι, μισώ τα μαθήματα και μισώ τους δασκάλους.
*ΠΑΤΕΡΑΣ:* Μισείς τα πάντα γύρω από το σχολείο.
*ΜΑΡΙΑ:* Δεν μισώ πραγματικά όλους τους δασκάλους, μόνο δύο απ' αυτούς! Τη μια δεν μπορώ να την αντέξω. Αυτή είναι η χειρότερη.
*ΠΑΤΕΡΑΣ:* Μισείς μια δασκάλα ιδιαίτερα, έτσι;
*ΜΑΡΙΑ:* Ε, βέβαια. Αυτή την κυρία Μπαρνς. Δεν αντέχω να την βλέπω και θα την έχω ολόκληρη τη χρονιά.

*ΠΑΤΕΡΑΣ:* Σου έγινε βραχνάς.
*ΜΑΡΙΑ:* Ναι, δεν ξέρω πώς θα την αντέξω. Ξέρεις τι κάνει; Κάθε μέρα μας κάνει διάλεξη. Στέκεται όρθια εκεί πέρα μ' αυτό το χαμόγελο (δείχνει) ... και μας λέει πώς πρέπει να συμπεριφέρεται ο υπεύθυνος μαθητής και μας αραδιάζει όλα αυτά που πρέπει να κάνεις για να πάρεις «Άριστα» στην τάξη της. Με αρρωσταίνει.
*ΠΑΤΕΡΑΣ:* Σίγουρα δεν σου αρέσει να τα ακούς όλα αυτά.
*ΜΑΡΙΑ:* Ναι, το κάνει να φαίνεται αδύνατο να πάρεις «Άριστα», εκτός αν είσαι καμιά διάνοια ή ένα από τα χαϊδεμένα της δασκάλας.
*ΠΑΤΕΡΑΣ:* Νιώθεις να έχεις χάσει πριν ακόμη αρχίσεις, γιατί δεν νομίζεις ότι μπορείς να πάρεις «Άριστα».
*ΜΑΡΙΑ:* Ναι. Δεν πρόκειται να γίνω ένα από τα χαϊδεμένα παιδιά της δασκάλας – τα άλλα παιδιά τα μισούν. Ήδη δεν είμαι πολύ αγαπητή στα παιδιά. Δεν νομίζω ότι πολλά κορίτσια με συμπαθούν (κλαίει).
*ΠΑΤΕΡΑΣ:* Νομίζεις ότι δεν σε αγαπάνε και αυτό σε πειράζει.
ΜΑΡΙΑ: Ναι, σίγουρα. Είναι αυτά τα κορίτσια που είναι πρώτες στο σχολείο. Είναι οι πιο δημοφιλείς. Θα ήθελα να μπορούσα να είμαι στην ομάδα τους. Όμως δεν ξέρω πώς...
*ΠΑΤΕΡΑΣ:* Πραγματικά θα ήθελες να ανήκεις σ' αυτή την ομάδα, όμως δεν ξέρεις πώς να το καταφέρεις.
*ΜΑΡΙΑ:* Ακριβώς. Ειλικρινά δεν ξέρω πώς μπαίνουν τα άλλα κορίτσια σ' αυτή την ομάδα. Δεν είναι οι πιο όμορφες – όχι όλες τους. Δεν είναι πάντοτε αυτές με τους καλύτερους βαθμούς. Μερικές από την ομάδα παίρνουν ψηλούς βαθμούς, όμως οι περισσότερες παίρνουν χειρότερους βαθμούς από εμένα. Πραγματικά δεν ξέρω.
*ΠΑΤΕΡΑΣ:* Είσαι μπερδεμένη σχετικά με το τι χρειάζεται για να μπεις σ' αυτή την ομάδα.
*ΜΑΡΙΑ:* Ναι! Ένα πράγμα είναι ότι όλες είναι πολύ φιλικές, μιλάνε πολύ και, ξέρεις, κάνουν φίλους. Λένε πρώτες «Γεια σου» και μιλάνε πολύ εύκολα. Εγώ δεν μπορώ να το κάνω αυτό. Δεν είμαι καλή σ' αυτά.
*ΠΑΤΕΡΑΣ:* Νομίζεις ότι ίσως αυτό είναι που αυτές έχουν κι εσύ δεν έχεις.
*ΜΑΡΙΑ:* Ξέρω ότι δεν είμαι καλή στη συζήτηση. Μπορώ εύκολα να μιλήσω σ' ένα κορίτσι, όχι όμως σε ολόκληρη ομάδα κοριτσιών. Τότε απλώς δεν μιλάω. Δυσκολεύομαι να πω κάτι.
*ΠΑΤΕΡΑΣ:* Αισθάνεσαι άνετα με ένα κορίτσι, αλλά με πολλά κορίτσια νιώθεις διαφορετικά.
*ΜΑΡΙΑ:* Πάντοτε φοβάμαι μήπως πω κάτι που θα είναι κουτό ή λάθος ή κάτι άλλο. Έτσι στέκομαι απλώς εκεί και νιώθω σαν να έχω μείνει απέξω. Είναι τρομερό.
*ΠΑΤΕΡΑΣ:* Σίγουρα δεν σου αρέσει αυτό το συναίσθημα.

*ΜΑΡΙΑ:* Δεν μου αρέσει να μένω απέξω, όμως φοβάμαι να προσπαθήσω να μπω στη συζήτηση.

Σε αυτήν τη σύντομη συνομιλία μεταξύ της Μαρίας και του πατέρα της, ο πατέρας αφήνει στην άκρη τις δικές του σκέψεις και τα συναισθήματα, με σκοπό να ακούσει, να αποκωδικοποιήσει και να καταλάβει τις σκέψεις και τα συναισθήματα της Μαρίας. Σημειώστε πώς οι ανατροφοδοτήσεις του πατέρα γενικά αρχίζουν με το «εσύ». Σημειώστε επίσης πως ο πατέρας της Μαρίας απέφυγε να χρησιμοποιήσει κάποιο από τα δώδεκα εμπόδια επικοινωνίας. Στηριζόμενος σταθερά στην Ενεργητική ακρόαση έδειξε κατανόηση και ενσυναίσθηση για τα συναισθήματα της κόρης του, της επέτρεψε όμως να κρατήσει την ευθύνη της λύσης του προβλήματός της.

## Γιατί πρέπει οι γονείς να μάθουν την Ενεργητική ακρόαση;

Μερικοί γονείς, όταν εισάγονται σε αυτήν τη νέα δεξιότητα στο πρόγραμμά μας, λένε:

> «Μου φαίνεται τόσο αφύσικη».
> «Δεν μιλάνε έτσι οι άνθρωποι».
> «Ποιος είναι ο σκοπός της Ενεργητικής ακρόασης;»
> «Θα ένιωθα ψεύτικος, αν αντιδρούσα στο παιδί μου με αυτό τον τρόπο».
> «Η κόρη μου θα νόμιζε ότι μου έστριψε, αν άρχιζα να χρησιμοποιώ Ενεργητική ακρόαση μαζί της».

Όλα αυτά είναι κατανοητές αντιδράσεις, γιατί οι γονείς είναι τόσο συνηθισμένοι στο να υποδεικνύουν, να διδάσκουν, να ρωτούν, να κρίνουν, να απειλούν, να εκτιμούν ή να καθησυχάζουν. Είναι σίγουρα φυσικό γι' αυτούς να ρωτάνε αν αξίζει τον κόπο να αλλάξουν και να μάθουν την Ενεργητική ακρόαση.

Ένας από τους πιο σκεπτικιστές πατέρες σε μια τάξη της Εκπαίδευσης πείσθηκε μετά από μια εμπειρία με την κόρη του, ηλικίας δεκαπέντε ετών, κατά τη διάρκεια της εβδομάδας που ακολούθησε το μάθημα, στο οποίο γνώρισε αυτόν τον νέο τρόπο ακρόασης.

> «Θέλω να αναφέρω στην τάξη μια εκπληκτική εμπειρία που είχα αυτή την εβδομάδα. Η κόρη μου, η Ρωξάνη, κι εγώ δεν είχαμε ανταλλάξει ούτε μια πολιτισμένη λέξη για δύο περίπου χρόνια, εκτός ίσως από το «Δώσε μου το ψωμί» ή «Μπορώ να έχω το αλάτι και το πιπέρι;» Τις προάλλες καθότανε με τον φίλο της

στο τραπέζι της κουζίνας, όταν γύρισα στο σπίτι. Άκουσα την κόρη μου να λέει στον φίλο της πόσο πολύ μισούσε το σχολείο και πόσο αηδιασμένη ήταν με τις περισσότερες φίλες της. Αποφάσισα «εδώ και τώρα» ότι θα καθόμουνα και δεν θα έκανα τίποτε άλλο εκτός από Ενεργητική ακρόαση, ακόμη κι αν τρελαινόμουν. Φυσικά, δεν θα πω ότι τα πήγα τέλεια, όμως έμεινα έκπληκτος με τον εαυτό μου. Δεν ήμουν τόσο κακός. Λοιπόν, θα το πιστέψετε, και οι δύο άρχισαν να μου μιλάνε και δεν σταμάτησαν για δύο ώρες. Σε αυτές τις δύο ώρες έμαθα για την κόρη μου περισσότερα απ' όσα είχα μάθει τα τελευταία πέντε χρόνια. Επιπλέον, την υπόλοιπη εβδομάδα ήταν εντελώς φιλική μαζί μου. Τι αλλαγή!»

Αυτός ο έκπληκτος πατέρας δεν είναι ο μοναδικός. Πολλοί γονείς έχουν άμεση επιτυχία, όταν επιχειρούν να εφαρμόσουν τη νέα αυτή τεχνική ακρόασης. Ακόμη και πριν αποκτήσουν ένα λογικό επίπεδο δεξιότητας στην Ενεργητική ακρόαση, συχνά αναφέρουν μερικά εκπληκτικά αποτελέσματα.

Πολλοί άνθρωποι πιστεύουν ότι μπορούν να απαλλαγούν από τα συναισθήματά τους, καταπιέζοντάς τα, ξεχνώντας τα ή σκεπτόμενοι κάτι άλλο. Στην πραγματικότητα, οι άνθρωποι απελευθερώνονται από ενοχλητικά συναισθήματα, όταν ενθαρρύνονται να τα εκφράσουν ανοιχτά. *Η Ενεργητική ακρόαση ευνοεί αυτό το είδος της κάθαρσης*. Βοηθάει τα παιδιά να ανακαλύψουν ακριβώς τι αισθάνονται. Τα συναισθήματα συχνά φαίνονται να εξαφανίζονται σχεδόν ως διά μαγείας από τη στιγμή που θα εξωτερικευτούν.

*Η Ενεργητική ακρόαση βοηθάει τα παιδιά να φοβούνται λιγότερο τα αρνητικά συναισθήματα.* «Τα συναισθήματα είναι φιλικά» – αυτή είναι μια έκφραση που χρησιμοποιούμε στις τάξεις μας, για να βοηθήσουμε τους γονείς να συνειδητοποιήσουν ότι τα συναισθήματα δεν είναι «κακά». Όταν ένας γονέας δείχνει με την Ενεργητική ακρόαση ότι αποδέχεται τα συναισθήματα ενός παιδιού, βοηθάει και το παιδί να τα αποδεχτεί. Το παιδί μαθαίνει από την αντίδραση του γονέα ότι τα συναισθήματα *είναι* φιλικά.

*Η Ενεργητική ακρόαση προωθεί μια ζεστή σχέση μεταξύ γονέα και παιδιού.* Είναι τόσο ικανοποιητική η εμπειρία για κάποιον το να τον ακούσει και να τον καταλάβει ένα άλλο πρόσωπο, ώστε πάντα κάνει τον ομιλητή να αισθάνεται πιο ζεστά προς τον ακροατή. Ιδιαίτερα τα παιδιά αντιδρούν με τρυφερές σκέψεις και συναισθήματα. Παρόμοια συναισθήματα δημιουργούνται και στον ακροατή – αρχίζει να αισθάνεται πιο ζεστά και πιο κοντά στον ομιλητή. Όταν κάποιος ακούει κάποιον άλλον με ενσυναίσθηση και προσοχή, αρχίζει να τον καταλαβαίνει και να εκτιμά τον τρόπο με τον οποίο ο άλλος βλέπει τον κόσμο – κατά μία έννοια *γίνεται αυτό το άλλο πρόσωπο,* όταν βάζει τον εαυτό του στη θέση του άλλου. Χωρίς αμφιβολία, επιτρέποντας κανείς στον εαυτό του να «μπει μέσα» στο άλλο πρόσωπο, αναπτύσσει συναισθήματα οικειότητας, ενδιαφέροντος και αγάπης. Το να νιώθει κανείς ενσυναίσθηση προς το άλλο πρόσωπο σημαίνει ότι το βλέπει μεν ως χωριστό πρόσωπο, αλλά επίσης είναι έτοιμος να ενωθεί μαζί του ή να είναι μαζί του. Είναι διατεθειμένος να τον συντροφεύσει για μια σύντομη περίοδο στο ταξίδι της ζωής του. Οι γονείς που μαθαίνουν την ενσυναισθητική Ενεργητική ακρόαση ανακαλύπτουν ένα νέο είδος εκτίμησης και σεβασμού, ένα βαθύτερο συναίσθημα ενδιαφέροντος· με τη σειρά του, το παιδί αντιδρά στον γονέα με παρόμοια συναισθήματα.

*Η Ενεργητική ακρόαση διευκολύνει τη λύση του προβλήματος από το ίδιο το παιδί.* Γνωρίζουμε ότι οι άνθρωποι μπορούν να σκεφτούν καλύτερα ένα πρόβλημα και να βρουν τη λύση του, όταν μπορούν να «μιλήσουν γι' αυτό», αντί απλώς να το σκέπτονται. Επειδή η Ενεργητική ακρόαση είναι τόσο αποτελεσματική στο να διευκολύνει κάποιον να μιλήσει, βοηθάει τα άτομα στην αναζήτηση λύσεων για τα προβλήματά τους. Ο καθένας μας έχει ακούσει τέτοιες εκφράσεις, όπως «Θέλω να σ' τα πω για να τα ακούσω κι εγώ» ή «Θα ήθελα να εξετάσω αυτό το πρόβλημα μαζί σου» ή «Ίσως να με βοηθούσε, αν το συζητούσα μαζί σου».

*Η Ενεργητική ακρόαση κάνει το παιδί περισσότερο πρόθυμο να ακούσει τις σκέψεις και τις ιδέες των γονέων του.* Είναι παγκόσμια εμπειρία ότι, όταν κάποιος ακούει την άποψη κάποιου άλλου, τότε είναι ευκολότερο να ακούσουν και οι άλλοι τη δική του. Τα παιδιά είναι πιο πιθανόν να ανοίξουν τον εαυτό τους για να δεχτούν τα μηνύματα των γονέων τους, αν οι γονείς τους τα ακούσουν πρώτοι. Όταν οι γονείς παραπονούνται ότι δεν τους ακούνε τα παιδιά τους, υπάρχει σοβαρή πιθανότητα, οι γονείς να μην είναι και πολύ αποτελεσματικοί ακροατές των παιδιών τους.

*Η Ενεργητική ακρόαση «αφήνει την μπάλα στο παιδί».* Όταν οι γονείς αντιδρούν στα προβλήματα των παιδιών τους με Ενεργητική ακρόαση, θα παρατηρήσουν πόσο συχνά τα παιδιά αρχίζουν να σκέπτονται για τον εαυτό τους. Το παιδί θα αρχίσει να αναλύει τα προβλήματά του μόνο του, φθάνοντας τελικά σε κάποιες δημιουργικές λύσεις. Η Ενεργητική ακρόαση ενθαρρύνει το παιδί να σκέπτεται για τον εαυτό του, να κάνει τη δική του διάγνωση του προβλήματος, να βρίσκει τις δικές του λύσεις. Αυτό το είδος της ακρόασης μεταφέρει εμπιστοσύνη, ενώ τα μηνύματα συμβουλής, λογικής, διδαχής κ.λπ. μεταφέρουν δυσπιστία, αφαιρώντας από το παιδί την ευθύνη λύσης του προβλήματος. Γι' αυτό η Ενεργητική ακρόαση είναι ένας από τους πιο αποτελεσματικούς τρόπους προσφοράς βοήθειας στο παιδί, ώστε να γίνει περισσότερο αυτο-κατευθυνόμενο, υπεύθυνο το ίδιο και ανεξάρτητο.

## Προϋποθέσεις για τη χρήση της Ενεργητικής ακρόασης

Η Ενεργητική ακρόαση δεν είναι μια απλή τεχνική που οι γονείς βγάζουν από την «εργαλειοθήκη» τους οποτεδήποτε τα παιδιά τους έχουν προβλήματα. Είναι μια μέθοδος για να βάλουμε σε λειτουργία μια σειρά βασικών προσεγγίσεων. *Χωρίς αυτές η μέθοδος σπάνια θα είναι αποτελεσματική· θα φαίνεται ψεύτικη, άδεια, μηχανική, ανειλικρινής.* Ακολουθούν μερικές προϋποθέσεις που πρέπει να υπάρχουν, όταν ο γονέας χρησιμοποιεί Ενεργητική ακρόαση. Όταν αυτές δεν υπάρχουν, ο γονέας δεν μπορεί να είναι αποτελεσματικός ακροατής.

1. Πρέπει να *θέλετε* να ακούσετε αυτό που έχει να σας πει το παιδί. Αυτό σημαίνει ότι είστε πρόθυμοι να αφιερώσετε τον χρόνο που χρειάζεται για να ακούσετε. Αν δεν έχετε χρόνο, πρέπει απλώς να το πείτε.
2. Πρέπει να *θέλετε* ειλικρινά να βοηθήσετε το παιδί με το συγκεκριμένο πρόβλημά του εκείνη τη στιγμή. Αν δεν θέλετε να βοηθήσετε, περιμένετε μέχρι να το θελήσετε.
3. Πρέπει να είστε σε θέση χωρίς να προσποιείστε *να αποδεχτείτε τα συναισθήματά του*, όποια κι αν είναι αυτά ή όσο διαφορετικά κι αν είναι από τα δικά σας συναισθήματα ή από τα συναισθήματα που θεωρείτε ότι «πρέπει» να έχει ένα παιδί. Αυτή η προσέγγιση απαιτεί χρόνο για να αναπτυχθεί.
4. Πρέπει να έχετε ένα βαθύ αίσθημα *εμπιστοσύνης* στην ικανότητα του παιδιού να χειριστεί τα συναισθήματά του, να τα επεξεργαστεί και να βρει λύσεις στα προβλήματά του. Θα αποκτήσετε αυτή την εμπιστοσύνη παρακολουθώντας το παιδί σας να λύνει τα προβλήματά του.
5. Πρέπει να εκτιμάτε ότι τα συναισθήματα είναι *παροδικά* και όχι μόνιμα. Τα συναισθήματα αλλάζουν: Το μίσος μπορεί να μετατραπεί σε αγάπη, η αποθάρρυνση μπορεί γρήγορα να αντικατασταθεί από την ελπίδα. Συνεπώς, δεν είναι ανάγκη να φοβάστε την έκφραση των συναισθημάτων. Δεν θα παραμείνουν για πάντα αμετάβλητα μέσα στο παιδί. Το αντίθετο μάλιστα. Η Ενεργητική ακρόαση θα σας το αποδείξει.
6. Πρέπει να είστε σε θέση να δείτε το παιδί σας σαν *κάποιον ξεχωριστό* από σας, ένα μοναδικό πρόσωπο που δεν είναι πια δεμένο μαζί σας, ένα χωριστό άτομο, στο οποίο έχει δοθεί από εσάς η *δική του* ζωή και η *δική του* ταυτότητα. Αυτή η έννοια αυτονομίας θα σας δώσει τη δυνατότητα να «επιτρέψετε» στο παιδί να βιώνει τα δικά του συναισθήματα, να έχει τον δικό του τρόπο να αντιλαμβάνεται τα πράγματα. Μόνον όταν αισθάνεστε αυτή την έννοια αυτονομίας θα είστε σε θέση να γίνετε φορέας βοήθειας για το παιδί. Πρέπει να είστε «μαζί» του, καθώς βιώνει τα προβλήματά του, όχι όμως δεμένοι μαζί του.

## Ο κίνδυνος της Ενεργητικής ακρόασης

Η Ενεργητική ακρόαση απαιτεί προφανώς από τον ακροατή να αναστείλει τις σκέψεις του και τα συναισθήματά του, ώστε να προσέξει αποκλειστικά το μήνυμα του παιδιού. *Επιβάλλει* την ακριβή πρόσληψη. Αν ο γονέας θέλει να καταλάβει το μήνυμα, όπως το εννοεί το παιδί, πρέπει να βάλει τον εαυτό του στη θέση του παιδιού (στο δικό του πλαίσιο αναφοράς, στον δικό του κόσμο της πραγματικότητας) και τότε μπορεί να αντιληφθεί το νόημα που έχει κατά νου ο αποστολέας. Το ανατροφοδοτικό μέρος της Ενεργητικής ακρόασης δεν είναι τίποτε άλλο παρά η τελική επαλήθευση από τον γονέα της ακρίβειας της ακρόασής του, μολονότι αυτό επιβεβαιώνει επίσης στον αποστολέα (παιδί) ότι έχει γίνει κατανοητός, όταν ακούει να του στέλνουν πίσω το «μήνυμά» του με ακρίβεια.

Κάτι συμβαίνει σε ένα άτομο, όταν εφαρμόζει Ενεργητική ακρόαση. Για να καταλάβετε ακριβώς πώς σκέπτεται ή αισθάνεται ένα άλλο άτομο από τη δική του σκοπιά, για να βάλετε τον εαυτό σας προσωρινά στη δική του θέση, να δείτε τον κόσμο όπως τον βλέπει αυτός, εσείς ως ακροατής διατρέχετε τον κίνδυνο να αλλάξετε τις δικές σας απόψεις και στάσεις. Με άλλα λόγια, στην πραγματικότητα οι άνθρωποι αλλάζουν με αυτό που *πραγματικά καταλαβαίνουν*. Το να είστε «ανοιχτός στην εμπειρία» του άλλου μπορεί να σημαίνει ότι πρέπει να επανεξετάσετε τις δικές σας εμπειρίες. Αυτό μπορεί να είναι τρομακτικό. Ένα «αμυντικό» άτομο δεν μπορεί να αντέξει το να εκθέσει τον εαυτό του σε ιδέες ή απόψεις που είναι διαφορετικές από τις δικές του. Ένα ευέλικτο άτομο, όμως, δεν φοβάται να αλλάξει. Και τα παιδιά που έχουν ευέλικτους γονείς αντιδρούν θετικά, όταν βλέπουν τις μητέρες τους και τους πατέρες τους πρόθυμους να αλλάξουν, πρόθυμους να είναι ανθρώπινοι.

# 4

## Εφαρμογή της Ενεργητικής ακρόασης

Οι γονείς συνήθως εκπλήσσονται, όταν ανακαλύπτουν τι μπορεί να επιτύχει η Ενεργητική ακρόαση, απαιτείται όμως προσπάθεια για να την κάνετε να αποδώσει. Και όσο κι αν φαίνεται δύσκολο στην αρχή, η Ενεργητική ακρόαση πρέπει να χρησιμοποιείται συχνά. «Θα καταλάβω πότε να τη χρησιμοποιήσω;» ρωτάνε οι γονείς. «Μπορώ να γίνω αρκετά καλός σ' αυτήν, ώστε να γίνω ένας αποτελεσματικός σύμβουλος για τα παιδιά μου;»

Η κ. Τ., μια έξυπνη, μορφωμένη μητέρα τριών παιδιών, ομολόγησε στους άλλους γονείς της τάξης της: «Τώρα διαπιστώνω πόσο δυνατή είναι η συνήθειά μου να δίνω συμβουλές στα παιδιά μου ή να τους λέω τις δικές μου λύσεις στα προβλήματά τους. Είναι μια συνήθεια που έχω και με άλλους ανθρώπους, όπως τους φίλους μου ή τον άντρα μου. Μπορώ να αλλάξω και να μην είμαι πια εκείνη που τα ξέρει όλα»;

Η απάντησή μας είναι ένα επιφυλακτικό «Ναι». Ναι, οι περισσότεροι γονείς μπορούν να αλλάξουν και να μάθουν πότε να χρησιμοποιούν την Ενεργητική ακρόαση σωστά, υπό την προϋπόθεση ότι παίρνουν τη μεγάλη απόφαση να αρχίσουν να την εφαρμόζουν. Η συνεχής εξάσκηση οδηγεί στο τέλειο, ή τουλάχιστον με την εξάσκηση πολλοί γονείς αναμένεται να φτάσουν σε ένα αποτελεσματικό επίπεδο επάρκειας. Στους διστακτικούς γονείς, που στην αρχή αισθάνονται ανεπαρκείς για να δοκιμάσουν αυτήν τη νέα μέθοδο επικοινωνίας με τα παιδιά, εμείς λέμε: «Δώστε την ευκαιρία στον εαυτό σας να προσπαθήσει. Τα αποτελέσματα αξίζουν τον κόπο».

Σε αυτό το κεφάλαιο θα δείξουμε πώς οι γονείς έμαθαν να χρησιμοποιούν την Ενεργητική ακρόαση. Όπως συμβαίνει στην εκμάθηση κάθε νέας δραστηριότητας, οι άνθρωποι αναπόφευκτα συναντούν δυσκολίες, ακόμη και αποτυχίες. Όμως ξέρουμε τώρα ότι οι γονείς που εργάζονται σοβαρά για την ανάπτυξη των δεξιοτήτων και της ευαισθησίας τους θα δουν πρόοδο στην ανάπτυξη των παιδιών τους προς την κατεύθυνση της ανεξαρτησίας και της ωριμότητας, και θα απολαύσουν μια πρωτόγνωρη ζεστασιά και οικειότητα μαζί τους.

## ΠΟΤΕ «ΕΧΕΙ» ΤΟ ΠΑΙΔΙ ΤΟ ΠΡΟΒΛΗΜΑ;

Η Ενεργητική ακρόαση χρησιμοποιείται πιο σωστά, όταν το παιδί *αποκαλύπτει ότι έχει ένα πρόβλημα.* Συνήθως οι γονείς αντιλαμβάνονται αυτές τις καταστάσεις, γιατί ακούνε το παιδί να εκφράζει συναισθήματα.

Όλα τα παιδιά συναντούν καταστάσεις στη ζωή τους που τα απογοητεύουν, τα ματαιώνουν, τα πονάνε ή τα συνθλίβουν: προβλήματα με τους φίλους τους, με τα αδέλφια τους, με τους γονείς τους, με τους δασκάλους τους, με το περιβάλλον τους και προβλήματα με τον εαυτό τους. *Τα παιδιά που βρίσκουν βοήθεια στην επίλυση τέτοιων προβλημάτων διατηρούν την ψυχική τους υγεία και συνεχίζουν να αποκτούν περισσότερη δύναμη και αυτοπεποίθηση. Τα παιδιά που δεν βρίσκουν βοήθεια αναπτύσσουν συναισθηματικά προβλήματα.*

Για να αναγνωρίσουν οι γονείς πότε είναι κατάλληλη ώρα να βάλουν σε εφαρμογή την Ενεργητική ακρόαση, θα πρέπει να συντονιστούν στο να διακρίνουν το είδος των συναισθημάτων που δηλώνουν: «Έχω πρόβλημα». Κι εδώ υπεισέρχεται η πολύ σημαντική αρχή της κατοχής του προβλήματος.

Θυμηθείτε ότι το παιδί έχει ένα πρόβλημα, όταν παρεμποδίζεται να ικανοποιήσει μια ανάγκη. Αυτό δεν είναι πρόβλημα για τον γονέα, γιατί η συμπεριφορά του παιδιού δεν παρεμβαίνει με κανένα φανερό τρόπο στην ικανοποίηση των αναγκών του γονέα. Οπότε, το ΠΡΟΒΛΗΜΑ ΑΝΗΚΕΙ ΣΤΟ ΠΑΙΔΙ.

Η Ενεργητική ακρόαση από τον γονέα είναι κατάλληλη και βοηθητική, όταν το πρόβλημα είναι του παιδιού, αλλά συχνά πολύ ακατάλληλη, όταν το πρόβλημα είναι του γονέα. Η Ενεργητική ακρόαση βοηθάει το *παιδί* να βρει λύσεις στα *δικά του* προβλήματα, αλλά σπάνια βοηθάει τον γονέα να βρει λύσεις, όταν η συμπεριφορά του παιδιού τού δημιουργεί κάποιο πρόβλημα. (Στα επόμενα κεφάλαια θα παρουσιάσουμε μεθόδους για να λύνουν οι γονείς τα δικά τους προβλήματα.)

Προβλήματα όπως τα παρακάτω *ανήκουν στο παιδί*:

Ο Άλεξ αισθάνεται ότι τον απορρίπτει ένας φίλος του.
Ο Βίκτορ είναι στενοχωρημένος, γιατί δεν τον συμπεριέλαβαν στην ομάδα του τένις.
Η Λίντα είναι καταρρακωμένη, γιατί κανένα αγόρι δεν την προσκάλεσε στον χορό του σχολείου.
Η Ελένη δεν μπορεί να αποφασίσει τι θέλει να κάνει στη ζωή της.
Ο Νικ δεν είναι σίγουρος αν θέλει να πάει στο πανεπιστήμιο.
Ο Στίβεν ντρέπεται, γιατί είναι υπέρβαρος.
Η Λίζα φοβάται, γιατί ένα κορίτσι στο σχολείο απειλεί να την δείρει.
Ο Μάνος θυμώνει, όταν χάνει σε κάποιο παιγνίδι από τον αδελφό του.

Τα παιδιά στο σχολείο λένε τη Λίνα «ξυλοπόδαρη», γιατί είναι πολύ αδύνατη.
Η Ελπίδα στενοχωριέται, γιατί μπορεί να αποτύχει σε δύο μαθήματα.
Οι φίλοι του Μάικ τον πιέζουν να καπνίσει.

Προβλήματα σαν τα παραπάνω είναι αναπόφευκτο να συναντούν τα παιδιά, καθώς προσπαθούν να τα βγάλουν πέρα με τη ζωή, τη *δική τους* ζωή. *Οι απογοητεύσεις των παιδιών, οι συγχύσεις, οι στερήσεις, οι προβληματισμοί, ακόμη και οι αποτυχίες τους ανήκουν σε αυτά και όχι στους γονείς τους.*

Είναι δύσκολο στην αρχή για τους γονείς να αποδεχτούν αυτή την έννοια. Πολλοί γονείς τείνουν να οικειοποιούνται πάρα πολλά προβλήματα των παιδιών τους. Κατ' αυτό τον τρόπο, όπως θα δείξουμε παρακάτω, προκαλούν στον εαυτό τους περιττή θλίψη, συντελούν στη φθορά της σχέσης τους με τα παιδιά και χάνουν αναρίθμητες ευκαιρίες να γίνουν αποτελεσματικοί σύμβουλοι των παιδιών τους.

Το ότι ένας γονέας αποδέχεται το γεγονός ότι τα προβλήματα ανήκουν στο παιδί, με κανένα τρόπο δεν σημαίνει ότι αυτός ο γονέας δεν μπορεί να *ενδιαφερθεί*, να *φροντίσει* ή να *προσφέρει βοήθεια.* Ένας επαγγελματίας σύμβουλος δείχνει πραγματική φροντίδα και ενδιαφέρεται γνήσια για κάθε παιδί που προσπαθεί να βοηθήσει. Όμως, αντίθετα από τους περισσότερους γονείς, αφήνει *στο παιδί* την ευθύνη για τη λύση του προβλήματός του. Επιτρέπει στο παιδί να είναι «ιδιοκτήτης» του προβλήματός του. Αποδέχεται ότι το παιδί έχει το πρόβλημα. Αποδέχεται το παιδί ως άτομο *ξεχωριστό από τον ίδιο.* Και βασικά εμπιστεύεται τις εσωτερικές δυνάμεις του ίδιου του παιδιού και στηρίζεται σοβαρά σε αυτές για τη λύση των προβλημάτων του. Μόνο επειδή αφήνει το παιδί να κατέχει το πρόβλημά του, είναι σε θέση ο επαγγελματίας σύμβουλος να εφαρμόσει την Ενεργητική ακρόαση.

Η Ενεργητική ακρόαση είναι μια δραστική μέθοδος βοήθειας, ώστε ένα άλλο πρόσωπο να λύσει ένα πρόβλημα που έχει, υπό τον όρο ότι ο ακροατής μπορεί να αποδεχτεί την ιδέα ότι ο άλλος έχει το πρόβλημα και να του επιτρέπει σταθερά να βρίσκει τις δικές του λύσεις. Η Ενεργητική ακρόαση μπορεί να αυξήσει σημαντικά την αποτελεσματικότητα των γονέων ως φορέων βοήθειας για τα παιδιά τους, όμως αυτή η βοήθεια είναι διαφορετική από εκείνη που συνήθως προσπαθούν να δώσουν οι γονείς.

Παραδόξως, αυτή η μέθοδος *αυξάνει* την επιρροή του γονέα στο παιδί. Πρόκειται όμως για μια επιρροή που διαφέρει από το είδος της επιρροής που οι περισσότεροι γονείς προσπαθούν να ασκήσουν στα παιδιά τους. Η Ενεργητική ακρόαση επηρεάζει έτσι τα παιδιά, ώστε *να βρίσκουν τις δικές τους λύσεις στα δικά τους προβλήματα.* Οι περισσότεροι γονείς, όμως, τείνουν να κάνουν δικά τους τα προβλήματα των παιδιών, όπως στην παρακάτω περίπτωση:

*ANTONI:* Ο Ματέο δεν παίζει μαζί μου σήμερα. Δεν κάνει ποτέ αυτό που εγώ θέλω να κάνω.
*ΜΗΤΕΡΑ:* Γιατί, τότε, δεν προσφέρεσαι εσύ να κάνεις αυτό που θέλει εκείνος; Πρέπει να μάθεις να τα πηγαίνεις καλά με τους μικρούς φίλους σου. (ΣΥΜΒΟΥΛΗ, ΗΘΙΚΟΛΟΓΙΑ)
*ANTONI:* Δεν μου αρέσει να κάνω πράγματα που θέλει αυτός να κάνει και επίσης δεν θέλω να τα πηγαίνω καλά μαζί του!
*ΜΗΤΕΡΑ:* Τότε, λοιπόν, πήγαινε να βρεις κάποιον άλλον να παίξεις, αν θέλεις να είσαι παλιόπαιδο. (ΠΡΟΣΦΟΡΑ ΛΥΣΗΣ, ΧΑΡΑΚΤΗΡΙΣΜΟΣ)
*ANTONI:* Αυτός είναι παλιόπαιδο, όχι εγώ. Και δεν υπάρχει κάποιος άλλος για να παίξω μαζί του.
*ΜΗΤΕΡΑ:* Είσαι εκνευρισμένος, γιατί είσαι κουρασμένος. Θα νιώσεις καλύτερα γι' αυτό αύριο. (ΕΡΜΗΝΕΙΑ, ΚΑΘΗΣΥΧΑΣΜΟΣ)
*ANTONI:* Δεν είμαι κουρασμένος και δεν θα νιώσω διαφορετικά αύριο. Δεν καταλαβαίνεις πόσο τον μισώ.
*ΜΗΤΕΡΑ:* Σταμάτα τώρα να μιλάς έτσι! Αν σε ακούσω να ξαναμιλήσεις έτσι για κάποιον από τους φίλους σου, θα το μετανιώσεις... (ΕΝΤΟΛΗ, ΑΠΕΙΛΗ)
*ANTONI* (απομακρύνεται κατσουφιασμένος): Τη μισώ αυτή τη γειτονιά. Μακάρι να φεύγαμε.

Να τώρα πώς ο γονέας μπορεί να βοηθήσει το ίδιο αγόρι με την Ενεργητική ακρόαση:

*ANTONI:* Ο Ματέο δεν παίζει μαζί μου σήμερα. Δεν κάνει ποτέ αυτό που εγώ θέλω να κάνω.
*ΜΗΤΕΡΑ:* Είσαι κάπως θυμωμένος με τον Ματέο. (ΕΝΕΡΓΗΤΙΚΗ ΑΚΡΟΑΣΗ)
*ANTONI:* Ναι. Δεν θέλω να ξαναπαίξω ποτέ μαζί του. Δεν είναι φίλος μου πια.
*ΜΗΤΕΡΑ:* Είσαι τόσο θυμωμένος, που αισθάνεσαι ότι δεν θα ήθελες να τον ξαναδείς ποτέ. (ΕΝΕΡΓΗΤΙΚΗ ΑΚΡΟΑΣΗ)
*ANTONI:* Σωστά. Όμως, αν δεν έχω αυτόν φίλο, δεν θα έχω κανένα να παίζει μαζί μου.
*ΜΗΤΕΡΑ:* Δεν θα σου άρεσε να μείνεις χωρίς κανένα φίλο. (ΕΝΕΡΓΗΤΙΚΗ ΑΚΡΟΑΣΗ)
*ANTONI:* Ναι. Φαίνεται ότι πρέπει κάπως να τα βρω μαζί του. Αλλά μου είναι πολύ δύσκολο να πάψω να θυμώνω με αυτά που κάνει.
*ΜΗΤΕΡΑ:* Θέλεις να τα πας καλύτερα μαζί του, όμως είναι δύσκολο για σένα να μη θυμώνεις με τον Ματέο. (ΕΝΕΡΓΗΤΙΚΗ ΑΚΡΟΑΣΗ)

*ΑΝΤΟΝΙ:* Παλιά δεν θύμωνα – όμως αυτό συνέβαινε γιατί τότε αυτός ήταν πάντοτε πρόθυμος να κάνει αυτό που ήθελα εγώ. Δεν με αφήνει να τον κουμαντάρω πια.
*ΜΗΤΕΡΑ:* Ο Ματέο δεν συμφωνεί πάντα με αυτό που θέλεις. (ΕΝΕΡΓΗΤΙΚΗ ΑΚΡΟΑΣΗ)
*ΑΝΤΟΝΙ:* Σίγουρα όχι. Δεν είναι τόσο μικρός τώρα. Όμως είναι πιο ευχάριστος.
*ΜΗΤΕΡΑ:* Πραγματικά σου αρέσει έτσι περισσότερο. (ΕΝΕΡΓΗΤΙΚΗ ΑΚΡΟΑΣΗ)
*ΑΝΤΟΝΙ:* Ναι. Όμως είναι δύσκολο να πάψω να τον κουμαντάρω. Το έχω τόσο συνηθίσει. Ίσως να μη τσακωνόμασταν τόσο πολύ, αν τον άφηνα να κάνει το δικό του πότε πότε. Τι λες, θα ήταν καλύτερα έτσι;
*ΜΗΤΕΡΑ:* Νομίζεις ότι αν μπορούσες να τον αφήνεις μερικές φορές, αυτό ίσως να βοηθούσε. (ΕΝΕΡΓΗΤΙΚΗ ΑΚΡΟΑΣΗ)
*ΑΝΤΟΝΙ:* Ναι, ίσως να βοηθούσε. Θα το προσπαθήσω.

Στην πρώτη παραλλαγή, η μητέρα χρησιμοποίησε οκτώ από τα δώδεκα τυπικά εμπόδια επικοινωνίας. Στη δεύτερη, η μητέρα σταθερά χρησιμοποιούσε Ενεργητική ακρόαση. Στην πρώτη, η μητέρα «ανέλαβε το πρόβλημα». Στη δεύτερη, η Ενεργητική ακρόαση που εφάρμοσε άφησε την ευθύνη του προβλήματος στον Άντονι. Στην πρώτη, ο Άντονι αντιστάθηκε στις προτάσεις της μητέρας του, ο θυμός του και η απογοήτευσή του ποτέ δεν διαλύθηκαν, το πρόβλημα παρέμεινε άλυτο και δεν δόθηκε ευκαιρία στον Άντονι να ωριμάσει. Στη δεύτερη, ο θυμός του έφυγε, άρχισε να ασχολείται με τη λύση του προβλήματος και είδε βαθύτερα μέσα του. Έφθασε στη δική του λύση και εμφανώς προχώρησε προς την κατεύθυνση να γίνει ένα υπεύθυνο, αυτο-κατευθυνόμενο άτομο, που λύνει τα προβλήματά του.

Παρακάτω δίνεται ένα άλλο παράδειγμα, που δείχνει πώς οι γονείς προσπαθούν συνήθως να βοηθήσουν τα παιδιά τους.

*ΚΑΘΙ:* Δεν θέλω να φάω βραδινό.
*ΠΑΤΕΡΑΣ:* Έλα, τώρα. Τα παιδιά στην ηλικία σου χρειάζονται τρία γεύματα την ημέρα. (ΔΙΔΑΣΚΑΛΙΑ, ΠΕΙΘΩ ΜΕ ΛΟΓΙΚΗ)
*ΚΑΘΙ:* Ε, λοιπόν, έφαγα πολύ το μεσημέρι.
*ΠΑΤΕΡΑΣ:* Τέλος πάντων, έλα απλώς στο τραπέζι και δες τι έχουμε. (ΠΡΟΤΑΣΗ)
*ΚΑΘΙ:* Είμαι σίγουρη ότι δεν θα φάω τίποτε.
*ΠΑΤΕΡΑΣ:* Τι σου συμβαίνει απόψε; (ΑΝΑΚΡΙΣΗ)
*ΚΑΘΙ:* Τίποτε.
*ΠΑΤΕΡΑΣ:* Τότε έλα στο τραπέζι. (ΕΝΤΟΛΗ)
*ΚΑΘΙ:* Δεν πεινάω και δεν θέλω να έρθω στο τραπέζι.

Να τώρα πώς το ίδιο κορίτσι μπορεί να βοηθηθεί με την Ενεργητική ακρόαση:

*ΚΑΘΙ:* Δεν θέλω να φάω βραδινό.
*ΠΑΤΕΡΑΣ:* Δεν έχεις διάθεση να φας απόψε. (ΕΝΕΡΓΗΤΙΚΗ ΑΚΡΟΑΣΗ)
*ΚΑΘΙ:* Σίγουρα όχι. Είμαι πολύ στρεσαρισμένη για να φάω.
*ΠΑΤΕΡΑΣ:* Κάτι σ' ενοχλεί πολύ, είναι έτσι; (ΕΝΕΡΓΗΤΙΚΗ ΑΚΡΟΑΣΗ)
*ΚΑΘΙ:* Είναι κάτι χειρότερο. Πραγματικά φοβάμαι!
*ΠΑΤΕΡΑΣ:* Κάτι όντως σε φοβίζει. (ΕΝΕΡΓΗΤΙΚΗ ΑΚΡΟΑΣΗ)
*ΚΑΘΙ:* Σίγουρα ναι. Ο Λανς με φώναξε σήμερα και είπε ότι ήθελε να μου μιλήσει το βράδυ. Μου φάνηκε πολύ σοβαρός, όχι όπως είναι συνήθως.
*ΠΑΤΕΡΑΣ:* Σου φάνηκε ότι κάτι συμβαίνει, ε; (ΕΝΕΡΓΗΤΙΚΗ ΑΚΡΟΑΣΗ)
*ΚΑΘΙ:* Φοβάμαι ότι θέλει να διακόψουμε.
*ΠΑΤΕΡΑΣ:* Και δεν θα ήθελες να συμβεί αυτό. (ΕΝΕΡΓΗΤΙΚΗ ΑΚΡΟΑΣΗ)
*ΚΑΘΙ:* Θα με σκότωνε! Ειδικά γιατί νομίζω ότι θα ήθελε να βγει με την Αλέξις. Αυτό θα ήταν το χειρότερο!
*ΠΑΤΕΡΑΣ:* Αυτό σε τρομάζει πραγματικά – ότι ίσως τον πάρει η Αλέξις. (ΕΝΕΡΓΗΤΙΚΗ ΑΚΡΟΑΣΗ)
*ΚΑΘΙ:* Ναι. Αυτή παίρνει όλους τους καλούς. Είναι αηδιαστική. Μιλάει συνέχεια στα αγόρια και τα κάνει να γελάνε, κι αυτά όλα πέφτουν μ' αυτό. Έχει πάντοτε τρία τέσσερα αγόρια να κρέμονται γύρω της στους διαδρόμους. Δεν ξέρω πώς το καταφέρνει αυτό. Εγώ ούτε μπορώ να σκεφτώ κάτι να πω, όταν είμαι με αγόρια.
*ΠΑΤΕΡΑΣ:* Θα ήθελες να μπορούσες να μιλάς τόσο εύκολα με τα αγόρια, όπως η Αλέξις. (ΕΝΕΡΓΗΤΙΚΗ ΑΚΡΟΑΣΗ)
*ΚΑΘΙ:* Ναι, είμαι σκέτη αποτυχία. Σκέψου, θέλω τόσο πολύ να τους αρέσω, που φοβάμαι μήπως πω κάτι χαζό.
*ΠΑΤΕΡΑΣ:* Θέλεις τόσο πολύ να είσαι δημοφιλής, που φοβάσαι μήπως κάνεις κάποιο λάθος. (ΕΝΕΡΓΗΤΙΚΗ ΑΚΡΟΑΣΗ)
*ΚΑΘΙ:* Ναι. Όμως δεν θα μπορούσα να κάνω τίποτε χειρότερο από αυτό που κάνω τώρα – να στέκομαι σαν ηλίθια.
*ΠΑΤΕΡΑΣ:* Νιώθεις ότι ίσως είναι χειρότερο αυτό από το να άρχιζες να μιλάς. (ΕΝΕΡΓΗΤΙΚΗ ΑΚΡΟΑΣΗ.)
*ΚΑΘΙ:* Είναι, σίγουρα. Βαρέθηκα να μη λέω τίποτε.

Στην πρώτη παραλλαγή, ο πατέρας της Κάθι απέτυχε να αποκωδικοποιήσει το μήνυμά της από την αρχή και έτσι η συζήτηση περιορίστηκε στο πρόβλημα του φαγητού. Στη δεύτερη παραλλαγή, η ευαίσθητη Ενεργητική ακρόαση του πατέρα βοήθησε να αποκαλυφθεί το βασικό πρόβλημα, ενθάρρυνε τη λύση του προβλήματος από τη μεριά της Κάθι, και τελικά τη βοήθησε να σκεφτεί να κάνει μια αλλαγή.

## ΠΩΣ ΟΙ ΓΟΝΕΙΣ ΚΑΝΟΥΝ ΤΗΝ ΕΝΕΡΓΗΤΙΚΗ ΑΚΡΟΑΣΗ ΝΑ ΛΕΙΤΟΥΡΓΗΣΕΙ

Παρακάτω σας δίνουμε την ευκαιρία να παρακολουθήσετε κάποιους γονείς, καθώς βάζουν σε λειτουργία την Ενεργητική ακρόαση στο σπίτι, όταν αντιμετωπίζουν τα πραγματικά προβλήματα που συναντούν οι μαμάδες και οι μπαμπάδες. Προσπαθήστε να μην εμπλακείτε τόσο πολύ με αυτές τις αυθεντικές καταστάσεις, ώστε να ξεχάσετε να προσέξετε την Ενεργητική ακρόαση που χρησιμοποιούν αυτοί οι γονείς.

### Ντάνι – το παιδί που φοβάται να πάει για ύπνο

Στην αντιμετώπιση αυτής της κατάστασης, η μητέρα, που είχε αποφοιτήσει από την Εκπαίδευση, χρησιμοποίησε μερικά από τα δώδεκα εμπόδια επικοινωνίας, στηρίχτηκε όμως επίσης σημαντικά στην Ενεργητική ακρόαση. Το παιδί, οκτώ ετών, παρουσίαζε όλο και μεγαλύτερες δυσκολίες να πάει για ύπνο από τότε που ήταν πέντε ετών. Οχτώ μήνες περίπου πριν γίνει ο παρακάτω διάλογος, έφυγε από το δωμάτιο που μοιραζόταν με τους δυο μικρότερους αδελφούς του. Μολονότι επιθυμούσε διακαώς ένα δικό του δωμάτιο, το πρόβλημα του ύπνου χειροτέρευσε.

*ΜΗΤΕΡΑ:* Είναι αργά. Σβήσε το φως και πήγαινε για ύπνο.
*ΝΤΑΝΙ:* Δεν πάω για ύπνο.
*ΜΗΤΕΡΑ:* Πρέπει να πας, είναι αργά. Θα είσαι κουρασμένος αύριο.
*ΝΤΑΝΙ:* Δεν πάω για ύπνο.
*ΜΗΤΕΡΑ* (απότομα): Σβήσε αυτό το φως αμέσως!
*ΝΤΑΝΙ* (κατηγορηματικά): Δεν θα πάω *ποτέ* για ύπνο.
*ΜΗΤΕΡΑ* (Νιώθω ότι θέλω να τον στραγγαλίσω. Είμαι τόσο κουρασμένη. Δεν μπορώ να το υποφέρω αυτό απόψε... Θα πάω στην κουζίνα να καπνίσω ένα τσιγάρο, θα αποφασίσω να πάω στο δωμάτιό του και να αρχίσω την Ενεργητική ακρόαση, όπως και να 'χει! Μπαίνει στο δωμάτιο του Ντάνι): «Έλα, είναι αργά, αλλά θα καθίσω λίγο στο κρεβάτι σου για να ξεκουράσω τα πόδια μου, πριν πλύνω τα πιάτα. (Παίρνει από τον Ντάνι το βιβλίο, σβήνει το φως, κλείνει την πόρτα και κάθεται στο κρεβάτι δίπλα του, ακουμπώντας στον τοίχο.)
*ΝΤΑΝΙ:* Δώσε μου το βιβλίο! Μη σβήνεις το φως. Φύγε από δω. Δεν σε θέλω εδώ. Δεν πρόκειται να κοιμηθώ. Σε μισώ!
*ΜΗΤΕΡΑ:* Αισθάνεσαι θυμωμένος.
*ΝΤΑΝΙ:* Ναι, μισώ το σχολείο και δεν θα ξαναγυρίσω ποτέ!
*ΜΗΤΕΡΑ* (Του αρέσει το σχολείο): Βαρέθηκες το σχολείο.
*ΝΤΑΝΙ:* Είναι τρομερό. Δεν είμαι καλός στο σχολείο. Δεν ξέρω τίποτε. Έπρεπε να είμαι στη δευτέρα τάξη. (Είναι στην τρίτη.) Μαθηματικά δεν ξέρω. (Είναι πολύ

καλός στα μαθηματικά.) Ο δάσκαλος πρέπει να νομίζει ότι είμαστε στο γυμνάσιο ή κάτι τέτοιο.
*ΜΗΤΕΡΑ:* Τα μαθηματικά είναι πολύ δύσκολα για σένα.
*ΝΤΑΝΙ:* Όχι! Είναι εύκολα. Απλώς δεν μου αρέσει να τα κάνω.
*ΜΗΤΕΡΑ:* Ω!
*ΝΤΑΝΙ* (Ξαφνική στροφή): Σίγουρα μου αρέσει το ποδόσφαιρο. Θα προτιμούσα να παίζω ποδόσφαιρο παρά να πηγαίνω στο σχολείο.
*ΜΗΤΕΡΑ:* Πραγματικά σου αρέσει το ποδόσφαιρο.
*ΝΤΑΝΙ:* Πρέπει να πάει κανείς στο πανεπιστήμιο; (Ο μεγαλύτερος αδελφός του σύντομα θα πάει στο πανεπιστήμιο και γίνεται πολλή συζήτηση στην οικογένεια γι' αυτό.)
*ΜΗΤΕΡΑ:* Όχι.
*ΝΤΑΝΙ:* Πόσα χρόνια πρέπει να πάει κανείς σχολείο;
*ΜΗΤΕΡΑ:* Πρέπει να τελειώσεις το Λύκειο.
*ΝΤΑΝΙ:* Λοιπόν, δεν θα πάω στο πανεπιστήμιο. Δεν είναι υποχρεωτικό, έτσι;
*ΜΗΤΕΡΑ:* Έτσι.
*ΝΤΑΝΙ:* Ωραία, θα παίζω ποδόσφαιρο.
*ΜΗΤΕΡΑ:* Το ποδόσφαιρο είναι πράγματι ευχάριστο.
*ΝΤΑΝΙ:* Ναι. (Εντελώς ήρεμος, μιλώντας άνετα, χωρίς θυμό.) Λοιπόν, καληνύχτα.
*ΜΗΤΕΡΑ:* Καληνύχτα.
*ΝΤΑΝΙ:* Θα μείνεις λίγο ακόμη μαζί μου;
*ΜΗΤΕΡΑ:* Μμ, ναι!
*ΝΤΑΝΙ* (Τραβάει τις κουβέρτες που είχε κλοτσήσει. Σκεπάζει προσεχτικά τα γόνατα της μητέρας του και τα κτυπάει χαϊδευτικά.): Ωραία τώρα;
*ΜΗΤΕΡΑ:* Ναι, ευχαριστώ.
*ΝΤΑΝΙ:* Παρακαλώ. (Περίοδος ησυχίας, μετά ο Ντάνι αρχίζει να ρουφάει τη μύτη του και να ξεφυσάει και να προσπαθεί να ξεβουλώσει τη μύτη του με υπερβολικό θόρυβο. Φύσημα, ξεφύσημα, ρουθούνισμα. Ο Ντάνι έχει κάποια ελαφρά αλλεργία και του κλείνει η μύτη, τα συμπτώματα όμως δεν είναι ποτέ έντονα. Η μητέρα δεν είχε ακούσει τον Ντάνι να φυσάει έτσι άλλη φορά.)
*ΜΗΤΕΡΑ:* Σ' ενοχλεί η μύτη σου;
*ΝΤΑΝΙ:* Σίγουρα ναι. Νομίζεις ότι χρειάζομαι το φάρμακο για το ξεβούλωμα της μύτης μου;
*ΜΗΤΕΡΑ:* Νομίζεις ότι θα βοηθούσε;
*ΝΤΑΝΙ:* Όχι (φύσημα, ξεφύσημα).
*ΜΗΤΕΡΑ:* Η μύτη σου πραγματικά σ' ενοχλεί.
*ΝΤΑΝΙ:* Ναι (φύσημα, αναστεναγμός αγωνίας). Ω! Μακάρι να μη χρειαζόταν να αναπνέει κανείς με τη μύτη, όταν κοιμάται.

*ΜΗΤΕΡΑ* (πολύ έκπληκτη με αυτό, έτοιμη να ρωτήσει από πού του κατέβηκε αυτή η ιδέα): Νομίζεις ότι είσαι υποχρεωμένος να αναπνέεις με τη μύτη όταν κοιμάσαι;
*ΝΤΑΝΙ:* Το *ξέρω* ότι *πρέπει.*
*ΜΗΤΕΡΑ:* Νιώθεις σίγουρος γι' αυτό.
*ΝΤΑΝΙ:* Το ξέρω αυτό. Ο Τόμι μού το είπε πριν από πολύ καιρό. (Ένας φίλος που πολύ τον θαυμάζει ο Ντάνι, δυο χρόνια μεγαλύτερος.) Είπε ότι πρέπει. Δεν μπορείς να αναπνέεις με το στόμα, όταν κοιμάσαι.
*ΜΗΤΕΡΑ:* Εννοείς ότι υποτίθεται πως δεν πρέπει.
*ΝΤΑΝΙ:* Απλώς *δεν γίνεται* (φύσημα). Μαμά, έτσι είναι, δεν είναι; Εννοώ ότι *είσαι υποχρεωμένος* να αναπνέεις με τη μύτη σου όταν κοιμάσαι, έτσι δεν είναι; (Μεγάλη εξήγηση, πολλές ερωτήσεις από τον Ντάνι για τον φίλο του που θαυμάζει. «Δεν θα μπορούσε να μου πει ψέματα».)
*ΜΗΤΕΡΑ:* (Εξηγεί ότι ο φίλος του προφανώς προσπαθεί να βοηθήσει, αλλά τα παιδιά δίνουν λανθασμένες πληροφορίες καμιά φορά. Μεγάλη έμφαση από τη μητέρα στο ότι όλοι αναπνέουν με το στόμα, όταν κοιμούνται.)
*ΝΤΑΝΙ* (πολύ ανακουφισμένος): Λοιπόν, καληνύχτα.
*ΜΗΤΕΡΑ:* Καληνύχτα. (Ο Ντάνι αναπνέει εύκολα με το στόμα.)
*ΝΤΑΝΙ* (ξαφνικά): Ξεφύσημα.
*ΜΗΤΕΡΑ:* Ακόμη φοβάσαι.
*ΝΤΑΝΙ:* Ω! Ναι. Μαμά, τι θα γίνει αν κοιμηθώ αναπνέοντας με το στόμα και η μύτη μου είναι βουλωμένη και τι θα γίνει αν, στη μέση της νύχτας, όταν θα είμαι τελείως κοιμισμένος, τι θα γίνει αν κλείσω το στόμα μου;
*ΜΗΤΕΡΑ* (Διαπιστώνει ότι εδώ και χρόνια φοβάται να πάει για ύπνο, γιατί φοβάται μήπως πεθάνει και σκέπτεται: «Ω, καημένο μου μωρό»): Φοβάσαι μήπως ίσως πνιγείς;
*ΝΤΑΝΙ:* Ω! Ναι. *Πρέπει* να αναπνέεις. (Δεν μπορούσε να πει: «Θα μπορούσα να πεθάνω;»)
*ΜΗΤΕΡΑ* (εξηγώντας περισσότερο): Αυτό απλώς δεν μπορεί να συμβεί. Το στόμα σου θα άνοιγε, ακριβώς όπως η καρδιά σου αντλεί το αίμα ή τα μάτια σου ανοιγοκλείνουν.
*ΝΤΑΝΙ:* Είσαι σίγουρη;
*ΜΗΤΕΡΑ:* Ναι, είμαι σίγουρη.
*ΝΤΑΝΙ:* Λοιπόν, καληνύχτα.
*ΜΗΤΕΡΑ:* Καληνύχτα, αγάπη μου. (Τον φιλά. Ο Ντάνι κοιμάται σε λίγα λεπτά.)

Η περίπτωση του Ντάνι δεν είναι το μοναδικό παράδειγμα, όπου η Ενεργητική ακρόαση του γονέα έφερε τη δραματική επίλυση ενός συναισθηματικού προβλήματος

Παρόμοιες αναφορές από γονείς στις τάξεις μας επιβεβαιώνουν την πεποίθησή μας, ότι πολλοί γονείς μπορούν να μάθουν αρκετά καλά τη δεξιότητα που χρησιμοποιούν οι επαγγελματίες σύμβουλοι, ώστε να την εφαρμόζουν, για να βοηθούν τα παιδιά τους να λύνουν προβλήματα που είναι βαθιά ριζωμένα μέσα τους και που μέχρι τώρα θεωρούνταν περιοχή αποκλειστικά των επαγγελματιών.

Μερικές φορές το είδος αυτό της θεραπευτικής ακρόασης επιφέρει απλώς μία καθαρτική απελευθέρωση των συναισθημάτων του παιδιού. Αυτό που φαίνεται να χρειάζεται το παιδί είναι ένα ενσυναισθητικό αυτί ή ένα αντηχείο, όπως συνέβη με τη Νάνσι, ένα πολύ έξυπνο δεκάχρονο κορίτσι. Η μητέρα της Νάνσι πρότεινε να μαγνητοφωνηθεί το επεισόδιο, έτσι ώστε να φέρει την κασέτα στην τάξη της. Ενθαρρύνουμε τους γονείς στο πρόγραμμά μας να το κάνουν αυτό, έτσι ώστε να μπορούμε να χρησιμοποιούμε την κασέτα για να καθοδηγούμε τους ίδιους και να διδάσκουμε τους άλλους. Καθώς θα διαβάζετε την αυτολεξεί απομαγνητοφώνηση, προσπαθήστε να σκεφτείτε πώς οι περισσότεροι γονείς που δεν έχουν παρακολουθήσει την Εκπαίδευση θα χρησιμοποιούσαν τα δώδεκα τυπικά εμπόδια επικοινωνίας, αντιδρώντας στα συναισθήματα της Νάνσι για τη δασκάλα της.

*ΜΗΤΕΡΑ:* Νάνσι, δεν φαίνεται να θέλεις να πας σχολείο αύριο, ε;

*ΝΑΝΣΙ:* Δεν έχω τίποτε να περιμένω από εκεί.

*ΜΗΤΕΡΑ:* Εννοείς ότι είναι κάπως βαρετό...

*ΝΑΝΣΙ:* Ναι. Δεν υπάρχει τίποτε να κάνεις εκτός από το να βλέπεις την κυρία Ηλίθια. Είναι τόσο παχιά και καμπούρα και φαίνεται τόσο ηλίθια!

*ΜΗΤΕΡΑ:* Συνεπώς σε ενοχλεί πραγματικά με αυτά που κάνει...

*ΝΑΝΣΙ:* Ναι. Και έπειτα γυρνάει γύρω γύρω. «Εντάξει, θα σας το δώσω αύριο». Έρχεται το αύριο και αυτή λέει: «Ω! Το ξέχασα. Θα σας το δώσω κάποια άλλη φορά».

*ΜΗΤΕΡΑ:* Επομένως δίνει υποσχέσεις ότι πρόκειται να κάνει πράγματα...

*ΝΑΝΣΙ:* Και ποτέ δεν τα κάνει...

*ΜΗΤΕΡΑ:* Και δεν είναι συνεπής και αυτό σε εκνευρίζει πολύ...

*ΝΑΝΣΙ:* Ναι. Ακόμη δεν μου έχει δώσει το σημειωματάριο που μου έχει υποσχεθεί από τον Σεπτέμβριο.

*ΜΗΤΕΡΑ:* Λέει ότι πρόκειται να κάνει πράγματα κι εσύ στηρίζεσαι πάνω της και αυτή δεν τα κάνει.

*ΝΑΝΣΙ:* Και όλα τα είδη των επισκέψεων που υποτίθεται ότι θα πηγαίναμε και για τα οποία λέει ότι θα πάμε μια εκπαιδευτική εκδρομή μία από αυτές τις ημέρες... Κι έπειτα αφού πει κάτι σαν αυτό, ποτέ δεν κάνει τίποτε άλλο γι' αυτό –το λέει κι αυτό είναι όλο– κι έπειτα συνεχίζει και δίνει άλλες υποσχέσεις...

*ΜΗΤΕΡΑ:* Δηλαδή σας κάνει να ελπίζετε και να νομίζετε ότι τελικά τα πράγματα

θα γίνουν καλύτερα και κάτι ευχάριστο θα γίνει και αυτό δεν συμβαίνει.
*ΝΑΝΣΙ:* Σωστά – είναι εντελώς ηλίθιο.
*ΜΗΤΕΡΑ:* Κι έπειτα πραγματικά απογοητεύεστε με ό,τι γίνεται στο μάθημα της ημέρας.
*ΝΑΝΣΙ:* Ναι. Το μόνο μάθημα που μ' αρέσει είναι τα Τεχνικά, γιατί τουλάχιστον δεν σε παρατηρεί για το γράψιμό σου ή κάτι. Κάθεται πάντα πάνω απ' το κεφάλι μου. «Ω! Το γράψιμό σου είναι απαράδεκτο! Γιατί δεν γράφεις καλύτερα γράμματα; Γιατί είσαι τόσο απρόσεκτη;»
*ΜΗΤΕΡΑ:* Σαν να σου κολλάει όλη την ώρα...
*ΝΑΝΣΙ:* Ναι. Και στα Τεχνικά μού λέει τι χρώματα να χρησιμοποιήσω κι εγώ δεν τα χρησιμοποιώ... Τα κάνω να φαίνονται ωραία και αυτή απλά μου δείχνει πώς να βάλω σκιές...
*ΜΗΤΕΡΑ:* Την υπόλοιπη ώρα των Τεχνικών σε αφήνει αρκετά ήσυχη.
*ΝΑΝΣΙ:* Ω! ναι, εκτός από τις στέγες με τα κεραμίδια...
*ΜΗΤΕΡΑ:* Σε υποχρεώνει να τις φτιάξεις μ' ένα συγκεκριμένο τρόπο...
*ΝΑΝΣΙ:* Αχά. Όμως δεν τις κάνω μ' αυτό τον τρόπο...
*ΜΗΤΕΡΑ:* Πραγματικά σ' ενοχλεί που σου λέει τις ιδέες της κι εσύ πρέπει να τις ακολουθήσεις.
*ΝΑΝΣΙ:* Δεν πρόκειται να το κάνω. Θα τις αγνοήσω – αλλά τότε θα μπλέξω.
*ΜΗΤΕΡΑ:* Όταν αγνοείς τις ιδέες της, φοβάσαι μήπως μπλέξεις.
*ΝΑΝΣΙ:* Αχά. Δεν τις αγνοώ τις περισσότερες φορές. Πάντοτε πρέπει να κάνω αυτό που αυτή θέλει, όπως τον τρόπο που με κάνει να μετράω στα μαθηματικά: ένα Α, ένα Β και... ουφ!
*ΜΗΤΕΡΑ:* Πραγματικά θα ήθελες να αγνοήσεις τις ιδέες της, όμως οπωσδήποτε συμμορφώνεσαι και τις εκτελείς κι έπειτα θυμώνεις...
*ΝΑΝΣΙ:* Κάνει τα πάντα να κρατάνε τόσο πολύ. Πρέπει να εξηγεί τα πάντα και να κάνει ένα ή δύο παραδείγματα με τα παιδιά και να τους λέει πώς να τα κάνουν και αυτό με κάνει να νιώθω σαν να είμαστε μωρά –«αυτό είναι ένα εντελώς καινούργιο βήμα»– μας μεταχειρίζεται σαν μικρά νηπιαγωγάκια.

Μερικές φορές είναι δύσκολο για τους γονείς να αφήσουν ένα επεισόδιο σαν αυτό να κλείσει με μια ανολοκλήρωτη ή ατελή παρατήρηση. Όταν οι γονείς καταλάβουν ότι αυτό συμβαίνει συχνά στις συμβουλευτικές συνεδρίες των επαγγελματιών συμβούλων, είναι πολύ πιο έτοιμοι να επιτρέψουν στο παιδί να σταματήσει, και να το εμπιστευτούν ότι θα βρει τη δική του λύση αργότερα. Οι επαγγελματίες μαθαίνουν από την εμπειρία ότι μπορεί κανείς να εμπιστεύεται την ικανότητα των παιδιών να ασχοληθούν εποικοδομητικά με τα προβλήματα της ζωής τους. Οι γονείς υποτιμούν αυτή την ικανότητα.

Ακολουθεί ένα παράδειγμα, από μια συνάντηση που είχα με έναν έφηβο. Δείχνει πως η Ενεργητική ακρόαση δεν φέρνει πάντοτε άμεση αλλαγή. Συχνά, η Ενεργητική ακρόαση απλώς αρχίζει μια αλυσίδα εξελίξεων και το αποτέλεσμα μπορεί να μη γίνει ποτέ γνωστό στον γονέα ή να μην είναι εμφανές για κάποια διαστήματα. Αυτό συμβαίνει, γιατί τα παιδιά βρίσκουν μια λύση από μόνα τους αργότερα. Οι επαγγελματίες σύμβουλοι βλέπουν να γίνεται αυτό συνέχεια. Ένα παιδί μπορεί να τελειώσει τη συμβουλευτική συνεδρία στη μέση ακόμη της συζήτησης ενός προβλήματος, για να επιστρέψει μία εβδομάδα αργότερα και να αναφέρει ότι έχει λύσει το πρόβλημα.

Αυτό συνέβη με τον Νάιγκελ, ένα δεκαεξάχρονο αγόρι, που το φέρανε σε εμένα για συμβουλευτική, επειδή οι γονείς του ανησυχούσαν για τη φανερή αδιαφορία του για το σχολείο, την εξέγερσή του ενάντια στους ενήλικες, τη χρήση ναρκωτικών και την έλλειψη συνεργασίας στο σπίτι:

> Για αρκετές εβδομάδες ο Νάιγκελ περνούσε την ώρα της συμβουλευτικής υπερασπιζόμενος τη χρήση μαριχουάνας που έκανε και ασκώντας κριτική στους ενήλικες για τη χρήση αλκοόλ και καπνού. Δεν έβλεπε τίποτε κακό στη χρήση μαριχουάνας. Πίστευε πως όλοι θα έπρεπε να δοκιμάσουν, καθώς ο ίδιος την έβρισκε θαυμάσια εμπειρία. Επίσης αμφισβητούσε πολύ σοβαρά την αξία του σχολείου. Το θεωρούσε απλώς προετοιμασία για την εξεύρεση εργασίας, έτσι ώστε να μπορείς να κερδίζεις χρήματα και να πέφτεις στην ίδια παγίδα με όλους τους άλλους στην κοινωνία. Στο σχολείο έπαιρνε πολύ χαμηλούς βαθμούς. Για τον Νάιγκελ φαινόταν μάταιο να κάνει κάτι εποικοδομητικό. Μια μέρα ήρθε για την ώρα της συμβουλευτικής και ξαφνικά ανακοίνωσε ότι είχε αποφασίσει να σταματήσει να καπνίζει μαριχουάνα: Αρκετά είχε «καταστρέψει τη ζωή του». Παρ' ότι ακόμη δεν ήξερε τι ήθελε να κάνει στη ζωή, είπε ότι ήταν σίγουρος πως δεν ήθελε να καταστρέψει τη ζωή του και να γίνει αποτυχημένος. Ανακοίνωσε επίσης ότι δούλευε σκληρά πάνω σε δύο μαθήματα που είχε πάρει στο καλοκαιρινό σχολείο, αφού είχε απορριφθεί σε όλα τα μαθήματα, εκτός από ένα. Τελικά, ο Νάιγκελ πήρε δύο πολύ καλούς βαθμούς σε αυτά τα μαθήματα, αποφοίτησε από το λύκειο και μπήκε στο πανεπιστήμιο. Δεν ξέρω τι τον άλλαξε, υποψιάζομαι όμως ότι η καλή του διάθεση κινητοποιήθηκε από το γεγονός ότι κάποιος τον άκουγε – ενεργητικά.

Μερικές φορές η Ενεργητική ακρόαση βοηθάει απλώς ένα παιδί να αποδεχτεί μια κατάσταση που ξέρει ότι δεν μπορεί να αλλάξει. Η Ενεργητική ακρόαση βοηθάει το παιδί να εκφράσει τα συναισθήματά του για μια κατάσταση, να τα εξωτερικεύσει και να νιώσει ότι έχοντας αυτά τα συναισθήματα γίνεται αποδεκτός από κάποιον. Είναι ίσως το ίδιο φαινόμενο, όπως η καταπίεση στον στρατό. Ο καταπιεζόμενος γνωρίζει συνήθως ότι δεν μπορεί να αλλάξει την κατάσταση, φαίνεται όμως ότι βοηθάει, αν μπορεί να εξωτερικεύσει τα αρνητικά του συναισθήματα παρουσία κάποιου που να τον αποδέχεται και να τον καταλαβαίνει. Αυτό φαίνεται στην παρακάτω συνομιλία μεταξύ της Αλίσα, δώδεκα χρόνων, και της μητέρας της.

*ΑΛΙΣΑ:* Την μισώ αυτή την κ. Τζόνσον, τη νέα μου δασκάλα των Αγγλικών! Νομίζω ότι μισεί τα παιδιά.
*ΜΗΤΕΡΑ:* Πραγματικά έχεις μια κακή δασκάλα αυτό τα εξάμηνο, ε;
*ΑΛΙΣΑ:* Εντελώς! Στέκεται εκεί πέρα φλυαρώντας για τον εαυτό της, μέχρι που βαριέμαι τόσο πολύ, που δεν μπορώ πια. Θέλω να της πω να το βουλώσει.
*ΜΗΤΕΡΑ:* Πραγματικά γίνεσαι έξαλλη μαζί της.
*ΑΛΙΣΑ:* Το ίδιο γίνονται όλοι. Κανένας δεν τη συμπαθεί. Γιατί προσλαμβάνουν τέτοιους δασκάλους; Πώς κρατάνε τη δουλειά τους;
*ΜΗΤΕΡΑ:* Σε κάνει να αναρωτιέσαι πώς επιτρέπουν σε κάποιον τόσο κακό να διδάσκει.
*ΑΛΙΣΑ:* Ναι, αυτή όμως είναι εκεί και είναι αργά για να αλλάξω τμήμα, οπότε κόλλησα μαζί της. Λοιπόν, πρέπει να μιλήσω στη Στέισι για το Σαββατοκύριακο. Θα σε δω αργότερα.

Προφανώς δεν βρέθηκε καμία σαφής λύση, ούτε μπορεί η Αλίσα να κάνει πολλά πράγματα για να αλλάξει τη δασκάλα της. Ωστόσο, το γεγονός ότι της επέτρεψαν να εκφράσει τα συναισθήματά της και ότι την αποδέχτηκαν και την κατάλαβαν απελευθέρωσε την Αλίσα, ώστε να προχωρήσει σε κάτι άλλο. Η μητέρα εδώ δείχνει επίσης στην κόρη της ότι, όταν έχει δυσκολίες, έχει κάποιο πρόσωπο που την αποδέχεται για να τις μοιραστεί μαζί του.

## ΠΟΤΕ ΕΝΑΣ ΓΟΝΕΑΣ ΑΠΟΦΑΣΙΖΕΙ ΝΑ ΧΡΗΣΙΜΟΠΟΙΗΣΕΙ ΕΝΕΡΓΗΤΙΚΗ ΑΚΡΟΑΣΗ;

Για να χρησιμοποιήσετε την Ενεργητική ακρόαση, πρέπει άραγε να περιμένετε μέχρι να εμφανιστεί ένα μάλλον σοβαρό πρόβλημα, όπως στην περίπτωση του Ντάνι, που φοβότανε να κοιμηθεί; Εντελώς το αντίθετο. Τα παιδιά σας σας στέλνουν κάθε μέρα μηνύματα που σας λένε ότι βιώνουν δυσάρεστα συναισθήματα.

Ο μικρός Νέιτ μόλις έκαψε το δάχτυλό του με το σίδερο για μπούκλες της μητέρας του.

*ΝΕΪΤ:* Ωχ, έκαψα το δάχτυλό μου! Μαμά, έκαψα το δάχτυλό μου. Όου, με πονάει, με πονάει (κλαίει τώρα)! Το δάχτυλό μου κάηκε. Όου, όου!
*ΜΗΤΕΡΑ:* Ω! ωωω! Πραγματικά πονάει. Πονάει τρομερά.
*ΝΕΪΤ:* Ναι! Κοίτα πόσο πολύ το έκαψα.

*ΜΗΤΕΡΑ:* Φαίνεται να κάηκε πραγματικά πολύ. Πονάει τόσο πολύ.
*ΝΕΪΤ* (σταματάει να κλαίει): Βάλε κάτι πάνω του αμέσως.
*ΜΗΤΕΡΑ:* Εντάξει. Θα σου φέρω λίγο πάγο να το κρυώσει και μετά θα του βάλουμε λίγη αλοιφή.

Αντιδρώντας σε αυτό το κοινό μικρό οικιακό επεισόδιο, η μητέρα απέφυγε να καθησυχάσει τον Νέιτ λέγοντας: «Δεν είναι τόσο άσχημα» ή «Θα νιώσεις καλύτερα» ή «Δεν το έκαψες τόσο πολύ». Σεβάστηκε τα συναισθήματά του, ότι είχε πράγματι καεί πολύ, ότι πράγματι πονούσε πολύ. Απέφυγε επίσης μια από τις πιο τυπικές αντιδράσεις των γονέων σε καταστάσεις σαν αυτή:

«Έλα, Νέιτ, μη γίνεσαι μωρό. Σταμάτα το κλάμα τώρα αμέσως» (ΑΞΙΟΛΟΓΗΣΗ και ΔΙΑΤΑΓΗ).

Η Ενεργητική ακρόαση της μητέρας αντανακλά κάποιες σημαντικές στάσεις απέναντι στον Νέιτ:

Έχει μια τραυματική στιγμή στη *δική του* ζωή. Είναι *δικό του* πρόβλημα και έχει το δικαίωμα της *δικής του* μοναδικής αντίδρασης σε αυτό.
Δεν θέλω να αρνηθώ τα *δικά του* συναισθήματα – για εκείνον είναι πραγματικά.
Μπορώ να αποδεχτώ το πόσο σοβαρό νιώθει *αυτός* το κάψιμο και το πόσο πολύ ο ίδιος πονάει.
Δεν μπορώ να διακινδυνεύσω να τον κάνω να νιώσει λάθος ή ένοχος για τα δικά του συναισθήματα.

Οι γονείς αναφέρουν ότι η Ενεργητική ακρόαση, όταν ένα παιδί έχει χτυπήσει και κλαίει με λυγμούς, έχει συχνά ως αποτέλεσμα μια δραματική και άμεση διακοπή του κλάματος, *από τη στιγμή που το παιδί είναι σίγουρο ότι ο γονέας γνωρίζει και καταλαβαίνει πόσο άσχημα αισθάνεται ή πόσο πολύ φοβάται.* Αυτό που περισσότερο χρειάζεται το παιδί είναι αυτή η κατανόηση των συναισθημάτων του.

Τα παιδιά μπορεί να γίνουν πολύ εκνευριστικά, όταν νιώθουν άγχος ή είναι φοβισμένα ή ανασφαλή, όπως όταν οι γονείς τους φεύγουν για δουλειά ή βγαίνουν έξω το βράδυ ή όταν τους λείπει η αγαπημένη τους κούκλα ή η κουβέρτα τους ή είναι υποχρεωμένα να κοιμηθούν σε ένα άλλο κρεβάτι κ.λπ. Ο καθησυχασμός σπάνια αποδίδει σε αυτές τις περιπτώσεις, και είναι κατανοητό πως οι γονείς χάνουν την υπομονή τους, όταν το παιδί δεν σταματάει να κλαίει ή να φωνάζει γι' αυτό που του λείπει:

«Θέλω την κουβέρτα μου, θέλω την κουβέρτα μου, θέλω την κουβέρτα μου!»
«Δεν θέλω να φύγεις. Δεν θέλω να φύγεις!»
«Θέλω τον αρκούδο μου. Πού είναι ο αρκούδος μου; Θέλω τον αρκούδο μου!»

Η Ενεργητική ακρόαση μπορεί να κάνει θαύματα σε τέτοιες καταστάσεις. Το βασικό πράγμα που θέλει το παιδί είναι να αναγνωρίσει ο γονέας του πόσο άσχημα νιώθει.

Ο κύριος Η. ανέφερε το παρακάτω περιστατικό, που συνέβη λίγο μετά την παρακολούθηση του προγράμματος της Εκπαίδευσης:

> Η Μισέλ, ηλικίας τριάμισι ετών, άρχισε να κλαίει ασταμάτητα, όταν η μητέρα της την άφησε μαζί μου στο αυτοκίνητο, για να ψωνίσει στο σουπερμάρκετ. «Θέλω τη μαμά μου» επαναλάμβανα πολλές φορές, παρόλο που της έλεγα κάθε φορά ότι η μαμά θα επιστρέψει σε λίγα λεπτά. Έπειτα το γύρισε σε δυνατό κλάμα. «Θέλω τον αρκούδο μου. Θέλω τον αρκούδο μου». Αφού δεν μπόρεσε τίποτε να την ηρεμήσει, θυμήθηκα τη μέθοδο της Ενεργητικής ακρόασης. Βρισκόμενος σε απόγνωση, είπα: «Σου λείπει η μαμά, όταν σε αφήνει». Η Μισέλ έγνεψε καταφατικά. «Δεν θέλεις να φεύγει χωρίς εσένα». Έγνεψε ξανά, εξακολουθώντας ακόμη να κρατάει φοβισμένα την κουβέρτα «ασφαλείας» της και μοιάζοντας σαν ένα φοβισμένο, χαμένο γατάκι, σωριασμένη στη γωνιά τού πίσω καθίσματος. Εγώ συνέχισα: «Όταν σου λείπει η μαμά, θέλεις να έχεις τον αρκούδο σου». Έγνεψε πιο έντονα αυτήν τη φορά. «Όμως δεν έχεις εδώ τον αρκούδο σου και σου λείπει και αυτός». Τότε, ως διά μαγείας, βγήκε από τη γωνιά της, πέταξε την κουβέρτα της, σταμάτησε να κλαίει, σύρθηκε στο μπροστινό κάθισμα μαζί μου και άρχισε να μιλάει με ευχαρίστηση για τους ανθρώπους που έβλεπε στο πάρκινγκ.

Το μήνυμα για τους γονείς, όπως ήταν και για τον κ. Η., είναι να αποδέχεστε τον τρόπο που το παιδί σας αισθάνεται αντί να δοκιμάζετε την άμεση προσέγγιση, να προσπαθήσετε, για παράδειγμα, να απαλλαγείτε από την γκρίνια και την ενόχληση με τον καθησυχασμό ή τις απειλές. *Τα παιδιά θέλουν να ξέρουν ότι γνωρίζετε πόσο άσχημα νιώθουν.*

Μια άλλη περίπτωση, όπου η Ενεργητική ακρόαση μπορεί να τεθεί σε εφαρμογή, είναι όταν τα παιδιά στέλνουν παράξενα κωδικοποιημένα μηνύματα, έτσι ώστε να είναι δύσκολο για τον γονέα να καταλάβει τι ακριβώς συμβαίνει μέσα στο κεφάλι τους. Συχνά, όχι όμως πάντοτε, τα μηνύματά τους κωδικοποιούνται ως ερωτήσεις:

> «Θα παντρευτώ ποτέ;»
> «Πώς είναι όταν πεθαίνει κανείς;»
> «Γιατί τα παιδιά με φωνάζουν φυτό;»
> «Μπαμπά, τι σου άρεσε στα κορίτσια όταν ήσουν νέος;»

Την τελευταία αυτή ερώτηση μου την έκανε η ίδια μου η κόρη ένα πρωί, ενώ τρώγαμε πρωινό, πριν φύγει για το γυμνάσιο. Όπως οι πιο πολλοί πατέρες ήμουν έτοιμος να πάρω φόρα και να μη σταματάω να μιλάω, από τη στιγμή που μου δόθηκε η ευκαιρία να αναπολήσω την εφηβική μου ηλικία. Ευτυχώς, συγκρατήθηκα και ανταποκρίθηκα με μια απάντηση Ενεργητικής ακρόασης:

*ΠΑΤΕΡΑΣ:* Φαίνεται σαν να αναρωτιέσαι τι χρειάζεσαι για να κάνεις τα αγόρια να σε προσέξουν, είναι έτσι;
*ΚΟΡΗ:* Ναι. Για κάποιο λόγο φαίνεται να μην τους αρέσω και δεν ξέρω γιατί...
*ΠΑΤΕΡΑΣ:* Είσαι μπερδεμένη, γιατί φαίνεται να μη σε προσέχουν.
*ΚΟΡΗ:* Λοιπόν, ξέρω ότι δεν μιλάω πολύ. Φοβάμαι να μιλήσω μπροστά στ' αγόρια.
*ΠΑΤΕΡΑΣ:* Απλώς φαίνεται ότι δεν μπορείς να ανοιχτείς και να νιώσεις άνετα με τα αγόρια.
*ΚΟΡΗ:* Ναι, φοβάμαι μήπως τους πω κάτι που θα με κάνει να φανώ ανόητη.
*ΠΑΤΕΡΑΣ:* Δεν θέλεις να νομίσουν ότι είσαι ανόητη.
*ΚΟΡΗ:* Ναι. Οπότε, αν δεν μιλάω, δεν το διακινδυνεύω καν.
*ΠΑΤΕΡΑΣ:* Φαίνεται πιο ασφαλές να μη μιλάς.
*ΚΟΡΗ:* Ναι, αλλά δεν με βγάζει πουθενά, γιατί τώρα μάλλον θα σκέφτονται ότι είμαι κουτή.
*ΠΑΤΕΡΑΣ:* Με το να μη μιλάς δεν έχεις αυτό που θέλεις.
*ΚΟΡΗ:* Όχι. Υποθέτω ότι απλώς πρέπει να το διακινδυνεύσω.

Πώς θα είχα χάσει την ευκαιρία να φανώ χρήσιμος, αν είχα ενδώσει στον πειρασμό να μιλήσω στην κόρη μου για τις εφηβικές μου προτιμήσεις στα κορίτσια! Χάρη στην Ενεργητική ακρόαση, η κόρη μου έκανε ένα βήμα μπροστά. Απόκτησε μια νέα ενόραση, το είδος εκείνο που συχνά οδηγεί στην εποικοδομητική, αυτόβουλη αλλαγή συμπεριφοράς.

Ασυνήθιστα κωδικοποιημένα μηνύματα που στέλνουν τα παιδιά, ιδιαίτερα ερωτήσεις, συχνά σημαίνουν ότι το παιδί αντιμετωπίζει ένα βαθύτερο πρόβλημα. Η Ενεργητική ακρόαση προσφέρει στους γονείς έναν τρόπο να κινηθούν και να βοηθήσουν το παιδί να προσδιορίσει το ίδιο το πρόβλημά του, και να ξεκινήσει τη διαδικασία επίλυσης του προβλήματος *από μέσα του.* Το να δώσουν οι γονείς άμεσες απαντήσεις σε αυτά τα συναισθήματα, τα κωδικοποιημένα με τη μορφή ερωτήσεων, σχεδόν πάντα έχει ως αποτελέσμα να χάσουν μια ευκαρία να γίνουν αποτελεσματικοί σύμβουλοι πάνω στο πραγματικό πρόβλημα που απασχολεί το παιδί.

Όταν προσπαθούν να εφαρμόσουν την Ενεργητική ακρόαση για πρώτη φορά, οι γονείς συχνά ξεχνούν ότι αυτή είναι μια δεξιότητα που έχει επίσης εξαιρετική αξία ως απόκριση σε πνευματικούς προβληματισμούς των παιδιών. Συνεχώς τα παιδιά συναντούν προβλήματα, καθώς προσπαθούν να βγάλουν νόημα απ' όσα διαβάζουν ή ακούνε για τον κόσμο γύρω τους – ρατσισμός, αστυνομική βιαιότητα, πόλεμος, εθνικές ανακατατάξεις, τρύπα του όζοντος, διαζύγια, συμμορίες κ.λπ.

Αυτό που κάνει τόσο συχνά έξαλλους τους γονείς είναι ότι τα παιδιά γενικά εκφράζουν πολύ σθεναρά τις απόψεις τους ή με τρόπο που κάνουν τους γονείς να ανατριχιάζουν με τη φαινομενική επιπολαιότητα ή την αφέλεια των παιδιών τους. Ο πειρασμός για τον μπαμπά και τη μαμά είναι να παρέμβουν και να διορθώσουν το παιδί ή να του παρουσιάσουν την ευρύτερη εικόνα. Μπορεί η πρόθεση των γονέων εδώ να είναι αγαθή – να συμβάλουν στην πνευματική ανάπτυξη του παιδιού τους. Ή μπορεί να είναι εγωκεντρική – να δείξουν τις δικές τους ανώτερες πνευματικές ικανότητες. Έτσι ή αλλιώς, οι γονείς παρεμβαίνουν με ένα ή περισσότερα από τα εμπόδια, που αναπόφευκτα έχουν ως αποτέλεσμα να εξοργίσουν τα παιδιά ή να ξεκινήσουν μια λογομαχία που καταλήγει σε πληγωμένα συναισθήματα και προσβλητικά σχόλια.

Πρέπει να διατυπώνουμε στους εκπαιδευόμενους γονείς μερικές αρκετά διεισδυτικές ερωτήσεις, για να τους κάνουμε να αρχίσουν να χρησιμοποιούν την Ενεργητική ακρόαση, όταν τα παιδιά τους έρχονται αντιμέτωπα με ιδέες ή με την επικαιρότητα, καθώς επίσης και με προβλήματα πιο προσωπικά. Έτσι ρωτάμε:

«Πρέπει το παιδί σας να σκέπτεται σαν εσάς;»
«Γιατί έχετε την ανάγκη να το διδάξετε;»
«Δεν μπορείτε να ανεχτείτε μια άποψη διαφορετική από τη δική σας;»
«Μπορείτε να το βοηθήσετε να φθάσει στον δικό του τρόπο αντίληψης αυτού του πολύπλοκου κόσμου;»
«Μπορείτε να του επιτρέψετε να είναι εκεί που είναι στον αγώνα του με ένα θέμα;»
«Μπορείτε να θυμηθείτε πώς εσείς ως παιδί είχατε κάποιες πολύ περίεργες απόψεις για τα παγκόσμια προβλήματα;»

Όταν οι γονείς στις τάξεις μας αρχίζουν να δαγκώνουν τη γλώσσα τους και να ανοίγουν τα αυτιά τους, αναφέρουν αξιοσημείωτες αλλαγές στις βραδινές συζητήσεις γύρω από το τραπέζι. Τα παιδιά τους αρχίζουν να φέρνουν στη συζήτηση προβλήματα, για τα οποία ποτέ προηγουμένως δεν είχαν μιλήσει στους γονείς τους, όπως ναρκωτικά, σεξ, έκτρωση, αλκοόλ, ηθική κ.λπ. Η Ενεργητική ακρόαση μπορεί να κάνει θαύματα, μετατρέποντας το σπίτι σε ένα χώρο όπου οι γονείς και τα παιδιά τους μπορούν να κάνουν μαζί σοβαρές, διεισδυτικές συζητήσεις πάνω στα πολύπλοκα, κρίσιμα προβλήματα που αντιμετωπίζουν τα παιδιά.

Όταν οι γονείς στα τμήματά μας παραπονούνται ότι τα παιδιά τους ποτέ δεν συζητάνε για σοβαρά προβλήματα στο σπίτι, αποδεικνύεται συνήθως ότι τέτοια προβλήματα είχαν κάποια στιγμή τεθεί δειλά και διστακτικά από τα παιδιά, όμως οι γονείς είχαν ακολουθήσει τις παραδοσιακές διαδικασίες, όπως παρατήρηση, διδαχή, ηθικολογία, διδασκαλία, αξιολόγηση, κριτική, σαρκασμό ή εκτροπή της συζήτησης σε άλλα θέματα. Έτσι, σιγά σιγά τα παιδιά αρχίζουν να «κατεβάζουν τα ρολά», που θα χωρίζουν για πάντα το μυαλό τους από εκείνο των γονέων τους. Δεν είναι περίεργο που υπάρχει τόση αποξένωση ανάμεσα στους γονείς και τα παιδιά! Επικρατεί σε τόσο πολλές οικογένειες, επειδή οι γονείς δεν ακούνε – διδάσκουν, διορθώνουν, αποδοκιμάζουν και γελοιοποιούν τα μηνύματα που ακούνε από το αναπτυσσόμενο μυαλό των παιδιών τους.

## ΣΥΝΗΘΗ ΣΦΑΛΜΑΤΑ ΣΤΗ ΧΡΗΣΗ ΤΗΣ ΕΝΕΡΓΗΤΙΚΗΣ ΑΚΡΟΑΣΗΣ

Σπάνια οι γονείς δυσκολεύονται να καταλάβουν τι είναι η Ενεργητική ακρόαση και πώς αυτή διαφέρει από τα δώδεκα εμπόδια επικοινωνίας. Σπάνια επίσης υπάρχουν γονείς που δεν αναγνωρίζουν τα δυνητικά οφέλη που προκύπτουν από τη χρήση της Ενεργητικής ακρόασης με τα παιδιά. Ωστόσο, κάποιοι γονείς δυσκολεύονται περισσότερο από άλλους στην επιτυχή εφαρμογή αυτής της δεξιότητας. Όπως συμβαίνει με κάθε νέα τεχνική που προσπαθεί να μάθει κανείς, μπορεί να γίνουν λάθη, είτε εξαιτίας έλλειψης επάρκειας είτε γιατί η τεχνική δεν χρησιμοποιείται κατάλληλα. Επισημαίνουμε μερικά από αυτά τα σφάλματα, με την ελπίδα ότι αυτό θα βοηθήσει τους γονείς να τα αποφύγουν.

### Χειραγώγηση των παιδιών μέσω «καθοδήγησης»

Μερικοί γονείς αποτυγχάνουν στην εφαρμογή της Ενεργητικής ακρόασης, απλώς και μόνο διότι οι προθέσεις τους είναι λάθος. Θέλουν να την χρησιμοποιήσουν για να χειραγωγήσουν τα παιδιά τους, ώστε να συμπεριφέρονται ή να σκέφτονται όπως οι γονείς νομίζουν ότι θα έπρεπε.

Η κ. Τζ. ήλθε στο τέταρτο μάθημα της Εκπαίδευσης αδημονώντας να εκφράσει την απογοήτευση και την πικρία της από την πρώτη της εμπειρία με την Ενεργητική ακρόαση. «Μα, ο γιος μου απλώς με κοίταζε επίμονα και δεν έλεγε τίποτε. Μας είπατε ότι η Ενεργητικη ακρόαση θα ενθάρρυνε τα παιδιά να μας μιλήσουν. Λοιπόν, αυτό δεν έγινε στην περίπτωσή μου».

Όταν ο εκπαιδευτής τη ρώτησε αν θα ήθελε να πει στην τάξη τι συνέβη, η κ. Τζ. ανέφερε:

> Ο Τζέιμς, ηλικίας δεκαέξι ετών, γύρισε σπίτι από το σχολείο και ανήγγειλε ότι του είπαν πως είχε πέσει κάτω από τη βάση σε δύο μαθήματα. Αμέσως προσπάθησα να τον ενθαρρύνω να μιλήσει, χρησιμοποιώντας την καινούργια δεξιότητα.

Ο Τζέιμς σώπασε και τελικά έφυγε μακριά μου.

Ο εκπαιδευτής τότε πρότεινε να παίξει αυτός τον ρόλο του Τζέιμς και να προσπαθήσουν μαζί με την κ. Τζ. να αναπαραστήσουν τη σκηνή. Η κ. Τζ. συμφώνησε, αν και προειδοποίησε την τάξη ότι ο εκπαιδευτής δεν θα μπορούσε πιθανόν να είναι τόσο μη επικοινωνιακός στον ρόλο του όσο είναι γενικά ο γιος της στο σπίτι. Να πώς έπαιξε ο εκπαιδευτής τον ρόλο του Τζέιμς. Προσέξτε τις αντιδράσεις της μητέρας:

*ΤΖΕΪΜΣ:* Ωχ! Την πάτησα σήμερα. Δύο βαθμοί κάτω από τη βάση – ένας στα Μαθηματικά κι άλλος ένας στα Αγγλικά.
*ΚΥΡΙΑ ΤΖ.:* Είσαι στενοχωρημένος (ψυχρά).
*ΤΖΕΪΜΣ:* Σίγουρα στενοχωρημένος.
*ΚΥΡΙΑ ΤΖ.:* Είσαι απογοητευμένος (ψυχρά ακόμη).
*ΤΖΕΪΜΣ:* Αυτό είναι, αν το πούμε ήπια. Αυτό σημαίνει ότι δεν θα αποφοιτήσω, αυτό είναι όλο. Σαν να την έχω πατήσει.
*ΚΥΡΙΑ ΤΖ.:* Αισθάνεσαι ότι δεν υπάρχει τίποτε που να μπορείς να κάνεις γι' αυτό, γιατί δεν διάβασες αρκετά. (Η μητέρα στέλνει το δικό της μήνυμα εδώ.)
*ΤΖΕΪΜΣ:* Εννοείς, να αρχίσω να διαβάζω περισσότερο; (Ο Τζέιμς έλαβε το μήνυμά της.)
*ΚΥΡΙΑ ΤΖ.:* Ναι, σίγουρα δεν είναι πολύ αργά, είναι; (Τώρα η μητέρα πραγματικά πιέζει για τη λύση της.)
*ΤΖΕΪΜΣ:* Να μελετήσω αυτές τις βλακείες; Γιατί θα 'πρεπε; Είναι ένας σωρός σκουπίδια!

Και ο διάλογος συνεχίστηκε κατά τον ίδιο τρόπο. Η κ. Τζ. είχε στριμώξει στη γωνιά τον Τζέιμς και με την ψευδαίσθηση ότι χρησιμοποιούσε Ενεργητική ακρόαση, προσπαθούσε να τον χειραγωγήσει, οδηγώντας τον σε ένα εντατικό πρόγραμμα μελέτης. Καθώς αισθανόταν να απειλείται από τη μητέρα του, ο Τζέιμς δεν έπεφτε στην παγίδα και πέρασε στην άμυνα.

Η κ. Τζ., όπως πολλοί γονείς στην αρχή, προσκολλήθηκε στην Ενεργητική ακρόαση, γιατί την είδε σαν μια νέα τεχνική χειραγώγησης των παιδιών – έναν έμμεσο τρόπο επηρεασμού των παιδιών να κάνουν αυτό που ο γονέας νομίζει ότι πρέπει να κάνουν ή έναν τρόπο *καθοδήγησης της συμπεριφοράς ή της σκέψης του παιδιού.*

Δεν πρέπει άραγε οι γονείς να καθοδηγούν τα παιδιά τους; Δεν είναι η καθοδήγηση μία από τις κύριες ευθύνες των γονέων; Ενώ η γονεϊκή καθοδήγηση είναι μια από τις περισσότερο καθιερωμένες παγκοσμίως αρμοδιότητες των γονέων, είναι επίσης μια από τις περισσότερο παρεξηγημένες. Καθοδηγώ σημαίνει οδηγώ προς κάποια κατεύθυνση. Σημαίνει επίσης ότι το χέρι του γονέα βρίσκεται στο τιμόνι. Όταν οι γονείς πιάνουν το τιμόνι και προσπαθούν να οδηγήσουν το παιδί προς μια συγκεκριμένη κατεύθυνση, συναντούν οπωσδήποτε αντίσταση.

Τα παιδιά αντιλαμβάνονται γρήγορα τις προθέσεις των γονέων. Αναγνωρίζουν αμέσως ότι η καθοδήγηση των γονέων σημαίνει συνήθως μη αποδοχή του παιδιού όπως αυτό είναι. Το παιδί καταλαβαίνει ότι ο γονέας προσπαθεί να του κάνει κάτι. Φοβάται αυτόν τον έμμεσο έλεγχο. Απειλείται η ανεξαρτησία του.

Η Ενεργητική ακρόαση δεν είναι μια τεχνική καθοδήγησης προς μια κατευθυνόμενη από τον γονέα αλλαγή. Οι γονείς όμως που νομίζουν ότι είναι κάτι τέτοιο, θα στείλουν έμμεσα μηνύματα: τις προκαταλήψεις τους, τις ιδέες τους, συγκαλυμμένες πιέσεις. Ακολουθούν μερικά παραδείγματα μηνυμάτων των γονέων που βρίσκονται κρυμμένα στις αντιδράσεις τους στην επικοινωνία με τα παιδιά τους:

*ΤΖΙΝΙ:* Είμαι θυμωμένη με τη Χόλι και δεν θέλω να παίζω πια μαζί της.
*ΜΗΤΕΡΑ:* Αισθάνεσαι ότι δεν θέλεις να παίξεις μαζί της σήμερα, γιατί είσαι ελαφρώς θυμωμένη μαζί της αυτήν τη στιγμή.
*ΤΖΙΝΙ:* Δε θέλω ποτέ να παίξω μαζί της, ποτέ!

Προσέξτε πώς η μητέρα πέρασε το δικό της μήνυμα: «Ελπίζω ότι αυτό είναι προσωρινό και αύριο δεν θα είσαι θυμωμένη μαζί της». Η Τζίνι κατάλαβε την επιθυμία της μητέρας να την αλλάξει και στο δεύτερο μήνυμά της τη διόρθωσε με πυγμή.

Ένα άλλο παράδειγμα:

*ΜΠΟΜΠ:* Γιατί είναι τόσο κακό να καπνίζεις μαριχουάνα; Δεν σε βλάπτει όπως το τσιγάρο ή το αλκοόλ. Νομίζω ότι κακώς είναι παράνομο. Πρέπει να αλλάξουν τον νόμο.
*ΠΑΤΕΡΑΣ:* Νομίζεις ότι ο νόμος πρέπει να αλλάξει, ώστε όλο και περισσότερα παιδιά να μπλέκουν.

Προφανώς, η ανατροφοδότηση του πατέρα είναι μια προσπάθεια να αποτρέψει το παιδί να σκέπτεται όπως σκέπτεται για τη μαριχουάνα. Χωρίς αμφιβολία, η ανατροφοδότησή του αποδεικνύεται ανακριβής, γιατί περιλαμβάνει το δικό του μήνυμα προς το παιδί, αντί να αντανακλά μόνο αυτό που το παιδί τού επικοινωνεί. Μια ακριβής ανατροφόδοτηση θα ήταν κάτι σαν κι αυτό: «Είσαι πεπεισμένος ότι πρέπει να νομιμοποιήσουν τη μαριχουάνα, έτσι δεν είναι;»

## Άνοιγμα της πόρτας και μετά κλείσιμο με δύναμη

Όταν δοκιμάζουν για πρώτη φορά την Ενεργητική ακρόαση, μερικοί γονείς αρχίζουν να τη χρησιμοποιούν, για να ανοίξουν την πόρτα στα παιδιά τους και να επικοινωνήσουν, αλλά έπειτα κλείνουν με δύναμη την πόρτα, γιατί δεν συνεχίζουν την Ενεργητική ακρόαση για αρκετό χρόνο, ώστε να ακούσουν το παιδί μέχρι το τέλος. Είναι σαν να λένε: «Έλα, πες μου τι αισθάνεσαι και θα σε καταλάβω». Έπειτα, όταν ο γονέας ακούσει τι αισθάνεται το παιδί, γρήγορα κλείνει την πόρτα, επειδή δεν του άρεσε αυτό που άκουσε.

Η Κάιλι, ηλικίας έξι ετών, έχει κατεβασμένα μούτρα και η μητέρα της πηγαίνει για να βοηθήσει:

*ΜΗΤΕΡΑ:* Φαίνεσαι στενοχωρημένη. (ΕΝΕΡΓΗΤΙΚΗ ΑΚΡΟΑΣΗ)
*ΚΑΪΛΙ:* Με έσπρωξε ο Φράνκι.
*ΜΗΤΕΡΑ:* Δεν σου άρεσε αυτό. (ΕΝΕΡΓΗΤΙΚΗ ΑΚΡΟΑΣΗ)
*ΚΑΪΛΙ:* Όχι, θα του δώσω μια στα μούτρα.
*ΜΗΤΕΡΑ:* Τώρα, αυτό δεν θα ήταν ωραίο να το κάνεις. (ΑΞΙΟΛΟΓΗΣΗ)
*ΚΑΪΛΙ:* Δεν με νοιάζει. Θα ήθελα να του ρίξω μια μπουνιά έτσι (κουνάει το χέρι της).
*ΜΗΤΕΡΑ:* Κάιλι, το να τσακώνεσαι ποτέ δεν είναι ένας καλός τρόπος να λύνεις τις διαφορές σου με τους φίλους σου. (ΗΘΙΚΟΛΟΓΙΑ) Γιατί δεν πας πίσω να του πεις ότι θα ήθελες να επανορθώσει; (ΣΥΜΒΟΥΛΗ, ΠΡΟΣΦΟΡΑ ΛΥΣΕΩΝ)
*ΚΑΪΛΙ:* Με δουλεύεις; (Σιωπή.)

Η πόρτα έκλεισε με δύναμη στο πρόσωπο της Κάιλι, κι έτσι δεν υπάρχει πια επικοινωνία. Με την αξιολόγηση, την ηθικολογία και τη συμβουλή, αυτή η μητέρα έχασε την ευκαιρία να βοηθήσει την Κάιλι να επεξεργαστεί τα συναισθήματά της και να φτάσει *μόνη της* σε κάποια εποικοδομητική λύση του προβλήματός της. Η Κάιλι έμαθε επίσης ότι η μητέρα της δεν την εμπιστεύεται για να λύσει τέτοια προβλήματα, ότι δεν αποδέχεται τα συναισθήματα θυμού της, ότι νομίζει πως δεν είναι καλό παιδί και ότι οι γονείς απλά δεν φαίνεται να καταλαβαίνουν.

Δεν υπάρχει καλύτερος τρόπος για να εξασφαλίσει κανείς την αποτυχία της Ενεργητικής ακρόασης από το να τη χρησιμοποιεί για να ενθαρρύνει ένα παιδί να εκφράσει τα πραγματικά του συναισθήματα και μετά από αυτό να συνεχίσει με αξιολόγηση, κριτική, ηθικολογία και συμβουλή. Οι γονείς που το κάνουν αυτό ανακαλύπτουν γρήγορα ότι τα παιδιά τους γίνονται καχύποπτα και μαθαίνουν ότι οι γονείς τους προσπαθούν μόνο να τα κάνουν να μιλήσουν, έτσι ώστε να μπορέσουν έπειτα να κάνουν στροφή και να χρησιμοποιήσουν αυτό που ακούνε, για να τα αξιολογήσουν ή να τα επιτιμήσουν.

### Ο γονέας «παπαγάλος»

Ο κ. Τ. μπαίνει στην τάξη αποθαρρυμένος από τις πρώτες του προσπάθειες να εφαρμόσει την Ενεργητική ακρόαση. «Ο γιος μου με κοίταξε περίεργα και μου είπε να πάψω να επαναλαμβάνω ό,τι έλεγε». Ο κ. Τ. ανέφερε μια εμπειρία που έχουν πολλοί γονείς, όταν απλά επαναλαμβάνουν ή «παπαγαλίζουν» τα γεγονότα που τους λένε τα παιδιά και όχι τα συναισθήματά τους. Σε αυτούς τους γονείς πρέπει να υπενθυμίσουμε ότι τα λόγια του παιδιού (ο συγκεκριμένος κώδικάς του) είναι απλώς το μέσο έκφρασης των συναισθημάτων του. *Ο κώδικας δεν είναι το μήνυμα·* αυτό πρέπει να αποκωδικοποιηθεί από τον γονέα.

«Είσαι ένας κακός, βρομερός αρουραίος» λέει το παιδί θυμωμένα στον πατέρα του. Προφανώς το παιδί γνωρίζει τη διαφορά μεταξύ ενός αρουραίου και του πατέρα του, επομένως το μήνυμά του δεν είναι: «Μπαμπά, είσαι ένας αρουραίος». Αυτός ο συγκεκριμένος κώδικας είναι απλώς ο μοναδικός τρόπος του παιδιού να εκφράσει τον θυμό του.

Αν ο πατέρας αντιδρούσε λέγοντας: «Νομίζεις ότι είμαι ένας αρουραίος», το παιδί μάλλον δεν θα εισέπρατε ότι ο πατέρας αντιλήφθηκε το μήνυμα. Αν ο πατέρας είχε πει: «Είσαι πραγματικά θυμωμένος μαζί μου!» το παιδί θα απαντούσε: «Σίγουρα είμαι» και θα ένιωθε ότι ο πατέρας του τον είχε καταλάβει.

Τα παρακάτω παραδείγματα δείχνουν την αντίθεση μεταξύ αποκρίσεων που απλώς επαναλαμβάνουν (παπαγαλίζουν) τον κώδικα, και αποκρίσεων όπου ο γονέας πρώτα αποκωδικοποιεί και μετά ανατροφοδοτεί τα βαθύτερα συναισθήματα του παιδιού (το πραγματικό μήνυμα που επικοινωνεί).

1.
*ΜΠΡΑΝΤΛΕΪ:* Ποτέ δεν έχω την ευκαιρία να πιάσω την μπάλα, όταν παίζουν τα μεγαλύτερα παιδιά.
*1ος ΓΟΝΕΑΣ:* Ποτέ δεν έχεις την ευκαιρία να πιάσεις την μπάλα με τα μεγαλύτερα παιδιά. (ΠΑΠΑΓΑΛΙΑ ΤΟΥ ΚΩΔΙΚΑ)
*2ος ΓΟΝΕΑΣ:* Θέλεις κι εσύ να παίξεις και νιώθεις ότι δεν είναι δίκαιο να σε αφήνουν απέξω. (ΑΝΑΤΡΟΦΟΔΟΤΗΣΗ ΤΟΥ ΜΗΝΥΜΑΤΟΣ)

2.
*ΜΑΡΙΑ:* Για κάποιο διάστημα τα πήγαινα καλά, τώρα όμως είμαι χειρότερα από ποτέ. Τίποτε απ' ό,τι κάνω δεν φαίνεται να έχει αποτέλεσμα. Γιατί να προσπαθώ;
*1ος ΓΟΝΕΑΣ:* Τα πας χειρότερα από ποτέ τώρα και τίποτε απ' ό,τι κάνεις δεν βοηθάει. (ΠΑΠΑΓΑΛΙΑ ΤΟΥ ΚΩΔΙΚΑ)
*2ος ΓΟΝΕΑΣ:* Σίγουρα είσαι αποθαρρυμένη και αυτό σε κάνει να θέλεις να τα παρατήσεις. (ΑΝΑΤΡΟΦΟΔΟΤΗΣΗ ΤΟΥ ΣΥΝΑΙΣΘΗΜΑΤΟΣ)

3.
*ΣΑΜ:* Κοίτα, μπαμπά, έφτιαξα ένα αεροπλάνο με τα καινούργια μου εργαλεία!

*1ος ΓΟΝΕΑΣ:* Έφτιαξες ένα αεροπλάνο με τα εργαλεία σου. (ΠΑΠΑΓΑΛΙΑ ΤΟΥ ΚΩΔΙΚΑ)
*2ος ΓΟΝΕΑΣ:* Είσαι πραγματικά περήφανος για το αεροπλάνο που έφτιαξες. (ΑΝΑΤΡΟΦΟΔΟΤΗΣΗ ΤΟΥ ΣΥΝΑΙΣΘΗΜΑΤΟΣ)

Απαιτείται εξάσκηση από τους γονείς, για να μάθουν σωστά την Ενεργητική ακρόαση. Όπως είδαμε στις τάξεις μας, οι περισσότεροι γονείς που προπονούνται και συμμετέχουν στις εκπαιδευτικές ασκήσεις καλλιέργειας της δεξιότητας, αποκτούν ένα εκπληκτικά υψηλό επίπεδο επάρκειας σε αυτή την τέχνη.

## Ακρόαση χωρίς ενσυναίσθηση

Ένας πραγματικός κίνδυνος για τους γονείς που προσπαθούν να μάθουν την Ενεργητική ακρόαση μόνο μέσα από τις τυπωμένες σελίδες ενός βιβλίου είναι η αδυναμία τους να ακούσουν τη θέρμη και την ενσυναίσθηση που πρέπει να συνοδεύουν πάντοτε τις προσπάθειές τους. Η ενσυναίσθηση στοχεύει σε μια ποιότητα της επικοινωνίας, που δίνει στον πομπό ή αποστολέα του μηνύματος να καταλάβει ότι ο ακροατής είναι συναισθηματικά *μαζί του*, βάζει τον εαυτό του στη θέση του πομπού, ζει, για μια στιγμή, μέσα του.

Ο καθένας θέλει να καταλαβαίνουν οι άλλοι πώς αισθάνεται, όταν μιλάει, όχι απλώς να ακούνε τι λέει. Τα παιδιά, ιδιαίτερα, είναι άτομα που αισθάνονται. Γι' αυτό, τα πιο πολλά από αυτά που λένε συνοδεύονται από συναισθήματα: χαρά, μίσος, απογοήτευση, φόβο, αγάπη, ανησυχία, θυμό, περηφάνια, ματαίωση, θλίψη κ.λπ. Όταν επικοινωνούν με τους γονείς τους, περιμένουν ενσυναίσθηση με τέτοιου είδους συναισθήματα. Όταν οι γονείς δεν δείχνουν ενσυναίσθηση, είναι φυσικό τα παιδιά να αισθάνονται ότι εκείνη τη στιγμή δεν γίνεται κατανοητό το ουσιαστικό τους μέρος, δηλαδή τα συναισθήματά τους.

Ίσως το πιο συνηθισμένο σφάλμα που κάνουν οι γονείς, όταν για πρώτη φορά προσπαθούν να εφαρμόσουν την Ενεργητική ακρόαση, είναι να ανατροφοδοτούν μια απόκριση απ' όπου λείπει το συναισθηματικό μέρος του μηνύματος του παιδιού.

Η Ρεβέκα, έντεκα ετών, τρέχει στην αυλή, όπου εργάζεται η μητέρα της:

*ΡΕΒΕΚΑ:* Ο Σκοτ (ο εννιάχρονος αδερφός της) είναι ένα ζιζάνιο. Είναι κακός! Μαμά, βγάζει όλα τα ρούχα μου από τα συρτάρια. Τον μισώ. Θα μπορούσα να τον σκοτώσω, όταν το κάνει αυτό!
*ΜΗΤΕΡΑ:* Δεν σου αρέσει να το κάνει αυτό.
*ΡΕΒΕΚΑ:* Δεν μου αρέσει! Το μισώ! Και μισώ κι αυτόν!

Η μητέρα της Ρεβέκας ακούει τα *λόγια*, όχι όμως και τα *συναισθήματά της*. Αυτήν τη συγκεκριμένη στιγμή η Ρεβέκα αισθάνεται θυμό και μίσος. Αν έλεγε: «Πραγματικά είσαι εξαγριωμένη με τον Σκοτ», θα είχε πιάσει τα συναισθήματά της. Όταν η μητέρα ανατροφοδοτεί ψυχρά μόνο τη δυσαρέσκεια της Ρεβέκας από το άδειασμα των συρταριών της, η Ρεβέκα νιώθει ότι δεν την καταλαβαίνει και με το επόμενο μήνυμά της πρέπει να διορθώσει τη μητέρα: «Δεν μου αρέσει!» (Για να το θέσει ήπια.) «Το μισώ! Και μισώ κι αυτόν». (Αυτό είναι το πιο σημαντικό.)

Ο μικρός Κάρεϊ, έξι ετών, λέει διάφορες δικαιολογίες στον πατέρα του που προσπαθεί να τον ενθαρρύνει να μπει στο νερό, ενώ η οικογένεια χαίρεται την ημέρα της στην παραλία.

*ΚΑΡΕΪ:* Δεν θέλω να μπω. Είναι πολύ βαθιά! Και φοβάμαι τα κύματα.
*ΠΑΤΕΡΑΣ:* Το νερό εδώ είναι πολύ βαθιά για σένα.
*ΚΑΡΕΪ:* Φοβάμαι! Σε παρακαλώ, μη με αναγκάζεις να μπω!

Αυτός ο πατέρας αποτυγχάνει να αναγνωρίσει τα συναισθήματα του παιδιού και η προσπάθειά του να ανατροφοδοτήσει το μήνυμα του παιδιού το δείχνει. Ο Κάρεϊ δεν στέλνει μια λογική αξιολόγηση του βάθους του νερού. Στέλνει μια επείγουσα έκκληση στον πατέρα του: «Μη με αναγκάζεις να μπω, γιατί φοβάμαι πολύ!» Ο πατέρας θα έπρεπε να το είχε αναγνωρίσει αυτό λέγοντας: «Φοβάσαι και δεν θέλεις να σε αναγκάσω να μπεις στο νερό».

Μερικοί γονείς διαπιστώνουν ότι νιώθουν άβολα με τα συναισθήματα – τα δικά τους αλλά και των παιδιών τους. Νιώθουν σαν να είναι υποχρεωμένοι να αγνοήσουν τα συναισθήματα του παιδιού, γιατί δεν μπορούν να ανεχτούν την ιδέα ότι αυτό έτσι νιώθει. Ή θέλουν γρήγορα να παραμερίσουν τα συναισθήματα του παιδιού, γι' αυτό και σκόπιμα αποφεύγουν να τα αναφέρουν. Μερικοί γονείς φοβούνται τόσο πολύ αυτά τα συναισθήματα, ώστε στην πραγματικότητα δεν μπορούν να τα διακρίνουν στα μηνύματα του παιδιού τους.

Τέτοιοι γονείς συνήθως μαθαίνουν στις τάξεις μας ότι αναπόφευκτα τα παιδιά (και οι ενήλικοι) έχουν συναισθήματα. Τα συναισθήματα είναι ένα ουσιαστικό μέρος της ζωής και όχι κάτι παθολογικό ή επικίνδυνο. Το σύστημά μας δείχνει επίσης ότι τα συναισθήματα γενικά είναι προσωρινά, έρχονται και φεύγουν, χωρίς να αφήνουν κάποια μόνιμη βλάβη στο παιδί. Όμως το κλειδί για την εξαφάνισή τους είναι η αποδοχή και η αναγνώριση εκ μέρους των γονέων, που μεταδίδονται στο παιδί με ενσυναισθητική Ενεργητική ακρόαση. Όταν οι γονείς μάθουν να το κάνουν αυτό, μας αναφέρουν πόσο γρήγορα εξαφανίζονται ακόμη και τα έντονα αρνητικά συναισθήματα.

Ο Χένρι και η Έιμι, νέοι γονείς δύο κοριτσιών, διηγήθηκαν στην τάξη ένα περιστατικό που επιβράβευσε σημαντικά την πίστη τους στη δύναμη της Ενεργητικής α-κρόασης. Και οι δυο είχαν μεγαλώσει σε πολύ θρησκευόμενες οικογένειες. Οι γονείς τους τους είχαν διδάξει, με ένα σωρό διαφορετικούς τρόπους, ότι η έκφραση συναισθημάτων είναι εκδήλωση αδυναμίας και κάτι που δεν κάνει ποτέ ένας «χριστιανός». Ο Χένρι και η Έιμι είχαν μάθει: «Είναι αμαρτία να μισείς!» «Αγάπα τον πλησίον σου!» «Κράτα τη γλώσσα σου, νεαρή κυρία!» «Όταν μπορέσεις να μιλήσεις πολιτισμένα στη μητέρα σου, θα μπορέσεις να έλθεις ξανά στο τραπέζι!»

Εκπαιδευμένοι στην παιδική τους ηλικία με τέτοιες ρήσεις, ο Χένρι και η Έιμι δυσκολεύτηκαν ως γονείς να αποδεχτούν τα συναισθήματα των παιδιών τους και να συντονιστούν στις συχνές συναισθηματικές εκφράσεις των δύο κοριτσιών τους. Η Εκπαίδευση Αποτελεσματικού Γονέα τούς άνοιξε τα μάτια. Στην αρχή άρχισαν να αποδέχονται την ύπαρξη συναισθημάτων στη δική τους σχέση. Έπειτα, όπως κάνουν πολλοί γονείς στην Εκπαίδευση, άρχισαν να εκφράζουν τα *δικά τους* συναισθήματα ο ένας στον άλλον, βοηθούμενοι μεταξύ τους και εφαρμόζοντας ο ένας Ενεργητική ακρόαση στον άλλον.

Βρίσκοντας επιβραβευτική αυτή την ειλικρίνεια και την οικειότητα, ο Χένρι και η Έιμι είχαν αποκτήσει αρκετή εμπιστοσύνη για να αρχίσουν να ακούνε τις κόρες τους, που ήταν στην προεφηβική ηλικία. Μέσα σε λίγους μήνες, τα δύο κορίτσια άλλαξαν και από συνεσταλμένες, εσωστρεφείς και συγκρατημένες έγιναν εκδηλωτικές, αυθόρμητες, εξωστρεφείς, επικοινωνιακές και γεμάτες ζωντάνια. Τα συναισθήματα έγιναν ένα αποδεκτό μέρος της ζωής σε αυτό το απελευθερωμένο οικογενειακό περιβάλλον.

«Είναι πολύ πιο διασκεδαστικό τώρα» αναφέρει ο Χένρι. «Δεν είναι ανάγκη να νιώθουμε ένοχοι, επειδή έχουμε συναισθήματα. Και τα παιδιά είναι περισσότερο α-νοιχτά και ειλικρινή μαζί μας τώρα».

## Ενεργητική ακρόαση σε ακατάλληλο χρόνο

Συχνά οι ανεπιτυχείς προσπάθειες των γονέων που για πρώτη φορά προσπαθούν να χρησιμοποιήσουν την Ενεργητική ακρόαση οφείλονται στο ότι τη χρησιμοποιούν σε ακατάλληλο χρόνο. Όπως κάθε καλό πράγμα, η Ενεργητική ακρόαση μπορεί να χρησιμοποιηθεί υπέρ του δέοντως.

Υπάρχουν στιγμές που τα παιδιά δεν θέλουν να μιλήσουν για τα συναισθήματά τους, ακόμη και σε δύο ενσυναισθητικά αυτιά. Ίσως να θέλουν να ζήσουν για λίγο με τα συναισθήματά τους. Ίσως να είναι πολύ τραυματικό γι' αυτά να μιλήσουν εκείνη τη στιγμή. Ίσως δεν έχουν τον χρόνο να μπούνε σε μια παρατεταμένη συνεδρία κάθαρσης με έναν γονέα. Οι γονείς οφείλουν να σεβαστούν την ανάγκη του παιδιού να μείνει μόνο του στον συναισθηματικό του κόσμο και να μην προσπαθήσουν να το πιέσουν να μιλήσει.

Ανεξάρτητα από το πόσο καλό άνοιγμα επικοινωνίας είναι η Ενεργητική ακρόαση, τα παιδιά συχνά δεν θέλουν να ανοιχτούν. Μια μητέρα μάς είπε πώς η κόρη της βρήκε έναν τρόπο να της το λέει, όταν δεν είχε κέφι να μιλήσει: «Κόφ' το! Ξέρω ότι θα μπορούσε να βοηθήσει να μιλήσω, όμως δεν νομίζω ότι θέλω τώρα. Γι' αυτό, σε παρακαλώ, όχι Ενεργητική ακρόαση τώρα, μητέρα».

Μερικές φορές οι γονείς ανοίγουν την πόρτα με την Ενεργητική ακρόαση, όταν οι ίδιοι στερούνται τον απαιτούμενο χρόνο για να ακούσουν όλα τα συναισθήματα που βρίσκονται κλεισμένα μέσα στο παιδί. Τέτοιες τακτικές του ποδαριού δεν είναι μόνο άδικες για το παιδί, αλλά βλάπτουν και τη σχέση. Το παιδί θα αισθανθεί ότι οι γονείς του δεν ενδιαφέρονται αρκετά για να το ακούσουν. Λέμε λοιπόν στους γονείς: «Μην αρχίζετε την Ενεργητική ακρόαση, εκτός αν έχετε τον χρόνο να ακούσετε όλα τα συναισθήματα που τόσο συχνά απελευθερώνει αυτή η δεξιότητα».

Μερικοί γονείς βίωσαν αντίσταση, γιατί χρησιμοποίησαν Ενεργητική ακρόαση, όταν το παιδί χρειαζόταν διαφορετική βοήθεια. Όταν το παιδί ζητά δικαιολογημένα κάποια πληροφορία, ένα χέρι βοήθειας ή κάτι που ανήκει στον γονέα του, ίσως δεν έχει την ανάγκη να μακρηγορήσει ή να επεξεργαστεί κάτι.

Μερικές φορές οι γονείς παθιάζονται τόσο πολύ με την Ενεργητική ακρόαση, ώστε την εφαρμόζουν, όταν το παιδί δεν χρειάζεται να το ενθαρρύνουν ή να το εμψυχώσουν για να έλθει σε επαφή με τα βαθύτερα συναισθήματά του. Στις παρακάτω θεωρητικές καταστάσεις, γίνεται φανερό πόσο ακατάλληλη είναι η Ενεργητική ακρόαση:

1.
*ΠΑΙΔΙ:* Ε, μαμά, μπορείτε εσύ ή ο μπαμπάς να με κατεβάσετε στην πόλη το Σάββατο; Πρέπει να κάνω κάποια ψώνια.
*ΓΟΝΕΑΣ:* Θέλεις να σε κατεβάσουμε στη πόλη το Σάββατο.

2.
*ΠΑΙΔΙ:* Τι ώρα γυρίζετε εσύ και η μαμά στο σπίτι;
*ΓΟΝΕΑΣ:* Είσαι πραγματικά μπερδεμένος για το πότε γυρίζουμε στο σπίτι;

3.
*ΠΑΙΔΙ:* Πόσα θα πρέπει να πληρώνω για ασφάλεια, αν έχω δικό μου αυτοκίνητο;
*ΓΟΝΕΑΣ:* Ανησυχείς για το κόστος της ασφάλειας ενός δικού σου αυτοκινήτου.

Αυτά τα παιδιά, προφανώς, δεν χρειάζονται ενθάρρυνση για να επικοινωνήσουν περισσότερο. Ζητάνε μια συγκεκριμένη μορφή βοήθειας, που είναι εντελώς διαφορετική από αυτήν που προσφέρει η Ενεργητική ακρόαση. Δεν εκφράζουν συναισθήματα. Ζητάνε συγκεκριμένες πληροφορίες. Το να αντιδράσει κανείς σε τέτοια αιτήματα με Ενεργητική ακρόαση δεν θα φανεί απλώς παράξενο στο παιδί· συχνά θα προκαλέσει απογοήτευση και εκνευρισμό. Σε τέτοιες περιπτώσεις, αυτό που χρειάζεται και ζητείται είναι μια άμεση απάντηση.

Οι γονείς ανακαλύπτουν επίσης ότι τα παιδιά τους γίνονται ανήσυχα, όταν ο γονέας συνεχίζει να χρησιμοποιεί την Ενεργητική ακρόαση, ενώ το παιδί έχει σταματήσει να στέλνει μηνύματα εδώ και πολλή ώρα. Οι γονείς πρέπει να ξέρουν πότε θα διακόψουν. Γενικά, το παιδί στέλνει σημάδια: μια έκφραση του προσώπου, προετοιμασία για αναχώρηση, σιωπή, νευρικότητα, κοίταγμα του ρολογιού κ.λπ. ή μπορεί να στείλει λεκτικά μηνύματα, όπως:

«Λοιπόν, αυτά νομίζω για το θέμα».
«Δεν έχω χρόνο να μιλήσω περισσότερο».
«Βλέπω τα πράγματα κάπως διαφορετικά τώρα».
«Ίσως είναι αρκετά για την ώρα».
«Έχω πολλά να διαβάσω απόψε».
«Λοιπόν, παίρνω πολύ από τον χρόνο σου».

Οι έξυπνοι γονείς κάνουν πίσω, όταν πάρουν αυτά τα σημάδια ή μηνύματα, ακόμη κι αν δεν νομίζουν πως το συγκεκριμένο πρόβλημα έχει λυθεί από το παιδί. Όπως διαπιστώνουν οι επαγγελματίες θεραπευτές, η Ενεργητική ακρόαση απλώς βάζει τα παιδιά στο πρώτο στάδιο επίλυσης του προβλήματος: εξωτερίκευση των συναισθημάτων και προσδιορισμό του προβλήματος. Συχνά, τα παιδιά συνεχίζουν μόνα τους από εκεί και πέρα, καταλήγοντας τελικά σε μια δική τους λύση.

# 5

# Πώς να ακούτε τα πολύ μικρά παιδιά που δεν μιλούν ακόμη

Πολλοί γονείς ρωτάνε: «Ενώ βλέπω ότι η Ενεργητική ακρόαση μπορεί να κάνει θαύματα με παιδιά τριών ή τεσσάρων ετών και μεγαλύτερα, τι μπορούμε να κάνουμε με βρέφη και νήπια που δεν μιλάνε;»

Ή «Καταλαβαίνω πως πρέπει να στηρίζομαι πολύ περισσότερο στις εσωτερικές ικανότητες των παιδιών μας να επεξεργάζονται τα προβλήματά τους, με τη βοήθεια της Ενεργητικής ακρόασης. Όμως τα μικρότερα παιδιά δεν έχουν δεξιότητες επίλυσης προβλημάτων, επομένως δεν πρέπει να επιλύουμε *για λογαριασμό τους* τα πιο πολλά τους προβλήματα;»

Είναι μια παρεξήγηση το ότι η Ενεργητική ακρόαση είναι χρήσιμη μόνο για παιδιά αρκετά μεγάλα, που μπορούν να μιλάνε. Η χρήση της Ενεργητικής ακρόασης με μικρότερα παιδιά απαιτεί όντως μια επιπλέον κατανόηση της μη λεκτικής επικοινωνίας και του τρόπου που οι γονείς μπορούν να αντιδρούν αποτελεσματικά στα μη λεκτικά μηνύματα που τους στέλνουν τα μικρότερα παιδιά. Επιπλέον, οι γονείς πολύ μικρών παιδιών συχνά νομίζουν ότι, ακριβώς επειδή αυτά τα παιδιά εξαρτώνται από τους γονείς τους για πολλές ανάγκες τους, τα βρέφη και τα νήπια έχουν πολύ μικρή ικανότητα να βρίσκουν τις δικές τους λύσεις στα προβλήματα που συναντούν νωρίς στη ζωή τους. Ούτε αυτό ισχύει.

## Τι συμβαίνει με τα βρέφη;

Πρώτα πρώτα και τα βρέφη έχουν ανάγκες, όπως και τα μεγαλύτερα παιδιά και οι ενήλικες. Και αντιμετωπίζουν αντίστοιχα προβλήματα για να τις ικανοποιήσουν. Κρυώνουν, πεινάνε, τα κάνουν πάνω τους, κουράζονται, διψούν, ματαιώνονται, αρρωσταίνουν. Η προσφορά βοήθειας σε βρέφη με τέτοια προβλήματα δημιουργεί κάποια πρόσθετα προβλήματα στους γονείς.

Δεύτερον, τα βρέφη και τα πολύ μικρά παιδιά εξαρτώνται υπερβολικά από τους γονείς τους για την ικανοποίηση των αναγκών τους ή για την εξεύρεση λύσεων στα προβλήματά τους. Οι εσωτερικές τους δυνάμεις και ικανότητες *είναι* περιορισμένες. Ένα πεινασμένο βρέφος δεν μπορεί να περπατήσει μέχρι την κουζίνα, να ανοίξει το ψυγείο και να βάλει να πιει ένα ποτήρι γάλα.

Τρίτον, τα βρέφη και τα πολύ μικρά παιδιά δεν έχουν καλά ανεπτυγμένη ικανότητα έκφρασης των αναγκών τους με λέξεις. Δεν έχουν ακόμη αποκτήσει τον γλωσσικό κώδικα, ώστε να συζητούν τα προβλήματα και τις ανάγκες τους με άλλους. Τον περισσότερο χρόνο, οι γονείς βρίσκονται σε μεγάλη σύγχυση για το τι συμβαίνει πραγματικά στα προλεκτικά παιδιά, επειδή τα βρέφη δεν έχουν τη δυνατότητα να πούνε καθαρά ότι έχουν ανάγκη από στοργή ή ότι θέλουν να ρευτούνε.

Τέταρτον, συχνά τα βρέφη και τα πολύ μικρά παιδιά μπορεί να μην «ξέρουν» τα ίδια τι τα ενοχλεί. Κι αυτό, γιατί πάρα πολλές από τις ανάγκες τους είναι βιολογικές, δηλαδή πολλά προβλήματα προέρχονται από τη μη κάλυψη των φυσικών τους αναγκών (πείνα, δίψα, πόνος κ.λπ.). Επίσης, εξαιτίας των μη ανεπτυγμένων γνωστικών και γλωσσικών τους δεξιοτήτων, μπορεί να μην είναι σε θέση να κατανοήσουν τι προβλήματα βιώνουν.

Συνεπώς, η βοήθεια που προσφέρεται στα πολύ μικρά παιδιά να ικανοποιήσουν τις ανάγκες τους και να λύσουν τα προβλήματά τους είναι κάπως διαφορετική από τη βοήθεια που προσφέρεται σε μεγαλύτερα παιδιά. Όχι όμως τόσο διαφορετική, όσο νομίζουν οι γονείς.

## Συντονισμός με τις ανάγκες και τα προβλήματα των βρεφών

Όσο και αν οι γονείς θα ήθελαν να έχουν τα μικρά τους τα μέσα να ικανοποιούν τις ανάγκες τους και να λύνουν τα προβλήματά τους μόνα τους, συχνά εξαρτάται από τον ίδιο τον γονέα να αντιληφθεί ότι ο μικρός Νίκι τρέφεται καλά, είναι στεγνός, είναι ζεστός, δέχεται στοργή κ.λπ. Το πρόβλημα είναι: Πώς θα ανακαλύψει ο γονέας τι ενοχλεί ένα ανήσυχο μικρό που κλαίει;

Οι περισσότεροι γονείς «ακολουθούν τις οδηγίες», αυτά που έχουν διαβάσει για τις ανάγκες των μικρών παιδιών γενικά. Χωρίς αμφιβολία, ο δρ. Μπέντζαμιν Σποκ προσέφερε μεγάλη υπηρεσία στους γονείς, δίνοντάς τους πληροφορίες για τα μικρά παιδιά και τις ανάγκες τους, και αυτά που μπορούν να κάνουν οι γονείς για να εξασφαλίσουν ότι οι ανάγκες αυτές ικανοποιούνται. Όμως, όπως κάθε γονέας γνωρίζει, δεν καλύπτονται τα πάντα από τον δρ. Σποκ. Για να είναι ένας γονέας αποτελεσματικός στο να βοηθήσει ένα συγκεκριμένο παιδί με τις μοναδικές του ανάγκες και προβλήματα, οφείλει να καταλάβει αυτό το παιδί. Αυτό το καταφέρνει μέσω της *σωστής ακρόασης των μηνυμάτων του παιδιού,* ακόμα κι αν αυτά είναι μη λεκτικά.

Ο γονέας ενός πολύ μικρού παιδιού πρέπει να μάθει *να ακούει με τέτοια ακρίβεια,* όσο και οι γονείς των μεγαλύτερων παιδιών. Πρόκειται όμως για ένα διαφορετικό είδος ακρόασης, διότι τα βρέφη εκφράζονται μη λεκτικά.

Ένα μικρό αρχίζει να κλαίει στις 5.30 το πρωί. Προφανώς έχει κάποιο πρόβλημα: Κάτι δεν πάει καλά, έχει μια ανάγκη, θέλει κάτι. Δεν μπορεί να στείλει στον γονέα το λεκτικό μήνυμα: «Αισθάνομαι πολύ άσχημα και είμαι ταραγμένος». Γι' αυτό ο γονέας δεν μπορεί να χρησιμοποιήσει την Ενεργητική ακρόαση όπως την περιγράψαμε προηγουμένως («Αισθάνεσαι άσχημα, σε ενοχλεί κάτι»). Προφανώς το παιδί δεν θα καταλάβαινε.

Ο γονέας παίρνει ένα μη λεκτικό μήνυμα (κλάμα) και πρέπει να μπει στη διαδικασία της «αποκωδικοποίησης», αν θέλει να μάθει τι συμβαίνει στο παιδί. Επειδή ο γονέας δεν μπορεί να αξιοποιήσει τη *λεκτική* ανατροφοδότηση, για να ελέγξει την ακρίβεια της αποκωδικοποίησής του, πρέπει να χρησιμοποιήσει μια *μη λεκτική ή «συμπεριφορική»* μέθοδο ανατροφοδότησης.

Ο γονέας θα μπορούσε ίσως να σκεπάσει το παιδί (αποκωδικοποιώντας το κλάμα του παιδιού ως «το παιδί κρυώνει»). Ίσως όμως το παιδί να συνεχίζει να κλαίει («Δεν κατάλαβες ακόμη το μήνυμά μου»). Τότε ο γονέας σηκώνει το παιδί και το αγκαλιάζει (κάνοντας τώρα την αποκωδικοποίηση: «Φοβήθηκε από κάποιο όνειρο»). Το παιδί συνεχίζει να κλαίει («Δεν νιώθω αυτό»). Τελικά, ο γονέας βάζει το μπιμπερό με το γάλα στο στόμα του παιδιού («Το παιδί πεινάει») και μετά από λίγες γουλιές, το παιδί σταματάει να κλαίει («Αυτό εννοούσα, πεινούσα, τελικά με κατάλαβες»).

Η αποτελεσματικότητα των γονέων πολύ μικρών παιδιών, όπως και των κάπως μεγαλυτέρων, εξαρτάται σε μεγάλο βαθμό από την *ακρίβεια της επικοινωνίας γονέα-παιδιού* και η κύρια ευθύνη για την ανάπτυξη σωστής επικοινωνίας σε αυτήν τη σχέση ανήκει στον γονέα. Ο γονέας πρέπει να μάθει να αποκωδικοποιεί με ακρίβεια τη μη λεκτική συμπεριφορά του βρέφους, πριν καταλήξει στο τι το ενοχλεί. Πρέπει επίσης να χρησιμοποιεί την ίδια διαδικασία ανατροφοδότησης, με σκοπό να ελέγχει την ακρίβεια της αποκωδικοποίησής του. Η διαδικασία της αποκωδικοποίησης μπορεί επίσης να χαρακτηριστεί Ενεργητική ακρόαση! Πρόκειται για τον ίδιο μηχανισμό που περιγράψαμε στη διαδικασία επικοινωνίας με παιδιά που εκφράζονται πιο άμεσα λεκτικά. Όμως, με ένα παιδί που στέλνει ένα μη λεκτικό μήνυμα (π.χ. κλάμα), ο γονέας πρέπει να χρησιμοποιήσει και μια μη λεκτική ανατροφοδότηση (π.χ. μπιμπερό στο στόμα).

Η αναγκαιότητα αυτή για αποτελεσματική αμφίδρομη επικοινωνία εξηγεί εν μέρει γιατί είναι τόσο σημαντικό στα δύο πρώτα χρόνια του παιδιού να περνούν οι γονείς πολύ χρόνο μαζί του. Ο γονέας «μαθαίνει» έτσι καλύτερα από οποιονδήποτε άλλον το παιδί του, αναπτύσσει δηλαδή δεξιότητες αποκωδικοποίησης της μη λεκτικής συμπεριφοράς του βρέφους, και γίνεται έτσι ικανότερος από οποιονδήποτε άλλον να καταλαβαίνει τι πρέπει να κάνει, για να ικανοποιήσει τις ανάγκες του παιδιού ή να προσφέρει λύσεις στα προβλήματά του.

Ο καθένας μας έχει παραδείγματα της ανικανότητάς του να αποκωδικοποιήσει τη συμπεριφορά του μωρού ενός φίλου του. Ρωτάμε: «Τι σημαίνει, όταν χτυπάει απαλά τα κάγκελα του πάρκου του; Πρέπει να θέλει κάτι». Και η μητέρα απαντά: «Ω, πάντοτε το κάνει αυτό, όταν θέλει να κοιμηθεί. Το πρώτο μας παιδί τραβούσε την κουβέρτα του, όταν ήθελε να κοιμηθεί».

## Χρήση της Ενεργητικής ακρόασης για προσφορά βοήθειας σε βρέφη

Πάρα πολλοί γονείς μικρών παιδιών δεν κάνουν τον κόπο να χρησιμοποιήσουν την Ενεργητική ακρόαση, για να ελέγξουν την ακρίβεια της διαδικασίας αποκωδικοποίησης που ακολούθησαν. Επεμβαίνουν και προβαίνουν σε κάποια ενέργεια, για να βοηθήσουν το παιδί, χωρίς να έχουν βρει τι πραγματικά το ενοχλεί.

> Ο Μάικλ σηκώνεται όρθιος στην κούνια του, αρχίζει να κλαψουρίζει και μετά να κλαίει δυνατά. Η μητέρα του τον ξαναβάζει στη θέση του και του δίνει την κουδουνίστρα του. Ο Μάικλ σταμάτει το κλάμα για λίγο και μετά πετάει την κουδουνίστρα έξω από την κούνια στο πάτωμα, και αρχίζει να κλαίει ακόμη πιο δυνατά. Η μητέρα παίρνει την κουδουνίστρα και τη βάζει σφιχτά στο χέρι του λέγοντας απότομα: «Αν την ξαναπετάξεις, δεν θα στην ξαναδώσω». Ο Μάικλ συνεχίζει να κλαίει και πετάει ξανά την κουδουνίστρα έξω από την κούνια του. Η μητέρα τού χτυπάει το χέρι και ο Μάικλ τώρα πραγματικά ουρλιάζει.

Η μητέρα υπέθεσε ότι ήξερε ποια ανάγκη είχε το μωρό, απέτυχε όμως να το «ακούσει», όταν αυτό της «έλεγε» ότι η αποκωδικοποίησή της δεν ήταν ακριβής. Όπως συμβαίνει με πολλούς γονείς, η μητέρα αυτή δεν προσπάθησε αρκετά, για *να ολοκληρώσει τη διαδικασία επικοινωνίας*. Δεν σιγουρεύτηκε ότι είχε καταλάβει τι χρειαζόταν ή τι ήθελε το μωρό. Το παιδί παρέμεινε ματαιωμένο και η μητέρα θύμωσε. Με αυτό τον τρόπο έχουν φυτευτεί οι σπόροι επιδείνωσης της σχέσης και δημιουργίας ενός συναισθηματικά μη υγιούς παιδιού.

Προφανώς, όσο μικρότερο είναι το παιδί τόσο λιγότερο μπορεί ο γονέας να στηριχθεί στις δυνατότητες ή τις ικανότητες του ίδιου του παιδιού. Αυτό σημαίνει ότι απαιτείται μεγαλύτερη παρέμβαση (ή συμμετοχή) του γονέα στη διαδικασία επίλυσης προβλημάτων των μικρότερων παιδιών. Όλοι γνωρίζουμε ότι οι γονείς πρέπει να ετοιμάζουν το φαγητό του μωρού, να του αλλάζουν πάνες, να το σκεπάζουν, να το ξεσκεπάζουν από την κουβέρτα του, να το μετακινούν, να το σηκώνουν, να το κουνάνε, να το αγκαλιάζουν και να κάνουν χιλιάδες άλλα πράγματα, ώστε να μην εμποδίζεται η ικανοποίηση των αναγκών του παιδιού. Και πάλι αυτό σημαίνει ότι πρέπει να αφιερώνουν χρόνο –και μάλιστα πολύ χρόνο– στο παιδί. Αυτά τα πρώτα χρόνια απαιτούν τη σχεδόν συνεχή παρουσία του γονέα. Το μωρό χρειάζεται τους γονείς του και μάλιστα απεγνωσμένα. Αυτός είναι ο λόγος που οι παιδίατροι επιμένουν να βρίσκονται οι γονείς δίπλα στο παιδί σε αυτά τα πρώτα καθοριστικά χρόνια, όταν το παιδί είναι τόσο ανήμπορο και εξαρτημένο.

Όμως το να βρίσκεται κανείς δίπλα δεν αρκεί. *Ο καθοριστικός παράγοντας είναι η αποτελεσματικότητα του γονέα να «ακούει» σωστά* τις μη λεκτικές εκφράσεις του παιδιού, έτσι ώστε να καταλαβαίνει τι συμβαίνει μέσα του και να μπορεί να προσφέρει στο παιδί αυτό που χρειάζεται, όταν το χρειάζεται.

Η αποτυχία πολλών ειδικών στην ανατροφή των παιδιών, να καταλάβουν τη σημασία του παράγοντα αυτού, οδήγησε πολλές φορές σε πλημμελείς έρευνες και εσφαλμένες ερμηνείες των ερευνητικών δεδομένων στον τομέα ανάπτυξης του παιδιού. Πολλές ερευνητικές μελέτες παρουσιάστηκαν για να επιδείξουν την υπεροχή της μίας μεθόδου έναντι κάποιας άλλης, π.χ. μπιμπερό ή θηλασμός, τάισμα κατ' απαίτηση ή προγραμματισμένο, πρώιμη ή όψιμη εκπαίδευση τουαλέτας, πρώιμος ή όψιμος απογαλακτισμός, αυστηρότητα ή χαλαρότητα. Ως επί το πλείστον, αυτές οι μελέτες δεν έλαβαν υπόψη τις μεγάλες διαφορές στις ανάγκες διάφορων παιδιών και τις εξαιρετικά μεγάλες διαφορές μεταξύ των γονέων στην αποτελεσματικότητά τους να αντιληφθούν πώς επικοινωνούν τα παιδιά τους.

Το αν το μωρό απογαλακτιστεί νωρίτερα ή αργότερα, για παράδειγμα, ίσως δεν είναι ο πιο σημαντικός παράγοντας που θα επηρεάσει την εξέλιξη της προσωπικότητάς του ή της πνευματικής του υγείας. Είναι μάλλον σημαντικότερο το κατά πόσον η μητέρα του ακούει με ακρίβεια τα μηνύματα που *το συγκεκριμένο παιδί* τής στέλνει κάθε μέρα για τις ιδιαίτερες ανάγκες της διατροφής του, έτσι ώστε να μπορεί μετά να έχει την ευελιξία να παρέμβει με λύσεις που πραγματικά θα ικανοποιούν τις ανάγκες του. Επομένως, η ακριβής ακρόαση μπορεί να οδηγήσει μια μητέρα να διακόψει τον θηλασμό ενός μωρού νωρίς, ενός άλλου αργά και ενός τρίτου ίσως κάπου ενδιάμεσα. Πιστεύω ακράδαντα ότι η ίδια αρχή ισχύει για τις πιο πολλές πρακτικές ανατροφής των παιδιών, γύρω από τις οποίες υπάρχει μεγάλη διαμάχη – τάισμα, συχνότητα αγκαλιάσματος, βαθμός μητρικού αποχωρισμού, ύπνος, εκπαίδευση τουαλέτας, πιπίλισμα δακτύλων κ.λπ. Αν η αρχή αυτή είναι έγκυρη, τότε θα μπορούσαμε να πούμε στους γονείς:

Θα είστε ο πιο αποτελεσματικός γονέας, αν προσφέρετε στο μωρό σας ένα ζεστό περιβάλλον, στο οποίο θα ξέρετε πώς να ικανοποιείτε κατάλληλα τις ανάγκες του, χρησιμοποιώντας την Ενεργητική ακρόαση, για να καταλαβαίνετε τα μηνύματα που ανακοινώνουν συγκεκριμένα τις δικές του μοναδικές ανάγκες.

### Δώστε στο παιδί την ευκαιρία να ικανοποιήσει μόνο του τις ανάγκες του

Σίγουρα ο τελικός στόχος των περισσότερων γονέων θα πρέπει να είναι να βοηθήσουν το πολύ μικρό παιδί να αναπτύξει σταδιακά τα δικά του μέσα – να απογαλακτιστεί από την εξάρτησή του από τον γονέα, να γίνεται όλο και περισσότερο ικανό να ικανοποιεί τις ανάγκες του, να λύνει τα προβλήματά του. Ο πιο αποτελεσματικός γονέας σε αυτό είναι εκείνος που μπορεί σταθερά να ακολουθεί την αρχή τού να δίνει πρώτα στο παιδί την ευκαιρία να λύσει μόνο του τα προβλήματά του, πριν παρέμβει με μια δική του λύση.

Στο παρακάτω παράδειγμα, ο γονέας ακολουθεί την αρχή αυτή αρκετά αποτελεσματικά:

*ΠΑΙΔΙ* (κλαίγοντας): Φορτηγό, φορτηγό - όχι φορτηγό.
*ΓΟΝΕΑΣ:* Θέλεις το φορτηγό σου, αλλά δεν μπορείς να το βρεις. (ΕΝΕΡΓΗΤΙΚΗ ΑΚΡΟΑΣΗ)
*ΠΑΙΔΙ:* (Ψάχνει κάτω από τον καναπέ, αλλά δεν βρίσκει το φορτηγό).
*ΓΟΝΕΑΣ:* Το φορτηγό δεν είναι εκεί. (ΑΝΑΤΡΟΦΟΔΟΤΗΣΗ ΜΗ ΛΕΚΤΙΚΟΥ ΜΗΝΥΜΑΤΟΣ)
*ΠΑΙΔΙ:* (Τρέχει μέσα στο δωμάτιό του, κοιτάζει, αλλά δεν μπορεί να το βρει).
*ΓΟΝΕΑΣ:* Το φορτηγό δεν είναι εκεί. (ΑΝΑΤΡΟΦΟΔΟΤΗΣΗ ΜΗ ΛΕΚΤΙΚΟΥ ΜΗΝΥΜΑΤΟΣ)
*ΠΑΙΔΙ:* (Σκέφτεται και πηγαίνει προς την πίσω πόρτα).
*ΓΟΝΕΑΣ:* Ίσως το φορτηγό να είναι στην πίσω αυλή. (ΑΝΑΤΡΟΦΟΔΟΤΗΣΗ ΜΗ ΛΕΚΤΙΚΟΥ ΜΗΝΥΜΑΤΟΣ)
*ΠΑΙΔΙ:* (Τρέχει έξω, βρίσκει το φορτηγό στην αμμοδόχο, φαίνεται περήφανο).
*ΓΟΝΕΑΣ:* Βρήκες μόνος σου το φορτηγό σου. (ΕΝΕΡΓΗΤΙΚΗ ΑΚΡΟΑΣΗ)

Ο γονέας αυτός διατήρησε συνεχώς την ευθύνη επίλυσης του προβλήματος στο παιδί, αποφεύγοντας την άμεση παρέμβαση ή τη συμβουλή. Κάνοντάς το αυτό, ο γονέας βοηθάει το παιδί να αναπτύξει και να αξιοποιήσει τις δικές του ικανότητες.

Πολλοί γονείς είναι υπερβολικά πρόθυμοι να αναλάβουν τα προβλήματα των παιδιών τους. Είναι τόσο ανυπόμονοι να βοηθήσουν το παιδί ή νιώθουν τόσο άσχημα (μη αποδεκτικά), που το παιδί έχει μια ανικανοποίητη ανάγκη, ώστε αναγκάζονται να αναλάβουν οι ίδιοι τη λύση του προβλήματος και *να δώσουν στο παιδί μια γρήγορη λύση*. Αν αυτό γίνεται συχνά, είναι σίγουρο ότι το παιδί θα καθυστερήσει να μάθει πώς να χρησιμοποιεί τις δικές του δυνάμεις και την αναπτυσσόμενη ανεξαρτησία και επινοητικότητά του.

# 6

# Πώς να μιλάτε, ώστε τα παιδιά να σας ακούνε

Συχνά, όταν οι γονείς μαθαίνουν την Ενεργητική ακρόαση στις τάξεις μας, κάποιος γονέας νιώθει ανυπόμονος και ρωτάει: «Πότε θα μάθουμε πώς να κάνουμε τα παιδιά μας να μας ακούνε; Αυτό είναι το πρόβλημα στο σπίτι μας».

Χωρίς αμφιβολία, αυτό είναι το πρόβλημα σε πολλά σπίτια, γιατί τα παιδιά αναπόφευκτα ενοχλούν, εμποδίζουν και εκνευρίζουν τους γονείς πολλές φορές. Μπορεί να είναι απερίσκεπτα και απρόσεκτα, καθώς προσπαθούν να ικανοποιήσουν τις ανάγκες τους. Σαν τα μικρά σκυλάκια, τα παιδιά μπορεί να είναι ορμητικά, θορυβώδη και απαιτητικά. Όπως γνωρίζουν όλοι οι γονείς, τα παιδιά μπορεί να σας προσθέσουν επιπλέον δουλειά, να σας καθυστερήσουν, ενώ βιάζεστε, να σας ενοχλήσουν, ενώ είστε κουρασμένος, να μιλάνε, ενώ εσείς θέλετε ησυχία, να δημιουργήσουν τεράστια ανακατωσούρα, να παραμελήσουν τις δουλειές που πρέπει να κάνουν, να σας βρίσουν, να γυρίσουν σπίτι πολύ αργά και άπειρα άλλα πράγματα.

Οι μητέρες και οι πατέρες χρειάζονται αποτελεσματικούς τρόπους για να αντιμετωπίσουν τη συμπεριφορά των παιδιών, όταν αυτή παρεμβαίνει στην ικανοποίηση των αναγκών των γονέων. Στο κάτω κάτω και οι γονείς *έχουν* ανάγκες. Έχουν να ζήσουν τη δική τους ζωή και έχουν το δικαίωμα να επιθυμούν ευχαρίστηση και ικανοποίηση από την ύπαρξή τους. Όμως, πολλοί γονείς που έρχονται για εκπαίδευση έχουν επιτρέψει στα παιδιά τους να έχουν πλεονεκτική θέση στην οικογένεια. Αυτά τα παιδιά απαιτούν να ικανοποιούνται οι ανάγκες τους, αλλά αδιαφορούν για την ικανοποίηση των αναγκών των γονέων τους.

Προς μεγάλη τους λύπη, πολλοί γονείς διαπιστώνουν ότι, καθώς τα παιδιά τους μεγαλώνουν, ενεργούν αγνοώντας το ότι και οι γονείς τους έχουν ανάγκες. Όταν οι γονείς επιτρέπουν να συμβαίνει αυτό, τα παιδιά μεγαλώνουν σαν να είναι μονόδρομος η συνεχής ικανοποίηση των δικών τους αναγκών. Οι γονείς τέτοιων παιδιών νιώθουν πικρία και μεγάλη απογοήτευση από τα «αγνώμονα» και «εγωιστικά» παιδιά τους.

Όταν η κ. Λόιντ γράφτηκε στην Εκπαίδευση, ήταν μπερδεμένη και πληγωμένη, γιατί η κόρη της, η Μπριάνα, γινόταν όλο και πιο εγωίστρια και αδιάφορη. Χαϊδεμένη από τη βρεφική της ηλικία και από τους δυο γονείς, η Μπριάνα πρόσφερε πολύ λίγα στην οικογένεια, και ωστόσο περίμενε να κάνουν οι γονείς της οτιδήποτε τους ζητούσε. Αν δεν ικανοποιούνταν αμέσως, θα έλεγε προσβλητικά λόγια για τους γονείς της, θα είχε εκρήξεις θυμού ή θα έφευγε από το σπίτι και θα γύριζε έπειτα από ώρες.

Η κ. Λόιντ, που είχε ανατραφεί από τη μητέρα της θεωρώντας ότι η σύγκρουση ή τα έντονα συναισθήματα είναι κάτι που δεν επιτρέπεται να εκδηλώνουν οι «καλές» οικογένειες, υποχωρούσε στις περισσότερες απαιτήσεις της Μπριάνα, για να αποφεύγει τις σκηνές ή, όπως αυτή έλεγε, «για να διατηρείται η γαλήνη και η ηρεμία στην οικογένεια». Όταν η Μπριάνα μπήκε στην εφηβεία, έγινε περισσότερο υπεροπτική και εγωίστρια, σπάνια βοηθούσε στο σπίτι και σπάνια προσαρμοζόταν σε κάτι από ενδιαφέρον για τις ανάγκες των γονέων της.

Συχνά έλεγε στους γονείς της ότι ήταν δική τους ευθύνη που την είχαν φέρει στον κόσμο και επομένως ήταν καθήκον τους να φροντίζουν για τις ανάγκες της. Η κ. Λόιντ, μια ευσυνείδητη μητέρα που αγωνιούσε να είναι μια καλή μητέρα, είχε αρχίσει να αναπτύσσει βαθιά συναισθήματα απογοήτευσης απέναντι στην Μπριάνα. Έπειτα από όλα όσα είχε κάνει για την Μπριάνα, την πλήγωνε και την πείραζε να βλέπει τον εγωισμό και την αδιαφορία της κόρης της για τις ανάγκες των γονέων της.

«Εμείς όλο δίνουμε κι εκείνη όλο παίρνει» ήταν ο τρόπος με τον οποίο η μητέρα αυτή περιέγραφε την οικογενειακή τους κατάσταση.

Η κ. Λόιντ ήταν σίγουρη ότι έκανε κάτι λάθος, δεν μπορούσε όμως να διανοηθεί ότι η συμπεριφορά της Μπριάνα ήταν το άμεσο αποτέλεσμα του φόβου της μητέρας να υπερασπιστεί τα δικαιώματά της. Η Εκπαίδευση τη βοήθησε πρώτα πρώτα να αποδεχτεί τη νομιμότητα των αναγκών της κι έπειτα της παρείχε συγκεκριμένες δεξιότητες αντιμετώπισης της Μπριάνα, όταν οι γονείς της θεωρούσαν τη συμπεριφορά της απαράδεκτη.

Τι μπορούν να κάνουν οι γονείς, όταν στην πραγματικότητα δεν αποδέχονται τη συμπεριφορά ενός παιδιού; Πώς μπορούν να κάνουν το παιδί να αναλογιστεί τις ανάγκες των γονέων; Τώρα θα εστιάσουμε στο πώς οι γονείς μπορούν να μιλάνε στα παιδιά, έτσι ώστε εκείνα να ακούνε τα συναισθήματα *των γονέων* και να δείχνουν ενδιαφέρον για τις ανάγκες *τους*.

Εντελώς διαφορετικές δεξιότητες επικοινωνίας απαιτούνται, όταν το παιδί δημιουργεί πρόβλημα στον γονέα, από εκείνες που χρειάζονται, όταν το παιδί δημιουργεί πρόβλημα στον εαυτό του. Στην τελευταία περίπτωση, το παιδί «έχει» το πρόβλημα, ενώ, όταν το παιδί δημιουργεί ένα πρόβλημα στον γονέα, ο γονέας «έχει» το πρόβλημα. Αυτό το κεφάλαιο θα υποδείξει στους γονείς ποιες δεξιότητες χρειάζονται, ώστε να είναι αποτελεσματικοί στην επίλυση των προβλημάτων που τους δημιουργούν τα παιδιά τους.

## ΟΤΑΝ Ο ΓΟΝΕΑΣ ΕΧΕΙ ΤΟ ΠΡΟΒΛΗΜΑ

Πολλοί γονείς δυσκολεύονται στην αρχή να καταλάβουν την έννοια της κατοχής του προβλήματος. Πιθανόν έχουν συνηθίσει να σκέπτονται ότι έχουν «προβληματικά παιδιά», γεγονός που εντοπίζει το πρόβλημα στο παιδί παρά στον γονέα. Είναι ιδιαίτερα σημαντικό για τους γονείς να κατανοήσουν αυτήν τη διαφορά.

Η καλύτερη ένδειξη για τους γονείς έρχεται, όταν αρχίζουν να νιώθουν τα εσωτερικά τους συναισθήματα της μη αποδοχής, όταν αρχίζουν να έχουν εσωτερικά συναισθήματα ενόχλησης, απογοήτευσης, πικρίας. Μπορεί να διαπιστώνουν ότι αισθάνονται ένταση, δυσαρέσκεια, ότι δεν τους αρέσουν αυτά που κάνει το παιδί ή ότι ελέγχουν τη συμπεριφορά του.

Ας υποθέσουμε ότι συμβαίνει κάτι από τα παρακάτω:

Ένα παιδί αργεί συχνά για το βραδινό.
Ένα παιδί διακόπτει τη συνομιλία σας με ένα φίλο.
Ένα παιδί σάς τηλεφωνεί στη δουλειά πολλές φορές κάθε μέρα.
Ένα παιδί έχει αφήσει τα παιχνίδια του στο πάτωμα του σαλονιού.
Ένα παιδί είναι σχεδόν έτοιμο να ρίξει το γάλα του επάνω στο χαλάκι.
Ένα παιδί απαιτεί να του διαβάσετε μια ακόμη ιστορία, έπειτα κι άλλη μια κι άλλη μια.
Ένα παιδί βάζει τη μουσική του πολύ δυνατά.
Ένα παιδί δεν κάνει τις δουλειές που έχει αναλάβει στο σπίτι.
Ένα παιδί χρησιμοποιεί τα εργαλεία σας και δεν τα βάζει στη θέση τους.
Ένα παιδί οδηγεί πολύ γρήγορα το αυτοκίνητό σας.

Όλες αυτές οι συμπεριφορές, πραγματικά ή δυνητικά, απειλούν νόμιμες ανάγκες των γονέων. Η συμπεριφορά του παιδιού επηρεάζει τον γονέα *με χειροπιαστό ή άμεσο τρόπο*. Η μητέρα δεν θέλει να χαλάσει το δείπνο, να λεκιαστεί το χαλάκι της, να διακοπεί η συνομιλία της κ.λπ.

Όταν είναι αντιμέτωπος με τέτοιες συμπεριφορές, ο γονέας χρειάζεται τρόπους για να βοηθήσει τον εαυτό του, όχι το παιδί. Ο παρακάτω πίνακας βοηθάει να φανεί η διαφορά στον ρόλο του γονέα, αφενός όταν αυτός έχει το πρόβλημα και αφετέρου όταν το παιδί έχει το πρόβλημα.

| Όταν το παιδί έχει το πρόβλημα | Όταν ο γονέας έχει το πρόβλημα |
|---|---|
| Το παιδί αρχίζει την επικοινωνία. | Ο γονέας αρχίζει την επικοινωνία. |
| Ο γονέας είναι ο ακροατής. | Ο γονέας είναι ο αποστολέας. |
| Ο γονέας είναι ο σύμβουλος. | Ο γονέας ασκεί επίδραση. |
| Ο γονέας θέλει να βοηθήσει το παιδί. | Ο γονέας θέλει να βοηθήσει τον εαυτό του. |
| Ο γονέας αντανακλά τον ήχο (αντηχείο). | Ο γονέας είναι το ηχείο. |
| Ο γονέας διευκολύνει το παιδί να βρει τη δική του λύση. | Ο γονέας πρέπει να βρει τη δική του λύση. |
| Ο γονέας δέχεται τη λύση του παιδιού. | Ο γονέας πρέπει να ικανοποιηθεί με την ίδια τη λύση. |
| Ο γονέας ενδιαφέρεται κυρίως για τις ανάγκες του παιδιού. | Ο γονέας ενδιαφέρεται κυρίως για τις δικές του ανάγκες. |
| Ο γονέας είναι περισσότερο παθητικός. | Ο γονέας είναι περισσότερο ενεργητικός. |

Οι γονείς έχουν πολλές εναλλακτικές λύσεις, όταν εκείνοι έχουν το πρόβλημα:

1. Μπορεί να προσπαθήσουν να αλλάξουν το παιδί άμεσα.
2. Μπορεί να προσπαθήσουν να αλλάξουν το περιβάλλον.
3. Μπορεί να προσπαθήσουν να αλλάξουν τους εαυτούς τους.

Ο γιος του κ. Άνταμς, ο Τζίμι, βγάζει τα εργαλεία του πατέρα του από την εργαλειοθήκη και συνήθως τα αφήνει σκόρπια στην αυλή. Αυτό είναι μη αποδεκτό από τον κ. Άνταμς, επομένως *εκείνος* έχει το πρόβλημα.

Μπορεί να αντιμετωπίσει τον Τζίμι, να πει κάτι, ελπίζοντας ότι αυτό μπορεί να αλλάξει τη συμπεριφορά του Τζίμι.

Μπορεί να αλλάξει το περιβάλλον του Τζίμι, αγοράζοντάς του το δικό του κουτί με τα εργαλεία, ελπίζοντας ότι αυτό θα αλλάξει τη συμπεριφορά του Τζίμι.

Μπορεί να προσπαθήσει να αλλάξει τη δική του στάση απέναντι στη συμπεριφορά του Τζίμι, λέγοντας στον εαυτό του: «Τα αγόρια θα είναι πάντα αγόρια» ή «Θα μάθει με τον καιρό να φροντίζει σωστά τα εργαλεία».

Σε αυτό το κεφάλαιο θα ασχοληθούμε μόνο με την πρώτη επιλογή, εστιάζοντας στο πώς οι γονείς μπορούν να μιλάνε ή να αντιμετωπίζουν τα παιδιά τους, προκειμένου να αλλάζουν συμπεριφορές που δεν γίνονται αποδεκτές από τους γονείς. Σε σχέση με το Παράθυρο συμπεριφοράς, η εστίασή μας θα είναι τώρα στο κάτω μέρος

– εκεί όπου ο γονέας έχει το πρόβλημα. Σε επόμενα κεφάλαια θα ασχοληθούμε με τις άλλες δύο επιλογές.

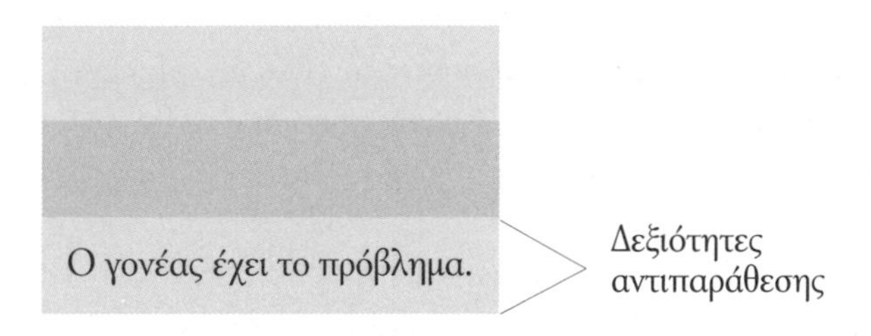


## ΑΝΑΠΟΤΕΛΕΣΜΑΤΙΚΟΙ ΤΡΟΠΟΙ ΑΝΤΙΜΕΤΩΠΙΣΗΣ ΤΩΝ ΠΑΙΔΙΩΝ

Δεν είναι υπερβολή ότι το 99% των γονέων στις τάξεις μας χρησιμοποιούν αναποτελεσματικούς τρόπους επικοινωνίας, όταν η συμπεριφορά των παιδιών τους παρεμβαίνει στη ζωή τους. Σε μια τάξη, ο εκπαιδευτής διαβάζει δυνατά ένα επεισόδιο από μια τυπική οικογενειακή κατάσταση, όπου ένα παιδί εκνευρίζει τον γονέα του:

> «Είστε κουρασμένος από τη δουλειά μιας ολόκληρης ημέρας. Χρειάζεστε να καθίσετε και να ξεκουραστείτε για λίγο. Θα θέλατε να χρησιμοποιήσετε τον χρόνο αυτό για να δείτε τις απογευματινές ειδήσεις. Όμως ο πεντάχρονος γιος σας σας τυραννάει απαιτώντας να παίξετε μαζί του. Σας τραβάει το χέρι, ανεβαίνει πάνω σας, στέκεται μπροστά στην τηλεόραση. Το τελευταίο που θέλετε να κάνετε είναι να παίξετε μαζί του».

Έπειτα ο εκπαιδευτής ζητάει από όλους να γράψουν σε ένα φύλλο χαρτί τι ακριβώς θα έλεγαν στο παιδί σε αυτή την περίπτωση. (Ο αναγνώστης μπορεί να λάβει μέρος σε αυτή την άσκηση γράφοντας τη λεκτική του αντίδραση.) Έπειτα ο εκπαιδευτής διαβάζει μια άλλη περίπτωση κι έπειτα μια τρίτη, και ζητάει από τον καθένα να γράψει τις αντιδράσεις του.

> «Η δεκάχρονη κόρη σας παίζει στην ομάδα του μπάσκετ. Μετά από κάθε αγώνα την γυρίζετε εσείς σπίτι, αλλά τις τελευταίες ημέρες δεν έρχεται στον χώρο που έχετε συμφωνήσει να συναντιέστε».
>
> «Η έφηβη κόρη σας γύρισε από το σχολείο, ετοίμασε ένα σάντουιτς και άφησε την κουζίνα σε κακό χάλι, ενώ είχατε κάνει μια ώρα για να την καθαρίσετε, ώστε να είναι καθαρή, όταν θα αρχίζατε να ετοιμάζετε το δείπνο».

Από αυτό το πείραμα στην τάξη ανακαλύπτουμε ότι οι γονείς, με ελάχιστες εξαιρέσεις, χειρίζονται αναποτελεσματικά αυτές τις μάλλον τυπικές καταστάσεις. Λένε στο παιδί πράγματα που είναι πολύ πιθανόν:

1. Να κάνουν το παιδί να αντισταθεί στις προσπάθειες του γονέα να το επηρεάσει, αρνούμενο να αλλάξει τη συμπεριφορά που είναι μη αποδεκτή από τον γονέα.
2. Να κάνουν το παιδί να νιώσει ότι ο γονέας του δεν το θεωρεί πολύ έξυπνο.
3. Να κάνουν το παιδί να νιώσει ότι ο γονέας του δεν ενδιαφέρεται για τις ανάγκες του.
4. Να κάνουν το παιδί να νιώσει ένοχο.
5. Να μειώσουν την αυτοεκτίμηση του παιδιού.
6. Να κάνουν το παιδί να υπερασπιστεί σθεναρά τον εαυτό του.
7. Να προκαλέσουν το παιδί να επιτεθεί στον γονέα του ή να τον εκδικηθεί με κάποιον τρόπο.

Οι γονείς καταπλήσσονται με αυτά τα ευρήματα, επειδή σπάνια ένας γονέας σκοπεύει συνειδητά να κάνει κάτι τέτοιο στο παιδί του. Πολλοί γονείς απλώς δεν είχαν ποτέ αναλογιστεί τις συνέπειες που μπορούν να προκαλέσουν τα λόγια τους στα παιδιά τους.

Στις τάξεις μας περιγράφουμε καθέναν από αυτούς τους αναποτελεσματικούς τρόπους λεκτικής αντιμετώπισης των παιδιών κι επισημαίνουμε με περισσότερες λεπτομέρειες γιατί είναι αναποτελεσματικοί.

## Αποστολή ενός «μηνύματος λύσης»

Σας έτυχε ποτέ, ενώ ετοιμαζόσασταν να κάνετε κάτι καλό για κάποιον (ή να προβείτε σε κάποια αλλαγή στη συμπεριφορά σας, για να ικανοποιήσετε τις ανάγκες ενός προσώπου), ξαφνικά αυτό το πρόσωπο να σας κατευθύνει, να σας προτρέψει ή σας συμβουλεύσει να κάνετε ακριβώς αυτό που ήσασταν έτοιμος να κάνετε από μόνος σας;

Η αντίδρασή σας προφανώς θα ήταν: «Δεν χρειαζόταν να μου το πείς» ή «Αν περίμενες ένα λεπτό, θα το είχα κάνει χωρίς να μου το πεις». Ή μπορεί να εκνευριζόσασταν, γιατί θα νιώθατε ότι το άλλο πρόσωπο δεν σας εμπιστεύτηκε αρκετά ή ότι σας στέρησε την ευκαιρία να κάνετε κάτι καλό γι' αυτό με δική σας πρωτοβουλία.

Όταν οι άνθρωποι το κάνουν αυτό σε εσάς, σας «στέλνουν μια λύση». Αυτό ακριβώς κάνουν συχνά οι γονείς στα παιδιά τους. Δεν περιμένουν να εκδηλώσει το παιδί από μόνο του μια συμπεριφορά που να δείχνει ότι νοιάζεται για εσάς. Του λένε τι πρέπει ή τι οφείλει ή τι έχει υποχρέωση να κάνει. Όλες οι παρακάτω κατηγορίες μηνυμάτων «στέλνουν μια λύση»:

1. ΕΝΤΟΛΗ, ΚΑΘΟΔΗΓΗΣΗ, ΔΙΑΤΑΓΗ
«Πήγαινε να βρεις κάτι να παίξεις».
«Κλείσε τη μουσική».
«Να είσαι σπίτι στις 11.00».
«Πήγαινε να κάνεις τα μαθήματά σου».

2. ΠΡΟΕΙΔΟΠΟΙΗΣΗ, ΕΠΙΠΛΗΞΗ, ΑΠΕΙΛΗ
«Αν δεν σταματήσεις, θα φωνάξω».
«Η μαμά θα θυμώσει, αν δεν σταματήσεις να μπερδεύεσαι στα πόδια της».
«Αν δεν πας να καθαρίσεις αυτά που έκανες, θα το μετανιώσεις».

3. ΠΑΡΑΙΝΕΣΗ, ΗΘΙΚΟΛΟΓΙΑ, ΔΙΔΑΧΗ
«Ποτέ μη διακόπτεις κάποιον, όταν μιλάει».
«Δεν πρέπει να φέρεσαι έτσι».
«Δεν πρέπει να παίζεις, όταν βιαζόμαστε».
«Να μαζεύεις πάντοτε ό,τι ακαταστασία έχεις κάνει».

4. ΣΥΜΒΟΥΛΗ, ΠΡΟΣΦΟΡΑ ΠΡΟΤΑΣΕΩΝ Ή ΛΥΣΕΩΝ
«Γιατί δεν πας έξω να παίξεις;»
«Αν ήμουν στη θέση σου, απλώς θα το ξεχνούσα».
«Δεν μπορείς να βάζεις τα πράγματα στη θέση τους, αφού τα χρησιμοποιήσεις;»

Αυτά τα είδη λεκτικών αντιδράσεων επικοινωνούν στο παιδί τη *δική σας* λύση γι' αυτό, αυτό ακριβώς που νομίζετε εσείς ότι πρέπει να κάνει. Εσείς αποφασίζετε· εσείς έχετε τον έλεγχο· εσείς είστε επικεφαλής· εσείς κρατάτε το μαστίγιο. *Αφήνετε το παιδί απέξω.* Το πρώτο είδος μηνυμάτων δίνει εντολές στο παιδί να εφαρμόσει τις λύσεις σας· το δεύτερο το απειλεί· το τρίτο το προτρέπει· το τέταρτο το συμβουλεύει.

Ρωτάνε οι γονείς: «Γιατί είναι τόσο λάθος το να δίνεις μια λύση – σε τελευταία ανάλυση το παιδί δεν είναι που μου δημιουργεί το πρόβλημα;» Πράγματι, το δημιουργεί. Όμως το να προσφέρετε στο παιδί τη λύση στο πρόβλημά σας μπορεί να έχει τις εξής συνέπειες:

1. Τα παιδιά αντιστέκονται, όταν τους λένε τι να κάνουν. Μπορεί επίσης να μην τους αρέσει η λύση σας. Σε κάθε περίπτωση, τα παιδιά αντιστέκονται, όταν πρέπει να αλλάξουν τη συμπεριφορά τους, στην περίπτωση που τους λένε ακριβώς πώς «πρέπει» ή «οφείλουν» ή «είναι καλύτερα» να αλλάξουν.
2. Το να δώσετε εσείς τη λύση στο παιδί μεταφέρει επίσης κι ένα άλλο μήνυμα: «Δεν σε εμπιστεύομαι να επιλέξεις τη λύση σου» ή «Δεν νομίζω ότι είσαι αρκετά

ευαίσθητος, για να βρεις έναν τρόπο να με βοηθήσεις με το πρόβλημά μου».

3. Η αποστολή της λύσης δηλώνει στο παιδί ότι οι δικές σας ανάγκες είναι πιο σημαντικές από τις δικές του, ότι πρέπει να κάνει ακριβώς αυτό που εσείς νομίζετε ότι πρέπει, ανεξάρτητα από τις ανάγκες του. («Κάνεις κάτι μη αποδεκτό για μένα, έτσι η μόνη λύση είναι αυτή που σου λέω εγώ».)

Αν ένας φίλος σάς επισκεφθεί στο σπίτι σας και βάλει τα πόδια του στα μαξιλαράκια μιας από τις καινούργιες σας καρέκλες της τραπεζαρίας, σίγουρα δεν θα του λέγατε:

«Πάρε τα πόδια σου από την καρέκλα μου αυτήν τη στιγμή».
«Ποτέ να μη βάζεις τα πόδια σου στην καινούργια καρέκλα κάποιου».
«Αν θέλεις το καλό σου, πάρε τα πόδια σου από την καρέκλα μου».
«Σου συνιστώ να μην ξαναβάλεις ποτέ τα πόδια σου πάνω στην καρέκλα μου».

Ακούγεται γελοίο σε μια κατάσταση που αφορά ένα φίλο, γιατί οι περισσότεροι άνθρωποι συμπεριφέρονται στους φίλους τους με περισσότερο σεβασμό. Οι ενήλικες θέλουν οι φίλοι τους να «κρατούν τα προσχήματα». Υποθέτουν επίσης ότι ένας φίλος έχει αρκετό μυαλό, για να βρει τη δική του λύση στο πρόβλημά τους, από τη στιγμή που θα του πουν ποιο είναι το πρόβλημα. Ένας ενήλικας απλώς θα έλεγε σε ένα φίλο τα συναισθήματά του. Θα άφηνε στον φίλο του την ευχέρεια να αντιδράσει ανάλογα και θα υπέθετε ότι ο φίλος του ενδιαφέρεται αρκετά, ώστε να σεβαστεί τα συναισθήματα του άλλου. Είναι πολύ πιθανόν ο κάτοχος της καρέκλας να έστελνε κάποια μηνύματα, όπως τα παρακάτω:

«Ανησυχώ μήπως λερωθεί η καινούργια μου καρέκλα».
«Κάθομαι στα καρφιά, γιατί βλέπω τα πόδια σου πάνω στην καινούργια μου καρέκλα».
«Ντρέπομαι που το αναφέρω, όμως μόλις αγοράσαμε αυτές τις καρέκλες και έχω το άγχος να τις διατηρήσω όσο γίνεται καθαρές».

Αυτά τα μηνύματα δεν «στέλνουν κάποια λύση». Οι άνθρωποι γενικά στέλνουν αυτό το είδος μηνυμάτων σε φίλους τους αλλά σπάνια στα ίδια τους τα παιδιά. Φυσικά αποφεύγουν να διατάζουν, να προτρέπουν, να απειλούν ή να συμβουλεύουν τους φίλους τους, για να αλλάξουν τη συμπεριφορά τους κατά κάποιο συγκεκριμένο τρόπο, όμως ως γονείς το κάνουν αυτό κάθε μέρα με τα παιδιά τους.

Δεν είναι παράξενο το ότι τα παιδιά αντιστέκονται ή αντιδρούν αμυντικά και εχθρικά. Ούτε το ότι τα παιδιά αισθάνονται ότι τα υποτιμούν, τα αποπαίρνουν, τα ελέγχουν, και τελικά «τα κάνουν ρεζίλι». Χωρίς αμφιβολία, μερικά μεγαλώνουν αναμένοντας υποτακτικά να τους δίνει λύσεις ο καθένας. Συχνά οι γονείς παραπονούνται ότι τα παιδιά δεν συμπεριφέρονται υπεύθυνα στην οικογένεια και ότι δεν δείχνουν ενδιαφέρον για τις ανάγκες των γονέων. Πώς να μάθουν τα παιδιά υπευθυνότητα, όταν οι γονείς τους τους στερούν κάθε ευκαιρία να κάνουν κάτι υπεύθυνο από μόνα τους, επειδή ενδιαφέρονται για τις ανάγκες των γονέων τους;

### Αποστολή ταπεινωτικών μηνυμάτων ή «μηνυμάτων ταπείνωσης»

Όλοι ξέρουν πώς νιώθουν όταν «ταπεινώνονται» από ένα μήνυμα που επικοινωνεί κατηγορία, κριτική, γελοιοποίηση, επίκριση ή προσβολή. Ερχόμενοι αντιμέτωποι με τα παιδιά τους, οι γονείς βασίζονται πολύ σε τέτοια μηνύματα. Τα «μηνύματα ταπείνωσης» μπορούν να ταξινομηθούν σε μία από τις παρακάτω κατηγορίες:

1. ΚΡΙΤΙΚΗ, ΚΑΤΗΓΟΡΙΑ, ΕΠΙΚΡΙΣΗ
«Όφειλες να ξέρεις καλύτερα».
«Είσαι πολύ απερίσκεπτος».
«Είσαι κακός».
«Είσαι το πιο αναίσθητο παιδί που ξέρω».
«Θα με πεθάνεις εσύ».

2. ΧΑΡΑΚΤΗΡΙΣΜΟΣ, ΓΕΛΟΙΟΠΟΙΗΣΗ, ΤΑΠΕΙΝΩΣΗ
«Είσαι ένα κακομαθημένο παιδί».
«Εντάξει, κύριε ξερόλα».
«Σου αρέσει να είσαι ένας εγωιστής χαραμοφάης;»
«Ντροπή σου!»

3. ΕΡΜΗΝΕΙΑ, ΔΙΑΓΝΩΣΗ, ΨΥΧΑΝΑΛΥΣΗ
«Απλά θέλεις να σου δώσουμε λίγη προσοχή».
«Προσπαθείς να με κάνεις να θυμώσω».
«Σου αρέσει να βλέπεις μέχρι πού μπορείς να φθάσεις, πριν γίνω έξαλλος».
«Πάντοτε σου αρέσει να παίζεις εκεί ακριβώς όπου δουλεύω».

4. ΔΙΔΑΧΗ, ΚΑΘΟΔΗΓΗΣΗ
«Δεν είναι καλοί τρόποι να διακόπτεις κάποιον».
«Τα καλά παιδιά δεν το κάνουν αυτό».
«Πώς θα σου φαινόταν, αν το έκανα εγώ αυτό σ' εσένα;»
«Μην κάνεις στους άλλους... κ.λπ».
«Μην αφήνεις τα πιάτα άπλυτα».

Όλα αυτά είναι ταπεινωτικά: Προσβάλλουν την προσωπικότητα του παιδιού, το αποδοκιμάζουν ως πρόσωπο, τσακίζουν την αυτοεκτίμησή του, υπογραμμίζουν τις ανεπάρκειές του, εκφράζουν μια κρίση για την προσωπικότητά του. Ρίχνουν το φταίξιμο στο παιδί. Τι συνέπειες είναι πιθανόν να προκαλέσουν αυτά τα μηνύματα;

1. Τα παιδιά συχνά νιώθουν τύψεις, όταν τα κρίνουν ή τα κατηγορούν.
2. Τα παιδιά αισθάνονται ότι ο γονέας είναι άδικος – νιώθουν μια αδικία. «Δεν έκανα κάτι κακό» ή «Δεν ήθελα να είμαι κακός».
3. Τα παιδιά συχνά αισθάνονται ότι δεν τα αγαπάνε, ότι τα απορρίπτουν. «Δεν με αγαπάει, επειδή έκανα ένα λάθος».
4. Τα παιδιά συχνά αντιδρούν πολύ αμυντικά σε τέτοια μηνύματα, «μουλαρώνουν». Εγκατάλειψη της συμπεριφοράς που ενοχλεί τον γονέα θα σήμαινε παραδοχή της εγκυρότητας της κρίσης ή της κατηγορίας του. Μια τυπική αντίδραση του παιδιού θα ήταν: «Δεν σε ενοχλώ» ή «Τα πιάτα δεν εμποδίζουν κανέναν».
5. Τα παιδιά συχνά γυρνάνε μπούμερανγκ στον γονέα τα λόγια του: «Δεν είσαι και ο ίδιος τόσο καθαρός» ή «Είσαι πάντα κουρασμένος» ή «Γίνεσαι μεγάλος μουρμούρης, όταν περιμένουμε κόσμο» ή «Γιατί δεν μπορεί το σπίτι να είναι ένα μέρος όπου να μπορούμε να ζήσουμε;»
6. Οι ταπεινώσεις κάνουν το παιδί να αισθάνεται ανεπαρκές. Μειώνουν την αυτοεκτίμησή του.

Τα μηνύματα ταπείνωσης μπορεί να έχουν καταστρεπτικά αποτελέσματα στην ανάπτυξη της αυτοαντίληψης του παιδιού. Το παιδί που βομβαρδίζεται με μηνύματα που το αποδοκιμάζουν θα μάθει να βλέπει τον εαυτό του ως κακό, ανάξιο, τεμπέλη, απερίσκεπτο, αναίσθητο, βλάκα, ανεπαρκή, μη αποδεκτό κ.λπ. Επειδή μια μειωμένη αυτοαντίληψη, που διαμορφώνεται κατά την παιδική ηλικία, τείνει να διατηρείται και στην ενήλικη ζωή, τα μηνύματα ταπείνωσης σπέρνουν τους σπόρους για πρόκληση βλάβης σε ένα άτομο καθ' όλη τη διάρκεια της ζωής του.

Τα μηνύματα αυτά είναι τρόποι με τους οποίους οι γονείς, μέρα με τη μέρα, συμβάλλουν στην καταστροφή του εγώ ή της αυτοεκτίμησης των παιδιών τους. Σαν σταγόνες βροχής που διαβρώνουν σιγά σιγά ένα βράχο, τα καθημερινά αυτά μηνύματα σταδιακά και ανεπαίσθητα ασκούν καταστροφική επίδραση στα παιδιά.

## ΑΠΟΤΕΛΕΣΜΑΤΙΚΟΙ ΤΡΟΠΟΙ ΑΝΤΙΜΕΤΩΠΙΣΗΣ ΤΩΝ ΠΑΙΔΙΩΝ

Και ο τρόπος ομιλίας των γονέων μπορεί επίσης να διαμορφωθεί κατάλληλα. Οι περισσότεροι γονείς, από τη στιγμή που συνειδητοποιούν την καταστροφική δύναμη των μηνυμάτων ταπείνωσης, είναι πρόθυμοι να μάθουν πιο αποτελεσματικούς τρόπους αντιμετώπισης των παιδιών. Ποτέ δεν συναντήσαμε στις τάξεις μας γονέα που συνειδητά να θέλει να καταστρέψει την αυτοεκτίμηση του παιδιού του.

## Εσύ-μηνύματα και Εγώ-μηνύματα

Ένας εύκολος τρόπος να διαπιστώσουν οι γονείς τη διαφορά μεταξύ αναποτελεσματικής και αποτελεσματικής αντιμετώπισης είναι να σκεφτούν να στείλουν Εσύ-μηνύματα ή Εγώ-μηνύματα. Όταν ζητάμε από τους γονείς να εξετάσουν τα προηγούμενα αναποτελεσματικά μηνύματα, με έκπληξη διαπιστώνουν ότι όλα σχεδόν ξεκινάνε με τη λέξη «Εσύ» ή περιλαμβάνουν αυτήν τη λέξη. Όλα αυτά τα μηνύματα είναι προσανατολισμένα στο «Εσύ»:

Σταμάτα *(εσύ)* αυτό...
Δεν θα έπρεπε να το κάνεις *(εσύ)* αυτό.
Μην τολμήσεις *(εσύ)* ποτέ...
Αν δεν το σταματήσεις *(εσύ)* αυτό, τότε...
Γιατί δεν κάνεις *(εσύ)* αυτό;
*(Εσύ)* είσαι άτακτος.
Συμπεριφέρεσαι *(εσύ)* σαν μωρό.
Θέλεις *(εσύ)* προσοχή.
Γιατί δεν γίνεσαι *(εσύ)* καλός;
Θα έπρεπε να γνωρίζεις *(εσύ)* καλύτερα.

Όταν όμως ο γονέας λέει απλά στο παιδί πώς κάνει *τον ίδιο να νιώθει* κάποια μη αποδεκτή συμπεριφορά, το μήνυμα εξελίσσεται γενικά σε ένα «Εγώ-μήνυμα»:

«Δεν μου αρέσει *(εμένα)* να παίζω, όταν είμαι κουρασμένος».
«Νιώθω απογοητευμένος *(εγώ)*, όταν έρχομαι να σε πάρω και δεν είσαι εκεί».
«Σίγουρα αποθαρρύνομαι *(εγώ)*, όταν βλέπω την κουζίνα και πάλι βρόμικη, ενώ μόλις την καθάρισα».

Εύκολα οι γονείς κατανοούν τη διαφορά μεταξύ Εγώ-μηνύματος και Εσύ-μηνύματος, όμως η πλήρης σημασία αυτής της διαφοράς φαίνεται μόνον όταν επιστρέψουμε στο διάγραμμα της διαδικασίας επικοινωνίας, που το πρωτοπαρουσιάσαμε για να εξηγήσουμε την Ενεργητική ακρόαση. Το διάγραμμα βοηθάει τους γονείς να εκτιμήσουν τη σημασία των «Εγώ-μηνυμάτων».

Όταν η συμπεριφορά ενός παιδιού δεν γίνεται αποδεκτή από τον γονέα, γιατί κατά κάποιον απτό τρόπο παρεμβαίνει στην απόλαυση της ζωής του ή στο δικαίωμά του να ικανοποιήσει τις ανάγκες του, τότε σαφώς ο γονέας «έχει» το πρόβλημα. Είναι εκνευρισμένος, απογοητευμένος, κουρασμένος, ανήσυχος, ενοχλημένος, φορτωμένος κ.λπ. και, για να δώσει στο παιδί να καταλάβει τι συμβαίνει μέσα του, θα πρέπει να επιλέξει έναν κατάλληλο κώδικα. Για τον γονέα που είναι κουρασμένος και δεν έχει όρεξη να παίξει με το πεντάχρονο παιδί του, το διάγραμμά μας θα ήταν το εξής:

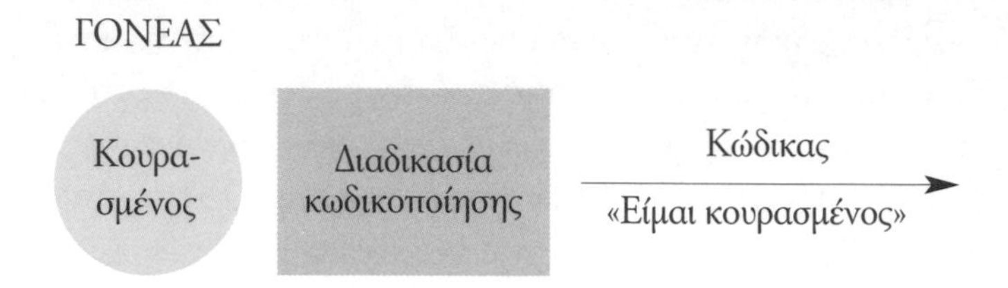


Αν όμως ο γονέας επιλέξει έναν κώδικα που είναι προσανατολισμένος στο «Εσύ», δεν θα κωδικοποιήσει με ακρίβεια το ότι «νιώθει κουρασμένος»:

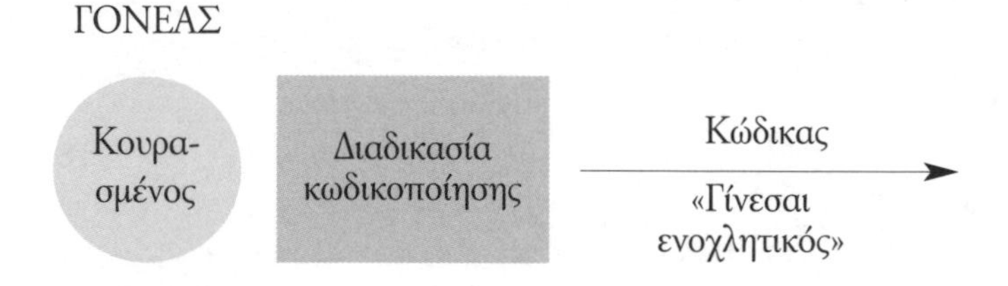


Το «Γίνεσαι ενοχλητικός» είναι ένας πολύ φτωχός κώδικας για το συναίσθημα κόπωσης του γονέα. Ένας κώδικας σαφής και ακριβής θα είναι πάντοτε ένα Εγώ-μήνυμα: «Είμαι κουρασμένος», «Δεν έχω όρεξη να παίξω», «Θέλω να ξεκουραστώ». Αυτά τα μηνύματα εκφράζουν πώς νιώθει ο γονέας. Ένας κώδικας με Εσύ-μήνυμα δεν στέλνει το συναίσθημα. Αναφέρεται περισσότερο στο παιδί παρά στον γονέα. Το Εσύ-μήνυμα είναι προσανατολισμένο στο παιδί, ενώ το Εγώ-μήνυμα είναι προσανατολισμένο στον γονέα.

Εξετάστε τα παρακάτω μηνύματα από την άποψη αυτών που ακούει το παιδί:

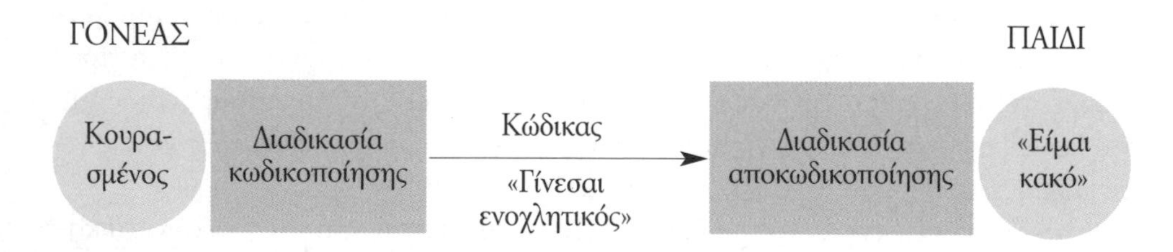

Το πρώτο μήνυμα αποκωδικοποιείται από το παιδί ως μια αξιολόγησή του. Το δεύτερο αποκωδικοποιείται ως *δήλωση ενός γεγονότος* που αφορά τον γονέα. Τα Εσύ-μηνύματα είναι αδύναμοι κώδικες για την έκφραση αυτών που αισθάνεται ο γονέας, γιατί τις περισσότερες φορές αποκωδικοποιούνται από το παιδί είτε στα πλαίσια του τι πρέπει να κάνει *το παιδί* (αποστολή λύσης) είτε του πόσο κακό είναι αυτό (έκφραση κατηγορίας ή αξιολόγηση).

## ΤΑ ΒΑΣΙΚΑ ΣΥΣΤΑΤΙΚΑ ΕΝΟΣ ΕΓΩ-ΜΗΝΥΜΑΤΟΣ

Είναι πολύ πιθανότερο τα παιδιά να αλλάξουν τη μη αποδεκτή συμπεριφορά τους, αν τα Εγώ-μηνύματα των γονέων τους αποτελούνται από τρία μέρη: 1) μια περιγραφή της μη αποδεκτής συμπεριφοράς, 2) το συναίσθημα του γονέα, και 3) την απτή και συγκεκριμένη επίδραση ή συνέπεια που η συμπεριφορά έχει στον γονέα. (ΣΥΜΠΕΡΙΦΟΡΑ + ΣΥΝΑΙΣΘΗΜΑ + ΕΠΙΔΡΑΣΗ ή ΣΥΝΕΠΕΙΑ)

### Περιγράφοντας τη μη αποδεκτή συμπεριφορά

Συμπεριφορά είναι κάτι που το παιδί κάνει ή λέει. Αυτό το μέρος του Εγώ-μηνύματος είναι μια απλή περιγραφή της μη αποδεκτής συμπεριφοράς του παιδιού – το τι κάνει και σας ενοχλεί κι όχι ένας χαρακτηρισμός ή κριτική της συμπεριφοράς του.

Ακολουθεί ένα παράδειγμα ενός παιδιού που έφυγε για το σχολείο λέγοντας ότι μετά το σχολείο θα γύριζε αμέσως στο σπίτι, αλλά δεν το έπραξε. Επέστρεψε σπίτι μία ώρα αργότερα, χωρίς να έχει τηλεφωνήσει.

Το κλειδί εδώ είναι να θυμόμαστε να *περιγράφουμε τη συμπεριφορά, και όχι να την κρίνουμε.*

| Μη επικριτική περιγραφή της συμπεριφοράς | Χαρακτηρισμός ή κρίση |
|---|---|
| «Όταν δεν γύρισες σπίτι αμέσως μετά το σχολείο και δεν τηλεφώνησες να πεις ότι θα αργούσες...» | «Ήταν ασυνεπές εκ μέρους σου να μην τηλεφωνήσεις». |

## Το συναίσθημα του γονέα απέναντι στη συμπεριφορά

Όταν οι γονείς στέλνουν Εσύ-μηνύματα, δεν χρειάζεται να προσδιορίσουν πώς νιώθουν λόγω της μη αποδεκτής συμπεριφοράς του παιδιού. Το θέμα είναι απλώς να ξεστομίσουν την εντολή, την απειλή, την ταπείνωση: «Οδηγείς σαν τρελός», «Είσαι τεμπέλα» κ.λπ. Δεν συμβαίνει το ίδιο, όταν οι γονείς προσπαθούν να στείλουν ένα Εγώ-μήνυμα. Τώρα είναι ανάγκη να ξέρουν πώς νιώθουν. «Είμαι θυμωμένος ή φοβισμένος ή ανήσυχος ή αμήχανος ή τι;»

> «Όταν δεν γύρισες σπίτι αμέσως μετά το σχολείο και δεν τηλεφώνησες να πεις ότι θα αργούσες, *ανησύχησα...*»

Όταν οι γονείς ξεκινούν να στέλνουν Εγώ-μηνύματα, όχι μόνο παρατηρούν αλλαγές στα παιδιά τους, αλλά βιώνουν επίσης μια σημαντική αλλαγή στους εαυτούς τους. Όλες οι διαφορετικές εκφράσεις με τις οποίες το έχω ακούσει, όλες τους σημαίνουν μεγαλύτερη ειλικρίνεια.

> «Δεν χρειάζεται πια να υποκρίνομαι».
> «Είμαι πιο ευθύς».
> «Είναι ωραία να είσαι ειλικρινής».

Προφανώς, η παλιά ρήση: «Γίνεσαι ό,τι κάνεις» ισχύει κι εδώ. Χρησιμοποιώντας μια νέα μορφή επικοινωνίας, οι γονείς αρχίζουν να νιώθουν *μέσα τους* την ίδια εκείνη ειλικρίνεια που τα Εγώ-μηνύματα επικοινωνούν στους *άλλους*. Η τεχνική των Εγώ-μηνυμάτων παρέχει στους γονείς το όχημα για να έρθουν σε επαφή με τα πραγματικά τους συναισθήματα. (Θα μιλήσουμε περισσότερο για τα συναισθήματα στο επόμενο κεφάλαιο.)

## Πώς η συμπεριφορά επηρεάζει τον γονέα

Όταν τα Εγώ-μηνύματα αποτυγχάνουν να επηρεάσουν ένα παιδί να αλλάξει μια συμπεριφορά που προκαλεί πρόβλημα στον γονέα, συχνά ευθύνεται το ότι ο γονέας έχει στείλει ένα ή περισσότερα ελλιπή Εγώ-μηνύματα. Συχνά, Εγώ-μηνύματα αποτελούμενα από δύο μέρη (την περιγραφή της μη αποδεκτής συμπεριφοράς και το συναίσθημα του γονέα απέναντί της) θα είναι αρκετά για να επιφέρουν την αλλαγή στο παιδί.

Ένα αποτελεσματικό Εγώ-μήνυμα, όμως, συχνά πρέπει να εμπεριέχει και ένα τρίτο μέρος – τα παιδιά έχουν ανάγκη να ξέρουν γιατί η συμπεριφορά τους αποτελεί πρόβλημα. Έτσι, είναι σημαντικό να τους λέτε τη χειροπιαστή και συγκεκριμένη επίδραση που έχει πάνω σας η συμπεριφορά τους.

Πολύ συχνά, μια χειροπιαστή και συγκεκριμένη επίδραση είναι κάτι που σας κοστίζει χρήμα, χρόνο, επιπλέον δουλειά ή αναστάτωση. Μπορεί να σας εμποδίσει από το να κάνετε κάτι που θέλετε ή που πρέπει να κάνετε. Μπορεί να σας κάνει κακό σωματικά, να σας κουράσει ή να σας προκαλέσει πόνο ή δυσαρέσκεια.

«Όταν δεν γύρισες σπίτι αμέσως μετά το σχολείο και δεν τηλεφώνησες να πεις ότι θα αργούσες, ανησύχησα κι *αυτό με αποσυντόνισε απ' τη δουλειά μου*».

Όταν στέλνετε ένα ολοκληρωμένο Εγώ-μήνυμα τριών μερών, λέτε στο παιδί ολόκληρη την ιστορία – όχι μόνο το ότι αυτό που κάνει σας δημιουργεί πρόβλημα, αλλά επίσης τι συναίσθημα νιώθετε σχετικά, κι εξίσου σημαντικό, γιατί η συμπεριφορά αυτή θα σας προκαλέσει ή σας έχει προκαλέσει πρόβλημα.

Ακολουθούν μερικά παραδείγματα:

| Μη αποδεκτή συμπεριφορά | Συναίσθημα | Απτές και συγκεκριμένες επιδράσεις |
|---|---|---|
| Όταν δεν θέλεις να δοκιμάσεις τα καινούργια τζιν παντελόνια. | Φοβάμαι να τα αγοράσω. | Γιατί αν δεν σου κάνουν, θα πρέπει να ξαναέρθω στο εμπορικό κέντρο για να τα αλλάξω. |
| Όταν δεν σημειώνεις τα τηλεφωνικά μου μηνύματα. | Ανησυχώ. | Γιατί δεν μπορώ να τηλεφωνήσω πίσω στους πελάτες μου και φοβάμαι ότι μπορεί να χάσω κάποια πώληση. |
| Όταν αφήνεις το ντεπόζιτο της βενζίνης σχεδόν άδειο. | Συγχύζομαι. | Γιατί πρέπει να σταματήσω κάπου για να το γεμίσω, κι αυτό μπορεί να με κάνει να αργήσω στη δουλειά. |

Θυμηθείτε ότι ο στόχος αποστολής ενός Εγώ-μηνύματος είναι να επηρεάσετε τα παιδιά να αλλάξουν κάτι που κάνουν εκείνη την ώρα. Συνήθως δεν αρκεί να περιγράψετε τη συμπεριφορά που βρίσκετε μη αποδεκτή και να τους πείτε ότι σας έχει συγχύσει ή θυμώσει ή απογοητεύσει. Πρέπει να ξέρουν γιατί.

Βάλτε τον εαυτό σας στη θέση του παιδιού. Κάντε κάτι για να ικανοποιήσετε μιαν ανάγκη σας (ή για να αποφύγετε κάτι που σας είναι δυσάρεστο). Τώρα, επειδή κάποιος σάς λέει «Με συγχύζει αυτό που κάνεις», θα κινητοποιηθείτε για να αλλάξετε τη συμπεριφορά σας; Μάλλον όχι. Διότι πρέπει να ακούσετε έναν πολύ καλό λόγο για να το κάνετε.

Αυτός είναι ο λόγος που οι γονείς πρέπει να είναι πολύ σαφείς για τις απτές και συγκεκριμένες επιδράσεις της συμπεριφοράς του παιδιού επάνω τους. Η αποτυχία τους να επικοινωνήσουν κάτι τέτοιο στο παιδί δεν του δίνει επαρκή λόγο για να αλλάξει.

Εκτός από το ότι δίνει στα παιδιά ένα συγκεκριμένο λόγο, γιατί οι γονείς βρίσκουν τη συμπεριφορά τους μη αποδεκτή, κι έτσι αυξάνει τις πιθανότητες να κινητοποιηθούν για να αλλάξουν, το ολοκληρωμένο Εγώ-μήνυμα τριών μερών έχει σημαντικό αντίκτυπο και στους γονείς. Ανακαλύψαμε ότι όταν οι γονείς προσπαθούν να επικοινωνήσουν τις «απτές επιδράσεις» του Εγώ-μηνύματος, συχνά συνειδητοποιούν ότι το μέρος αυτό απλώς δεν υπάρχει. Μια μητέρα εξήγησε αυτό το φαινόμενο:

> «Βρήκα τα Εγώ-μηνύματα ιδιαίτερα πολύτιμα, γιατί με βοηθούν να αντιλαμβάνομαι πόσο αυθαίρετη είμαι με τα παιδιά μου. Όταν προσπαθώ να στείλω και τα τρία μέρη και φτάνω στο μέρος που εξηγεί τι επίδραση έχει επάνω μου η συμπεριφορά, αυτό με κάνει να σκεφτώ: "Λοιπόν, δεν έχω κανένα καλό λόγο!" Αν πω: "Δεν αντέχω, όταν κάνετε τόσο θόρυβο στο σπίτι", και φτάνω στο "γιατί", θα ρωτήσω τον εαυτό μου: "Γιατί με ενοχλεί αυτό;" και θα συνειδητοποιήσω ότι στην πραγματικότητα δεν με ενοχλεί. Οπότε τώρα, αν δεν μπορώ να σκεφτώ τι αντίκτυπο έχει αυτό σε εμένα, λέω στο παιδί: "Ξέχνα ότι είπα κάτι", γιατί φαίνεται τόσο αυθαίρετο... Είναι φοβερό, ξέρετε, να ανακαλύπτω ότι τις μισές φορές δεν μπορούσα να βρω ένα λόγο».

Το κλειδί τού γιατί η μητέρα ένιωσε ότι η ανακάλυψή της ήταν «φοβερή» αποκαλύφθηκε, όταν στη συνέχεια είπε:

> «Προσπαθούσα πάρα πολύ να ελέγξω τα παιδιά μου. Νόμιζα ότι ήταν ένας ήπιος τρόπος να κουμαντάρω ένα τσούρμο παιδιά – να τα έχω όλα υπό έλεγχο. Βλέποντάς το όμως τώρα, λέω: "Πω, πω μπορεί να κάνω κάτι τέτοιο;" Μου δημιούργησε περισσότερη δουλειά, όχι λιγότερη, γιατί με απασχολούσε κάθε μικρό πράγμα που θα έκαναν... Τώρα τον περισσότερο καιρό κάνω λίγο πίσω και λέω: "Και λοιπόν;"»

Τριάντα χρόνια πριν, δεν θα μπορούσα να είχα προβλέψει ότι διδάσκοντας τους γονείς να στέλνουν ένα ολοκληρωμένο Εγώ-μήνυμα τριών μερών, θα τους βοηθούσαμε να ανακαλύψουν ότι δεν χρειάζεται καν να στείλουν ένα Εγώ-μήνυμα. Πείθοντας τους γονείς ότι πρέπει να εξηγούν στα παιδιά τους γιατί βρίσκουν μια συγκεκριμένη συμπεριφορά μη αποδεκτή, ακούσια τους εφοδιάσαμε με μια μέθοδο που σε πολλές περιπτώσεις έκανε τη μη αποδεκτή συμπεριφορά αποδεκτή.

## Γιατί τα Εγώ-μηνύματα είναι πιο αποτελεσματικά

Τα Εγώ-μηνύματα είναι πιο αποτελεσματικά στο να επηρεάσουν ένα παιδί να αλλάξει μια συμπεριφορά μη αποδεκτή από τον γονέα, και επίσης πιο υγιή για το παιδί και τη σχέση γονέα-παιδιού.

Το Εγώ-μήνυμα είναι απίθανο να προκαλέσει αντίδραση και αντίσταση. Η ειλικρινής επικοινωνία στο παιδί των επιδράσεων της συμπεριφοράς του σε εσάς είναι πολύ λιγότερο απειλητική από το υπονοούμενο, ότι υπάρχει κάτι κακό στο παιδί, επειδή εκδήλωσε αυτήν τη συμπεριφορά. Δείτε τη σημαντική διαφορά στην αντίδραση του παιδιού στα παρακάτω δυο μηνύματα που στέλνει ο γονέας, όταν το παιδί τον κλοτσάει:

«Ωχ! Στ' αλήθεια πόνεσα – δεν μου αρέσει να με κλοτσάνε».
«Είσαι ένα πολύ κακό κορίτσι. Μην ξανακλωτσήσεις ποτέ κανέναν έτσι!»

Το πρώτο μήνυμα λέει μόνο στο παιδί πώς σας έκανε να νιώσετε το χτύπημά του, κάτι το οποίο δύσκολα μπορεί να αντικρούσει. Το δεύτερο μήνυμα λέει στο παιδί ότι είναι «κακό» παιδί και το προειδοποιεί να μην το ξανακάνει, δύο στοιχεία που μπορεί να τα αντικρούσει και τα δύο και ίσως αντιδράσει βίαια.

Τα Εγώ-μηνύματα είναι επίσης απείρως πιο αποτελεσματικά, επειδή τοποθετούν στο παιδί την ευθύνη αλλαγής της συμπεριφοράς του. Τα «Ωχ! Στ' αλήθεια πόνεσα» και «Δεν μου αρέσει να με κλοτσάνε» λένε μεν στο παιδί πώς αισθάνεστε, αφήνουν όμως σε αυτό την ευθύνη να κάνει κάτι σχετικά.

Συνεπώς τα Εγώ-μηνύματα βοηθάνε το παιδί να ωριμάσει, το βοηθάνε να μάθει να αναλαμβάνει την ευθύνη της δικής του συμπεριφοράς. Το Εγώ-μήνυμα λέει στο παιδί ότι αφήνετε την ευθύνη σ' αυτό, ότι το εμπιστεύεστε να αντιμετωπίσει εποικοδομητικά την κατάσταση, να σεβαστεί τις ανάγκες σας, δίνοντάς του μια ευκαιρία να αρχίσει να συμπεριφέρεται εποικοδομητικά.

Επειδή τα Εγώ-μηνύματα είναι ειλικρινή, τείνουν να επηρεάζουν το παιδί να στέλνει παρόμοια ειλικρινή μηνύματα, *οποτεδήποτε έχει κάποιο συναίσθημα.* Τα Εγώ-μηνύματα από ένα πρόσωπο σε μια σχέση προωθούν Εγώ-μηνύματα και από το άλλο. Αυτός είναι ο λόγος που, σε σχέσεις που δεν εξελίσσονται καλά, οι συγκρούσεις συχνά καταλήγουν σε χαρακτηρισμούς και αμοιβαίες κατηγορίες:

*ΓΟΝΕΑΣ:* Γίνεσαι φοβερά ανεύθυνη αφήνοντας τα πιάτα άπλυτα μετά το πρωινό. (Εσύ-μήνυμα.)
*ΠΑΙΔΙ:* Κι εσύ δεν πλένεις τα δικά σου κάθε πρωί. (Εσύ-μήνυμα.)
*ΓΟΝΕΑΣ:* Υπάρχει διαφορά. Έγω έχω τόσα άλλα να κάνω στο σπίτι, αφού συμμαζεύω όσα αφήνουν ένα τσούρμο ακατάστατα παιδιά. (Εσύ-μήνυμα.)
*ΠΑΙΔΙ:* Δεν είμαι ακατάστατη. (Αμυντικό μήνυμα.)
*ΓΟΝΕΑΣ:* Είσαι τόσο κακή όσο και οι άλλοι, και το ξέρεις. (Εσύ-μήνυμα.)
*ΠΑΙΔΙ:* Θέλεις όλοι να είναι τέλειοι. (Εσύ-μήνυμα.)
*ΓΟΝΕΑΣ:* Ε, λοιπόν, σίγουρα έχεις να κάνεις πολύ δρόμο ακόμη, για να φτάσεις την τελειότητα, όσον αφορά το συμμάζεμα. (Εσύ-μήνυμα.)
*ΠΑΙΔΙ:* Κάνεις τόση φασαρία για το σπίτι. (Εσύ-μήνυμα.)

Το παραπάνω παράδειγμα είναι αντιπροσωπευτικό πολλών συζητήσεων μεταξύ γονέων και παιδιών, όταν ο γονέας αρχίζει την αντιπαράθεση (της μη αποδεκτής συμπεριφοράς) με ένα Εσύ-μήνυμα. Πάντοτε καταλήγουν σε διαμάχη, στην οποία πότε ο ένας και πότε ο άλλος αμύνεται και επιτίθεται.

Τα Εγώ-μηνύματα είναι πολύ λιγότερο πιθανόν να προκαλέσουν τέτοια διαμάχη. Αυτό δεν σημαίνει ότι, αν οι γονείς στέλνουν Εγώ-μηνύματα, όλα θα είναι μέλι γάλα. Είναι κατανοητό ότι στα παιδιά δεν αρέσει να ακούνε ότι η συμπεριφορά τους έχει προκαλέσει κάποιο πρόβλημα στους γονείς τους (ακριβώς όπως συμβαίνει με τους ενήλικες, που ποτέ δεν αισθάνονται και πολύ άνετα, όταν φέρνει αντιμέτωπους με το γεγονός ότι η συμπεριφορά τους έχει προκαλέσει πικρία). Ωστόσο, το να πεις σε κάποιον πώς αισθάνεσαι είναι πολύ λιγότερο απειλητικό από το να τον κατηγορήσεις ότι σου έχει *προκαλέσει* ένα άσχημο συναίσθημα.

Χρειάζεται θάρρος για να στέλνετε Εγώ-μηνύματα, η ανταμοιβή όμως αξίζει γενικά να το διακινδυνεύσετε. Χρειάζεται θάρρος και εσωτερική σιγουριά για να εξωτερικεύσει κανείς τα βαθύτερα συναισθήματά του σε μια σχέση. Ο αποστολέας ενός ειλικρινούς Εγώ-μηνύματος κινδυνεύει να φανερωθεί στον άλλον, *όπως πραγματικά είναι.* Ανοίγει τον εαυτό του, γίνεται «διάφανα αληθινός», αποκαλύπτει την «ανθρώπινη υπόστασή του. Λέει στον άλλον ότι είναι ένα άτομο *ικανό* να πληγωθεί ή να στενοχωρηθεί ή να φοβηθεί ή να απογοητευτεί ή να θυμώσει ή να αποθαρρυνθεί κ.λπ.

Το να αποκαλύψει ένα άτομο πώς αισθάνεται σημαίνει ότι ανοίγει τον εαυτό του για να το δει ο άλλος. Τι θα σκεφτεί ο άλλος για μένα; Μήπως με απορρίψει; Μήπως με περιφρονήσει; Μήπως δεν σκεφτεί τόσο καλά για μένα; Οι γονείς, ιδιαίτερα, το βρίσκουν πολύ δύσκολο να είναι διάφανα αληθινοί με τα παιδιά τους, γιατί τους αρέσει να τους βλέπουν εκείνα ως αλάνθαστους – χωρίς αδυναμίες, τρωτά σημεία και ανεπάρκειες. Για πολλούς γονείς, είναι πολύ ευκολότερο να κρύψουν τα συναισθήματά τους κάτω από ένα Εσύ-μήνυμα που να ρίχνει την ευθύνη στο παιδί, παρά να εκθέσουν το ανθρώπινο πρόσωπό τους.

Η μεγαλύτερη ανταμοιβή που παίρνει ένας γονέας, όταν είναι «διάφανος», είναι ίσως η σχέση που καλλιεργείται με το παιδί. Η ειλικρίνεια και το να είναι κάποιος ανοιχτός ευνοούν την οικειότητα – μια αληθινά *διαπροσωπική* σχέση. Το παιδί μου θα μπορέσει να με γνωρίσει όπως ακριβώς είμαι και αυτό στη συνέχεια το ενθαρρύνει να μου αποκαλύψει πώς είναι το ίδιο. Αντί να αποξενωνόμαστε ο ένας από τον άλλον, αναπτύσσουμε μια σχέση εγγύτητας. Η σχέση μας γίνεται *αυθεντική* – δύο πραγματικά πρόσωπα που θέλουν να γνωρίσουν το ένα το άλλο όπως πραγματικά είναι.

Όταν οι γονείς και τα παιδιά μαθαίνουν να είναι ανοιχτοί και ειλικρινείς μεταξύ τους, δεν είναι πια «ξένοι στο ίδιο σπίτι». Οι γονείς μπορούν να έχουν τη χαρά να είναι γονείς ενός πραγματικού προσώπου και τα παιδιά να έχουν την ευτυχία να έχουν πραγματικά πρόσωπα ως γονείς.

# 7

# Εφαρμογή των Εγώ-μηνυμάτων

Οι γονείς που παρακολουθούν το πρόγραμμά μας με χαρά δέχονται να τους δείξουμε πώς να τροποποιούν τη συμπεριφορά του παιδιού που δεν γίνεται αποδεκτή από αυτούς. Μερικοί ανακοινώνουν στην τάξη: «Δεν βλέπω την ώρα να πάω σπίτι και να το δοκιμάσω σε κάτι που το παιδί μου κάνει και με εκνευρίζει εδώ και μήνες».

Δυστυχώς, οι νεο-εκπαιδευμένοι γονείς μερικές φορές δεν έχουν τα αποτελέσματα που έλπιζαν. Τουλάχιστον, όχι στην αρχή. Γι' αυτό θα ασχοληθούμε με τα σφάλματα που κάνουν συχνά, όταν προσπαθούν να εφαρμόσουν τα Εγώ-μηνύματα, και θα αναφέρουμε παραδείγματα, για να βελτιώσουμε τις δεξιότητές τους.

## Το συγκαλυμμένο Εσύ-μήνυμα

Ο κ. Τζ., πατέρας δύο έφηβων αγοριών, ήλθε στην τάξη και ανακοίνωσε ότι η πρώτη του προσπάθεια να εφαρμόσει τα Εγώ-μηνύματα κατέληξε σε αποτυχία.

«Ο γιος μου, ο Πολ, αντίθετα απ' ό,τι μας είχατε πει, άρχισε να μου στέλνει πίσω τα δικά του Εσύ-μηνύματα, όπως κάνει πάντοτε».

«Εσείς στείλατε Εγώ-μηνύματα;» ρώτησε ο εκπαιδευτής.

«Φυσικά ή νομίζω ότι έστειλα· τουλάχιστον προσπάθησα» απάντησε ο κ. Τζ.

Ο εκπαιδευτής πρότεινε να αναπαραστήσουν το επεισόδιο στην τάξη, αυτός θα έπαιζε τον ρόλο του Πολ και ο κ. Τζ. θα έπαιζε τον εαυτό του. Αφού εξήγησε την περίπτωση στην τάξη, ο κ. Τζ. άρχισε να αναπαριστά τη σκηνή.

*κ. ΤΖ.:* Αισθάνομαι πολύ έντονα ότι έχεις παραμελήσει τις δουλειές που πρέπει να κάνεις στο σπίτι.
*ΠΟΛ:* Τι σημαίνει αυτό;

*κ. ΤΖ.:* Να, πάρε για παράδειγμα το κούρεμα του γκαζόν. Εκνευρίζομαι κάθε φορά που την κοπανάς. Όπως το περασμένο Σάββατο. Θύμωσα μαζί σου, γιατί την κοπάνησες χωρίς να κουρέψεις την πίσω αυλή. Αυτό το θεώρησα ανεύθυνο και θύμωσα.

Σε αυτό το σημείο ο εκπαιδευτής σταμάτησε το παίξιμο ρόλων και είπε στον κ. Τζ.: «Άκουσα πράγματι πολλά "αισθάνομαι" από εσάς, αλλά ας ρωτήσουμε την τάξη αν άκουσε και τίποτε άλλο».

Ένας από τους πατέρες της τάξης παρενέβη αμέσως, λέγοντας: «Μέσα σε λίγα δευτερόλεπτα, είπες στον Πολ ότι είναι κοπανατζής, ύπουλος και ανεύθυνος».

«Πώς! Είπα τέτοια πράγματα; Ναι, ίσως να τα είπα» είπε ο κ. Τζ. αμήχανα. «Αυτά ακούγονται ακριβώς σαν Εσύ-μηνύματα».

Ο κ. Τζ. είχε δίκιο. Είχε κάνει το λάθος που αρχικά κάνουν πολλοί γονείς, να στέλνουν δηλαδή Εσύ-μηνύματα προτάσσοντας το «αισθάνομαι» μπροστά από μηνύματα-χαρακτηρισμούς.

Μερικές φορές χρειάζεται αυτό το είδος της αναπάραστασης μιας πραγματικής κατάστασης, για να δουν οι γονείς καθαρά ότι το «*Έχω την αίσθηση* ότι είσαι ατζαμής» είναι τόσο Εσύ-μήνυμα όσο το «Είσαι ατζαμής». Οι γονείς προτρέπονται να μη χρησιμοποιούν τη λέξη «Αισθάνομαι» και να δηλώνουν συγκεκριμένα τι ένιωσαν, όπως «Απογοητεύτηκα» ή «Ήθελα να φαίνεται πιο ωραίο το γκαζόν την Κυριακή» ή «Εκνευρίστηκα, γιατί νόμιζα ότι είχαμε συμφωνήσει πως το γκαζόν θα κουρευόταν το Σάββατο».

## Μην υπερτονίζετε το αρνητικό

Ένα άλλο λάθος που μερικές φορές κάνουν οι νεο-εκπαιδευμένοι είναι να στέλνουν Εγώ-μηνύματα για να μεταδώσουν τα αρνητικά τους συναισθήματα, ενώ ξεχνούν να στέλνουν Εγώ-μηνύματα για τα θετικά τους συναισθήματα.

Η κ. Κ. και η κόρη της, Λίντα, είχαν συμφωνήσει ότι η Λίντα θα γύριζε σπίτι από το ραντεβού της το αργότερο στις 12.30 το βράδυ. Τελικά, η Λίντα εμφανίστηκε στη 1.30. Η μητέρα της είχε μείνει ξάγρυπνη για μία ώρα και είχε ανησυχήσει πάρα πολύ, φοβούμενη ότι κάτι φοβερό είχε συμβεί στη Λίντα.

Στην αναπαράσταση του επεισοδίου στην τάξη, η κ. Κ. ακούστηκε κάπως έτσι:

*κ. Κ.* (καθώς η Λίντα έμπαινε στο σπίτι): Είμαι θυμωμένη μαζί σου.
*ΛΙΝΤΑ:* Ξέρω ότι άργησα.

*κ. Κ.:* Είμαι πραγματικά ταραγμένη εξαιτίας σου, γιατί με κράτησες ξάγρυπνη.
*ΛΙΝΤΑ:* Γιατί δεν κοιμόσουν; Μακάρι να είχες πάει για ύπνο και να μην ανησυχούσες.
*κ. Κ.:* Πώς θα μπορούσα; Ήμουν θυμωμένη μαζί σου και ανησυχούσα πάρα πολύ, μήπως σου είχε συμβεί κανένα ατύχημα. Είμαι πραγματικά απογοητευμένη μαζί σου που δεν κράτησες τη συμφωνία μας.

Ο εκπαιδευτής διέκοψε το παιγνίδι ρόλων και είπε στην κ. Κ. «Δεν ήταν κακό – έστειλες αρκετά Εγώ-μηνύματα, όμως μόνο τα αρνητικά. Πώς ένιωσες πραγματικά, όταν η Λίντα εμφανίστηκε στην πόρτα; Ποιο ήταν το πρώτο συναίσθημά σου;»

Η κ. Κ. απάντησε γρήγορα: «Ένιωσα τρομερά ανακουφισμένη, που η Λίντα γύρισε σπίτι ασφαλής. Ήθελα να την αγκαλιάσω και να της πω πόσο χαρούμενη ήμουνα που την έβλεπα ασφαλή».

«Σε πιστεύω», είπε ο εκπαιδευτής. «Τώρα (θα είμαι ξανά η Λίντα), στείλε μου αυτά τα πραγματικά συναισθήματα ως Εγώ-μηνύματα. Ας δοκιμάσουμε ξανά».

*κ. Κ.:* Ω, Λίντα, δόξα σοι ο Θεός που γύρισες σπίτι ασφαλής. Είμαι τόσο χαρούμενη που σε βλέπω. Τι ανακούφιση! (Αγκαλιάζει τον εκπαιδευτή.) Φοβήθηκα τόσο μήπως σου είχε τύχει κάτι.
*ΛΙΝΤΑ:* Θεέ μου, *είσαι* χαρούμενη που με βλέπεις, ε;

Σε αυτό το σημείο οι γονείς χειροκρότησαν την κ. Κ., εκφράζοντας την έκπληξή τους αλλά και την ευχαρίστησή τους για την εντελώς διαφορετική ποιότητα της δεύτερης αντιπαράθεσης στο «εδώ και τώρα», που άρχιζε με τα πιο δυνατά συναισθήματα. Ακολούθησε μια ενδιαφέρουσα συζήτηση για το πώς οι γονείς χάνουν τόσο πολλές ευκαιρίες να είναι ειλικρινείς με τα παιδιά τους για τα θετικά και στοργικά τους συναισθήματα. Ανυπομονώντας να «δώσουμε στα παιδιά μας ένα μάθημα», χάνουμε χρυσές ευκαιρίες να τους διδάξουμε πιο βασικά πράγματα. Για παράδειγμα, ότι τα αγαπάμε τόσο πολύ, που θα πονούσαμε τρομερά, αν τραυματίζονταν ή σκοτώνονταν.

Έχοντας στείλει την πρώτη ειλικρινή έκφραση των συναισθημάτων της, η κ. Κ. είχε άφθονο χρόνο να εκφράσει στη Λίντα την απογοήτευσή της, που δεν κράτησε τη συμφωνία. Πόσο διαφορετική θα ήταν η συζήτηση, αν στελνόταν πρώτα το θετικό Εγώ-μήνυμα!

## Το σωστό εργαλείο για τη σωστή δουλειά

Οι γονείς στην Εκπαίδευση ακούνε πολλά για τον υποτονισμό των Εγώ-μηνυμάτων τους. Πολλοί γονείς δυσκολεύονται στην αρχή να στείλουν ένα Εγώ-μήνυμα που να αντιστοιχεί στην ένταση των βαθύτερων συναισθημάτων τους. Συνήθως, όταν ένας γονέας εκφράζεται υποτονικά, το Εγώ-μήνυμα χάνει την επίδρασή του στο παιδί και δεν επέρχεται καμιά αλλαγή στη συμπεριφορά.

Η κ. Β. ανέφερε ένα περιστατικό, στο οποίο ο γιος της, ο Μπράιαν, δεν άλλαξε τη μη αποδεκτή συμπεριφορά του, ούτε και όταν εκείνη είχε την αίσθηση ότι του είχε στείλει ένα καλό Εγώ-μήνυμα. Ο Μπράιαν, ηλικίας έξι ετών, είχε χτυπήσει το μωρό αδελφάκι του στο κεφάλι με την παλιά ρακέτα τένις του πατέρα του, με την οποία έπαιζε. Η μητέρα έστειλε ένα Εγώ-μήνυμα, αλλά ο Μπράιαν συνέχισε και επανέλαβε την επίθεση κατά του μικρού του αδελφού.

Στο παιγνίδι ρόλων αυτού του περιστατικού στην τάξη έγινε φανερό στους άλλους γονείς ότι η κ. Β. είχε σφάλει, γιατί είχε εκφράσει υποτονικά τα συναισθήματά της.

*κ. Β.:* Μπράιαν, δεν μου αρέσει να χτυπάς τον Σάμι.

«Εκπλήσσομαι κ. Β»., είπε ο εκπαιδευτής, «που είχατε τόσο χλιαρά συναισθήματα, καθώς χτυπούσαν τον μικρό σας γιο με μια σκληρή ρακέτα του τένις».

«Ω, είχα φοβηθεί τόσο πολύ, μήπως είχε ανοίξει το κεφαλάκι του· ήμουν σίγουρη ότι θα έβλεπα αίμα στο κεφάλι του».

«Τότε, λοιπόν», είπε ο εκπαιδευτής, «ας βάλουμε αυτά τα δυνατά συναισθήματα σε Εγώ-μηνύματα που να αποδίδουν την ένταση αυτού που νιώσατε μέσα σας».

Έτσι, αφού την ενθάρρυναν και της επέτρεψαν να είναι ειλικρινής με τα πραγματικά της συναισθήματα, η κ. Β. εξέφρασε ένα δυνατό Εγώ-μήνυμα. «Μπράιαν, *τρέμω* όταν χτυπάς το μωρό στο κεφάλι! Σίγουρα δεν θα μου άρεσε καθόλου να το δω άσχημα πληγωμένο. Και πραγματικά τρελαίνομαι, όταν βλέπω κάποιον μεγαλύτερο να χτυπάει κάποιον πολύ μικρότερο. Ω! *Φοβήθηκα* τόσο πολύ, ότι το κεφαλάκι του θα μάτωνε».

Η κ. Β. και οι άλλοι γονείς στην τάξη συμφώνησαν ότι αυτήν τη φορά η κ. Β. είχε στείλει ένα πολύ πιο «ειλικρινές» και ακριβές μήνυμα. Το δεύτερο Εγώ-μήνυμα αντιστοιχούσε πολύ περισσότερο στα πραγματικά της συναισθήματα, και θα είχε πολύ μεγαλύτερη πιθανότητα να έχει αντίκτυπο στον Μπράιαν.

## Η έκρηξη του Βεζούβιου

Μερικοί γονείς, όταν ακούνε για πρώτη φορά για τα Εγώ-μηνύματα, βιάζονται να πάνε σπίτι τους, ανυπομονώντας να αντιμετωπίσουν τα παιδιά τους, και καταλήγουν να απελευθερώνουν και να εκτοξεύουν τα έγκλειστα συναισθήματά τους σαν ηφαίστειο. Μια μητέρα ήρθε στην τάξη και ανακοίνωσε ότι πέρασε ολόκληρη την εβδομάδα θυμωμένη με τα δυο παιδιά της. Το μόνο πρόβλημα ήταν ότι τα παιδιά είχαν τρελαθεί από τον φόβο τους, εξαιτίας των εκρήξεών της.

Η συνειδητοποίηση ότι μερικοί γονείς ερμήνευαν την ενθάρρυνσή μας να έρθουν αντιμέτωποι με τα παιδιά τους, ως άδεια να ξεβράσουν πάνω τους τα συναισθήματά θυμού τους, με έκανε να επανεξετάσω τη λειτουργία του θυμού στη σχέση γονέα-παιδιού. Αυτή η κρίσιμη επανεξέταση του θυμού ξεκαθάρισε πάρα πολύ τη σκέψη μου και με οδήγησε σε μια νέα διατύπωση για τον λόγο που οι γονείς ξεφορτώνουν θυμό, γεγονός επιβλαβές για τα παιδιά, και για το πώς μπορούν να βοηθηθούν, ώστε να το αποφεύγουν.

Ο θυμός σχεδόν πάντοτε στρέφεται εναντίον ενός άλλου προσώπου, κάτι που δεν συμβαίνει με άλλα συναισθήματα. Το «Είμαι θυμωμένος» είναι ένα μήνυμα που συνήθως σημαίνει «Είμαι θυμωμένος *μαζί σου*» ή «*Εσύ* με έκανες να θυμώσω». Στην πραγματικότητα είναι ένα Εσύ-μήνυμα και όχι ένα Εγώ-μήνυμα. Ο γονέας δεν μπορεί να καμουφλάρει αυτό το Εσύ-μήνυμα, δηλώνοντας: «Αισθάνομαι θυμωμένος». Συνεπώς, ένα τέτοιο μήνυμα γίνεται αντιληπτό από τα παιδιά ως ένα Εσύ-μήνυμα. Ένα παιδί θεωρεί ότι κατηγορείται ως το πρόσωπο που προκάλεσε τον θυμό του γονέα του. Η προβλεπόμενη συνέπεια για το παιδί είναι ότι θα νιώσει ταπεινωμένο, κατηγορούμενο και ένοχο, όπως ακριβώς συμβαίνει και με άλλα Εσύ-μηνύματα.

Είμαι πλέον πεπεισμένος ότι ο θυμός είναι κάτι που δημιουργείται αποκλειστικά από τον γονέα, αφού *προηγουμένως* έχει βιώσει ένα άλλο συναίσθημα. Ο γονέας παράγει θυμό ως αποτέλεσμα της εμπειρίας ενός πρωταρχικού συναισθήματος. Να πώς συμβαίνει αυτό:

> Οδηγώ στην εθνική και ένας άλλος οδηγός με προσπερνάει από δεξιά και βρίσκεται επικίνδυνα μπροστά μου, πολύ κοντά στο μπροστινό δεξιό φτερό. Το πρωταρχικό μου συναίσθημα είναι φόβος – η συμπεριφορά του με τρόμαξε. Ως συνέπεια αυτού του φόβου και λίγα δευτερόλεπτα μετά, πατάω δυνατά την κόρνα μου και «συμπεριφέρομαι θυμωμένα» ξεστομίζοντας ίσως και κάποια λόγια όπως: «Ρε συ, βλάκα, γιατί δεν μαθαίνεις να οδηγείς;» ένα μήνυμα που κανένας δεν θα μπορούσε να αρνηθεί ότι είναι ένα καθαρό Εσύ-μήνυμα. Η λειτουργία της «θυμωμένης συμπεριφοράς» μου είναι να τιμωρήσω τον άλλο οδηγό ή να τον κάνω να νιώσει ένοχος που με τρόμαξε, ώστε να μην το ξανακάνει.

Έτσι και ο θυμωμένος γονέας, στις περισσότερες περιπτώσεις χρησιμοποιεί τον θυμό του, τη «θυμωμένη συμπεριφορά», για να δώσει ένα μάθημα στο παιδί.

Μια μητέρα χάνει τον γιο της σε ένα πολυώροφο κατάστημα. Το πρωταρχικό της συναίσθημα είναι φόβος. Φοβάται μήπως κάτι δυσάρεστο του συνέβη. Αν κάποιος τη ρωτούσε πώς ένιωθε, καθώς τον έψαχνε, η μητέρα θα έλεγε: «Είμαι κατατρομαγμένη» ή «Νιώθω τρομερά ανήσυχη ή φοβισμένη». Όταν τελικά βρίσκει το παιδί, αισθάνεται μεγάλη ανακούφιση. Λέει μέσα της «Δόξα τω Θεώ, είσαι καλά». Όμως δυνατά λέει κάτι εντελώς διαφορετικό. Ενεργώντας θυμωμένα, θα στείλει κάποιο μήνυμα, όπως «Άτακτο παιδί» ή «Είμαι θυμωμένη μαζί σου! Πώς μπορείς να είσαι τόσο κουτός και να φεύγεις από κοντά μου;» ή «Δεν σου είπα να μείνεις κοντά μου;» Σε αυτή την περίπτωση η μητέρα ενεργεί θυμωμένα (ένα *δευτερογενές* συναίσθημα), για να δώσει στο παιδί ένα μάθημα ή για να το τιμωρήσει, που της προξένησε φόβο.

Ως δευτερογενές συναίσθημα, ο θυμός γίνεται πάντοτε ένα Εσύ-μήνυμα που εκφράζει κριτική και κατηγορεί το παιδί. Είμαι σχεδόν πεπεισμένος ότι ο θυμός είναι μια στάση που ο γονέας σκόπιμα και συνειδητά εκδηλώνει, με σαφή σκοπό να κατηγορήσει, να τιμωρήσει ή να δώσει ένα μάθημα στο παιδί, επειδή η συμπεριφορά του του προξένησε ένα άλλο συναίσθημα (το *πρωταρχικό* συναίσθημα). Οποτεδήποτε θυμώνετε με κάποιον, δημιουργείτε μια σκηνή, παίζετε ένα ρόλο, για να επηρεάσετε τον άλλον, για να του δείξετε τι έχει κάνει, να του δώσετε ένα μάθημα, να προσπαθήσετε να τον πείσετε να μην το ξανακάνει. Δεν εννοώ ότι ο θυμός δεν είναι αληθινός. Είναι πολύ αληθινός και κάνει τους ανθρώπους να βράζουν ή να τρέμουν εσωτερικά. Εννοώ ότι οι άνθρωποι *κάνουν* τον εαυτό τους να θυμώνει.

Ιδού μερικά παραδείγματα:

Το παιδί κάνει αταξίες σε ένα εστιατόριο. Το πρωταρχικό συναίσθημα των γονέων είναι *αμηχανία.* Το δευτερογενές συναίσθημα είναι θυμός: «Σταμάτα να φέρεσαι σαν δίχρονο».

Το παιδί ξεχνάει ότι είναι τα γενέθλια του πατέρα του και δεν του λέει «Χρόνια πολλά» ή δεν του κάνει δώρο. Το πρωταρχικό συναίσθημα του πατέρα είναι *στενοχώρια.* Το δευτερογενές συναίσθημα είναι θυμός: «Είσαι κι εσύ σαν όλα τα άλλα αχάριστα σημερινά παιδιά».

Το παιδί φέρνει στο σπίτι τον έλεγχό του με χαμηλούς βαθμούς. Το πρωταρχικό συναίσθημα της μητέρας είναι *απογοήτευση.* Το δευτερογενές συναίσθημα είναι θυμός: «Ξέρω ότι χάζευες όλο το εξάμηνο. Φαντάζομαι ότι νιώθεις περήφανος για τον εαυτό σου».

Πώς μπορούν να μάθουν οι γονείς να αποφεύγουν να στέλνουν θυμωμένα Εσύ-μηνύματα στα παιδιά τους; Η εμπειρία που έχουμε από τις τάξεις μας είναι μάλλον ενθαρρυντική. Βοηθάμε τους γονείς να καταλαβαίνουν τη διαφορά μεταξύ πρωτογενών και των δευτερογενών συναισθημάτων. Έπειτα, μαθαίνουν να συνειδητοποιούν περισσότερο τα πρωτογενή τους συναισθήματα σε διάφορες καταστάσεις στο σπίτι. Τέλος, μαθαίνουν να στέλνουν τα πρωταρχικά τους συναισθήματα στα παιδιά τους, αντί να εκτοξεύουν τα δευτερογενή θυμωμένα τους συναισθήματα. Η Εκπαίδευση βοηθάει τους γονείς να συνειδητοποιούν καλύτερα τι πραγματικά συμβαίνει μέσα τους, και όταν αισθάνονται θυμό, τους βοηθάει να αναγνωρίζουν το πρωταρχικό τους συναίσθημα.

> Η κ. Γ., μια φανερά ευσυνείδητη μητέρα, είπε στην τάξη της Εκπαίδευσης πώς ανακάλυψε ότι οι συχνές εκρήξεις θυμού που είχε κατά της δωδεκάχρονης κόρης της ήταν δευτερογενείς αντιδράσεις στην απογοήτευσή της, επειδή η κόρη της δεν έδειχνε ότι θα γίνει τόσο μελετηρή και φιλομαθής όσο ήταν η ίδια στα νεανικά της χρόνια. Η κ. Γ. άρχισε να συνειδητοποιεί τι σήμαινε για εκείνη η επιτυχία της κόρης της στο σχολείο, και ότι κάθε φορά που η κόρη της την απογοήτευε σε αυτό το θέμα, ξεσπούσε πάνω της με θυμωμένα Εσύ-μηνύματα.
>
> Ο κ. Τζ., ένας επαγγελματίας σύμβουλος, παραδέχτηκε στην τάξη ότι τώρα κατάλαβε γιατί θύμωνε τόσο πολύ με την εντεκάχρονη κόρη του, όταν βρίσκονταν σε δημόσιο χώρο. Η κόρη του ήταν ντροπαλή, αντίθετα από τον κοινωνικά εξωστρεφή πατέρα της. Όποτε τη συνέστηνε σε φίλους του, η κόρη του δεν έδινε το χέρι της ούτε έλεγε τις αποδεκτές στερεότυπες εκφράσεις, όπως «Τι κάνετε;» ή «Χάρηκα για τη γνωριμία». Το σβησμένο, σχεδόν ανεπαίσθητο «Γεια σας» που έλεγε έφερνε σε αμηχανία τον πατέρα της. Παραδέχτηκε ότι φοβόταν μήπως οι φίλοι του τον χαρακτήριζαν αυστηρό, περιοριστικό γονέα που είχε κάνει την κόρη του ένα υποτακτικό και φοβισμένο άτομο. Από τη στιγμή που το αναγνώρισε, διαπίστωσε ότι ελαττώνονταν τα συναισθήματα θυμού σε τέτοιες περιπτώσεις. Μπορούσε τώρα να αρχίσει να αποδέχεται το γεγονός ότι η κόρη του απλώς δεν είχε την ίδια προσωπικότητα με εκείνον. Και όταν έπαψε να θυμώνει, η κόρη του ένιωθε πολύ λιγότερο συνεσταλμένη.

Οι γονείς μαθαίνουν στην Εκπαίδευση ότι, αν εκτοξεύουν συχνά θυμωμένα Εσύ-μηνύματα, είναι καλύτερο να σταθούν μπροστά σε έναν καθρέφτη και να αναρωτηθούν: «Τι συμβαίνει μέσα μου;» «Ποιες ανάγκες μου απειλούνται από τη συμπεριφορά του παιδιού μου;» «Ποια είναι τα πρωταρχικά μου συναισθήματα;» Μια μητέρα παραδέχθηκε με θάρρος στην τάξη ότι θύμωνε πολύ συχνά με τα παιδιά της, επειδή ήταν πολύ απογοητευμένη από το γεγονός ότι η ύπαρξη των παιδιών την είχε εμποδίσει να συνεχίσει τις πανεπιστημιακές της σπουδές και να γίνει δασκάλα. Ανακάλυψε ότι τα συναισθήματα θυμού ήταν στην πραγματικότητα δυσανασχέτηση, επειδή ήταν απογοητευμένη που είχε εγκαταλείψει τα σχέδια της δικής της καριέρας.

### Τι μπορούν να κάνουν τα αποτελεσματικά Εγώ-μηνύματα

Τα Εγώ-μηνύματα μπορούν να έχουν εξαιρετικά αποτελέσματα. Συχνά οι γονείς αναφέρουν ότι τα παιδιά τους εκφράζουν την έκπληξή τους, μαθαίνοντας πώς αισθανονται οι γονείς τους πραγματικά. Λένε στους γονείς τους:

«Δεν ήξερα ότι σε ενοχλούσα τόσο πολύ».
«Δεν ήξερα ότι αυτό σε πείραζε πραγματικά».
«Γιατί δεν μου έλεγες προηγουμένως πώς ένιωθες;»
«Πραγματικά έχεις έντονα συναισθήματα γι' αυτό, δεν είναι έτσι;»

Τα παιδιά, όπως άλλωστε και οι ενήλικες, συχνά δεν γνωρίζουν πώς επηρεάζει η συμπεριφορά τους τους άλλους. Προσπαθώντας να πετύχουν τους δικούς τους στόχους συχνά αγνοούν πλήρως την επίδραση που θα μπορούσε να έχει η συμπεριφορά τους. Από τη στιγμή όμως που θα τους το πουν, συνήθως θέλουν να είναι πιο ευγενικά. Συχνά η απερισκεψία μετατρέπεται σε περίσκεψη, από τη στιγμή που το παιδί καταλάβει την επίδραση της συμπεριφοράς του στους άλλους.

Η κ. Χ. ανέφερε ένα περιστατικό που συνέβη κατά τη διάρκεια των διακοπών της οικογένειας. Τα μικρά παιδιά τους φώναζαν και έκαναν φασαρία στα πίσω καθίσματα του αυτοκινήτου τους. Η κ. Χ. και ο άντρας της υπέμεναν με δυσφορία τη φασαρία, αλλά τελικά ο κ. Χ. δεν μπόρεσε να αντέξει άλλο. Φρενάρησε απότομα, έκανε στην άκρη και ανακοίνωσε: «Δεν μπορώ να υποφέρω άλλο όλη αυτήν τη φασαρία και τα χοροπηδήματα εκεί πίσω. Θέλω να απολαύσω τις διακοπές μου και θέλω να ευχαριστιέμαι, όταν οδηγώ. Όμως, να πάρει η ευχή, όταν γίνεται φασαρία εκεί πίσω, νευριάζω και δεν θέλω να οδηγώ. Νομίζω ότι έχω κι εγώ το δικαίωμα να απολαύσω αυτές τις διακοπές».

Τα παιδιά ξαφνιάστηκαν από αυτή την ανακοίνωση και το είπαν. Δεν είχαν καταλάβει ότι αυτό που έκαναν ενοχλούσε με οποιοδήποτε τρόπο τον πατέρα τους. Προφανώς νόμιζαν ότι ο πατέρας τους μπορούσε να το αντέξει. Η κ. Χ. ανέφερε ότι μετά από αυτό το περιστατικό, τα παιδιά ήταν πολύ πιο προσεκτικά και περιόρισαν δραστικά τα χοροπηδήματά τους και τα πειράγματά τους.

Ο κ. Ζ., διευθυντής λυκείου δεύτερης ευκαιρίας, ανέφερε την εξής δραματική ιστορία:

Επί εβδομάδες ανεχόμουν με δυσφορία τη συμπεριφορά μιας ομάδας αγοριών που αγνοούσαν συνέχεια κάποιους από τους κανόνες του σχολείου. Ένα πρωί κοίταζα έξω από το παράθυρο του γραφείου μου και τους είδα να διασχίζουν με την άνεσή τους το γκαζόν καπνίζοντας, κάτι που δεν επιτρέπεται από τον κανονισμό. Αυτό ήταν. Έχοντας μόλις παρακολουθήσει το μάθημα της Εκπαίδευσης που εξηγούσε τα Εγώ-μηνύματα, έτρεξα έξω και άρχισα να στέλνω μερικά από τα συναισθήματά μου: «Νιώθω πολύ απογοητευμένος μαζί σας, παιδιά! Έκανα ό,τι μπορούσα για να σας βοηθήσω να βγάλετε το σχολείο. Έβαλα την καρδιά και την ψυχή μου σε αυτήν τη δουλειά. Και το μόνο που κάνετε είναι να παραβιάζετε τους κανόνες. Αγωνίστηκα για ένα λογικό κανόνα σε σχέση με το μήκος των μαλλιών, όμως εσείς δεν συμμορφωθήκατε ούτε σ' αυτό. Τώρα καπνίζετε, και αυτό επίσης είναι αντίθετο προς τους κανονισμούς. Νιώθω ότι θέλω να εγκαταλείψω αυτήν τη δουλειά και να πάω ξανά στο κανονικό λύκειο, όπου θα αισθάνομαι ότι κάνω κάτι. Αισθάνομαι ότι είμαι σκέτη αποτυχία σε αυτήν τη δουλειά».

Εκείνο το απόγευμα ο κ. Ζ. δέχτηκε με έκπληξη μια επίσκεψη από την ομάδα. «Κοιτάξτε, κ. Ζ, σκεφτήκαμε αυτό που συνέβη το πρωί. Δεν ξέραμε ότι θα θυμώνατε. Ποτέ δεν είχατε θυμώσει πριν. Δεν θέλουμε άλλον διευθυντή εδώ. Δεν θα είναι τόσο καλός όσο είστε εσείς. Γι' αυτό αποφασίσαμε να μην καπνίζουμε στους χώρους του σχολείου πια. Και θα συμμορφωθούμε και με τους άλλους κανόνες επίσης.

Ο κ. Ζ., αφού συνήλθε από αυτό το σοκ, πήγε σε ένα άλλο δωμάτιο με τα αγόρια και όλα δέχτηκαν να τα κουρέψει, μέχρι που τα μαλλιά τους κόντυναν όσο προέβλεπε ο κανονισμός. Ο κ. Ζ. είπε στην τάξη ότι το πιο σημαντικό στοιχείο του περιστατικού ήταν η χαρά και το κέφι που είχαν όλοι κατά το εθελοντικό κούρεμα. «Όλοι ήμασταν ευχαριστημένοι», ανέφερε. Τα αγόρια δέθηκαν περισσότερο με τον ίδιο αλλά και μεταξύ τους. Έφυγαν από το δωμάτιο ως φίλοι, με ζεστά συναισθήματα και με το είδος εκείνο της εγγύτητας που τόσο συχνά απορρέει από την αμοιβαία επίλυση προβλημάτων.

Όταν άκουσα τον κ. Ζ. να διηγείται αυτή την ιστορία, παραδέχομαι ότι έμεινα έκπληκτος, όπως και οι άλλοι γονείς στην τάξη, από την εντυπωσιακή επίδραση των Εγώ-μηνυμάτων του κ. Ζ. Επιβεβαίωσε για μια ακόμα φορά την πεποίθησή μου, ότι οι ενήλικες συχνά υποτιμούν τη διάθεση των παιδιών να δείξουν ενδιαφέρον για τις ανάγκες των μεγάλων, από τη στιγμή που εκείνοι θα τους πούνε με ειλικρίνεια και χωρίς περιστροφές πώς αισθάνονται. Τα παιδιά μπορούν να ανταποκριθούν και να δείξουν υπευθυνότητα, αρκεί οι μεγάλοι να τα αντιμετωπίσουν κάποια στιγμή ισότιμα.

Ακολουθούν και άλλα παραδείγματα αποτελεσματικών Εγώ-μηνυμάτων, που δεν περικλείουν κατηγορία ή ταπείνωση, και στα οποία ο γονέας δεν «στέλνει μια λύση».

Η μητέρα θέλει να διαβάσει την εφημερίδα της και να χαλαρώσει, αφού γύρισε σπίτι από τη δουλειά. Το παιδί πηδάει στην αγκαλιά της και τραβάει την εφημερίδα. *ΜΗΤΕΡΑ:* «Δεν μπορώ να διαβάσω την εφημερίδα, όταν είσαι στα γόνατά μου. Δεν έχω διάθεση να παίξω μαζί σου, γιατί είμαι κουρασμένη και θέλω να ξεκουραστώ για λίγο».
Το παιδί ζητάει επίμονα να το πάνε στον κινηματογράφο, όμως για αρκετές ημέρες δεν έχει καθαρίσει το δωμάτιό του, κάτι που είχε συμφωνήσει να κάνει. *ΜΗΤΕΡΑ:* «Δεν έχω πολλή διάθεση να κάνω κάτι για σένα, αφού εσύ δεν είσαι εντάξει με τη συμφωνία μας σχετικά με το δωμάτιό σου».
Το παιδί έχει βάλει πολύ δυνατά τη μουσική του και εμποδίζει τη συζήτηση των γονέων του στο διπλανό δωμάτιο. *ΜΗΤΕΡΑ:* «Είμαστε πολύ ματαιωμένοι, γιατί η μουσική είναι τόσο δυνατά, που δεν μπορούμε να μιλήσουμε».
Το παιδί υποσχέθηκε να καθαρίσει το μπάνιο πριν φτάσουν οι καλεσμένοι για το πάρτι. Κατά τη διάρκεια της ημέρας χάζευε· μένει μόλις μια ώρα για να έρθουν οι καλεσμένοι και δεν έχει αρχίσει ακόμα τη δουλειά. *ΜΗΤΕΡΑ:* «Αισθάνομαι αδικημένη. Εργάστηκα όλη την ημέρα, για να είμαστε έτοιμοι για το πάρτι μας, και τώρα πρέπει ακόμη να ανησυχώ για το μπάνιο».
Το παιδί ξέχασε να γυρίσει σπίτι τη συγκεκριμένη ώρα, ώστε να το πάρει η μητέρα και να πάνε στην αγορά για να ψωνίσουν παπούτσια. Η μητέρα βιάζεται. *ΜΗΤΕΡΑ:* «Δεν μου αρέσει καθόλου, όταν προγραμματίζω προσεκτικά την ημέρα μου, ώστε να μπορέσουμε να ψωνίσουμε τα καινούργια σου παπούτσια, και μετά εσύ δεν εμφανίζεσαι».

## Στέλνοντας μη λεκτικά Εγώ-μηνύματα σε πολύ μικρά παιδιά

Οι γονείς παιδιών κάτω των δύο ετών ρωτάνε πάντοτε πώς μπορούν να στείλουν Εγώ-μηνύματα σε παιδιά που είναι πολύ μικρά για να καταλάβουν το νόημα των λεκτικών Εγώ-μηνυμάτων.

Η πείρα μας μας λέει ότι πολλοί γονείς υποτιμούν την ικανότητα των πολύ μικρών παιδιών να καταλάβουν τα Εγώ-μηνύματα. Τα πιο πολλά παιδιά στην ηλικία των δύο ετών έχουν ήδη μάθει να αναγνωρίζουν πότε οι γονείς τους αποδέχονται και πότε όχι αυτό που κάνουν, πότε νιώθουν ωραία και πότε άσχημα, πότε τους αρέσει κάτι που κάνει το παιδί και πότε όχι. Σε αυτή την ηλικία, τα περισσότερα παιδιά κατανοούν αρκετά καλά το νόημα μηνυμάτων των γονέων, όπως: «Ωχ, αυτό πονάει» ή «Δε μου αρέσει αυτό» ή «Ο μπαμπάς δεν θέλει να παίξει». Και επίσης: «Αυτό δεν είναι παιγνίδι για τον Μάρκο» ή «Αυτό καίει» ή «Αυτό θα πονέσει τον Μάρκο».

Τα πολύ μικρά παιδιά είναι επίσης πολύ ευαίσθητα στα μη λεκτικά μηνύματα, ώστε οι γονείς να μπορούν να χρησιμοποιούν σημάδια χωρίς λέξεις, για να εκφράζουν πολλά από τα συναισθήματά τους στο παιδί.

Ο Ρομπ στριφογυρίζει, ενώ η μητέρα τον ντύνει. Η μητέρα μαλακά αλλά σταθερά τον κρατάει και συνεχίζει να τον ντύνει. (Μήνυμα: «Δεν μπορώ να σε ντύσω, όταν στριφογυρίζεις».)
Ο Μηνάς πηδάει πάνω κάτω στον καναπέ και η μητέρα φοβάται μήπως ρίξει τη λάμπα που είναι στην άκρη του τραπεζιού. Η μητέρα μαλακά αλλά σταθερά παίρνει τον Μηνά από τον καναπέ και πηδάει μαζί του πάνω κάτω στο πάτωμα. (Μήνυμα: «Δεν μου αρέσει να πηδάς στον καναπέ, αλλά δεν με πειράζει να πηδάς στο πάτωμα».)
Ο Τόμας κοντοστέκεται και καθυστερεί να μπει στο αυτοκίνητο, ενώ ο πατέρας βιάζεται. Ο πατέρας βάζει το χέρι του στην πλάτη του Τόμας και μαλακά αλλά σταθερά τον οδηγεί μέσα στο αυτοκίνητο. (Μήνυμα: «Βιάζομαι και θέλω να μπεις στο αυτοκίνητο τώρα».)
Ο Ράντι τραβάει το καινούργιο φόρεμα που μόλις φόρεσε η μητέρα του για να πάει σε ένα πάρτι. Η μητέρα παίρνει το χέρι του από το φόρεμα. (Μήνυμα: «Δεν θέλω να τραβάς το φόρεμά μου».)
Ενώ ο μπαμπάς πηγαίνει στο σουπερμάρκετ κρατώντας τον Τιμ αγκαλιά, αυτός αρχίζει να τον χτυπάει στο στομάχι. Αμέσως ο μπαμπάς κατεβάζει τον Τιμ. (Μήνυμα: «Δεν θέλω να σε κρατάω αγκαλιά, όταν με χτυπάς».)
Η Μαρία σκύβει και παίρνει φαγητό από το πιάτο της μαμάς. Η μαμά παίρνει πίσω το φαγητό της και σερβίρει λίγο φαγητό στο πιάτο της Μαρίας από την πιατέλα. (Μήνυμα: «Θέλω το φαγητό μου και δεν μου αρέσει να μου το παίρνεις από το πιάτο μου».)

Τέτοια συμπεριφοριστικά μηνύματα γίνονται κατανοητά από πολύ μικρά παιδιά. Τα μηνύματα αυτά λένε στο παιδί ποιες ανάγκες έχει ο γονέας, χωρίς να μεταφέρουν στο παιδί το μήνυμα ότι είναι κακό, επειδή αυτό έχει τις δικές του ανάγκες. Γίνεται επίσης φανερό ότι, όταν ο γονέας στέλνει αυτά τα μη λεκτικά μηνύματα, δεν τιμωρεί το παιδί.

### Προβλήματα με τα Εγώ-μηνύματα

Οι γονείς συναντούν πάντοτε προβλήματα, όταν βάζουν σε εφαρμογή τα Εγώ-μηνύματα. Κανένα τους δεν είναι ανυπέρβλητο, όλα τους όμως απαιτούν πρόσθετες δεξιότητες.

Τα παιδιά συχνά αντιδρούν στα Εγώ-μηνύματα αγνοώντας τα, ειδικά όταν οι γονείς αρχίζουν να τα χρησιμοποιούν για πρώτη φορά. Κανένας δεν θέλει να μαθαίνει ότι η συμπεριφορά του εμποδίζει την ικανοποίηση των αναγκών κάποιου άλλου. Το ίδιο ισχύει και για τα παιδιά. Μερικές φορές προτιμούν να κάνουν ότι δεν καταλαβαίνουν πως η συμπεριφορά τους κάνει τους γονείς τους να έχουν κάποια συναισθήματα.

Συμβουλεύουμε τους γονείς να στείλουν άλλο ένα Εγώ-μήνυμα, όταν τα παιδιά δεν αντιδρούν στο πρώτο. Ίσως το δεύτερο Εγώ-μήνυμα να φανεί πιο ισχυρό, πιο έντονο ή με περισσότερο συναίσθημα. Το δεύτερο μήνυμα λέει στο παιδί: «Κοίτα, το εννοώ πραγματικά αυτό».

Μερικά παιδιά προσπερνούν το Εγώ-μήνυμα, κουνώντας τους ώμους τους σαν να λένε «Και λοιπόν!» Ένα δεύτερο μήνυμα, πιο έντονο αυτήν τη φορά, ίσως να φέρει αποτέλεσμα. Ή ίσως ο γονέας να χρειαστεί να πει κάτι σαν:

> «Ε, σου λέω πώς αισθάνομαι. Αυτό είναι σημαντικό για μένα. Και δεν μου αρέσει να με αγνοούν. Δεν μου αρέσει όταν με προσπερνάς και ούτε καν ακούς τα συναισθήματά μου. Αυτό δεν μου αρέσει καθόλου. Νιώθω ότι αυτό είναι άδικο για μένα, όταν πραγματικά έχω κάποιο πρόβλημα».

Αυτό το είδος μηνύματος μερικές φορές επαναφέρει το παιδί στο πρόβλημα ή το κάνει να προσέξει. Του λέει: «Πραγματικά το εννοώ!»

Επίσης, τα παιδιά συχνά αντιδρούν σε ένα Εγώ-μήνυμα στέλνοντας πίσω ένα δικό τους Εγώ-μήνυμα. Αντί να τροποποιήσουν αμέσως τη συμπεριφορά τους, θέλουν να ακούσετε τα συναισθήματά τους, όπως στο παρακάτω περιστατικό:

> *ΜΗΤΕΡΑ:* Δεν μου αρέσει καθόλου να βλέπω το καθαρό μου σαλόνι να γίνεται άνω κάτω, μόλις γυρνάς από το σχολείο. Νιώθω πολύ απογοητευμένη, γιατί έχω κουραστεί πολύ για να το τακτοποιήσω.
> *ΓΙΟΣ:* Νομίζω ότι κάνεις πολλή φασαρία για την καθαριότητα του σπιτιού.

Σε αυτό το σημείο, οι γονείς που δεν έχουν κάνει την Εκπαίδευση συχνά γίνονται αμυντικοί και νευρικοί, αντικρούοντας το μήνυμα του παιδιού: «Ω, όχι δεν είμαι!» ή «Αυτό δεν σε αφορά» ή «Δεν με ενδιαφέρει τι σκέφτεσαι για τις αρχές μου». Για να αντιμετωπίσουν τέτοιες καταστάσεις αποτελεσματικά, οι γονείς πρέπει να θυμηθούν την πρώτη μας αρχή: Όταν το παιδί έχει κάποιο συναίσθημα ή κάποιο πρόβλημα, χρησιμοποιήστε Ενεργητική ακρόαση. Το ονομάζουμε «αλλαγή ταχυτήτων», αλλάζουμε προσωρινά από μια στάση αντιπαράθεσης σε μια στάση ακρόασης. Στο προηγούμενο περιστατικό, το Εγώ-μήνυμα της μητέρας δημιούργησε ένα πρόβλημα στο παιδί (όπως κάνουν συνήθως αυτά τα μηνύματα). Επομένως, τώρα είναι ο κατάλληλος χρόνος για να δείξετε κατανόηση και αποδοχή, καθώς το Εγώ-μήνυμά σας του δημιούργησε ένα πρόβλημα:

*ΜΗΤΕΡΑ:* Νομίζεις ότι τα κριτήριά μου είναι πολύ αυστηρά και ότι είμαι πολύ γκρινιάρα.
*ΓΙΟΣ:* Ναι.
*ΜΗΤΕΡΑ:* Ναι, αυτό μπορεί να είναι αλήθεια. Θα το σκεφτώ. Μέχρι να αλλάξω, όμως, σίγουρα νιώθω πολύ απογοητευμένη βλέποντας όλη τη δουλειά μου να πηγαίνει χαμένη. Είμαι πολύ εκνευρισμένη αυτήν τη στιγμή με αυτό εδώ το δωμάτιο.

Συχνά, από τη στιγμή που το παιδί καταλαβαίνει ότι ο γονέας του έχει καταλάβει τα συναισθήματά του, αλλάζει τη συμπεριφορά του. Συνήθως, το μόνο που ζητάει το παιδί είναι κατανόηση των δικών του συναισθημάτων – τότε έχει και αυτό τη διάθεση να κάνει κάτι δημιουργικό για τα *δικά σας* συναισθήματα.

Αυτό επίσης που εκπλήσσει πολλούς γονείς είναι η εμπειρία τού να βλέπουν πώς η Ενεργητική ακρόαση φέρνει στην επιφάνεια συναισθήματα του παιδιού, τα οποία, αφού τα αντιληφθούν οι γονείς, έχουν ως αποτέλεσμα να κάνουν τα αρχικά συναισθήματά τους μη αποδοχής να εξαφανίζονται ή να τροποποιούνται. Ενθαρρύνοντας το παιδί να εκφράσει το πώς αισθάνεται, ο γονέας βλέπει την όλη κατάσταση με ένα εντελώς νέο μάτι. Σε προηγούμενο κεφάλαιο παρουσιάσαμε το περιστατικό με ένα παιδί που φοβότανε να πάει για ύπνο. Η μητέρα είχε εκνευριστεί με την καθυστέρηση του παιδιού της να κοιμηθεί, και του το είπε με ένα Εγώ-μήνυμα. Το παιδί αντέδρασε λέγοντας πως φοβόταν να πάει να κοιμηθεί, από τον φόβο μήπως κλείσει το στόμα του και πεθάνει από ασφυξία. Αυτό το μήνυμα άλλαξε αμέσως τη στάση μη αποδοχής της μητέρας σε μια στάση αποδοχής με κατανόηση.

Μια άλλη περίπτωση που αναφέρθηκε από κάποιον γονέα δείχνει πώς μετά από Ενεργητική ακρόαση μπορεί να τροποποιηθεί το συναίσθημα του γονέα.

*ΠΑΤΕΡΑΣ:* Νιώθω άσχημα βλέποντας τα πιάτα άπλυτα στον νεροχύτη. Δεν συμφωνήσαμε να τα πλύνεις αμέσως μετά το φαγητό;
*ΖΑΝ:* Ήμουν πολύ κουρασμένη μετά το φαγητό, γιατί είχα μείνει ξύπνια μέχρι τις τρεις η ώρα για να ετοιμάσω την εργασία μου.
*ΠΑΤΕΡΑΣ:* Απλώς δεν είχες διάθεση να κάνεις τα πιάτα αμέσως μετά το φαγητό.
*ΖΑΝ:* Όχι. Γι' αυτό και ξάπλωσα μέχρι τις 10.30. Σκοπεύω να τα πλύνω πριν πάω για ύπνο. Εντάξει;
*ΠΑΤΕΡΑΣ:* Εντάξει.

## ΑΛΛΕΣ ΕΦΑΡΜΟΓΕΣ ΤΩΝ ΕΓΩ-ΜΗΝΥΜΑΤΩΝ

### Μια εναλλακτική στον έπαινο

Όταν πρωτοξεκίνησα την Εκπαίδευση Αποτελεσματικού Γονέα, τα Εγώ-μηνύματα αποτελούσαν απλώς μια αποτελεσματική μέθοδο αντιμετώπισης των παιδιών, όταν η συμπεριφορά τους ήταν μη αποδεκτή. Πολλοί γονείς προβληματίζονταν με την περιορισμένη χρήση των Εγώ-μηνυμάτων και ρωτούσαν με οξυδέρκεια: «Γιατί να μη χρησιμοποιούμε τα Εγώ-μηνύματα για να επικοινωνήσουμε τα θετικά συναισθήματα ή τα συναισθήματα εκτίμησής μας, όταν η συμπεριφορά των παιδιών είναι αποδεκτή;»

Ένιωθα πάντα αμφιθυμία ως προς το να στέλνουμε μηνύματα που να περιέχουν θετικές αξιολογήσεις, κυρίως λόγω της πεποίθησής μου, ότι το να εξυμνούμε τα παιδιά είναι συχνά χειριστικό και μερικές φορές ακόμα και καταστροφικό για τη σχέση γονέα-παιδιού. Το επιχείρημά μου ήταν κάπως έτσι:

> Το να επαινούμε τα παιδιά συχνά έχει ως κίνητρο την πρόθεση του γονέα να τα βάλει να κάνουν αυτό που ο ίδιος έχει ήδη αποφασίσει ότι είναι το καλύτερο για εκείνα. Ή, αντίστροφα, οι γονείς επαινούν με την ελπίδα ότι το παιδί δεν θα κάνει αυτό που οι ίδιοι πιστεύουν ότι δεν πρέπει να κάνει, αλλά αντ' αυτού θα επαναλάβει την «καλή» συμπεριφορά, η οποία έχει ανταμειφθεί με τους επαίνους των γονιών.
>
> Οι ψυχολόγοι έχουν αποδείξει πέραν πάσης αμφιβολίας, σε κυριολεκτικά χιλιάδες πειράματα με ανθρώπους και ζώα, ότι το να δίνεις μια ανταμοιβή μετά την εμφάνιση μιας ορισμένης συμπεριφοράς θα «ενισχύσει» τη συμπεριφορά αυτή – δηλαδή θα αυξήσει τις πιθανότητες επανάληψής της. Έτσι, οι ανταμοιβές έχουν αποτέλεσμα. Ο καθένας από εμάς περνά τη ζωή του επαναλαμβάνοντας συμπεριφορές που κατά το παρελθόν μάς έχουν αποφέρει κάποιο είδος ανταμοιβής. Αυτό είναι λογικό. Κάνουμε πράγματα, ξανά και ξανά, γιατί κατά το παρελθόν μάς είχαν δώσει κάτι που χρειαζόμασταν ή θέλαμε – είχαμε ανταμειφθεί.
>
> Ο έπαινος, φυσικά, είναι ένα είδος ανταμοιβής. Τουλάχιστον έτσι πιστεύουν οι περισσότεροι άνθρωποι. Οπότε γιατί να μην κάνουμε μια συστηματική προσπάθεια να επαινέσουμε τα παιδιά για την «καλή» τους συμπεριφορά; Γιατί επίσης να μην τιμωρούμε τα παιδιά για την «κακή» συμπεριφορά, αφού έχουμε αποδείξεις ότι η τιμωρία εξαλείφει τη συμπεριφορά ή μειώνει την πιθανότητα επανάληψής της. Η τιμωρία όμως δεν είναι αυτό που εξετάζω εδώ (παρακάτω θα πω περισσότερα πάνω στο θέμα).
>
> Καμία άποψη δεν είναι πιο εδραιωμένη στις σχέσεις γονέα-παιδιού από την α-

ντίληψη ότι τα παιδιά πρέπει να επαινούνται για την «καλή» συμπεριφορά. Για πολλούς γονείς η αμφισβήτηση της αρχής αυτής ισοδυναμεί με αίρεση. Σίγουρα τα περισσότερα βιβλία και άρθρα για τους γονείς την υποστηρίζουν. Ωστόσο, υπάρχουν παγίδες στον δρόμο των γονέων που χρησιμοποιούν τον έπαινο (και άλλες μορφές ανταμοιβής) ως έναν τρόπο διαμόρφωσης της συμπεριφοράς των παιδιών τους. Πρώτον, για να είναι αποτελεσματικός, ο έπαινος πρέπει να γίνεται αντιληπτός από το παιδί ως ανταμοιβή. Αν ένας γονέας επαινέσει ένα παιδί για κάποια δραστηριότητα, την οποία ο γονέας θεώρησε «καλή» αλλά το παιδί όχι, τότε συχνά το παιδί απορρίπτει ή αρνείται τον έπαινο.

*ΓΟΝΕΑΣ:* Έχεις αρχίσει να γίνεσαι τόσο καλός κολυμβητής.
*ΠΑΙΔΙ:* Δεν φτάνω ούτε στο δακτυλάκι της Λόρι.

*ΓΟΝΕΑΣ:* Χρυσό μου, έπαιξες πάρα πολύ καλά.
*ΠΑΙΔΙ:* Δεν έπαιξα καλά, νιώθω απαίσια. Έπρεπε να είχα νικήσει.

Ήταν αναμενόμενο να τεθεί η ερώτηση: «Αν το Εγώ-μήνυμα είναι ένας πιο εποικοδομητικός τρόπος για να κινητοποιήσεις ένα παιδί να αλλάξει μια συμπεριφορά μη αποδεκτή για τους γονείς, θα μπορούσε επίσης να είναι ένας πιο εποικοδομητικός τρόπος για να επικοινωνήσεις θετικά συναισθήματα – εκτίμηση, ευχαρίστηση, ευγνωμοσύνη, ανακούφιση, ευχαριστία, ευτυχία;»

Όταν οι γονείς επαινούν τα παιδιά τους, σχεδόν πάντοτε το εκφράζουν αυτό ως ένα Εσύ-μήνυμα:

«Ήσουν τόσο καλό παιδί!»
«Έκανες σπουδαία δουλειά!»
«Συμπεριφέρθηκες τόσο καλά στο εστιατόριο!»
«Τα πηγαίνεις πολύ καλύτερα στο σχολείο!»

Σημειώστε ότι όλα αυτά τα μηνύματα εμπεριέχουν μια κρίση, μια αξιολόγηση του παιδιού.

Αντιπαραβάλετέ τα τώρα με τα ακόλουθα θετικά Εγώ-μηνύματα:

«Πραγματικά εκτιμώ που βγάζεις έξω τα σκουπίδια αν και είναι δική μου δουλειά – ευχαριστώ πολύ!»
«Σ' ευχαριστώ που πήγες να πάρεις τον αδελφό σου από το αεροδρόμιο – με γλί-

τωσες μια διαδρομή. Το εκτιμώ πάρα πολύ».
«Όταν με ενημερώνεις πότε θα έρθεις σπίτι, νιώθω ανακουφισμένος, γιατί δεν πρέπει να ανησυχώ για σένα».

Τα θετικά Εγώ-μηνύματα δεν τείνουν να ερμηνεύονται ως χειριστικά και ελεγκτικά, όπως γίνεται συνήθως με τον έπαινο, αρκεί να ικανοποιούνται δύο συνθήκες:

1. Ο γονέας δεν προσπαθεί συνειδητά να χρησιμοποιήσει τα μηνύματα για να επηρεάσει το παιδί να επαναλάβει την επιθυμητή συμπεριφορά (να διαμορφώσει τη μελλοντική συμπεριφορά του παιδιού).
2. Το μήνυμα είναι απλώς ένα όχημα για την επικοινωνία ενός αυθόρμητα βιωμένου προσωρινού συναισθήματος – δηλαδή το συναίσθημα είναι γνήσιο και αληθινό, και βιώνεται στο εδώ και το τώρα.

Η προσθήκη της έννοιας αυτής στο μοντέλο της Εκπαίδευσης δικαιώνει τους γονείς να μοιράζονται τα θετικά τους συναισθήματα, όταν αυθόρμητα νιώθουν ότι εκτιμούν μια συμπεριφορά, χωρίς τους εγγενείς κινδύνους του επαίνου. Φοβάμαι πως παλιότερα, όταν προειδοποιούσα τους γονείς να μην επαινούν τα παιδιά τους, τους άφηνα προβληματισμένους, ματαιωμένους και χωρίς κανέναν εποικοδομητικό τρόπο για να επικοινωνήσουν τα θετικά τους συναισθήματα.

## Πώς να προλάβετε μερικά προβλήματα

Όταν δεν βιώνετε καθόλου προβλήματα στη σχέση σας με τα παιδιά σας (η σχέση είναι στην περιοχή «Κανένα πρόβλημα» στο Παράθυρο της συμπεριφοράς), μπορεί να θέλετε να στείλετε ένα μήνυμα για να προλάβετε μια μη αποδεκτή συμπεριφορά στο μέλλον.

Ο σκοπός των προληπτικών Εγώ-μηνυμάτων είναι να πληροφορούν τα παιδιά εκ των προτέρων για τα σχέδια, τις ανάγκες σας κ.λπ.

«Πρέπει να τελειώσω ένα μάθημα που παίρνω online, οπότε θα ήθελα να συζητήσουμε πώς μπορούμε να μοιραστούμε τη χρήση του υπολογιστή αυτό το Σαββατοκύριακο».
«Θα ήθελα να σκεφτούμε τι πρέπει να γίνει, πριν φύγουμε για το ταξίδι μας, έτσι ώστε να σιγουρευτούμε ότι έχουμε χρόνο να τα κάνουμε όλα».
«Θα ήθελα να ξέρω τι ώρα θα φάμε βραδινό, γιατί θέλω να κάνω ένα τηλεφώνημα που θα κρατήσει ώρα».

Τα καταφατικά αυτά μηνύματα δεν βοηθούν βεβαίως πάντα τους γονείς να πάρουν αυτό που θέλουν, είναι όμως πολύ καλύτερο να λέτε στα παιδιά σας εκ των προτέρων τι έχετε στο μυαλό σας από το να περιμένετε να φερθούν μη αποδεκτικά αγνοώντας τις ανάγκες σας. Ένα προληπτικό έγκαιρο Εγώ-μήνυμα μπορεί να σας γλιτώσει από πολλές αντιπαραθέσεις.

Μια λιγότερο εμφανής συνέπεια αυτού του είδους των προληπτικών Εγώ-μηνυμάτων είναι πως τα παιδιά μαθαίνουν ότι οι γονείς τους είναι άνθρωποι: Έχουν ανάγκες, προτιμήσεις και επιθυμίες, όπως και όλοι οι άλλοι. Και, φυσικά, δίνουν στα παιδιά την ευκαιρία, χωρίς να τους λένε ακριβώς τι να κάνουν, να συμπεριφέρονται με τέτοιον τρόπο, ώστε οι γονείς να είναι ευχαριστημένοι.

Μια χωρισμένη μητέρα, που μεγάλωνε μόνη της τους τρεις έφηβους γιους της, περιέγραψε πώς έστειλε ένα προληπτικό μήνυμα σ' έναν από τους γιους της για μια σχολική εκδήλωση:

> «Νιώθω ότι ο Αλέξανδρος είναι πιο κοντά μου – μπορώ να του πω τι νιώθω. Τις προάλλες το βράδυ πήγα σ' αυτή την εκδήλωση στο σχολείο, όπου επρόκειτο να παίξει κιθάρα και να τραγουδήσει. Ήθελε να πάω, αλλά δεν είχα ξαναπάει ποτέ και ένιωθα ότι δεν ήθελα να με παρατήσουν εκεί μόνη μου, χωρίς να ξέρω κανέναν. Οπότε είπα: "Αλέξανδρε, δεν έχω ξαναέρθει ποτέ στις συναντήσεις σου στο σχολείο και νιώθω λίγο αμήχανη, ξέρεις, γιατί δεν ξέρω κανέναν – θα ήθελα να με βοηθήσεις λίγο σ' αυτό". Και το έκανε! Με πήρε μέσα και με σύστησε σε διάφορους ανθρώπους που δεν ήξερα και μου έφερε ένα φλιντζάνι τσάι. Πραγματικά με φρόντισε!»

## Πώς τα Εγώ-μηνύματα βοηθούν στην επίλυση προβλημάτων

Ας επιστρέψουμε τώρα στο αντιπαραθετικό, αποτελούμενο από τρία σκέλη Εγώ-μήνυμα. Ένα πρόβλημα που όλοι οι γονείς συναντούν, όταν προσπαθούν να εφαρμόσουν αντιπαραθετικά Εγώ-μηνύματα, είναι ότι μερικές φορές το παιδί αρνείται να αλλάξει τη συμπεριφορά του, ακόμη και όταν έχει αντιληφθεί την επίδραση που έχει αυτή στους γονείς του. Μερικές φορές, ακόμη και το πιο σαφές Εγώ-μήνυμα δεν λειτουργεί: Το παιδί δεν αλλάζει τη συμπεριφορά που παρεμβαίνει στις ανάγκες του γονέα. Η ανάγκη του παιδιού, να συμπεριφερθεί με ένα συγκεκριμένο τρόπο, έρχεται σε σύγκρουση με την ανάγκη του γονέα να μη συμπεριφερθεί το παιδί έτσι.

Στην Εκπαίδευση Αποτελεσματικού Γονέα το ονομάζουμε αυτό *κατάσταση σύγκρουσης αναγκών*. Όταν συμβαίνει κάτι τέτοιο, όπως γίνεται αναπόφευκτα σε *όλες* τις σχέσεις, αποτελεί την πραγματική στιγμή της αλήθειας σε αυτήν τη σχέση.

Η διαχείριση τέτοιων καταστάσεων σύγκρουσης αναγκών βρίσκεται στο επίκεντρο αυτού του βιβλίου και αρχίζει με το κεφάλαιο 9.

# 8

# Αλλαγή της μη αποδεκτής συμπεριφοράς με αλλαγή του περιβάλλοντος

Δεν είναι πολλοί οι γονείς που προσπαθούν να αλλάξουν τη συμπεριφορά των παιδιών τους αλλάζοντας το περιβάλλον των παιδιών. Οι τροποποιήσεις του περιβάλλοντος χρησιμοποιούνται περισσότερο με βρέφη και νήπια παρά με μεγαλύτερα παιδιά, γιατί, καθώς τα παιδιά μεγαλώνουν, οι γονείς στηρίζονται περισσότερο σε λεκτικές μεθόδους, ιδιαίτερα εκείνες που «ταπεινώνουν» το παιδί ή το απειλούν με χρήση της γονεϊκής δύναμης. Δεν ασχολούνται με την τροποποίηση του περιβάλλοντος και προσπαθούν να μιλήσουν στο παιδί για τη μη αποδεκτή συμπεριφορά του. Αυτό είναι ατυχές, καθώς η τροποποίηση του περιβάλλοντος είναι συχνά πολύ απλή και εξαιρετικά αποτελεσματική με παιδιά όλων των ηλικιών.

Οι γονείς αρχίζουν να χρησιμοποιούν αυτήν τη μέθοδο πιο εκτεταμένα, από τη στιγμή που συνειδητοποιούν το μεγάλο εύρος εφαρμογών της:

1. Εμπλουτισμός του περιβάλλοντος
2. Μείωση ερεθισμάτων του περιβάλλοντος
3. Απλοποίηση του περιβάλλοντος
4. Περιορισμός του ζωτικού χώρου του παιδιού
5. Διασφάλιση ενός ακίνδυνου περιβάλλοντος για το παιδί
6. Υποκατάσταση μιας δραστηριότητας με μιαν άλλη
7. Προετοιμασία του παιδιού για αλλαγές στο περιβάλλον του, και
8. Έγκαιρος προγραμματισμός με τα μεγαλύτερα παιδιά.

## ΕΜΠΛΟΥΤΙΣΜΟΣ ΤΟΥ ΠΕΡΙΒΑΛΛΟΝΤΟΣ

Κάθε καλή νηπιαγωγός γνωρίζει ότι ένας αποτελεσματικός τρόπος για να σταματήσει ή να προλάβει μια μη αποδεκτή συμπεριφορά είναι να εφοδιάσει το παιδί με πολλές ενδιαφέρουσες ασχολίες που μπορεί να κάνει – δηλαδή να εμπλουτίσει το περιβάλλον του με παιχνίδια, υλικό για ανάγνωση, ομαδικά παιγνίδια, πηλό, κούκλες, παζλ κ.λπ. Οι αποτελεσματικοί γονείς κάνουν επίσης χρήση αυτής της αρχής: Αν τα παιδιά ασχολούνται με κάτι ενδιαφέρον, είναι λιγότερο πιθανόν να δημιουργήσουν προβλήματα ή να ενοχλήσουν τους γονείς.

Μερικοί από τους γονείς των προγραμμάτων μας έχουν αναφέρει ότι έφερε θαυμάσια αποτελέσματα η δημιουργία ενός ειδικού χώρου, στο γκαράζ ή σε μια γωνιά της πίσω αυλής, και ο καθορισμός του χώρου αυτού ως μιας περιοχής όπου το παιδί είναι ελεύθερο να σκάψει, να τρέξει, να κτίσει, να ζωγραφίσει, να ανακατέψει και να δημιουργήσει. Ο γονέας επιλέγει ένα μέρος, όπου το παιδί μπορεί να κάνει σχεδόν οτιδήποτε θέλει, χωρίς να προκαλέσει ζημιές.

Τα ταξίδια με το αυτοκίνητο είναι μία από τις περιπτώσεις που τα παιδιά τείνουν να «ζαλίζουν» τους γονείς τους. Μερικές οικογένειες φροντίζουν, ώστε τα παιδιά τους να έχουν μαζί τους παιγνίδια, βιβλία και παζλ, ώστε να μη βαρεθούν ή να κάνουν φασαρία.

Οι περισσότερες μητέρες γνωρίζουν ότι τα παιδιά τους είναι λιγότερο πιθανόν να συμπεριφερθούν μη αποδεκτά, αν έχουν φίλους και συμπαίκτες στο σπίτι. Συχνά δύο ή τρία παιδιά μαζί θα βρουν ευκολότερα διάφορα «αποδεκτά» πράγματα να κάνουν παρά ένα παιδί μόνο του.

Καβαλέτα για ζωγραφική, πηλός για κατασκευές, κουκλοθέατρο για παραστάσεις, κούκλες και κουκλόσπιτο, κουζινικά, δακτυλομπογιές, διασκεδαστικά παιχνίδια με χαρτιά – όλα αυτά μπορούν να μειώσουν σημαντικά την επιθετική, ανήσυχη ή προβληματική συμπεριφορά. Πολύ συχνά οι γονείς ξεχνούν ότι τα παιδιά χρειάζονται ενδιαφέρουσες και ελκυστικές δραστηριότητες για να διατηρούνται απασχολημένα, ακριβώς όπως κάνουν και οι μεγάλοι.

## ΜΕΙΩΣΗ ΕΡΕΘΙΣΜΑΤΩΝ ΤΟΥ ΠΕΡΙΒΑΛΛΟΝΤΟΣ

Μερικές φορές τα παιδιά χρειάζονται ένα περιβάλλον με λίγα ερεθίσματα, όπως την ώρα πριν πάνε για ύπνο. Οι γονείς, ιδιαίτερα οι πατέρες, μερικές φορές δίνουν υπερβολικά ερεθίσματα στα παιδιά τους πριν από την ώρα του ύπνου ή του φαγητού, και έπειτα απαιτούν από αυτά να είναι ήσυχα και πειθαρχημένα. Σε αυτές τις περιπτώσεις, το περιβάλλον του παιδιού πρέπει να γίνει φτωχότερο σε ερεθίσματα και όχι πλουσιότερο. Πολλές από τις εκρήξεις και τις εντάσεις που εκδηλώνονται σε αυτές τις περιπτώσεις θα μπορούσαν να αποφευχθούν, αν οι γονείς έκαναν μια προσπάθεια να μειώσουν τα ερεθίσματα του περιβάλλοντος του παιδιού.

## ΑΠΛΟΠΟΙΗΣΗ ΤΟΥ ΠΕΡΙΒΑΛΛΟΝΤΟΣ

Μερικές φορές τα παιδιά εκδηλώνουν «μη αποδεκτή» συμπεριφορά, γιατί το περιβάλλον τους είναι υπερβολικά δύσκολο και σύνθετο γι' αυτά. Ζητούν πιεστικά βοήθεια από τους γονείς, εγκαταλείπουν τελείως μια δραστηριότητα, δείχνουν επιθετικότητα, πετάνε πράγματα στο πάτωμα, κλαίνε, τσιρίζουν, φεύγουν.

Το περιβάλλον του σπιτιού χρειάζεται να τροποποιηθεί με πολλούς τρόπους, ώστε να γίνει ευκολότερο για το παιδί να κάνει πράγματα μόνο του, να χειρίζεται αντικείμενα με ασφάλεια, και να αποφεύγει συναισθήματα ματαίωσης που προκαλούνται, όταν δεν μπορεί να ελέγξει το ίδιο του το περιβάλλον. Πολλοί γονείς κάνουν συνειδητές προσπάθειες να απλοποιήσουν το περιβάλλον του σπιτιού, όπως:

- Αγοράζουν ρούχα που μπορεί το παιδί να τα φοράει μόνο του.
- Βάζουν ένα σκαμνί ή ένα κουτί, στο οποίο να μπορεί να ανεβαίνει το παιδί, για να φτάνει τα ρούχα στην ντουλάπα του ή τη βρύση στο μπάνιο.
- Αγοράζουν παιδικά μαχαιροπίρουνα και σερβίτσια.
- Τοποθετούν κρεμάστρες σε χαμηλό ύψος.
- Αγοράζουν άθραυστα ποτήρια και κούπες.
- Τοποθετούν τα χερούλια στις μεσόπορτες αρκετά χαμηλά, ώστε να τα φτάνουν τα παιδιά.
- Βάζουν στους τοίχους πλαστικά χρώματα που πλένονται ή ταπετσαρία στα δωμάτια των παιδιών.

## ΠΕΡΙΟΡΙΣΜΟΣ ΤΟΥ ΖΩΤΙΚΟΥ ΧΩΡΟΥ ΤΟΥ ΠΑΙΔΙΟΥ

Το να βάλουμε ένα παιδί που συμπεριφέρεται με μη αποδεκτό τρόπο, στο πάρκο του, είναι μια προσπάθεια περιορισμού του «ζωτικού» του χώρου, έτσι ώστε οι επακόλουθες συμπεριφορές του να είναι αποδεκτές από τον γονέα. Η περίφραξη της πίσω αυλής είναι αποτελεσματική στο να προληφθούν συμπεριφορές, όπως το να τρέξει το παιδί έξω στον δρόμο ή να πάει στον ανθόκηπο της γειτόνισσας ή να χαθεί κ.λπ.

Μερικοί γονείς κρατούν τα μικρά παιδιά τους δεμένα με ένα λουρί, όταν τα παίρνουν μαζί τους στην αγορά. Άλλοι προσδιορίζουν μια συγκεκριμένη περιοχή στο σπίτι, όπου το παιδί επιτρέπεται να παίζει με πηλό, να ζωγραφίζει, να κόβει χαρτιά ή να κολλάει, περιορίζοντας τις «μπελαλίδικες» δραστηριότητες σε μια συγκεκριμένη περιοχή. Συγκεκριμένοι χώροι μπορούν επίσης να προσδιοριστούν ως χώροι όπου τα παιδιά μπορούν να κάνουν θόρυβο και φασαρία, ή να παίζουν με την άμμο κ.λπ.

Γενικά, τα παιδιά αποδέχονται τέτοιους περιορισμούς του ζωτικού τους χώρου, εφόσον φαίνονται λογικοί και τους αφήνουν αρκετή ελευθερία να ικανοποιούν τις α-νάγκες τους. Μερικές φορές ένα παιδί αντιδρά στους περιορισμούς κι έρχεται σε σύ-γκρουση με τους γονείς του. (Στο επόμενο κεφάλαιο θα εξετάσουμε τον τρόπο επί-λυσης τέτοιων συγκρούσεων.)

## ΔΙΑΣΦΑΛΙΣΗ ΕΝΟΣ ΑΚΙΝΔΥΝΟΥ ΠΕΡΙΒΑΛΛΟΝΤΟΣ ΓΙΑ ΤΟ ΠΑΙΔΙ

Μολονότι οι περισσότεροι γονείς απομακρύνουν τα φάρμακα, τα κοφτερά μαχαίρια και τα επικίνδυνα χημικά, ώστε να μην έχουν πρόσβαση σε αυτά τα παιδιά, μια πιο συστηματική εργασία διασφάλισης ενός ακίνδυνου περιβάλλοντος για το παιδί θα μπορούσε να περιλαμβάνει:

- Γύρισμα των λαβών των μαγειρικών σκευών προς τα μέσα, κατά το μαγείρεμα πάνω στο μάτι.
- Προμήθεια άθραυστων ποτηριών και φλιτζανιών.
- Τοποθέτηση των σπίρτων σε μέρος όπου δεν φτάνει το παιδί.
- Επισκευή φθαρμένων καλωδίων και πριζών.
- Κλείδωμα της εξωτερικής πόρτας.
- Απομάκρυνση ακριβών εύθραυστων αντικειμένων.
- Κλείδωμα κοφτερών αντικειμένων.
- Τοποθέτηση ενός ελαστικού πάτου στην μπανιέρα.
- Ασφάλιση του χωρίσματος της σκάλας στο επάνω πάτωμα.
- Απομάκρυνση χαλιών που γλιστράνε.

Κάθε οικογένεια πρέπει να κάνει τον δικό της έλεγχο διασφάλισης του περιβάλλο-ντος για το παιδί. Με ελάχιστο κόπο, οι περισσότεροι γονείς μπορούν να βρουν πολ-λούς τρόπους να ελέγξουν πιο συστηματικά την ασφάλεια του σπιτιού για το παιδί, ώ-στε να προλάβουν την εκδήλωση συμπεριφορών που θα ήταν μη αποδεκτές.

## ΥΠΟΚΑΤΑΣΤΑΣΗ ΜΙΑΣ ΔΡΑΣΤΗΡΙΟΤΗΤΑΣ ΜΕ ΜΙΑΝ ΑΛΛΗ

Εάν ένα παιδί παίζει με ένα κοφτερό μαχαίρι, δώστε του ένα άλλο που δεν κόβει. Αν του αρέσει να εξετάζει το περιεχόμενο του συρταριού σας με τα καλλυντικά, δώστε του κάποια άδεια μπουκάλια ή κουτιά, για να παίξει με αυτά στο πάτωμα. Αν είναι έ-τοιμο να σχίσει σελίδες από ένα περιοδικό που θέλετε να κρατήσετε, δώστε του ένα άλλο που δεν θέλετε. Αν θέλει να βάψει με μπογιά την ταπετσαρία σας, δώστε του ένα μεγάλο χαρτί περιτυλίγματος, για να ζωγραφίσει εκεί.

Η αποτυχία των γονέων να προσφέρουν μια εναλλακτική δραστηριότητα στο παιδί, πριν του αποσπάσουν αυτό με το οποίο ασχολείται, προκαλεί γενικά απογοήτευση και κλάματα. Συχνά όμως τα παιδιά δέχονται χωρίς διαμαρτυρίες μια υποκατάστατη δραστηριότητα, εφόσον ο γονέας την προσφέρει ήρεμα και μαλακά.

## ΠΡΟΕΤΟΙΜΑΣΙΑ ΤΟΥ ΠΑΙΔΙΟΥ ΓΙΑ ΑΛΛΑΓΕΣ ΣΤΟ ΠΕΡΙΒΑΛΛΟΝ ΤΟΥ

Πολλές μη αποδεκτές συμπεριφορές μπορούν να προληφθούν από τους γονείς, αν εκείνοι προετοιμάσουν το παιδί προκαταβολικά για αλλαγές στο περιβάλλον του. Αν η μόνιμη μπέιμπι σίτερ δεν μπορεί να έρθει την Παρασκευή, αρχίστε να μιλάτε με το παιδί από την Τετάρτη για την κανούργια μπέιμπι σίτερ που πρόκειται να έρθει. Αν σκοπεύετε να περάσετε τις διακοπές σας στη θάλασσα, προετοιμάστε το παιδί εβδομάδες πριν για κάποια από τα πράγματα που πρόκειται να συναντήσει – όπως για το ότι θα κοιμάται σε άλλο κρεβάτι, θα γνωρίσει νέους φίλους, δεν θα έχει το ποδήλατο μαζί του, και επίσης για τα μεγάλα κύματα, για το ποια είναι η σωστή συμπεριφορά στο πλοίο κ.λπ.

Τα παιδιά έχουν μια καταπληκτική ικανότητα να προσαρμόζονται με άνεση στις αλλαγές, αρκεί οι γονείς να συζητούν γι' αυτά τα πράγματα έγκαιρα. Αυτό ισχύει ακόμη και όταν το παιδί πρέπει ίσως να υποφέρει κάποιον πόνο ή δυσφορία, όπως στην περίπτωση που θα πάει στον γιατρό για να κάνει ένα εμβόλιο. Η ειλικρινής συζήτηση της κατάστασης αυτής με το παιδί, ακόμη και η γνωστοποίηση ότι αναμφίβολα θα πονέσει για λίγο, μπορεί να κάνει θαύματα στο να το βοηθήσει να την αντιμετωπίσει, όταν έρθει η ώρα.

## ΕΓΚΑΙΡΟΣ ΠΡΟΓΡΑΜΜΑΤΙΣΜΟΣ ΜΕ ΤΑ ΜΕΓΑΛΥΤΕΡΑ ΠΑΙΔΙΑ

Οι γονείς μπορούν επίσης να αποφύγουν συγκρούσεις, οργανώνοντας επιμελώς το περιβάλλον των έφηβων παιδιών τους. Και αυτά επίσης χρειάζονται αρκετό χώρο για τα προσωπικά τους είδη, καθώς και ιδιωτικότητα και ευκαιρίες για ανεξάρτητη δραστηριότητα. Σας δίνουμε μερικές ιδέες για «διεύρυνση της περιοχής αποδοχής σας» για μεγαλύτερα παιδιά:

- Εφοδιάστε το παιδί με το δικό του ξυπνητήρι.
- Φροντίστε να έχει ευρύχωρη ντουλάπα με πολλές κρεμάστρες.
- Οργανώστε σε ένα μέρος στο σπίτι έναν πίνακα ανακοινώσεων.

- Εφοδιάστε το παιδί με ένα δικό του προσωπικό ημερολόγιο, για να σημειώνει τις υποχρεώσεις του.
- Δείτε μαζί του τις οδηγίες χρήσης κανούργιων συσκευών.
- Πληροφορήστε έγκαιρα τα παιδιά πότε περιμένετε καλεσμένους, έτσι ώστε να ξέρουν πότε να καθαρίσουν τα δωμάτιά τους.
- Εφοδιάστε το παιδί με κλειδί του σπιτιού κι ένα μπρελόκ της αρεσκείας του.
- Δίνετε χαρτζιλίκι ανά μήνα, και όχι ανά εβδομάδα, και συμφωνήστε προκαταβολικά για ποια πράγματα μπορεί το παιδί να ζητάει επιπλέον χρήματα.
- Συζητήστε προκαταβολικά κάποια περίπλοκα νομικά ζητήματα, όπως είναι η απαγόρευση της κυκλοφορίας, η ασφάλεια του αυτοκινήτου, η ευθύνη σε περίπτωση αυτοκινητικού δυστυχήματος, η χρήση αλκοόλ κ.λπ.
- Όταν ένας έφηβος πλένει μόνος του τα ρούχα του, διευκολύντε τον, φροντίζοντας να είναι άμεσα προσβάσιμα όλα τα απαραίτητα υλικά και εφόδια.
- Συστήστε στο παιδί να έχει πάντοτε μαζί του τηλεκάρτα για κάποιο επείγον τηλεφώνημα.
- Πείτε στο παιδί ποια τρόφιμα στο ψυγείο είναι για τους επισκέπτες.
- Ζητήστε από το παιδί να σας δώσει μια λίστα με τους φίλους του και τα τηλέφωνά τους, σε περίπτωση που χρειαστεί να το αναζητήσετε.
- Ενημερώστε προκαταβολικά το παιδί, αν χρειαστεί να γίνει κάποια πρόσθετη εργασία για υποδοχή καλεσμένων.
- Προτρέψτε το παιδί να ετοιμάσει έναν προσωπικό κατάλογο κι ένα χρονοδιάγραμμα για τα πράγματα που έχει να ετοιμάσει για κάποιο οικογενειακό ταξίδι.
- Ενθαρρύνετε το παιδί να διαβάζει το πρωινό δελτίο καιρού στην εφημερίδα (ή να το ακούει στην τηλεόραση ή το ραδιόφωνο), για να κανονίζει τι θα φορέσει για το σχολείο.
- Ενημερώστε το παιδί εγκαίρως ότι η ώρα του μπάνιου και του ύπνου θα είναι νωρίτερα του συνηθισμένου, επειδή πρέπει να εργαστείτε στο σπίτι πάνω σε ένα σχέδιο χωρίς να σας διακόψουν.
- Πείτε στα παιδιά, εκ των προτέρων, πότε πρόκειται να απουσιάσετε από το σπίτι, ώστε να κάνουν το δικό τους πρόγραμμα δραστηριοτήτων.
- Διδάξτε το παιδί πώς να κρατάει τηλεφωνικά μηνύματα.
- Χτυπάτε πάντα την πόρτα, πριν μπείτε στο δωμάτιο των παιδιών.
- Συμπεριλάβετε και τα παιδιά σε συζητήσεις πάνω σε οικογενειακά σχέδια που τα αφορούν.

Οι περισσότεροι γονείς μπορούν να σκεφτούν πολλά άλλα παραδείγματα για καθεμιά από αυτές τις κατηγορίες. Όσο πιο πολλοί γονείς χρησιμοποιούν τροποποιήσεις του περιβάλλοντος, τόσο πιο ευχάριστη μπορεί να γίνει η ζωή με τα παιδιά τους και τόσο λιγότεροι γονείς θα χρειάζεται να έρχονται σε αντιπαράθεση μαζί τους.

Οι γονείς που κατορθώνουν να μάθουν στην Εκπαίδευση να στηρίζονται πολύ στις τροποποιήσεις του περιβάλλοντος περνάνε πρώτα μέσα από κάποιες, μάλλον βασικές, αλλαγές στη νοοτροπία τους απέναντι στα παιδιά και τα δικαιώματά τους στο σπίτι. Μία από αυτές τις αλλαγές σχετίζεται με την ερώτηση: Τίνος είναι το σπίτι;

Πολλοί γονείς στις τάξεις μας λένε ότι πιστεύουν πως το σπίτι είναι αποκλειστικά *δικό τους*· ότι τα παιδιά πρέπει να διαπαιδαγωγηθούν και να μάθουν να συμπεριφέρονται με τον σωστό, κατάλληλο τρόπο. Αυτό σημαίνει ότι τα παιδιά πρέπει να διαπαιδαγωγούνται και να επιπλήττονται μέχρι να καταλάβουν, με οδυνηρό τρόπο, τι αναμένεται από αυτά στο σπίτι των γονέων τους. Αυτοί οι γονείς σπάνια σκέφτονται να κάνουν έστω κάποιες σοβαρές αλλαγές στο περιβάλλον του σπιτιού, όταν γεννιέται ένα παιδί στο σπίτι. Με άλλα λόγια, αφήνουν το σπίτι ακριβώς όπως ήταν, πριν έρθει το παιδί, και περιμένουν από το παιδί να κάνει όλες τις προσαρμογές!

Απευθύνουμε στους γονείς την εξής ερώτηση: «Αν μαθαίνατε σήμερα ότι την επόμενη εβδομάδα πρέπει να πάρετε στο σπίτι σας έναν από τους δικούς σας γονείς, γιατί έχει πάθει μερική παράλυση και μερικές φορές πρέπει να χρησιμοποιεί δεκανίκια και αναπηρικό καροτσάκι, ποιες αλλαγές θα κάνατε στο σπίτι σας;»

Πάντοτε η ερώτηση αυτή παράγει ένα μεγάλο κατάλογο αλλαγών που οι γονείς θα ήταν έτοιμοι να κάνουν, όπως:

- Αφαίρεση των μικρών χαλιών.
- Προσθήκη κουπαστής στη σκάλα.
- Μετακίνηση επίπλων για δημιουργία χώρων διέλευσης της αναπηρικής καρέκλας.
- Τοποθέτηση συχνά χρησιμοποιούμενων αντικειμένων ή σκευών στα χαμηλότερα ντουλάπια της κουζίνας, ώστε να τα φθάνει κανείς εύκολα.
- Εφοδιασμός του παράλυτου γονέα με ένα κουδούνι με δυνατό ήχο, για να το χτυπάει, όταν έχει πρόβλημα.
- Τοποθέτηση μιας τηλεφωνικής συσκευής στο δωμάτιό του.
- Απομάκρυνση μικρών τραπεζιών, στα οποία θα μπορούσε να χτυπήσει και να τα ανατρέψει.
- Κατασκευή μιας ράμπας στη σκάλα, ώστε να μπορεί μόνος του να μετακινεί το καροτσάκι και να βγαίνει στην αυλή.
- Τοποθέτηση ελαστικού πάτου στην μπανιέρα.

Όταν οι γονείς βλέπουν πόση προσπάθεια θα χρειαζόταν για να κάνουν κάποιες αλλαγές στο σπίτι τους για τον ανάπηρο γονέα τους, αποδέχονται πολύ πιο εύκολα την ιδέα να κάνουν αλλαγές για ένα παιδί.

Οι περισσότεροι γονείς εκπλήσσονται, επίσης, όταν διαπιστώνουν την αντίθεση μεταξύ της στάσης τους απέναντι στον ανάπηρο γονέα και της στάσης τους απέναντι στα παιδιά τους, όταν φθάνουν στην ερώτηση: «Τίνος είναι το σπίτι;»

Οι γονείς λένε ότι θα έκαναν επανειλημμένες προσπάθειες για να πείσουν τον ανάπηρο γονέα τους ότι το σπίτι τους είναι τώρα και δικό του σπίτι. Δεν κάνουν όμως το ίδιο και με τα παιδιά τους.

Συχνά εκπλήσσομαι από τον μεγάλο αριθμό των γονέων που μέσα από τη στάση και τη συμπεριφορά τους δείχνουν ότι περιποιούνται τους καλεσμένους τους με πολύ μεγαλύτερο σεβασμό απ' ό,τι περιποιούνται τα ίδια τους τα παιδιά. Πάρα πολλοί γονείς ενεργούν σαν.να έπρεπε τα ίδια τα παιδιά να κάνουν όλες τις προσαρμογές στο περιβάλλον τους.

# 9

## Αναπόφευκτες συγκρούσεις γονέων-παιδιών: Ποιος πρέπει να κερδίζει;

Όλοι οι γονείς έχουν έρθει αντιμέτωποι με καταστάσεις, όπου ούτε η αντιπαράθεση ούτε οι αλλαγές στο περιβάλλον αλλάζουν τη συμπεριφορά του παιδιού τους. Το παιδί εξακολουθεί να συμπεριφέρεται με έναν τρόπο που εμποδίζει την ικανοποίηση των αναγκών των γονέων του. Αυτές οι καταστάσεις είναι αναπόφευκτες στη σχέση γονέα-παιδιού, γιατί το παιδί «έχει ανάγκη» να συμπεριφέρεται με ένα συγκεκριμένο τρόπο, μολονότι έχει συνειδητοποιήσει ότι η συμπεριφορά του παρεμβαίνει στην ικανοποίηση των αναγκών των γονέων του.

> Ο Ερρίκος συνεχίζει να παίζει βιντεοπαιχνίδια, μολονότι η μητέρα του επανειλημμένα του είχε πει πως πρέπει να φύγουν σε μισή ώρα.
>
> Η Μάγδα είχε συμφωνήσει με την κόρη της να καθαρίσει την κουζίνα, όταν όμως η Μάγδα γυρίζει στο σπίτι από τη δουλειά, ο νεροχύτης είναι γεμάτος με άπλυτα πιάτα.
>
> Η Κατερίνα αρνείται να ικανοποιήσει τα συναισθήματα των γονέων της, που δεν θέλουν να πάει το Σαββατοκύριακο στο βουνό με κάποιους φίλους της. Εκείνη θέλει να πάει οπωσδήποτε, μολονότι ακούει πόσο μη αποδεκτό είναι αυτό από τους γονείς της.

Αυτές οι συγκρούσεις μεταξύ των αναγκών των γονέων και των αναγκών του παιδιού δεν είναι μόνο *αναπόφευκτες σε κάθε οικογένεια*, αλλά είναι επόμενο να *συμβαίνουν συχνά*. Καλύπτουν όλο το φάσμα, από τις μάλλον ασήμαντες διαφορές μέχρι τις κρίσιμες διαμάχες. Είναι προβλήματα στη *σχέση*, που δεν ανήκουν αποκλειστικά ούτε στο παιδί ούτε στον γονέα. Και ο γονέας και το παιδί εμπλέκονται στο πρόβλημα, καθώς και των δύο οι ανάγκες κινδυνεύουν. Επομένως, εδώ Η ΣΧΕΣΗ ΕΧΕΙ ΤΟ ΠΡΟΒΛΗΜΑ. Αυτά είναι προβλήματα που ανακύπτουν, όταν οι άλλες μέθοδοι δεν έχουν αλλάξει τη συμπεριφορά που δεν γίνεται αποδεκτή από τον γονέα.

Επανερχόμενοι ξανά στο Παράθυρο της συμπεριφοράς, να πού εντάσσονται οι συγκρούσεις στη σχέση:

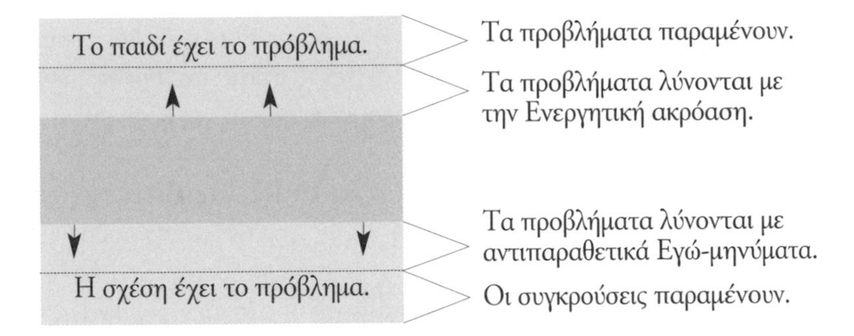


Μια σύγκρουση αποτελεί τη στιγμή της αλήθειας σε μια σχέση, μια δοκιμασία τού πόσο υγιής είναι, μια κρίση που μπορεί να την εξασθενίσει ή να την ενισχύσει, ένα κρίσιμο γεγονός που μπορεί να αφήσει μια μόνιμη πικρία, μια υποβόσκουσα εχθρότητα και ψυχικά τραύματα. Οι συγκρούσεις μπορούν να απομακρύνουν τους ανθρώπους μεταξύ τους ή να τους φέρουν σε ένα πιο στενό και πιο ζεστό δέσιμο. Περικλείουν τους σπόρους της καταστροφής και τους σπόρους της βαθύτερης ένωσης. Μπορούν να οδηγήσουν σε ένοπλο αγώνα ή σε βαθύτερη αμοιβαία κατανόηση.

*Ο τρόπος επίλυσης των συγκρούσεων είναι ίσως ο πιο κρίσιμος παράγοντας στις σχέσεις γονέων-παιδιών.* Δυστυχώς, πολλοί γονείς προσπαθούν να τις επιλύσουν κάνοντας χρήση δύο μόνο κύριων προσεγγίσεων, που είναι και οι δύο αναποτελεσματικές και βλάπτουν το παιδί, όπως και τη σχέση.

Λίγοι γονείς αποδέχονται το γεγονός ότι η σύγκρουση είναι μέρος της ζωής και όχι αναγκαστικά κάτι κακό. Οι περισσότεροι αντιμετωπίζουν τη σύγκρουση σαν κάτι που πρέπει να αποφεύγεται πάση θυσία, ανεξάρτητα αν συμβαίνει μεταξύ των ίδιων και των παιδιών τους ή μεταξύ των παιδιών. Ακούμε συχνά συζύγους να υπερηφανεύονται ότι δεν είχαν ποτέ σοβαρές διαφωνίες μεταξύ τους, λες και κάτι τέτοιο σημαίνει ότι η σχέση τους είναι καλή.

Οι γονείς λένε στα παιδιά τους: «Εντάξει, δεν θα γίνουν καβγάδες απόψε στο τραπέζι, δεν θέλουμε να χαλάσουμε την ώρα του φαγητού». Ή φωνάζουν: «Σταματήστε αυτό τον καβγά, τώρα αμέσως!» Μπορούμε να ακούσουμε γονείς εφήβων να παραπονιούνται ότι τώρα που τα παιδιά τους μεγάλωσαν, υπάρχουν πολύ περισσότερες διαφωνίες και συγκρούσεις στην οικογένεια: «Μέχρι τώρα συμφωνούσαμε απόλυτα στα περισσότερα πράγματα». Ή: «Η κόρη μου ήταν πάντοτε τόσο συνεργάσιμη και πρόθυμη, όμως τώρα δεν μπορούμε να δούμε τα πράγματα όπως τα βλέπει εκείνη, ούτε κι εκείνη όπως τα βλέπουμε εμείς».

Οι περισσότεροι γονείς δεν θέλουν καθόλου να βιώσουν συγκρούσεις, ενοχλούνται πάρα πολύ όταν συμβαίνουν, και βρίσκονται σε μεγάλη σύγχυση για το πώς θα τις αντιμετωπίσουν εποικοδομητικά. Στην πραγματικότητα, θα επρόκειτο για μια σπάνια σχέση, αν για ένα μεγάλο χρονικό διάστημα οι ανάγκες του ενός δεν συγκρούονταν με τις ανάγκες του άλλου. Όταν δύο άνθρωποι (ή ομάδες) συνυπάρχουν, αναγκαστικά θα υπάρξουν συγκρούσεις, ακριβώς διότι οι άνθρωποι είναι διαφορετικοί, σκέφτονται διαφορετικά, έχουν διαφορετικές ανάγκες και επιθυμίες, που μερικές φορές δεν ταιριάζουν.

Επομένως, η σύγκρουση δεν είναι απαραίτητα κάτι κακό – υπάρχει ως πραγματικότητα σε κάθε σχέση. Στην ουσία, μια σχέση χωρίς εμφανείς συγκρούσεις μπορεί να είναι λιγότερο υγιής από μια σχέση με συχνές συγκρούσεις. Ένα καλό παράδειγμα είναι ένας γάμος όπου η γυναίκα είναι πάντοτε υποταγμένη σε έναν αυταρχικό άντρα, ή μια σχέση γονέα-παιδιού όπου το παιδί φοβάται τόσο πολύ τον γονέα, που δεν τολμά να του φέρει την παραμικρή αντίρρηση.

Οι περισσότεροι από εμάς έχουμε γνωρίσει οικογένειες, ειδικά μεγάλες οικογένειες, όπου συχνά εμφανίζονται συγκρούσεις, και όμως αυτές οι οικογένειες είναι εξαιρετικά δεμένες και ευτυχισμένες. Αντίθετα, συχνά διαβάζουμε στις εφημερίδες για νέους που διέπραξαν εγκλήματα και οι γονείς τους μένουν έκπληκτοι, πώς μπόρεσε ο γιος τους να κάνει ένα τέτοιο πράγμα. Ποτέ δεν είχαν κάποιο πρόβλημα με το παιδί τους – ήταν πάντοτε τόσο συνεργάσιμο.

Όταν η σύγκρουση σε μια οικογένεια εκδηλώνεται ανοιχτά και γίνεται αποδεκτή ως φυσικό φαινόμενο, είναι πολύ πιο ευεργετική για τα παιδιά απ' ό,τι νομίζουν οι περισσότεροι γονείς. Σε τέτοιες οικογένειες το παιδί έχει τουλάχιστον μια ευκαιρία να βιώσει τη σύγκρουση, να μάθει πώς να την αντιμετωπίζει και να προετοιμαστεί καλύτερα, για να χειριστεί συγκρούσεις στη μετέπειτα ζωή του. Ως απαραίτητη προετοιμασία για τις αναπόφευκτες συγκρούσεις που το παιδί θα συναντήσει έξω από το σπίτι, η οικογενειακή σύγκρουση μπορεί τελικά να είναι επωφελής για το παιδί, πάντα υπό τον όρο να επιλύεται η σύγκρουση στο σπίτι εποικοδομητικά.

Αυτός είναι ο κρίσιμος παράγοντας σε κάθε σχέση: Πώς επιλύονται οι συγκρούσεις και όχι πόσες συγκρούσεις συμβαίνουν. Πιστεύω πλέον ότι είναι ο *πιο κρίσιμος* παράγοντας, που καθορίζει κατά πόσο μια σχέση θα είναι υγιής ή όχι, αμοιβαία ικανοποιητική ή μη ικανοποιητική, φιλική ή εχθρική, βαθιά ή επιφανειακή, ζεστή ή ψυχρή.

## Ο ΑΓΩΝΑΣ ΕΞΟΥΣΙΑΣ ΜΕΤΑΞΥ ΓΟΝΕΑ-ΠΑΙΔΙΟΥ: ΠΟΙΟΣ ΚΕΡΔΙΖΕΙ, ΠΟΙΟΣ ΧΑΝΕΙ;

Σπάνια συναντάμε στις τάξεις μας κάποιον γονέα που δεν σκέφτεται την επίλυση μιας σύγκρουσης, από την άποψη ότι κάποιος χάνει και κάποιος κερδίζει. Αυτός ο προσανατολισμός «νίκης-ήττας» βρίσκεται στην καρδιά του διλήμματος των σημερινών γονέων, κατά πόσον δηλαδή θα είναι αυστηροί (ο γονέας κερδίζει) ή επιεικείς (το παιδί κερδίζει).

Οι περισσότεροι γονείς βλέπουν το όλο πρόβλημα της πειθαρχίας στην ανατροφή των παιδιών ως ένα πρόβλημα τού να είναι κανείς είτε αυστηρός είτε επιεικής, σκληρός ή μαλθακός, αυταρχικός ή επιτρεπτικός. Εγκλωβισμένοι σε αυτή την «είτε είτε» προσέγγιση του προβλήματος της πειθαρχίας, βλέπουν τη σχέση με τα παιδιά τους ως αγώνα εξουσίας, ανταγωνισμό επιθυμιών, μάχη που θα έχει έναν νικητή, τελικά τη βλέπουν σαν *πόλεμο*. Σήμερα οι γονείς και τα παιδιά τους βρίσκονται κυριολεκτικά σε εμπόλεμη κατάσταση, καθώς ο καθένας τους σκέφτεται υπό αυτή την έννοια, ότι κάποιος κερδίζει και κάποιος χάνει. Ακόμη μιλάνε για τη διαμάχη τους με τον ίδιο περίπου τρόπο, όπως για δύο έθνη που βρίσκονται σε πόλεμο.

Ένας πατέρας το παρουσίασε αυτό καθαρά σε μια τάξη της Εκπαίδευσης, όταν δήλωσε ζωηρά:

> «Θα πρέπει να αρχίσετε νωρίς για να τους δώσετε να καταλάβουν ποιος είναι το αφεντικό. Διαφορετικά θα σας πάρουν τον αέρα και θα σας κουμαντάρουν. Αυτό είναι το πρόβλημα με τη γυναίκα μου: Πάντοτε καταλήγει να αφήνει τα παιδιά να κερδίζουν όλες τις μάχες. Πάντοτε υποχωρεί, και τα παιδιά το ξέρουν αυτό».

Η μητέρα ενός εφήβου το περιγράφει με τα δικά της λόγια:

> «Προσπαθώ να αφήσω το παιδί μου να κάνει ό,τι θέλει, αλλά έπειτα συνήθως υποφέρω. Το εκμεταλλεύεται. Του δίνεις ένα δάχτυλο και παίρνει όλο το χέρι».

Μια άλλη μητέρα είναι αποφασισμένη να μη χάσει τη «μάχη του τατουάζ».

> «Δεν με νοιάζει πώς αισθάνεται και δεν έχει καμία σημασία για μένα τι κάνουν οι άλλοι γονείς. Καμιά δική μου κόρη δεν πρόκειται να κάνει τατουάζ. Είναι κάτι στο οποίο δεν πρόκειται να κάνω πίσω. Είμαι αποφασισμένη να κερδίσω αυτήν τη μάχη».

Και τα παιδιά, επίσης, βλέπουν τη σχέση τους με τους γονείς σαν αγώνα νίκης ή ήττας. Η Κάθι, ένα έξυπνο δεκαπεντάχρονο κορίτσι, που ανησυχεί τους γονείς της, γιατί δεν τους μιλάει, μου είπε σε κάποια από τις συναντήσεις μας:

> «Για ποιο λόγο να φιλονικήσω; Αυτοί πάντοτε κερδίζουν. Το γνωρίζω πριν ακόμη αρχίσουμε τη συζήτηση. Είναι πάντοτε αποφασισμένοι να κάνουν αυτό

που θέλουν. Άλλωστε, αυτοί είναι οι γονείς. Γνωρίζουν πάντοτε ότι έχουν δίκιο. Γι' αυτό, τώρα απλώς δεν μαλώνω μαζί τους. Απομακρύνομαι και δεν τους μιλάω. Φυσικά τους ενοχλεί, όταν το κάνω αυτό. Αλλά δεν με νοιάζει».

Ο Λουκάς, μαθητής του Λυκείου, έμαθε να αντιμετωπίζει τη στάση «νίκης-ήττας» των γονέων του με ένα διαφορετικό τρόπο:

> «Αν πραγματικά θέλω να κάνω κάτι, ποτέ δεν πάω στη μητέρα μου, γιατί η άμεση αντίδρασή της είναι "Όχι". Περιμένω μέχρι να έλθει στο σπίτι ο μπαμπάς μου. Συνήθως μπορώ να τον κάνω να πάρει το μέρος μου. Είναι πιο καλόβολος και συνήθως με εκείνον αποκτώ ό,τι θέλω».

Όταν προκύπτει μια σύγκρουση μεταξύ γονέων-παιδιών, οι περισσότεροι γονείς προσπαθούν να την επιλύσουν προς όφελός τους, έτσι ώστε ο γονέας να κερδίσει και το παιδί να χάσει. Άλλοι, κάπως λιγότεροι σε αριθμό από τους «νικητές», μόνιμα υποχωρούν στα παιδιά τους, από φόβο μήπως συγκρουστούν ή εμποδίσουν την ικανοποίηση των αναγκών των παιδιών τους. Σε αυτές τις οικογένειες, το παιδί κερδίζει και ο γονέας χάνει. Το μεγαλύτερο δίλημμα των γονέων σήμερα είναι ότι βλέπουν μόνον αυτές τις προσεγγίσεις νίκης-ήττας.

## Οι δύο προσεγγίσεις νίκης-ήττας

Στην Εκπαίδευση αναφερόμαστε στις δύο προσεγγίσεις «νίκης-ήττας» απλά ως Μέθοδο Ι και Μέθοδο ΙΙ. Και στις δύο, το ένα πρόσωπο κερδίζει και το άλλο χάνει, ο ένας κάνει αυτό που θέλει και ο άλλος όχι. Να πώς λειτουργεί η Μέθοδος Ι στις συγκρούσεις γονέα-παιδιού:

> Ο γονέας και το παιδί αντιμετωπίζουν μια κατάσταση σύγκρουσης αναγκών. Ο γονέας αποφασίζει ποια πρέπει να είναι η λύση. Έχοντας επιλέξει τη λύση, ο γονέας την ανακοινώνει και ελπίζει ότι το παιδί θα την αποδεχτεί. Αν η λύση δεν αρέσει στο παιδί, ο γονέας μπορεί στην αρχή να χρησιμοποιήσει πειθώ, προσπαθώντας να επηρεάσει το παιδί να δεχτεί τη λύση. Αν αυτό αποτύχει, ο γονέας συνήθως προσπαθεί να επιτύχει συμμόρφωση, ασκώντας δύναμη και εξουσία.

Η παρακάτω σύγκρουση μεταξύ ενός πατέρα και της δωδεκάχρονης κόρης του επιλύθηκε με τη Μέθοδο Ι:

*ΤΖΕΪΝ:* Γεια. Φεύγω για το σχολείο.
*ΠΑΤΕΡΑΣ:* Γλυκιά μου, βρέχει και δεν φοράς το αδιάβροχό σου.
*ΤΖΕΪΝ:* Δεν το χρειάζομαι.
*ΠΑΤΕΡΑΣ:* Δεν το χρειάζεσαι! Θα γίνεις μούσκεμα και μπορεί να κρυολογήσεις.
*ΤΖΕΪΝ:* Δεν βρέχει τόσο πολύ.
*ΠΑΤΕΡΑΣ:* Βρέχει πάρα πολύ.
*ΤΖΕΪΝ:* Ε, λοιπόν, δεν θέλω να φορέσω αδιάβροχο. Δεν μου αρέσει να φορώ αδιάβροχο.
*ΠΑΤΕΡΑΣ:* Έλα, γλυκιά μου, ξέρεις ότι θα είσαι πιο ζεστή και πιο στεγνή, αν το φορέσεις. Σε παρακαλώ, πήγαινε να το πάρεις.
*ΤΖΕΪΝ:* Το μισώ αυτό το αδιάβροχο. Δεν θα το φορέσω!
*ΠΑΤΕΡΑΣ:* Πήγαινε αμέσως τώρα στο δωμάτιό σου και πάρε το αδιάβροχο! Δεν θα σε αφήσω να πας στο σχολείο χωρίς το αδιάβροχό σου, μια μέρα σαν κι αυτή.
*ΤΖΕΪΝ:* Μα δεν μου αρέσει...
*ΠΑΤΕΡΑΣ:* Δεν υπάρχει «μα». Αν δεν το φορέσεις, η μητέρα σου κι εγώ θα πρέπει να σε τιμωρήσουμε.
*ΤΖΕΪΝ* (θυμωμένα): Εντάξει, νίκησες! Θα το φορέσω το ηλίθιο αδιάβροχο!

Ο πατέρας έκανε αυτό που ήθελε. Η λύση του –να φορέσει η Τζέιν το αδιάβροχό της– επικράτησε, μολονότι η Τζέιν δεν το ήθελε αυτό. *Ο γονέας νίκησε και η Τζέιν έχασε.* Η Τζέιν δεν ήταν καθόλου ευχαριστημένη με τη λύση, όμως υποχώρησε μπροστά στην απειλή του πατέρα της, να χρησιμοποιήσει εξουσία (τιμωρία).

Να τώρα πώς λειτουργεί η Μέθοδος ΙΙ στις συγκρούσεις γονέα-παιδιού:

> Ο γονέας και το παιδί αντιμετωπίζουν μια κατάσταση σύγκρουσης αναγκών. Ο γονέας μπορεί να έχει ή μπορεί να μην έχει μια προσδιορισμένη λύση. Αν έχει, μπορεί να προσπαθήσει να πείσει το παιδί να την αποδεχτεί. Γίνεται φανερό ότι το παιδί έχει τη δική του λύση και προσπαθεί να πείσει τον γονέα να την αποδεχτεί. Αν ο γονέας αντισταθεί, το παιδί μπορεί να προσπαθήσει να χρησιμοποιήσει τη δύναμή του, για να επιτύχει συμμόρφωση από τον γονέα. Στο τέλος ο γονέας υποχωρεί.

Στη σύγκρουση με το αδιάβροχο, η Μέθοδος ΙΙ θα εφαρμοζόταν ως εξής:

*ΤΖΕΪΝ:* Γεια. Φεύγω για το σχολείο.
*ΠΑΤΕΡΑΣ:* Γλυκιά μου, βρέχει και δεν φοράς το αδιάβροχό σου.
*ΤΖΕΪΝ:* Δεν το χρειάζομαι.

*ΠΑΤΕΡΑΣ:* Δεν το χρειάζεσαι! Θα γίνεις μούσκεμα και μπορεί να κρυολογήσεις.
*ΤΖΕΪΝ:* Δεν βρέχει τόσο πολύ.
*ΠΑΤΕΡΑΣ:* Βρέχει πάρα πολύ.
*ΤΖΕΪΝ:* Ε, λοιπόν, δεν θέλω να φορέσω αδιάβροχο. Δεν μου αρέσει να φοράω αδιάβροχο.
*ΠΑΤΕΡΑΣ:* Εγώ θέλω να το φορέσεις.
*ΤΖΕΪΝ:* Το μισώ αυτό το αδιάβροχο. Δεν θα το φορέσω. Δεν μπορείς να με αναγκάσεις.
*ΠΑΤΕΡΑΣ:* Α, παραιτούμαι. Πήγαινε στο σχολείο χωρίς το αδιάβροχό σου, δεν θέλω να τσακωθώ άλλο μαζί σου, νίκησες.

Η Τζέιν ήταν σε θέση να κάνει αυτό που ήθελε – *εκείνη νίκησε και ο πατέρας της έχασε.* Ο πατέρας σίγουρα δεν ήταν ευχαριστημένος με τη λύση και όμως υποχώρησε μπροστά στην απειλή της Τζέιν να χρησιμοποιήσει τη δύναμή της (σε αυτή την περίπτωση, να θυμώσει με τον πατέρα της).

Οι Μέθοδοι Ι και ΙΙ μοιάζουν μεταξύ τους, μολονότι τα αποτελέσματα είναι εντελώς διαφορετικά. Και στις δύο, το κάθε πρόσωπο θέλει να γίνει το δικό του και προσπαθεί να πείσει το άλλο να το αποδεχτεί. Η στάση του καθενός και στις δύο μεθόδους είναι: «Θέλω να γίνει το δικό μου και είμαι διατεθειμένος να πολεμήσω για να το επιτύχω». Στη Μέθοδο Ι, ο γονέας αδιαφορεί και δεν σέβεται τις ανάγκες του παιδιού. Στη Μέθοδο ΙΙ, το παιδί αδιαφορεί και δεν σέβεται τις ανάγκες του γονέα. Και στις δύο, ο ένας φεύγει νιώθοντας ηττημένος, συνήθως θυμωμένος με τον άλλον που του προκάλεσε την ήττα. Και οι δύο μέθοδοι συνεπάγονται έναν αγώνα εξουσίας, και οι αντίπαλοι είναι πρόθυμοι να χρησιμοποιήσουν τη δύναμή τους, αν νιώσουν ότι αυτό είναι απαραίτητο για να νικήσουν.

## Γιατί η Μέθοδος Ι είναι αναποτελεσματική

Οι γονείς που στηρίζονται στη Μέθοδο Ι για την επίλυση των συγκρούσεων πληρώνουν μεγάλο τίμημα για τη «νίκη». Τα αποτελέσματα της Μεθόδου Ι μπορούν να προβλεφθούν με ακρίβεια: χαμηλό κίνητρο για να εκτελέσει τη λύση το παιδί, δυσαρέσκεια κατά του γονέα, δυσκολίες για τον γονέα να επιβάλει την απόφασή του, καμιά ευκαιρία για το παιδί να αναπτύξει αυτοπειθαρχία.

Όταν ένας γονέας επιβάλλει τη λύση του σε μια σύγκρουση, το παιδί θα έχει πολύ χαμηλό κίνητρο ή επιθυμία να εκτελέσει αυτή την απόφαση, γιατί δεν έχει συμβάλει καθόλου σε αυτήν. Δεν ρωτήθηκε καθόλου για τη διαμόρφωσή της. Το όποιο κίνητρο μπορεί να έχει το παιδί είναι εξωγενές – βρίσκεται έξω από το ίδιο. Μπορεί να συμμορφωθεί, από τον φόβο όμως της τιμωρίας ή της αποδοκιμασίας του γονέα.

Το παιδί δεν *θέλει* να εκτελέσει την απόφαση, νιώθει ότι *εξαναγκάζεται* να το κάνει. Αυτός είναι και ο λόγος που τα παιδιά τόσο συχνά ψάχνουν να βρουν τρόπους να αποφύγουν την εκτέλεση μιας λύσης με τη Μέθοδο Ι. Αν δεν μπορέσουν να την αποφύγουν, συνήθως «κάνουν πως την εκτελούν». Την εκτελούν με ελάχιστη προσπάθεια, κάνοντας απλώς αυτό που απαιτείται και τίποτε περισσότερο.

Τα παιδιά γενικά νιώθουν δυσαρέσκεια κατά των γονέων τους, όταν οι αποφάσεις της Μεθόδου Ι τα *υποχρεώνουν* να κάνουν κάτι. Το θεωρούν άδικο και φυσικά ο θυμός και η δυσαρέσκειά τους στρέφονται κατά των γονέων τους, τους οποίους θεωρούν υπεύθυνους. Οι γονείς που χρησιμοποιούν τη Μέθοδο Ι επιτυγχάνουν μερικές φορές συμμόρφωση και υποταγή, αλλά το τίμημα που πληρώνουν είναι η εχθρότητα των παιδιών τους.

Παρατηρήστε τα παιδιά των οποίων οι γονείς έχουν μόλις επιλύσει μια σύγκρουση με τη Μέθοδο Ι. Σχεδόν πάντοτε δείχνουν δυσαρέσκεια και θυμό στο πρόσωπό τους ή καταφέρονται εναντίον των γονέων τους ή ακόμη μπορεί να χρησιμοποιήσουν βία κατά των γονέων τους. Η Μέθοδος Ι σπέρνει τους σπόρους μιας συνεχώς επιδεινούμενης σχέσης μεταξύ του γονέα και του παιδιού. Η πικρία και το μίσος αντικαθιστούν την αγάπη και τη στοργή.

Οι γονείς πληρώνουν ένα ακόμη βαρύ τίμημα, αν χρησιμοποιούν τη Μέθοδο Ι: Είναι γενικά υποχρεωμένοι να αφιερώνουν πολύ χρόνο, για να επιβάλλουν κάθε φορά την απόφαση, να ελέγχουν για να βλέπουν αν το παιδί την εκτελεί, να γκρινιάζουν, να υπενθυμίζουν, να υποκινούν.

Οι γονείς που έρχονται στην Εκπαίδευση συχνά υπερασπίζονται τη χρήση της Μεθόδου Ι, με το επιχείρημα ότι είναι ένας γρήγορος τρόπος επίλυσης συγκρούσεων. Αυτό το πλεονέκτημα συχνά είναι περισσότερο επιφανειακό παρά πραγματικό, γιατί ο γονέας αφιερώνει παρά πολύ χρόνο μετά, για να βεβαιωθεί ότι η απόφαση εκτελείται. Οι γονείς που λένε ότι είναι συνέχεια υποχρεωμένοι να γκρινιάζουν στα παιδιά τους είναι αυτοί που χρησιμοποιούν τη Μέθοδο Ι. Δεν μπορώ να απαριθμήσω πόσο πολλές τέτοιες συζητήσεις έχω κάνει με γονείς – συζητήσεις παρόμοιες με τη συζήτηση που ακολουθεί, την οποία έκανα κάποτε στο γραφείο μου:

*ΓΟΝΕΑΣ:* Τα παιδιά μας δεν είναι συνεργάσιμα στο σπίτι. Πρέπει να ιδρώσεις για να τα κάνεις να βοηθήσουν. Κάθε Σάββατο γίνεται πραγματικός αγώνας για να τα πείσουμε να κάνουν τη δουλειά που πρέπει να γίνει. Στην κυριολεξία, πρέπει να είμαστε πάνω από τα κεφάλια τους, για να δούμε ότι έγινε η δουλειά.
*ΣΥΜΒΟΥΛΟΣ:* Πώς αποφασίστηκε ποιες δουλειές πρέπει να γίνουν;
*ΓΟΝΕΑΣ:* Εμείς αποφασίζουμε, βέβαια. Εμείς ξέρουμε τι πρέπει να γίνει. Κάνουμε έναν κατάλογο το Σάββατο το πρωί, και τα παιδιά βλέπουν τον κατάλογο και ξέρουν τι πρέπει να γίνει.

*ΣΥΜΒΟΥΛΟΣ:* Θέλουν τα παιδιά να κάνουν τις δουλειές;
*ΓΟΝΕΑΣ:* Όχι βέβαια!
*ΣΥΜΒΟΥΛΟΣ:* Νιώθουν ότι *πρέπει* να τις κάνουν.
*ΓΟΝΕΑΣ:* Έτσι είναι.
*ΣΥΜΒΟΥΛΟΣ:* Δόθηκε ποτέ η ευκαιρία στα παιδιά να συμμετάσχουν στον καθορισμό τού τι πρέπει να γίνει; Έχουν λόγο στον καθορισμό των εργασιών που πρέπει να γίνουν;
*ΓΟΝΕΑΣ:* Όχι.
*ΣΥΜΒΟΥΛΟΣ:* Τους δόθηκε ποτέ η ευκαιρία να αποφασίσουν ποιος θα κάνει τι;
*ΓΟΝΕΑΣ:* Όχι. Εμείς συνήθως μοιράζουμε τις διάφορες δουλειές, όσο δίκαια μπορούμε.
*ΣΥΜΒΟΥΛΟΣ:* Συνεπώς εσείς παίρνετε την απόφαση για το τι πρέπει να γίνει και ποιος πρέπει να το κάνει;
*ΓΟΝΕΑΣ:* Ακριβώς.

Ελάχιστοι γονείς κατανοούν τη σχέση που έχει η έλλειψη ενδιαφέροντος εκ μέρους των παιδιών να βοηθήσουν με το γεγονός ότι οι αποφάσεις για τις δουλειές του σπιτιού γενικά λαμβάνονται με τη Μέθοδο Ι. Το «μη συνεργάσιμο» παιδί είναι απλώς ένα παιδί που οι γονείς του, μέσα από τη λήψη αποφάσεων με τη Μέθοδο Ι, του έχουν αρνηθεί στην πραγματικότητα μια ευκαιρία να συνεργαστεί. Ποτέ δεν προωθείται η συνεργασία, όταν υποχρεώνεται το παιδί να κάνει κάτι.

Ένα άλλο προβλέψιμο αποτέλεσμα της Μεθόδου Ι είναι ότι στερεί από το παιδί την ευκαιρία να αναπτύξει αυτοπειθαρχία, αυτοελεγχόμενη, αυτόβουλη και υπεύθυνη συμπεριφορά. Ένας από τους παγκοσμίως πιο διαδεδομένους μύθους γύρω από την ανατροφή των παιδιών είναι ότι, αν οι γονείς πιέσουν τα παιδιά τους να κάνουν κάποια πράγματα, τα παιδιά τείνουν να γίνουν αυτοπειθαρχημένα και υπεύθυνα άτομα. Ενώ αληθεύει ότι *κάποια* παιδιά αντιμετωπίζουν τη σθεναρή εξουσία των γονέων με υπακοή, συμμόρφωση και υποταγή, συνήθως γίνονται άτομα που εξαρτώνται από κάποια *εξωτερική* εξουσία για να ελέγξει τη συμπεριφορά τους. Ως έφηβοι ή ενήλικες δείχνουν έλλειψη *εσωτερικού* ελέγχου. Ζουν όλη τη ζωή τους περνώντας από τη μία μορφή εξουσίας στην άλλη, για να βρουν απαντήσεις στη ζωή τους ή να αναζητήσουν καθοδήγηση στη συμπεριφορά τους. Αυτοί οι άνθρωποι στερούνται αυτοπειθαρχίας, εσωτερικού ελέγχου ή υπευθυνότητας, επειδή ποτέ δεν τους δόθηκε μια ευκαιρία να αποκτήσουν αυτά τα χαρακτηριστικά.

Αν οι γονείς μπορούσαν να μάθουν μόνο ένα πράγμα από αυτό το βιβλίο, θα επιθυμούσα να μάθουν το εξής: *Κάθε φορά που υποχρεώνουν ένα παιδί να κάνει κάτι, χρησιμοποιώντας δύναμη ή εξουσία, στερούν από αυτό το παιδί την ευκαιρία να αποκτήσει αυτοπειθαρχία και υπευθυνότητα.*

Ο Τσαρλς, ο δεκαεπτάχρονος γιος δύο πολύ αυστηρών γονέων, που χρησιμοποιούσαν την εξουσία τους σταθερά για να τον υποχρεώνουν να κάνει τα μαθήματά του, έκανε την εξής ομολογία: «Όποτε δεν είναι δίπλα οι γονείς μου, μου είναι αδύνατον να σηκωθώ από την πολυθρόνα μπροστά από την τηλεόραση. Έχω τόσο συνηθίσει να με υποχρεώνουν να πάω να κάνω τα μαθήματά μου, που δεν μπορώ να βρω *μέσα μου* κάποια δύναμη που να με κάνει να πάω να διαβάσω, όταν αυτοί δεν είναι στο σπίτι».

Θυμάμαι επίσης το θλιβερό μήνυμα που είχε γράψει με κραγιόν στον καθρέφτη του μπάνιου ο δολοφόνος παιδιών Ουίλιαμ Χάιρενς από το Σικάγο, μόλις είχε σκοτώσει ένα ακόμη από τα θύματά του: «ΓΙΑ ΟΝΟΜΑ ΤΟΥ ΘΕΟΥ, ΣΥΛΛΑΒΕΤΕ ΜΕ, ΠΡΙΝ ΣΚΟΤΩΣΩ ΚΙ ΑΛΛΑ».

Οι περισσότεροι γονείς στις τάξεις μας δεν είχαν ποτέ την ευκαιρία να εξετάσουν με κριτικό πνεύμα τα αποτελέσματα της «αυστηρότητάς» τους. Οι περισσότεροι πιστεύουν ότι έκαναν αυτό που αναμένεται από τους γονείς να κάνουν, δηλαδή χρήση της εξουσίας τους. Από τη στιγμή όμως που θα βοηθηθούν να δουν τις συνέπειες της Μεθόδου Ι, σπάνια θα υπάρξει γονέας που δεν θα αποδεχτεί αυτές τις αλήθειες. Άλλωστε, οι γονείς ήταν και αυτοί κάποτε παιδιά που είχαν και οι ίδιοι αναπτύξει αυτές τις συνήθειες αντιμετώπισης της εξουσίας των δικών τους γονέων.

## Γιατί η Μέθοδος ΙΙ είναι αναποτελεσματική

Τι σημαίνει για τα παιδιά να μεγαλώνουν σε ένα σπίτι, όπου *αυτά* συνήθως κερδίζουν και οι γονείς τους χάνουν; Πώς επηρεάζει τα παιδιά το να γίνεται συνήθως το δικό τους; Είναι φανερό ότι αυτά τα παιδιά θα είναι διαφορετικά από εκείνα που μεγαλώνουν σε σπίτια, όπου η Μέθοδος Ι είναι η βασική μέθοδος επίλυσης συγκρούσεων. Τα παιδιά που τους επιτρέπεται να κάνουν αυτό που θέλουν δεν θα είναι τόσο αντιδραστικά, εχθρικά, εξαρτημένα, επιθετικά, υποτακτικά, υποχωρητικά, αποσυρμένα κ.λπ. Δεν είναι υποχρεωμένα να αναπτύξουν τρόπους αντιμετώπισης της γονεϊκής εξουσίας. Η Μέθοδος ΙΙ ενθαρρύνει το παιδί να χρησιμοποιεί τη *δική του* δύναμη στους γονείς του, για να κερδίζει σε βάρος τους.

Αυτά τα παιδιά μαθαίνουν πώς να χρησιμοποιούν εκρήξεις θυμού για να ελέγχουν τους γονείς τους, πώς να κάνουν τους γονείς τους να νιώθουν ένοχοι, πώς να λένε άσχημα, αποδοκιμαστικά λόγια στους γονείς τους. Τέτοια παιδιά είναι συνήθως άγρια, ατίθασα, ανεξέλεγκτα, παρορμητικά. Έχουν μάθει ότι οι ανάγκες τους είναι πιο σημαντικές από τις ανάγκες οποιουδήποτε άλλου. Συχνά, επίσης, στερούνται εσωτερικού ελέγχου της συμπεριφοράς τους και γίνονται πολύ εγωκεντρικά, εγωιστικά και απαιτητικά άτομα.

Τέτοια παιδιά συχνά δεν σέβονται την ιδιοκτησία ή τα συναισθήματα των άλλων ανθρώπων. Η ζωή γι' αυτά είναι ένα συνεχές «πάρε, πάρε, πάρε!» Το «Εγώ» έρχεται πρώτο. Τέτοια παιδιά σπάνια είναι συνεργάσιμα ή βοηθούν στο σπίτι.

Αυτά τα παιδιά συχνά συναντούν σοβαρές δυσκολίες στις σχέσεις τους με τους συνομηλίκους τους. Τα άλλα παιδιά τα αντιπαθούν τα «κακομαθημένα παιδιά», δεν το βρίσκουν ευχάριστο να είναι κοντά τους. Τα παιδιά από οικογένειες όπου κυριαρχεί η Μέθοδος ΙΙ έχουν συνηθίσει τόσο πολύ να κάνουν αυτό που θέλουν με τους γονείς τους, ώστε θέλουν να γίνεται το δικό τους και με τα άλλα παιδιά.

Συχνά, επίσης, τέτοια παιδιά έχουν δυσκολία προσαρμογής στο σχολείο, το οποίο έχει ως βασική φιλοσοφία τη Μέθοδο Ι. Τα παιδιά που είναι συνηθισμένα στη Μέθοδο ΙΙ είναι πιθανόν να πάθουν μεγάλο σοκ, όταν εισέλθουν στον κόσμο του σχολείου και ανακαλύψουν ότι οι περισσότεροι δάσκαλοι και διευθυντές έχουν μάθει να επιλύουν τις συγκρούσεις με τη Μέθοδο Ι, οπλισμένοι με εξουσία και δύναμη.

Η πιο σοβαρή ίσως συνέπεια της Μεθόδου ΙΙ είναι ότι τα παιδιά συχνά αναπτύσσουν βαθιά συναισθήματα ανασφάλειας σχετικά με την αγάπη των γονέων τους. Είναι εύκολο να καταλάβει κανείς αυτή την αντίδραση, όταν λάβει υπόψη του πόσο δύσκολο είναι για τους γονείς να έχουν συναισθήματα αγάπης και αποδοχής απέναντι σε ένα παιδί που συνήθως κερδίζει εις βάρος του γονέα, ο οποίος χάνει. Στις οικογένειες όπου κυριαρχεί η Μέθοδος Ι, η πικρία εκπέμπεται από το παιδί προς τον γονέα, ενώ στις οικογένειες όπου κυριαρχεί η Μέθοδος ΙΙ η πικρία εκπέμπεται από τον γονέα προς το παιδί. Το παιδί της Μεθόδου ΙΙ αντιλαμβάνεται ότι συχνά οι γονείς του είναι δυσαρεστημένοι, ενοχλημένοι και θυμωμένοι μαζί του. Όταν αργότερα παίρνει τα ίδια μηνύματα από τους συνομηλίκους του ή και άλλα άτομα, δεν είναι παράξενο το ότι αρχίζει να *αισθάνεται ότι δεν το αγαπάνε* – γιατί, φυσικά, πολύ συχνά οι άλλοι *δεν* το αγαπάνε.

Ενώ μερικές μελέτες δείχνουν ότι παιδιά από οικογένειες της Μεθόδου ΙΙ είναι πιθανόν πιο δημιουργικά από παιδιά οικογενειών της Μεθόδου Ι, οι γονείς πληρώνουν ένα ακριβό τίμημα όταν έχουν δημιουργικά παιδιά – συχνά δεν μπορούν να τα ανεχτούν.

Οι γονείς υποφέρουν αρκετά στο σπίτι της Μεθόδου ΙΙ. Πρόκειται για σπίτια, για τα οποία έχω ακούσει συχνά τους γονείς να λένε:

> «Τις περισσότερες φορές κάνει αυτό που θέλει και δεν μπορείς να τον ελέγξεις».
> «Είμαι χαρούμενη, όταν τα παιδιά είναι όλα στο σχολείο κι έτσι μπορώ κι εγώ επιτέλους να ησυχάσω λίγο».

«Είναι τέτοιο βάρος το να είσαι γονέας – περνάω όλη μου την ώρα κάνοντας πράγματα γι' αυτά».
«Πρέπει να ομολογήσω ότι μερικές φορές δεν μπορώ να τα αντέξω. Νιώθω την ανάγκη να φύγω».
«Σπάνια φαίνεται να καταλαβαίνουν ότι έχω κι εγώ τη δική μου ζωή».
«Μερικές φορές –και νιώθω ένοχος που το λέω αυτό– θα επιθυμούσα να μπορούσα να τα στείλω σε κάποιον άλλον».
«Ντρέπομαι τόσο πολύ να τα πάω κάπου ή ακόμη και να καλέσω φίλους να έλθουν στο σπίτι μας και να δουν τι παιδιά είναι».

Η γονεϊκή ιδιότητα σπάνια αποτελεί ευχαρίστηση για τους γονείς της Μεθόδου ΙΙ. Πόση λύπη και δυστυχία γνωρίζουν αυτοί οι γονείς, μεγαλώνοντας παιδιά που δεν μπορούν να αγαπήσουν ή με τα οποία δεν θέλουν να έχουν σχέσεις!

## Μερικά πρόσθετα προβλήματα των Μεθόδων Ι και ΙΙ

Ελάχιστοι γονείς χρησιμοποιούν αποκλειστικά τη Μέθοδο Ι ή τη Μέθοδο ΙΙ. Σε πολλές οικογένειες, ο ένας γονέας στηρίζεται κυρίως στη Μέθοδο Ι, ενώ ο άλλος τείνει προς τη Μέθοδο ΙΙ. Υπάρχουν κάποιες ενδείξεις, ότι τα παιδιά που μεγαλώνουν σε αυτό το είδος οικογένειας έχουν ακόμη περισσότερες πιθανότητες να παρουσιάζουν σοβαρά συναισθηματικά προβλήματα. Η αστάθεια είναι ίσως περισσότερο επιβλαβής απ' ό,τι οι ακραίες μορφές τής μιας προσέγγισης ή της άλλης.

Μερικοί γονείς αρχίζουν χρησιμοποιώντας τη Μέθοδο ΙΙ, όμως, καθώς το παιδί μεγαλώνει και γίνεται περισσότερο ανεξάρτητο και αυτόνομο άτομο, σταδιακά μετακινούνται προς τη Μέθοδο Ι. Προφανώς, μπορεί να είναι επιβλαβές για το παιδί να συνηθίσει να γίνεται το δικό του τις πιο πολλές φορές και μετά να αρχίζει να βιώνει το αντίθετο. Άλλοι γονείς αρχίζουν χρησιμοποιώντας κυρίως τη Μέθοδο Ι και σταδιακά μετακινούνται προς τη Μέθοδο ΙΙ. Αυτό συμβαίνει ιδιαίτερα συχνά, όταν οι γονείς έχουν ένα παιδί που νωρίς στη ζωή του αρχίζει να αντιστέκεται και να επαναστατεί εναντίον της εξουσίας των γονέων· σταδιακά οι γονείς παραδίδονται και αρχίζουν να υποχωρούν μπροστά στο παιδί.

Υπάρχουν επίσης γονείς που εφαρμόζουν τη Μέθοδο Ι με το πρώτο τους παιδί και μετακινούνται στη Μέθοδο ΙΙ με το δεύτερο, ελπίζοντας ότι αυτή θα λειτουργήσει καλύτερα. Σε αυτές τις οικογένειες, συχνά ακούει κανείς το πρώτο παιδί να εκφράζεται ζηλόφθονα κατά του δεύτερου παιδιού, που του επιτρέπεται να κάνει πράγματα που στο ίδιο δεν επιτρέπονταν. Μερικές φορές, το πρώτο παιδί πιστεύει ότι αυτό είναι απόδειξη ότι οι γονείς ευνοούν περισσότερο το δεύτερο παιδί.

Ένα από τα πιο γνωστά σχήματα, ιδιαίτερα μεταξύ των γονέων που έχουν επηρεαστεί σοβαρά από τους υποστηρικτές της επιτρεπτικότητας και τους αντιπάλους της τιμωρίας, είναι να αφήνουν οι γονείς ένα παιδί να κερδίζει για μεγάλα χρονικά διαστήματα, μέχρι που η συμπεριφορά του γίνεται τόσο προκλητική, ώστε οι γονείς του καταφεύγουν απότομα στη Μέθοδο Ι. Έπειτα αισθάνονται ενοχές και σταδιακά επιστρέφουν στη Μέθοδο ΙΙ, και μετά ο κύκλος αρχίζει πάλι από την αρχή. Ένας γονέας το εξέφρασε αυτό καθαρά:

> «Είμαι επιτρεπτικός με τα παιδιά μου, μέχρι που δεν το αντέχω άλλο. Έπειτα γίνομαι πολύ αυταρχικός, μέχρι που δεν μπορώ να υποφέρω τον εαυτό μου».

Ωστόσο, πολλοί γονείς εγκλωβίζονται είτε στη Μέθοδο Ι είτε στη Μέθοδο ΙΙ. Εκ πεποιθήσεως ή εκ παραδόσεως, ένας γονέας μπορεί να γίνει σθεναρός υποστηρικτής της Μεθόδου Ι. Ανακαλύπτει από την εμπειρία του ότι αυτή η μέθοδος δεν λειτουργεί πολύ καλά και ίσως ακόμη να νιώσει ένοχος, που χρησιμοποιεί τη Μέθοδο Ι. Δεν του αρέσει ο εαυτός του, όταν περιορίζει, ελέγχει και τιμωρεί. Ωστόσο, η μόνη εναλλακτική προσέγγιση που γνωρίζει είναι η Μέθοδος ΙΙ, δηλαδή να αφήνει το παιδί να κερδίζει. Ο γονέας αυτός γνωρίζει διαισθητικά ότι αυτό δεν θα ήταν καλύτερο, ίσως μάλιστα να ήταν και χειρότερο. Γι' αυτό εμμένει πεισματικά στη Μέθοδο Ι, παρά τα μηνύματα που παίρνει, ότι τα παιδιά του υποφέρουν από αυτή την προσέγγιση ή ότι η σχέση χειροτερεύει.

Οι πιο πολλοί γονείς που ακολουθούν τη Μέθοδο ΙΙ είναι απρόθυμοι να στραφούν προς μια αυταρχική προσέγγιση, επειδή είναι ιδεολογικά αντίθετοι με τη χρήση εξουσίας στα παιδιά ή επειδή ο χαρακτήρας τους δεν τους επιτρέπει να δείξουν την απαραίτητη πυγμή ή να βιώσουν συγκρούσεις. Έχω γνωρίσει πολλές μητέρες, ακόμα και μερικούς πατέρες, που βρίσκουν τη Μέθοδο ΙΙ πιο βολική, επειδή φοβούνται τη σύγκρουση με τα παιδιά τους (και συνήθως και με οποιονδήποτε άλλον). Τέτοιοι γονείς, αντί να διακινδυνεύσουν να υποστηρίξουν τη δική τους βούληση στα παιδιά τους, ακολουθούν την προσέγγιση «ειρήνη με οποιοδήποτε κόστος», που σημαίνει εγκατάλειψη, υποχώρηση και παράδοση.

Το δίλημμα όλων σχεδόν των γονέων που έρχονται στις τάξεις της Εκπαίδευσης φαίνεται να είναι το ότι εγκλωβίζονται είτε στη Μέθοδο Ι είτε στη Μέθοδο ΙΙ, ή αμφιταλαντεύονται μεταξύ των δύο, *γιατί δεν γνωρίζουν καμιά άλλη εναλλακτική προσέγγιση από αυτές τις δύο αναποτελεσματικές μεθόδους «νίκης-ήττας»*. Ανακαλύπτουμε ότι οι περισσότεροι γονείς όχι μόνο γνωρίζουν ποια μέθοδο χρησιμοποιούν πιο συχνά, αλλά καταλαβαίνουν επίσης ότι και οι δύο μέθοδοι είναι αναποτελεσματικές.

Είναι σαν να γνωρίζουν ότι έχουν πρόβλημα, οποιαδήποτε μέθοδο κι αν χρησιμοποιούν, αλλά δεν γνωρίζουν πού αλλού μπορούν να στραφούν. Οι περισσότεροι από αυτούς τους γονείς είναι ευγνώμονες που απελευθερώνονται από την παγίδα, την οποία οι ίδιοι έχουν στήσει.

# 10

## Γονεϊκή εξουσία: αναγκαία και δικαιολογημένη;

Μία από τις παγκοσμίως πιο παγιωμένες πεποιθήσεις σχετικά με την ανατροφή των παιδιών είναι η πεποίθηση ότι είναι αναγκαίο και επιθυμητό για τους γονείς να χρησιμοποιούν την εξουσία τους για να ελέγχουν, να κατευθύνουν και να εκπαιδεύουν τα παιδιά. Ελάχιστοι γονείς, αν κρίνουμε από τους χιλιάδες που έχουν παρακολουθήσει τις τάξεις μας, δεν θέτουν ποτέ σε αμφισβήτηση αυτή την ιδέα. Οι περισσότεροι γονείς βιάζονται να δικαιολογήσουν τη χρήση εξουσίας τους. Λένε ότι τα παιδιά τη χρειάζονται και τη θέλουν, ή ότι οι γονείς είναι σοφότεροι. «Ο πατέρας γνωρίζει καλύτερα» υποστηρίζει μια βαθιά ριζωμένη πεποίθηση.

Η πεισματική εμμονή στην άποψη ότι οι γονείς οφείλουν και πρέπει να χρησιμοποιούν εξουσία, όταν ασχολούνται με τα παιδιά, έχει παρεμποδίσει κατά τη γνώμη μου επί αιώνες κάθε σημαντική προσπάθεια αλλαγής ή βελτίωσης στον τρόπο που τα ανατρέφουν οι γονείς και τα μεταχειρίζονται οι ενήλικες. Η άποψη αυτή επιβιώνει ενμέρει, επειδή οι γονείς, σχεδόν καθολικά, δεν καταλαβαίνουν πραγματικά τι σημαίνει εξουσία και τι συνέπειες έχει αυτή για τα παιδιά. Όλοι οι γονείς αναφέρονται με ευκολία στην εξουσία, ελάχιστοι όμως μπορούν να την ορίσουν ή ακόμη να προσδιορίσουν την πηγή της εξουσίας τους.

### ΤΙ ΣΗΜΑΙΝΕΙ ΕΞΟΥΣΙΑ;

Ένα από τα βασικά χαρακτηριστικά της σχέσης γονέα-παιδιού είναι το εξής: Οι γονείς έχουν «ψυχολογικό πλεονέκτημα» σε σχέση με το παιδί. Αν προσπαθούσαμε να παραστήσουμε τον γονέα και το παιδί, σχεδιάζοντας έναν κύκλο για τον καθένα, θα ήμασταν ανακριβείς, αν σχεδιάζαμε τους κύκλους έτσι:

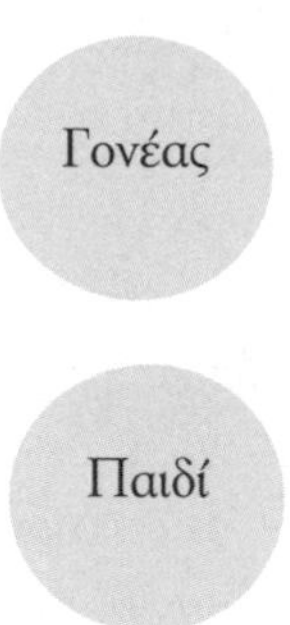


Στα μάτια του παιδιού, ο γονέας δεν έχει το ίδιο «μέγεθος», ανεξάρτητα από την ηλικία του παιδιού. Δεν αναφέρομαι στο φυσικό μέγεθος (μολονότι υπάρχει διαφορά φυσικού μεγέθους μέχρι να μπουν τα παιδιά στην εφηβεία), αλλά μάλλον στο «ψυχολογικό μέγεθος». Μια πιο ακριβής αναπαράσταση της σχέσης γονέα-παιδιού θα ήταν κάπως έτσι:

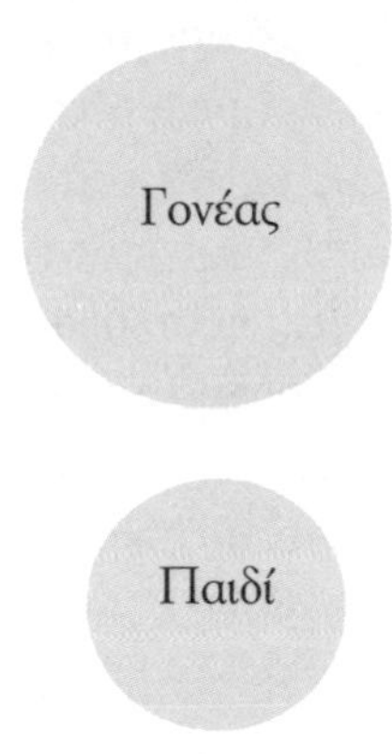


Όπως φαίνεται από τη μεριά του παιδιού, ο γονέας σχεδόν πάντοτε έχει «ψυχολογικό πλεονέκτημα» και αυτό βοηθάει να καταλάβουμε εκφράσεις όπως «ο μεγάλος πατέρας», «το μεγάλο αφεντικό», «Η μητέρα μου φάνταζε μεγάλη στη ζωή μου», «Τον θεωρούσα μεγάλο άνδρα» ή «Δεν έχανα την ευκαιρία να *μειώνω* τους γονείς μου».

Παραθέτω τα λόγια που ένας νέος με προβλήματα έγραψε σε κάποιο διαγώνισμα στο κολέγιο, και αργότερα μοιράστηκε μαζί μου, όταν ήμουν ο σύμβουλός του:

> «Όταν ήμουνα μικρό παιδί, έβλεπα τους γονείς μου περίπου όπως ένας ώριμος άνθρωπος βλέπει τον Θεό...»

Για όλα τα παιδιά οι γονείς τους στην αρχή φαντάζουν σαν θεοί.

Αυτή η διαφορά «ψυχολογικού μεγέθους» υφίσταται, γιατί τα παιδιά βλέπουν τους γονείς τους όχι μόνο ως μεγαλύτερους ή δυνατότερους, αλλά και ως σοφότερους και ικανότερους. Για το μικρό παιδί δεν φαίνεται να υπάρχει τίποτε που να μην ξέρουν οι γονείς του, τίποτε που να μην μπορούν εκείνοι να κάνουν. Θαυμάζει την ευρύτητα της αντίληψής τους, την ακρίβεια των προβλέψεών τους, τη σοφία της κρίσης τους.

Ενώ κάποιες από αυτές τις αντιλήψεις μπορεί να είναι μερικές φορές ακριβείς, άλλες δεν είναι. Τα παιδιά αποδίδουν στους γονείς τους πολλά χαρακτηριστικά, πολλές ιδιότητες και ικανότητες, που δεν στηρίζονται καθόλου στην πραγματικότητα. Ελάχιστοι γονείς γνωρίζουν τόσο πολλά, όσα νομίζουν τα παιδιά τους ότι γνωρίζουν. Η εμπειρία δεν είναι πάντοτε «ο καλύτερος δάσκαλος», όπως θα συμπεράνει αργότερα το παιδί, όταν θα γίνει έφηβος και ενήλικας, και θα μπορεί να κρίνει τους γονείς του με ένα ευρύτερο πεδίο δικών του εμπειριών. Και η σοφία δεν σχετίζεται πάντοτε με την ηλικία. Πολλοί γονείς δυσκολεύονται να το παραδεχτούν αυτό, όσοι όμως είναι πιο ειλικρινείς με τον εαυτό τους αναγνωρίζουν πόσο υπερβολικές είναι οι αξιολογήσεις των παιδιών για τη μητέρα και τον πατέρα.

Αν και εξαρχής η τράπουλα είναι μοιρασμένη υπέρ της ψυχολογικής υπεροχής των γονέων, πολλές μητέρες και πολλοί πατέρες επαυξάνουν τη διαφορά. Εσκεμμένα αποκρύπτουν από τα παιδιά τους τις αδυναμίες και τα σφάλματά τους στις κρίσεις τους ή καλλιεργούν μύθους, όπως «Εμείς γνωρίζουμε τι είναι καλύτερο για σένα», «Όταν μεγαλώσεις, θα καταλάβεις πόσο δίκιο είχαμε».

Πάντοτε παραξενεύομαι, όταν παρατηρώ πως όταν οι γονείς αναφέρονται στις δικές τους μητέρες και πατέρες, βλέπουν εύκολα, αναδρομικά, τα σφάλματα και τους περιορισμούς τους. Και όμως, αντιστέκονται σθεναρά στην ιδέα ότι υπόκεινται και οι ίδιοι στα ίδια σφάλματα κρίσης και έλλειψης σοφίας, σε σχέση με τα δικά τους παιδιά.

Όσο και αν δεν το δικαιούνται, αναγνωρίζεται στους γονείς η ψυχολογική υπεροχή, και αυτό είναι μια σημαντική πηγή γονεϊκής δύναμης πάνω στο παιδί. Επειδή ο γονέας θεωρείται μια τέτοια «αυθεντία», οι προσπάθειές του να επηρεάσει το παιδί έχουν μεγάλη βαρύτητα. Θα βοηθούσε, ίσως, αν βλέπαμε αυτή την εξουσία ως «εκχωρηθείσα εξουσία», επειδή το παιδί την εκχωρεί στον γονέα. Το κατά πόσο αυτός τη δικαιούται ή όχι είναι άσχετο. Το γεγονός είναι ότι το «ψυχολογικό μέγεθος» δίνει στον γονέα *επιρροή και εξουσία πάνω στο παιδί.*

Ένα εντελώς διαφορετικό είδος εξουσίας προέρχεται από το ότι ο γονέας κατέχει κάποια αγαθά που είναι απαραίτητα για τα παιδιά. Κι αυτό επίσης του δίνει εξουσία επάνω τους. Ένας γονέας έχει εξουσία πάνω στα παιδιά του, επειδή τα παιδιά εξαρτώνται τόσο πολύ από αυτόν για την ικανοποίηση των βασικών τους αναγκών. Τα παιδιά έρχονται στον κόσμο σχεδόν τελείως εξαρτημένα από άλλους για τη διατροφή και τη σωματική τους ασφάλεια. Δεν κατέχουν *τα μέσα* για ικανοποίηση των αναγκών τους. Τα μέσα αυτά τα κατέχουν και τα ελέγχουν οι γονείς.

Καθώς το παιδί μεγαλώνει και υπό την προϋπόθεση ότι το αφήνουν να αποκτήσει μεγαλύτερη ανεξαρτησία από τους γονείς του, η δύναμη των γονέων του φυσιολογικά μειώνεται. Όμως σε κάθε ηλικία, μέχρι τη στιγμή που το παιδί περνά στην ανεξάρτητη ζωή του ενήλικα και γίνεται ικανό να ικανοποιήσει τις βασικές του ανάγκες, αποκλειστικά σχεδόν με τις δικές του προσπάθειες, οι γονείς του έχουν κάποιο βαθμό εξουσίας επάνω του.

Κατέχοντας τα μέσα κάλυψης των βασικών αναγκών ενός παιδιού, ο γονέας έχει τη δύναμη να «ανταμείβει» το παιδί. Οι ψυχολόγοι χρησιμοποιούν τον όρο «ανταμοιβές» (ή «αμοιβές») για οποιαδήποτε μέσα κατέχει ο γονέας και ικανοποιεί με αυτά τις ανάγκες του παιδιού (είναι το πρόσωπο που το αμείβει). Εάν ένα παιδί πεινάει (έχει ανάγκη από φαγητό) και ο γονέας τού προσφέρει ένα μπουκάλι γάλα, λέμε ότι το παιδί ανταμείβεται (η ανάγκη της πείνας καλύπτεται).

Ο γονέας κατέχει επίσης τα μέσα πρόκλησης πόνου ή δυσφορίας στο παιδί, είτε στερώντας του αυτό που χρειάζεται (π.χ. στέρηση φαγητού σε ένα παιδί που πεινάει) είτε κάνοντας κάτι που του προκαλεί πόνο ή δυσφορία (π.χ. χτύπημα του χεριού του παιδιού, όταν το απλώνει για να πάρει το ποτήρι με το γάλα του αδελφού του). Οι ψυχολόγοι χρησιμοποιούν τον όρο «τιμωρία» για το αντίθετο της ανταμοιβής.

Κάθε γονέας γνωρίζει ότι μπορεί να ελέγξει ένα μικρό παιδί χρησιμοποιώντας εξουσία. Με προσεκτικό χειρισμό των ανταμοιβών και της τιμωρίας, ο γονέας μπορεί να ενθαρρύνει ή να αποθαρρύνει το παιδί να συμπεριφέρεται με συγκεκριμένους τρόπους.

Όλοι γνωρίζουμε από την προσωπική μας εμπειρία ότι οι άνθρωποι (όπως και τα ζώα) τείνουν να επαναλαμβάνουν συμπεριφορές που φέρνουν ανταμοιβή (ικανοποιούν μια ανάγκη) και να αποφεύγουν ή να εγκαταλείπουν συμπεριφορές που δεν ανταμείβονται ή τιμωρούνται. Συνεπώς, ο γονέας μπορεί να «ενισχύσει» κάποια συμπεριφορά, ανταμείβοντας το παιδί, και να «εξαλείψει» κάποιαν άλλη τιμωρώντας το.

Ας υποθέσουμε ότι θέλετε να παίζει το παιδί σας με τα αυτοκινητάκια του και όχι με τα ακριβά γυάλινα αγαλματίδια που βρίσκονται στο τραπέζι του σαλονιού. Για να ενισχύσετε τη συμπεριφορά του να παίζει με τα αυτοκίνητα, ίσως να καθίσετε κάτω μαζί του, καθώς θα παίζει με τα αυτοκινητάκια, να του χαμογελάσετε και να είστε ευχάριστος ή να του πείτε «Καλό παιδί». Για να εξαλείψετε τη συμπεριφορά του να παίζει με τα αγαλματίδια, ίσως να του κτυπήσετε το χέρι, να το χτυπήσετε στα πισινά, να κατσουφιάσετε, να δείξετε δυσαρέσκεια ή να του πείτε «Κακό παιδί». Το παιδί θα μάθει γρήγορα ότι, εάν παίζει με αυτοκινητάκια, θα έχει καλές σχέσεις με τη γονεϊκή εξουσία, ενώ εάν παίζει με τα αγαλματίδια, δεν θα έχει.

Αυτό κάνουν συχνά οι γονείς, για να αλλάξουν τη συμπεριφορά των παιδιών. Συνήθως το ονομάζουν αυτό «εκπαίδευση του παιδιού». Στην πραγματικότητα, ο γονέας χρησιμοποιεί την εξουσία του, για να αναγκάσει το παιδί να κάνει κάτι που αυτός θέλει ή για να το εμποδίσει να κάνει κάτι που αυτός δεν θέλει. Η ίδια μέθοδος χρησιμοποιείται από τους εκπαιδευτές σκύλων, για να διδάξουν υπακοή στους σκύλους, καθώς και από τους ανθρώπους του τσίρκου, για να διδάξουν τις αρκούδες να κάνουν ποδήλατο. Αν ο εκπαιδευτής θέλει να πειθαρχήσει ένα σκύλο, βάζει ένα λουρί γύρω από τον λαιμό του ζώου και αρχίζει να βαδίζει, κρατώντας το άλλο άκρο του λουριού. Στη συνέχεια, του λέει: «Μείνε εδώ». Αν ο σκύλος δεν μείνει κοντά στον εκπαιδευτή, δέχεται ένα επίπονο τράβηγμα στον λαιμό του (τιμωρία). Αν συμμορφωθεί, δέχεται χάδι (ανταμοιβή). Σύντομα ο σκύλος μαθαίνει να περπατά δίπλα στον εκπαιδευτή του κατ' εντολή.

Η εξουσία αποδίδει – αυτό είναι αναμφισβήτητο. Τα παιδιά μπορούν να εκπαιδευτούν με αυτό τον τρόπο να παίζουν με τα αυτοκινητάκια και όχι με τα ακριβά αγαλματίδια, τα σκυλιά να περπατάνε δίπλα στα αφεντικά τους κατ' εντολή και οι αρκούδες να κάνουν ποδήλατο (ακόμη και με μία ρόδα – απίστευτο).

Σε πολύ μικρή ηλικία τα παιδιά, έχοντας ανταμειφθεί και τιμωρηθεί πολλές φορές, μπορούν να ελεγχθούν εύκολα με την υπόσχεση ότι θα ανταμειφθούν, αν συμπεριφερθούν με ένα συγκεκριμένο τρόπο, ή με την απειλή ότι θα τιμωρηθούν, αν συμπεριφερθούν κατά τρόπο μη επιθυμητό. Τα δυνητικά πλεονεκτήματα αυτής της τακτικής είναι φανερά: Δεν είναι ανάγκη να περιμένει ο γονέας μέχρι να εκδηλωθεί η επιθυμητή συμπεριφορά, για να την ανταμείψει (να την ενισχύσει), ούτε να περιμένει μέχρι να εκδηλωθεί η μη επιθυμητή συμπεριφορά, για να την τιμωρήσει (να την εξαλείψει). Μπορεί τώρα να επηρεάσει το παιδί, λέγοντας απλώς: «Αν συμπεριφερθείς με έναν τρόπο, θα σε ανταμείψω, ενώ αν συμπεριφερθείς με έναν άλλον τρόπο, θα σε τιμωρήσω».

## ΣΟΒΑΡΟΙ ΠΕΡΙΟΡΙΣΜΟΙ ΤΗΣ ΓΟΝΕΪΚΗΣ ΕΞΟΥΣΙΑΣ

Αν ο αναγνώστης θεωρεί ότι η εξουσία του γονέα να ανταμείβει και να τιμωρεί (ή να *υπόσχεται* ανταμοιβές και να *απειλεί* με τιμωρίες) φαίνεται να είναι αποτελεσματικός τρόπος ελέγχου των παιδιών, θα έχει δίκιο από μία άποψη και πολύ άδικο από μια άλλη. Η χρήση της γονεϊκής εξουσίας (ή δύναμης) είναι φαινομενικά αποτελεσματική κάτω από ορισμένες συνθήκες, και εντελώς αναποτελεσματική κάτω από άλλες. (Αργότερα θα εξετάσουμε τους πραγματικούς κινδύνους της γονεϊκής εξουσίας.)

Πολλές, αν όχι οι περισσότερες από αυτές τις παρενέργειες είναι αρνητικές. Τα παιδιά συχνά γίνονται υποτακτικά, φοβισμένα και νευρικά, ως αποτέλεσμα της «εκπαίδευσης υπακοής». Συχνά στρέφονται κατά των εκπαιδευτών τους με εχθρότητα και εκδικητικότητα. Και συχνά καταρρέουν, σωματικά ή συναισθηματικά, υπό το άγχος της προσπάθειας να μάθουν μια συμπεριφορά που είναι γι' αυτά είτε δύσκολη είτε δυσάρεστη. Η χρήση της δύναμης μπορεί να προκαλέσει πολλές βλαβερές συνέπειες, καθώς και κινδύνους για τον εκπαιδευτή ζώων ή παιδιών.

## Οι γονείς αναπόφευκτα εξαντλούν την εξουσία τους

Η χρήση εξουσίας για τον έλεγχο των παιδιών αποδίδει μόνο κάτω από ορισμένες προϋποθέσεις. Ο γονέας πρέπει να είναι σίγουρος ότι *έχει τη δύναμη*. Οι ανταμοιβές του πρέπει να είναι αρκετά ελκυστικές για να τις θέλει το παιδί, και οι τιμωρίες του αρκετά σκληρές, για να εγγυώνται αποφυγή. Το παιδί *πρέπει* να εξαρτάται από τον γονέα· όσο περισσότερο εξαρτάται το παιδί από αυτό που κατέχει ο γονέας (ανταμοιβές), τόσο περισσότερη εξουσία έχει ο γονέας.

Αυτό ισχύει σε όλες τις ανθρώπινες σχέσεις. Αν χρειάζομαι κάτι πάρα πολύ –π.χ. χρήματα για να αγοράσω τρόφιμα για τα παιδιά μου– και πρέπει να στηριχτώ αποκλειστικά σε κάποιον άλλον για χρήματα –όπως τον εργοδότη μου– τότε προφανώς αυτός ο άλλος θα έχει μεγάλη εξουσία πάνω μου. Αν εξαρτώμαι μόνο από αυτό τον εργοδότη, τότε θα τείνω να κάνω οτιδήποτε αυτός θέλει, για να είμαι σίγουρος ότι θα έχω αυτά που χρειάζομαι τόσο απεγνωσμένα. Όμως, ένα πρόσωπο έχει εξουσία πάνω σε κάποιο άλλο, μόνον όσο το δεύτερο πρόσωπο βρίσκεται σε θέση αδυναμίας, επιθυμίας, ανάγκης, στέρησης, εξάρτησης.

Καθώς το παιδί γίνεται λιγότερο ανίσχυρο, λιγότερο εξαρτημένο από τον γονέα γι' αυτό που χρειάζεται, ο γονέας σταδιακά χάνει την εξουσία του. Αυτός είναι ο λόγος που οι γονείς, προς μεγάλη τους έκπληξη, ανακαλύπτουν ότι ανταμοιβές και ποινές που λειτουργούσαν όσο το παιδί ήταν μικρότερο, γίνονται λιγότερο αποτελεσματικές, καθώς το παιδί μεγαλώνει.

«Έχουμε χάσει την επιρροή μας πάνω στον γιο μας», παραπονιέται κάποιος γονέας. «Στο παρελθόν σεβόταν την εξουσία μας, τώρα όμως δεν μπορούμε να τον ελέγξουμε». Ένας άλλος λέει: «Η κόρη μας έχει τόσο ανεξαρτητοποιηθεί από εμάς, που δεν έχουμε κανέναν τρόπο να την κάνουμε να μας ακούει». Ο πατέρας ενός δεκαεξάχρονου αγοριού είπε στην τάξη του πόσο αδύναμος ένιωθε:

> «Δεν έχουμε τίποτε άλλο για να υποστηρίξουμε την εξουσία μας, εκτός από το οικογενειακό αυτοκίνητο. Ακόμη και αυτό δεν αποδίδει τόσο καλά, γιατί πήρε το κλειδί του αυτοκινήτου και έβγαλε αντικλείδι. Όταν δεν είμαστε στο σπίτι, την κοπανάει με το αυτοκίνητο, όποτε του κάνει κέφι. Τώρα που δεν έχουμε τίποτε άλλο που να χρειάζεται, δεν μπορώ να τον τιμωρήσω πια».

Αυτοί οι γονείς εξέφρασαν συναισθήματα που νιώθουν οι περισσότεροι γονείς, όταν τα παιδιά τους αρχίζουν να μην εξαρτώνται πλέον από αυτούς. Αυτό αναπόφευκτα συμβαίνει, καθώς το παιδί πλησιάζει την εφηβεία. Τώρα μπορεί να πάρει πολλές ανταμοιβές από δικές του δραστηριότητες (σχολείο, αθλήματα, φίλοι, επιτεύγματα). Αρχίζει επίσης να βρίσκει τρόπους να αποφεύγει τις τιμωρίες των γονέων του. Σε οικογένειες όπου οι γονείς στηρίχτηκαν κυρίως στην εξουσία για να ελέγχουν και να κατευθύνουν τα παιδιά τους κατά τα πρώτα τους χρόνια, οι γονείς πλέον δέχονται ένα ισχυρό σοκ, όταν η δύναμή τους χάνεται και μένουν με μικρή ή καμία δυνατότητα επιρροής.

## Τα χρόνια της εφηβείας

Είμαι πλέον πεπεισμένος ότι οι περισσότερες θεωρίες γύρω από «το άγχος και την ένταση της εφηβείας» λανθασμένα επικεντρώθηκαν σε παράγοντες, όπως οι σωματικές αλλαγές των εφήβων, η αναδυόμενη σεξουαλικότητά τους, οι νέες κοινωνικές απαιτήσεις τους, η πάλη ανάμεσα στο να είσαι παιδί και ενήλικας κ.λπ. Αυτή η περίοδος είναι δύσκολη για τα παιδιά και τους γονείς, κυρίως επειδή ο έφηβος ανεξαρτητοποιείται σε τέτοιο βαθμό από τους γονείς του, που δεν ελέγχεται εύκολα με ανταμοιβές και τιμωρίες. Και καθώς οι περισσότεροι γονείς στηρίζονται τόσο πολύ στις ανταμοιβές και τις τιμωρίες, οι έφηβοι αντιδρούν με πολύ ανεξάρτητη, αντιδραστική, επαναστατική, εχθρική συμπεριφορά.

Οι γονείς υποθέτουν ότι η επαναστατικότητα και η επιθετικότητα των εφήβων είναι μια αναπόφευκτη εκδήλωση αυτού του σταδίου ανάπτυξης. Νομίζω ότι αυτό δεν είναι έγκυρο: Πιο λογική φαίνεται η εξήγηση ότι ο έφηβος *γίνεται όλο και πιο ικανός να αντιστέκεται και να επαναστατεί.* Δεν ελέγχεται πια από τις ανταμοιβές των γονέων του, επειδή δεν τις χρειάζεται τόσο πολύ. Και δεν τον αγγίζουν πια οι απειλές τιμωρίας, γιατί δεν μπορούν να του προξενήσουν πόνο ή έντονη δυσφορία. Ο τυπικός έφηβος συμπεριφέρεται όπως συμπεριφέρεται, επειδή έχει αποκτήσει αρκετή δύναμη και μέσα, ώστε να ικανοποιεί τις ανάγκες του, και αρκετή εξουσία, ώστε να μη φοβάται εκείνη των γονέων του.

Επομένως, οι έφηβοι δεν επαναστατούν κατά *των γονέων τους.* Επαναστατούν εναντίον *της εξουσίας τους.* Αν οι γονείς στηρίζονταν λιγότερο στην εξουσία και περισσότερο σε μη εξουσιαστικές μεθόδους, για να επηρεάζουν τα παιδιά τους *από τη βρεφική ηλικία,* δεν θα υπήρχαν πολλά πράγματα εναντίον των οποίων θα επαναστατούσαν τα παιδιά, όταν θα έφθαναν στην εφηβεία. Συνεπώς, η χρήση εξουσίας με σκοπό την αλλαγή της συμπεριφοράς των παιδιών έχει τον εξής σοβαρό περιορισμό: Αναπόφευκτα οι γονείς χάνουν την εξουσία τους, και μάλιστα νωρίτερα απ' όσο νομίζουν.

## Η εκπαίδευση με τη χρήση εξουσίας απαιτεί αυστηρές προϋποθέσεις

Η χρήση ανταμοιβής και τιμωρίας για επηρεασμό του παιδιού έχει και έναν άλλο σοβαρό περιορισμό: Απαιτεί πολύ ελεγχόμενες συνθήκες κατά την «εκπαίδευση».

Οι ψυχολόγοι που μελετούν τη διαδικασία μάθησης εκπαιδεύοντας ζώα στο εργαστήριο, συναντούν μεγάλες δυσκολίες με τα «υποκείμενά» τους, αν δεν επικρατούν οι πλέον αυστηρές προϋποθέσεις. Πολλές από αυτές είναι εξαιρετικά δύσκολο να ικανοποιηθούν στην περίπτωση εκπαίδευσης παιδιών μέσω ανταμοιβών και τιμωριών. Οι περισσότεροι γονείς κάθε μέρα παραβιάζουν έναν ή περισσότερους κανόνες της αποτελεσματικής εκπαίδευσης.

1. Το «υποκείμενο» πρέπει να έχει ισχυρό κίνητρο: Πρέπει να έχει μεγάλη ανάγκη να «εργάζεται για την ανταμοιβή». Τα ποντίκια πρέπει να πεινάνε πολύ, για να μάθουν πώς να περνάνε μέσα από ένα λαβύρινθο, για να βρουν τροφή στο τέλος του. Οι γονείς συχνά προσπαθούν να επηρεάσουν ένα παιδί προσφέροντας μιαν ανταμοιβή που το παιδί δεν χρειάζεται πάρα πολύ (π.χ. υπόσχεστε στο παιδί ότι θα του τραγουδήσετε ένα τραγούδι, αν πάει για ύπνο στην ώρα του, και διαπιστώνετε ότι αυτό δεν έχει αποτέλεσμα).
2. Αν η τιμωρία είναι υπερβολικά σκληρή, το υποκείμενο θα αποφύγει συνολικά την κατάσταση. Όταν τα ποντίκια δέχονται ένα ηλεκτροσόκ, για να μάθουν να μην πηγαίνουν σε αδιέξοδο στον λαβύρινθο, θα «πάψουν να προσπαθούν», αν το ηλεκτροσόκ είναι υπερβολικά ισχυρό. Αν τιμωρήσετε σκληρά ένα παιδί για κάποιο λάθος του, ενδέχεται να «μάθει» να μην προσπαθεί να κάνει κάτι σωστά.
3. Η ανταμοιβή πρέπει να είναι στη διάθεση του υποκειμένου αρκετά έγκαιρα, ώστε να επηρεάσει τη συμπεριφορά. Αν, εκπαιδεύοντας έναν αρουραίο να πιάσει τον κατάλληλο μοχλό που θα του φέρει τροφή, καθυστερήσετε αρκετά να παρουσιάσετε την τροφή, αφού εκείνος πατήσει τον σωστό μοχλό, ο αρουραίος δεν θα μάθει ποιος είναι ο σωστός μοχλός. Αν πείτε σε ένα παιδί ότι μπορεί να πάει στη θάλασσα, έπειτα από τρεις εβδομάδες, αν κάνει τις δουλειές του σπιτιού σήμερα, ίσως ανακαλύψετε ότι μια τέτοια, χρονικά απομακρυσμένη ανταμοιβή δεν έχει τη δύναμη να κινητοποιήσει το παιδί να κάνει άμεσα τις δουλειές του σπιτιού.
4. Πρέπει πάντοτε να υπάρχει μεγάλη συνέπεια στη χορήγηση ανταμοιβής για την επιθυμητή συμπεριφορά ή τιμωρίας για τη μη επιθυμητή συμπεριφορά. Αν ταΐζετε τον σκύλο σας από το τραπέζι της τραπεζαρίας, όταν δεν έχετε επισκέπτες, και τον τιμωρείτε, αν σας ζητάει φαγητό όταν έχετε επισκέπτες, τότε ο σκύλος σας θα νιώσει μπερδεμένος και απογοητευμένος (εκτός εάν μάθει τη δια

φορά μεταξύ της μίας και της άλλης κατάστασης, όπως έχει μάθει το δικό μας σκυλί!) Συχνά οι γονείς είναι ασυνεπείς στη χρήση ανταμοιβών και τιμωριών. Παράδειγμα: Μερικές φορές η μητέρα επιτρέπει στο παιδί να τσιμπήσει κάτι μεταξύ των γευμάτων, του αρνείται όμως αυτό το δικαίωμα, όταν έχει ετοιμάσει κάτι ιδιαίτερο και δεν θέλει να του κοπεί η όρεξη για το δείπνο.

5. Σπάνια οι ανταμοιβές και οι τιμωρίες είναι αποτελεσματικά μέσα για τη διδασκαλία *σύνθετων* συμπεριφορών, εκτός αν χρησιμοποιούνται πολύ πολύπλοκες και χρονοβόρες μέθοδοι «ενίσχυσης». Είναι αλήθεια ότι οι ψυχολόγοι έχουν κατορθώσει να διδάξουν κοτόπουλα να παίζουν πιγκ πογκ, και περιστέρια να κατευθύνουν πυραύλους, όμως τέτοια επιτεύγματα απαιτούν εξαιρετικά δύσκολη και χρονοβόρα εκπαίδευση κάτω από τις πιο ελεγχόμενες συνθήκες.

Οι αναγνώστες που έχουν ζώα θα κατανοήσουν πόσο δύσκολο θα ήταν να εκπαιδεύσουν ένα σκύλο να παίζει αποκλειστικά στη δική τους αυλή, να φέρνει το πανωφόρι τους, όταν βλέπει ότι έξω βρέχει, ή να μοιράζεται γενναιόδωρα τα μπισκότα του με άλλα σκυλιά. Και όμως, αυτοί οι ίδιοι άνθρωποι δεν θα αμφισβητούσαν τη δυνατότητα να προσπαθήσουν να χρησιμοποιήσουν ανταμοιβές και τιμωρίες για να διδάξουν στα παιδιά τους τις ίδιες συμπεριφορές.

Οι ανταμοιβές και οι τιμωρίες μπορεί να αποδίδουν για να διδάξει κανείς ένα παιδί να αποφεύγει να πιάνει τα πράγματα που είναι πάνω στο τραπέζι ή να λέει «παρακαλώ», όταν ζητάει κάτι στη διάρκεια του γεύματος, όμως οι γονείς θα διαπιστώσουν ότι δεν είναι αποτελεσματικά μέσα για την απόκτηση καλών συνηθειών μελέτης, για να γίνει ένα παιδί ειλικρινές ή ευγενικό με τα άλλα παιδιά ή συνεργάσιμο ως μέλος της οικογένειας. Τέτοιες πολύπλοκες μορφές συμπεριφοράς δεν διδάσκονται στα παιδιά. Τα παιδιά τις μαθαίνουν από τις ίδιες τους τις εμπειρίες, επηρεαζόμενα από μια ποικιλία παραγόντων.

Τόνισα μόνο μερικούς από τους περιορισμούς της χρήσης ανταμοιβών και τιμωριών στην εκπαίδευση των παιδιών. Οι ψυχολόγοι που ειδικεύονται στην εκπαίδευση και τη μάθηση θα μπορούσαν να προσθέσουν πολύ περισσότερους. Η εκπαίδευση ζώων ή παιδιών, για να εκτελούν σύνθετες πράξεις μέσω ανταμοιβών και τιμωριών, δεν είναι μόνο μια εξειδίκευση που απαιτεί ευρύτατες γνώσεις, καθώς και υπερβολικό χρόνο και υπομονή. Το πιο σημαντικό είναι το εξής: *Ο δεξιοτέχνης εκπαιδευτής ζώων στο τσίρκο και ο πειραματικός ψυχολόγος δεν είναι πολύ καλά πρότυπα για να τα αντιγράφουν οι γονείς στην εκπαίδευση των παιδιών τους, ώστε να συμπεριφέρονται τα παιδιά τους όπως θα ήθελαν εκείνοι.*

## ΤΑ ΑΠΟΤΕΛΕΣΜΑΤΑ ΤΗΣ ΓΟΝΕΪΚΗΣ ΕΞΟΥΣΙΑΣ ΣΤΟ ΠΑΙΔΙ

Παρά τους σοβαρούς περιορισμούς της εξουσίας, παραδόξως εξακολουθεί να παραμένει η μέθοδος επιλογής των περισσότερων γονέων, ανεξάρτητα από την εκπαίδευση, την κοινωνική τάξη ή το οικονομικό τους επίπεδο.

Όλοι οι εκπαιδευτές του προγράμματός μας διαπιστώνουν ότι οι γονείς στις τάξεις τους είναι ενήμεροι για τις επιζήμιες συνέπειες της εξουσίας. Το μόνο που έχουμε να κάνουμε είναι να ζητήσουμε από τους γονείς να αναφερθούν στις δικές τους εμπειρίες και να μας πουν πώς είχαν επηρεαστεί οι ίδιοι, όταν οι γονείς τους είχαν χρησιμοποιήσει εξουσία πάνω τους. Είναι παράδοξο το ότι οι γονείς θυμούνται πώς είχαν νιώσει ως παιδιά από τη χρήση εξουσίας πάνω τους, αλλά το «ξεχνούν», όταν οι ίδιοι χρησιμοποιούν εξουσία πάνω στα παιδιά τους. Σε κάθε τάξη ζητάμε από τους γονείς να καταγράψουν τι έκαναν ως παιδιά, για να αντιμετωπίσουν τη χρήση εξουσίας εκ μέρους των γονέων τους. Κάθε τάξη καταρτίζει έναν κατάλογο μηχανισμών αντιμετώπισης, που δεν είναι πολύ διαφορετικός από τον παρακάτω:

1. Αντίσταση, ανυπακοή, εξέγερση, αρνητισμός
2. Δυσαρέσκεια, θυμός, εχθρότητα
3. Επιθετικότητα, εκδικητικότητα, ανταπόδοση
4. Ανειλικρίνεια, απόκρυψη συναισθημάτων
5. Επίρριψη ευθυνών σε άλλους, εξαπάτηση, «χαφιεδισμός»
6. Κυριαρχία, επιβολή, τρομοκράτηση
7. Ανάγκη για νίκη, απέχθεια ήττας
8. Δημιουργία συμμαχιών, οργάνωση εναντίον των γονέων
9. Υποταγή, υπακοή, συμμόρφωση
10. Κολακεία, επιζήτηση της εύνοιας
11. Συμμόρφωση, έλλειψη δημιουργικότητας, φόβος δοκιμής του καινούργιου, απαίτηση εκ των προτέρων διαβεβαίωσης της επιτυχίας
12. Απόσυρση, τάση φυγής, φαντασίωση, παλινδρόμηση

### Αντίσταση, ανυπακοή, εξέγερση, αρνητισμός

Ένας γονέας διηγήθηκε το εξής χαρακτηριστικό επεισόδιο με τον πατέρα του:

*ΠΑΤΕΡΑΣ:* Αν δεν σταματήσεις να μιλάς, θα σου δώσω μία στο πρόσωπο.
*ΠΑΙΔΙ:* Εμπρός λοιπόν, χτύπα με!
*ΠΑΤΕΡΑΣ:* (Χτυπάει το παιδί).
*ΠΑΙΔΙ:* Χτύπα με ξανά, πιο δυνατά. Δεν θα σταματήσω!

Μερικά παιδιά επαναστατούν ενάντια στη χρήση της εξουσίας εκ μέρους των γονέων τους, κάνοντας ακριβώς το αντίθετο από αυτό που οι γονείς τους επιθυμούν να κάνουν. Μια μητέρα μάς είπε:

> «Υπήρχαν τρεις βασικές απαιτήσεις, για τις οποίες χρησιμοποιούσαμε την εξουσία μας προσπαθώντας να πείσουμε την κόρη μας: Να είναι καθαρή και τακτική, να πηγαίνει στην εκκλησία και να μην πίνει. Ήμασταν πάντα αυστηροί με αυτά τα πράγματα. Τώρα γνωρίζουμε ότι το σπίτι της είναι ένα χάλι, δεν πατάει το πόδι της στην εκκλησία και πίνει κοκτέιλ σχεδόν κάθε βράδυ».

Ένας έφηβος μού αποκάλυψε σε μία από τις θεραπευτικές μας συνεδρίες:

> «Δεν θα προσπαθήσω καν να πάρω καλούς βαθμούς στο σχολείο, γιατί οι γονείς μου με πίεσαν τόσο πολύ να είμαι καλός μαθητής. Αν έπαιρνα καλούς βαθμούς, θα τους έκανα να αισθάνονται περήφανοι, σαν να είχαν δίκιο ή σαν να γινότανε το δικό τους. Δεν πρόκειται να τους αφήσω να νιώσουν έτσι. Γι' αυτό δεν διαβάζω».

Ένας άλλος έφηβος μίλησε για την αντίδρασή του στις παρατηρήσεις των γονέων του για τα μακριά του μαλλιά:

> «Νομίζω ότι μπορεί να τα έκοβα, αν δεν μου φώναζαν τόσο πολύ. Όσο όμως αυτοί προσπαθούν να με κάνουν να τα κόψω, τόσο εγώ θα τα έχω μακριά».

Τέτοιες αντιδράσεις στην εξουσία των ενηλίκων είναι σχεδόν καθολικές. Τα παιδιά περιφρονούν την εξουσία των ενηλίκων επί αιώνες και αντιστέκονται σε αυτήν. Η ιστορία δείχνει μικρές μόνο διαφορές μεταξύ των σημερινών νέων και των νέων άλλων εποχών. Τα παιδιά, όπως και οι ενήλικες, μάχονται σθεναρά, όταν απειλείται η ελευθερία τους, και απειλές εναντίον της ελευθερίας των νέων υπήρχαν σε όλες τις περιόδους της ιστορίας. Ένας τρόπος για να αντιμετωπίσουν οι νέοι τις απειλές κατά της ελευθερίας και της ανεξαρτησίας τους είναι να μάχονται εναντίον εκείνων που τους απειλούν.

### Δυσαρέσκεια, Θυμός, εχθρότητα

Τα παιδιά δυσανασχετούν εναντίον εκείνων που ασκούν εξουσία πάνω τους. Το θεωρούν αυτό αθέμιτο και συχνά άδικο. Δυσανασχετούν με το γεγονός ότι οι γονείς ή οι δάσκαλοι είναι μεγαλύτεροι και δυνατότεροι, εφόσον αυτό το πλεονέκτημα χρησιμοποιείται για να τα ελέγχουν ή να περιορίζουν την ελευθερία τους.

«Βρες κάποιον στο μπόι σου» είναι ένα συχνό συναίσθημα που έχουν τα παιδιά, όταν ένας ενήλικας χρησιμοποιεί δύναμη πάνω τους.

Φαίνεται ότι είναι μια καθολική αντίδραση των ανθρώπων, σε οποιαδήποτε ηλικία, να αισθάνονται βαθιά δυσαρέσκεια και θυμό για κάποιον, από τον οποίο εξαρτώνται, σε μεγαλύτερο ή μικρότερο βαθμό, για την ικανοποίηση των αναγκών τους. Οι περισσότεροι άνθρωποι δεν αντιδρούν θετικά προς εκείνους που έχουν την εξουσία να απονέμουν ή να αποσύρουν ανταμοιβές. Δυσανασχετούν, επειδή κάποιος άλλος ελέγχει τα μέσα ικανοποίησης των αναγκών τους. Θα επιθυμούσαν να είχαν οι ίδιοι τον έλεγχο. Επίσης, οι περισσότεροι άνθρωποι επιζητούν την ανεξαρτησία, γιατί η εξάρτηση από κάποιον άλλον ενέχει κινδύνους. Υπάρχει ο κίνδυνος το πρόσωπο από το οποίο εξαρτάται κάποιος να αποδειχτεί αναξιόπιστο: άδικος, προκατειλημμένος, ασυνεπής, παράλογος. Ή μπορεί το πρόσωπο που έχει την εξουσία να απαιτεί συμμόρφωση με τις δικές του αξίες και τα δικά του πρότυπα ως αντάλλαγμα για τις ανταμοιβές που χορηγεί. Αυτός είναι ο λόγος που υπάλληλοι υπερβολικά πατερναλιστών εργοδοτών –αυτών που είναι γενναιόδωροι στη χορήγηση «προνομίων» κι «επιδομάτων» (υπό τον όρο ότι οι υπάλληλοι θα αποδέχονται με ευγνωμοσύνη τις προσπάθειες της διοίκησης να ελέγχει εξουσιαστικά)– είναι συχνά πικρόχολοι και εχθρικοί «προς το χέρι που τους ταΐζει». Ιστορικοί έχουν επισημάνει ότι μερικές από τις πιο βίαιες απεργίες πλήττουν τις εταιρείες όπου η διοίκηση υπήρξε «ευεργετικά πατερναλιστική». Αυτός είναι επίσης ο λόγος που η πολιτική ενός «πλούσιου» κράτους, που προσφέρει βοήθεια σε ένα άλλο «φτωχό» κράτος, έχει τόσο συχνά ως αποτέλεσμα την εχθρότητα του εξαρτημένου κράτους προς το δυνατότερο, προς μεγάλη έκπληξη του «ευεργέτη».

## Επιθετικότητα, εκδικητικότητα, ανταπόδοση

Επειδή η γονεϊκή κυριαρχία μέσω της εξουσίας συχνά ματαιώνει την ικανοποίηση των αναγκών του παιδιού, και η ματαίωση πολύ συχνά οδηγεί στην επιθετικότητα, οι γονείς που στηρίζονται στην εξουσία μπορούν να αναμένουν ότι τα παιδιά τους θα επιδείξουν κάποια μορφή επιθετικότητας Τα παιδιά εκδικούνται, προσπαθούν να δείξουν στους γονείς τους ότι δεν είναι τόσο σπουδαίοι, ασκούν σοβαρή κριτική, αντιμιλάνε με άσχημη γλώσσα, χρησιμοποιούν τη «μέθοδο της σιωπής» ή εκδηλώνουν οποιαδήποτε από τις εκατοντάδες επιθετικές συμπεριφορές, με τις οποίες πιστεύουν ότι θα εκδικηθούν τους γονείς ή θα τους πληγώσουν.

Ο κανόνας αυτού του τρόπου αντιμετώπισης φαίνεται ότι είναι: «Με πλήγωσες εσύ, άρα θα σε πληγώσω κι εγώ και τότε ίσως να μη με ξαναπληγώσεις στο μέλλον». Ακραίες εκδηλώσεις αυτού του τύπου είναι περιπτώσεις που συχνά αναφέρονται στις εφημερίδες, παιδιών που σκοτώνουν τους γονείς τους. Χωρίς αμφιβολία, πολλές από τις πράξεις βίας εναντίον της ηγεσίας του σχολείου, βανδαλισμοί, πράξεις εναντίον της αστυνομίας ή εναντίον πολιτικών ηγετών προκαλούνται από μια επιθυμία εκδίκησης ή ανταπόδοσης.

### Ανειλικρίνεια, απόκρυψη συναισθημάτων

Μερικά παιδιά μαθαίνουν νωρίς στη ζωή τους ότι αν ψεύδονται, μπορούν να αποφύγουν πάρα πολλές τιμωρίες. Σε ορισμένες περιπτώσεις το ψέμα μπορεί να τους φέρει ακόμα και ανταμοιβές. Τα παιδιά πάντοτε μαθαίνουν τις αξίες των γονέων τους – φθάνουν στο σημείο να γνωρίζουν με ακρίβεια τι εγκρίνουν και τι δεν εγκρίνουν οι γονείς τους. Όλα ανεξαιρέτως τα παιδιά που ήρθαν στο γραφείο μου και των οποίων οι γονείς χρησιμοποιούσαν πολύ την ανταμοιβή και την τιμωρία αποκάλυψαν πόσο πολύ ψεύδονταν στους γονείς τους. Μία έφηβη μού είπε κάποτε:

> «Η μητέρα μου δεν με αφήνει να βγαίνω με αυτό το συγκεκριμένο αγόρι, οπότε βάζω τη φίλη μου να έρχεται να με πάρει και λέμε στη μαμά μου ότι πηγαίνουμε σινεμά ή κάτι τέτοιο. Και μετά συναντάω τον φίλο μου».

Μια άλλη είπε:

> «Η μητέρα μου δεν με αφήνει να φοράω πουκάμισα πολύ ανοιχτά μπροστά, και έτσι φοράω ένα άλλο πουκάμισο από πάνω, κι όταν απομακρύνομαι κάπως από το σπίτι, το βγάζω, και το ξαναβάζω πριν γυρίσω».

Αν και τα παιδιά ψεύδονται αρκετά, επειδή τόσο πολλοί γονείς στηρίζονται υπερβολικά στις ανταμοιβές και τις τιμωρίες, πιστεύω ακλόνητα ότι η τάση των νέων να λένε ψέματα δεν είναι φυσική. Είναι μια μαθημένη αντίδραση, ένας μηχανισμός αντιμετώπισης και διαχείρισης των προσπαθειών των γονέων να τους χειρίζονται μέσω των ανταμοιβών και των τιμωριών. Τα παιδιά δεν τείνουν να ψεύδονται σε οικογένειες όπου τα αποδέχονται και σέβονται την ελευθερία τους.

Οι γονείς που παραπονούνται ότι τα παιδιά τους δεν μοιράζονται τα προβλήματά τους ή δεν μιλάνε για το τι συμβαίνει στη ζωή τους είναι επίσης γενικά γονείς που έχουν χρησιμοποιήσει αρκετά την τιμωρία. Τα παιδιά μαθαίνουν πώς να ξεφεύγουν και ένας τρόπος είναι να μη μιλάνε.

### Επίρριψη ευθυνών σε άλλους, εξαπάτηση, «χαφιεδισμός»

Στις οικογένειες με περισσότερα από ένα παιδιά, τα παιδιά φανερά ανταγωνίζονται για να κερδίσουν τις ανταμοιβές των γονέων και να αποφεύγουν τις τιμωρίες. Σύντομα μαθαίνουν και έναν άλλο μηχανισμό αντιμετώπισης: Να φέρνουν τους άλλους σε μειονεκτική θέση, να δυσφημούν τα άλλα παιδιά, να τα κάνουν να φαίνονται κακά, να «χαφιεδίζουν», να μεταθέτουν τις ευθύνες. Η συνταγή είναι απλή: «Κάνοντας τον άλλο να φαίνεται κακός, ίσως να φανώ εγώ καλός». Τι αποτυχία για τους γονείς· επιζητούν συνεργάσιμη συμπεριφορά από τα παιδιά τους, χρησιμοποιώντας όμως ανταμοιβές και τιμωρίες, δημιουργούν ανταγωνιστική συμπεριφορά – αδελφική αντιζηλία, τσακωμούς, υπονόμευση του αδελφού ή της αδελφής:

«Αυτός πήρε πιο πολύ παγωτό από μένα».
«Γιατί πρέπει να δουλέψω εγώ στην αυλή, όταν ο Γιάννης δεν το κάνει;»
«Αυτός με χτύπησε πρώτος, αυτός ξεκίνησε».
«Ποτέ δεν τιμωρούσες την Έρικα, όταν ήταν στην ηλικία μου, κι έκανε τα ίδια πράγματα που κάνω εγώ τώρα».
«Πώς αφήνεις τον Έντι να τη γλιτώνει με όλα;»

Πολλές από τις ανταγωνιστικές φιλονικίες και τις αμοιβαίες κατηγορίες των παιδιών μπορούν να αποδοθούν στη χρήση εκ μέρους των γονέων ανταμοιβών και τιμωριών στην ανατροφή των παιδιών. Καθώς οι γονείς δεν έχουν τον χρόνο, τη διάθεση ή τη σοφία να μοιράζουν ανταμοιβές και τιμωρίες ακριβοδίκαια κάθε φορά, αναπόφευκτα θα δημιουργείται ανταγωνισμός. Είναι φυσικό να θέλει το κάθε παιδί να κερδίζει τις πιο πολλές ανταμοιβές και να βλέπει τα αδέλφια του να δέχονται τις πιο πολλές τιμωρίες.

### Κυριαρχία, επιβολή, τρομοκράτηση

Γιατί ένα παιδί να θέλει να επιβάλλεται ή να τρομοκρατεί τα μικρότερα παιδιά; Ένας λόγος είναι ότι οι γονείς του χρησιμοποιούν τη δύναμή τους για να επιβάλλονται στο ίδιο. Γι' αυτό, οποτεδήποτε βρίσκεται σε θέση ισχύος έναντι ενός άλλου παιδιού, προσπαθεί και αυτό να επιβάλλεται και να κυριαρχεί. Είναι κάτι που μπορούμε να παρατηρήσουμε, όταν τα παιδιά παίζουν με κούκλες. Σε γενικές γραμμές μεταχειρίζονται τις κούκλες τους (τα δικά τους «παιδιά»), όπως οι γονείς τους μεταχειρίζονται τα ίδια, και οι ψυχολόγοι γνωρίζουν, εδώ και καιρό, ότι μπορούν να ανακαλύψουν πώς ένας γονέας μεταχειρίζεται ένα παιδί παρατηρώντας το παιδί αυτό να παίζει με κούκλες. Αν το παιδί είναι κυριαρχικό, επιβάλλεται και τιμωρεί την κούκλα του, μπορούμε να πούμε σχεδόν με βεβαιότητα ότι υφίσταται την ίδια μεταχείριση από τη μητέρα του.

Γι' αυτό οι γονείς που χρησιμοποιούν αυταρχικότητα για να κατευθύνουν και να ελέγχουν το παιδί τους, άθελά τους διατρέχουν ένα μεγάλο κίνδυνο: Να μεγαλώσουν ένα παιδί που θα γίνει αυταρχικό με τα άλλα παιδιά.

## Ανάγκη για νίκη, απέχθεια ήττας

Όταν τα παιδιά μεγαλώνουν σε ένα κλίμα γεμάτο ανταμοιβές και τιμωρίες, ίσως να αναπτύξουν μια έντονη ανάγκη να φαίνονται «καλά» ή να κερδίζουν, και μια έντονη ανάγκη να αποφεύγουν να φαίνονται «κακά» ή να χάνουν. Αυτό ισχύει ιδιαίτερα σε οικογένειες με γονείς προσανατολισμένους στις ανταμοιβές, που στηρίζονται πάρα πολύ στη θετική αξιολόγηση, στις χρηματικές ανταμοιβές, σε επιβραβεύσεις, δώρα κ.λπ.

Δυστυχώς, υπάρχουν πολλοί τέτοιοι γονείς, ιδιαίτερα στις μεσαίες και τις ανώτερες τάξεις. Αν και συναντώ γονείς που απορρίπτουν ιδεολογικά την τιμωρία ως μέθοδο ελέγχου, σπάνια βρίσκω γονείς πρόθυμους ακόμη και να διερωτηθούν για την αξία της χρήσης ανταμοιβών. Οι Αμερικάνοι γονείς κατακλύζονται από άρθρα και βιβλία που συμβουλεύουν για τη συχνή χρήση επαίνων και αμοιβών. Οι περισσότεροι γονείς δέχονται αυτήν τη συμβουλή αναντίρρητα, με αποτέλεσμα ένα μεγάλο ποσοστό παιδιών στην Αμερική να χειραγωγούνται καθημερινά από τους γονείς τους μέσω επαίνων, ειδικών προνομίων, βραβείων, γλυκών, παγωτών, χρημάτων κ.λπ. Δεν είναι παράξενο που αυτή η γενιά των «εκπαιδευμένων με ανταμοιβές» παιδιών είναι τόσο προσανατολισμένη στο να κερδίζει, να φαίνεται καλή, να έρχεται πρώτη και πάνω απ' όλα να αποφεύγει να χάνει.

Μια άλλη αρνητική συνέπεια της προσανατολισμένης στην ανταμοιβή ανατροφής των παιδιών αφορά τα παιδιά των οποίων οι ικανότητες, σωματικές ή πνευματικές, είναι τόσο περιορισμένες, ώστε να είναι δύσκολο γι' αυτά να κερδίζουν πόντους από την εξουσία. Αναφέρομαι στα παιδιά, των οποίων τα αδέλφια ή οι συνομίληκοι είναι καλύτερα προικισμένοι βιολογικά, γεγονός που τα κάνει να είναι οι «χαμένοι» στις περισσότερες δραστηριότητες στο σπίτι, τον παιδότοπο ή το σχολείο. Πολλές οικογένειες έχουν ένα ή περισσότερα τέτοια παιδιά, προορισμένα να περάσουν τη ζωή τους γνωρίζοντας τον πόνο της συχνής αποτυχίας και την απογοήτευση να βλέπουν τους άλλους να παίρνουν τις ανταμοιβές. Τέτοια παιδιά αποκτούν χαμηλή αυτοεκτίμηση και αναπτύσσουν νοοτροπία απελπισίας και ηττοπάθειας. Το συμπέρασμα είναι ότι ένα οικογενειακό περιβάλλον που στηρίζεται υπερβολικά στις ανταμοιβές, μπορεί να είναι περισσότερο επιβλαβές για τα παιδιά που δεν μπορούν να τις κερδίσουν παρά για εκείνα που μπορούν.

## Δημιουργία συμμαχιών, οργάνωση εναντίον των γονέων

Τα παιδιά που οι γονείς τους τα ελέγχουν και τα κατευθύνουν με την εξουσία και τη δύναμη, μαθαίνουν καθώς μεγαλώνουν και έναν ακόμη τρόπο αντιμετώπισης αυτής της κατάστασης. Πρόκειται για την πολύ γνωστή μέθοδο της δημιουργίας συμμαχιών με άλλα παιδιά, είτε μέσα στην οικογένεια είτε έξω από αυτήν. Τα παιδιά ανακαλύπτουν «την ισχύ εν τη ενώσει»· ότι μπορούν να «οργανωθούν», όπως οργανώνονται οι εργάτες, για να αντιμετωπίσουν την εξουσία των εργοδοτών και της διοίκησης.

Συχνά τα παιδιά κάνουν συμμαχίες, για να προτάξουν ένα ενιαίο μέτωπο κατά των γονέων με τους εξής τρόπους:

- Συμφωνώντας μεταξύ τους να πουν την ίδια ιστορία.
- Λέγοντας στους γονείς τους ότι σε όλα τα άλλα παιδιά επιτρέπεται να κάνουν συγκεκριμένα πράγματα, άρα γιατί όχι και σε αυτά;
- Επηρεάζοντας άλλα παιδιά να πάρουν μέρος μαζί τους σε κάποια αμφίβολη δραστηριότητα, ελπίζοντας ότι τότε οι γονείς τους δεν θα αποτελέσουν εξαίρεση ώστε να τα τιμωρήσουν.

Η σημερινή φουρνιά εφήβων αισθάνεται την πραγματική δύναμη που πηγάζει από την οργανωμένη και ενωμένη δράση εναντίον της γονεϊκής εξουσίας ή εκείνης των ενηλίκων. Αναλογιστείτε τον αυξανόμενο αριθμό των παιδιών που παίρνουν ναρκωτικά μαζί με φίλους τους, που δεν κάνουν τα μαθήματά τους, που κάνουν κοπάνα από το σχολείο με τους φίλους τους για να πάνε στο εμπορικό κέντρο, καθώς και το πόσο έχουν πολλαπλασιαστεί οι κλίκες και οι συμμορίες.

Καθώς ο αυταρχισμός εξακολουθεί να είναι η προτιμώμενη μέθοδος ελέγχου και καθοδήγησης της συμπεριφοράς των παιδιών, οι γονείς και οι άλλοι ενήλικες τελικά τα οδηγούν σε αυτό που τους είναι περισσότερο οδυνηρό: τη δημιουργία συμμαχιών από τους εφήβους για να ενώσουν τη δύναμή τους εναντίον της δύναμης των ενηλίκων. Και έτσι η κοινωνία πολώνεται σε δύο αντιμαχόμενες ομάδες: Οι νέοι οργανώνονται ενάντια στους ενήλικες και το κατεστημένο, ή αν προτιμάτε οι «μη κατέχοντες» ενάντια στους «κατέχοντες». Αντί να ταυτίζονται οι νέοι με την οικογένειά τους, όλο και περισσότερο ταυτίζονται με την ομάδα των συνομηλίκων τους, για να αντιμετωπίσουν την ενωμένη δύναμη όλων των ενηλίκων.

## Υποταγή, υπακοή, συμμόρφωση

Μερικά παιδιά επιλέγουν να υποταχθούν στην εξουσία των γονέων τους για λόγους που συνήθως δεν γίνονται πλήρως κατανοητοί. Αντιμετωπίζουν την κατάσταση με υποταγή, υπακοή και συμμόρφωση. Αυτή η αντίδραση στην εξουσία των γονέων συμβαίνει συχνά, όταν οι γονείς είναι πολύ σκληροί στη χρήση της εξουσίας τους. Ιδιαίτερα όταν οι τιμωρίες είναι αυστηρές, τα παιδιά μαθαίνουν να υποτάσσονται, λόγω του μεγάλου φόβου της τιμωρίας. Τα παιδιά μπορεί να αντιδρούν στη γονεϊκή δύναμη ακριβώς όπως τα σκυλιά κουλουριάζονται και φοβούνται από τις σκληρές τιμωρίες. Όταν τα παιδιά είναι πολύ μικρά, η αυστηρή τιμωρία είναι πιο πιθανό να οδηγήσει σε υποταγή, επειδή μια αντίδραση, όπως η επανάσταση ή η αντίσταση, ίσως να φαίνεται υπερβολικά ριψοκίνδυνη. Είναι σχεδόν υποχρεωμένα να αντιδρούν στη γονεϊκή εξουσία με υποταγή και συμμόρφωση. Καθώς τα παιδιά φθάνουν στην εφηβεία, αυτή η αντίδραση μπορεί να αλλάξει απότομα, επειδή τώρα έχουν αποκτήσει μεγαλύτερη δύναμη και θάρρος, για να προσπαθήσουν να αντισταθούν και να επαναστατήσουν.

Μερικά παιδιά συνεχίζουν να υποτάσσονται και να συμμορφώνονται και όταν είναι έφηβοι και συχνά και ως ενήλικες. Αυτά τα παιδιά υποφέρουν περισσότερο από την άσκηση της γονεϊκής εξουσίας κατά την παιδική τους ηλικία, και διατηρούν ένα βαθύ φόβο για τους ανθρώπους που κατέχουν θέσεις εξουσίας, οπουδήποτε τους συναντούν. Είναι οι ενήλικες που παραμένουν παιδιά καθ' όλη τη διάρκεια της ζωής τους, που υποτάσσονται παθητικά στην εξουσία, που αρνούνται τις ανάγκες τους, που φοβούνται να είναι ο εαυτός τους, που φοβούνται τη σύγκρουση, που είναι υπερβολικά υποχωρητικοί, για να αγωνιστούν για τις πεποιθήσεις τους. Είναι οι ενήλικες που κατακλύζουν τα γραφεία των ψυχολόγων και των ψυχιάτρων.

## Κολακεία, επιζήτηση της εύνοιας

Ένας τρόπος αντιμετώπισης ενός προσώπου που έχει τη δύναμη να ανταμείβει ή να τιμωρεί είναι να «έχετε την εύνοιά του», να το κερδίσετε, καταβάλλοντας ιδιαίτερες προσπάθειες για να το κάνετε να σας συμπαθήσει. Μερικά παιδιά υιοθετούν αυτή την προσέγγιση με γονείς και άλλους ενήλικες. Η συνταγή είναι: «Αν μπορέσω να κάνω κάτι καλό για εσένα και σε κάνω να με συμπαθήσεις, τότε ίσως να μου παρέχεις τις ανταμοιβές σου και να αποσύρεις τις τιμωρίες σου». Τα παιδιά μαθαίνουν νωρίς ότι οι ανταμοιβές και οι τιμωρίες δεν απονέμονται ισότιμα από τους ενήλικες. Για παράδειγμα, μπορεί να κερδίσει κανείς την εύνοια των ενηλίκων ή οι ενήλικες μπορεί να έχουν «ευνοούμενους». Μερικά παιδιά μαθαίνουν πώς να το εκμεταλλεύονται αυτό και καταφεύγουν σε συμπεριφορές που είναι γνωστές ως «γλείψιμο», και «να είσαι το χαϊδεμένο παιδί του δασκάλου» και άλλες λιγότερο ευγενικές εκφράσεις.

Δυστυχώς, ενώ κάποια παιδιά μπορεί να γίνουν εξαιρετικά επιδέξια στο να κερδίζουν την εύνοια των ενηλίκων, αυτό συνήθως προκαλεί έντονη δυσφορία στα άλλα παιδιά. Το παιδί που «γλείφει» τους ανθρώπους συχνά γελοιοποιείται ή απορρίπτεται από τους συνομηλίκους του, οι οποίοι βλέπουν με καχυποψία τα κίνητρά του και φθονούν την ευνοούμενη θέση του.

## Συμμόρφωση, έλλειψη δημιουργικότητας, φόβος δοκιμής του καινούργιου, απαίτηση εκ των προτέρων διαβεβαίωσης της επιτυχίας

Η γονεϊκή εξουσία ευνοεί τη συμμόρφωση μάλλον παρά τη δημιουργικότητα στα παιδιά, ακριβώς όπως το αυταρχικό κλίμα εργασίας σε έναν οργανισμό καταστέλλει την καινοτομία. Η δημιουργικότητα προέρχεται από την ελευθερία πειραματισμού, δοκιμής νέων πραγμάτων και νέων συνδυασμών. Τα παιδιά που μεγαλώνουν σε ένα κλίμα έντονων ανταμοιβών και τιμωριών είναι λιγότερο πιθανόν να αισθάνονται αυτή την ελευθερία απ' όσο τα παιδιά που μεγαλώνουν σε ένα κλίμα μεγαλύτερης αποδοχής. Η εξουσία προκαλεί φόβο και ο φόβος πνίγει τη δημιουργικότητα και υποθάλπει τη συμμόρφωση. Ο κανόνας είναι απλός: «Προκειμένου να κερδίσω ανταμοιβές, θα «φυλάω τα ρούχα μου» και θα συμμορφώνομαι με αυτό που θεωρείται κατάλληλη συμπεριφορά. Δεν θα τολμήσω να κάνω κάτι πέρα από το συνηθισμένο, γιατί διαφορετικά κινδυνεύω να τιμωρηθώ».

## Απόσυρση, τάση φυγής, φαντασίωση, παλινδρόμηση

Όταν γίνεται πολύ δύσκολο για τα παιδιά να αντιμετωπίσουν την εξουσία των γονέων, τότε μπορεί να προσπαθήσουν να διαφύγουν ή να αποσυρθούν. Η δύναμη των γονέων μπορεί να προκαλέσει απόσυρση, αν η ποινή είναι υπερβολικά σκληρή για το παιδί, αν οι γονείς είναι ασυνεπείς στη χορήγηση των ανταμοιβών, αν είναι πολύ δύσκολο να κερδηθούν οι ανταμοιβές ή αν είναι πολύ δύσκολο για το παιδί να μάθει τις συμπεριφορές που απαιτούνται για να αποφύγει την τιμωρία. Οποιαδήποτε από αυτές τις συνθήκες μπορεί να κάνει το παιδί να εγκαταλείψει την προσπάθεια να μάθει «τους κανόνες του παιγνιδιού». Απλώς σταματάει την προσπάθεια να αντιμετωπίσει την πραγματικότητα, γιατί έχει γίνει πολύ οδυνηρή ή πολύ πολύπλοκη για να την καταλάβει. Αυτό το παιδί δεν μπορεί να προσαρμοστεί στο περιβάλλον του. Δεν μπορεί να νικήσει. Έτσι ο οργανισμός του, κατά κάποιον τρόπο, του λέει ότι είναι ασφαλέστερο να αποσυρθεί.

Οι μορφές της απόσυρσης και της διαφυγής μπορεί να ποικίλλουν, από την ολοκληρωτική μέχρι την περιστασιακή απόσυρση από την πραγματικότητα, και περιλαμβάνουν:

- Ονειροπόληση και φαντασίωση
- Αδράνεια, παθητικότητα, απάθεια
- Παλινδρόμηση σε βρεφική συμπεριφορά
- Υπερβολική παρακολούθηση τηλεόρασης και παίξιμο βιντεοπαιχνιδιών
- Μοναχικό παιγνίδι (συχνά με φανταστικούς συμπαίκτες)
- Εκδήλωση αδιαθεσίας/ασθένειας
- Φυγή από το σπίτι
- Συμμετοχή σε συμμορίες
- Χρήση ναρκωτικών
- Διατροφικές διαταραχές
- Κατάθλιψη

## ΜΕΡΙΚΑ ΒΑΘΥΤΕΡΑ ΕΡΩΤΗΜΑΤΑ ΓΙΑ ΤΗ ΓΟΝΕΪΚΗ ΕΞΟΥΣΙΑ

Μερικοί γονείς στις τάξεις μας, ακόμη κι αφού θυμήθηκαν τους μηχανισμούς αντιμετώπισης που χρησιμοποιούσαν οι ίδιοι ως παιδιά, ακόμη κι αφού χρησιμοποίησαν τον κατάλογό μας για τον προσδιορισμό των μεθόδων αντιμετώπισης που χρησιμοποιούσαν τα δικά τους παιδιά, παραμένουν πεπεισμένοι ότι η εξουσία και η δύναμη δικαιολογούνται στην ανατροφή των παιδιών. Γι' αυτό, στις πιο πολλές τάξεις της Εκπαίδευσης τίθενται ανοικτά προς συζήτηση επιπλέον νοοτροπίες και συναισθήματα γύρω από τη γονεϊκή εξουσία.

### Δεν χρειάζονται άραγε τα παιδιά εξουσία και όρια;

Μια πεποίθηση, κοινή μεταξύ των απλών ανθρώπων αλλά και μεταξύ των ειδικών, είναι ότι στην πραγματικότητα τα παιδιά τη θέλουν την εξουσία – τους αρέσει να περιορίζουν οι γονείς τη συμπεριφορά τους θέτοντας όρια. Όταν οι γονείς χρησιμοποιούν την εξουσία τους, τα παιδιά, σύμφωνα με το επιχείρημα, αισθάνονται πιο ασφαλή. Χωρίς όρια, θα είναι όχι μόνο ατίθασα και απείθαρχα, αλλά και ανασφαλή. Μια προέκταση αυτής της άποψης είναι ότι, αν οι γονείς δεν χρησιμοποιούν εξουσία για να θέσουν όρια, τα παιδιά τους θα νιώθουν ότι οι γονείς τους δεν ενδιαφέρονται και δεν τα αγαπούν.

Μολονότι υποψιάζομαι ότι αυτή η άποψη υιοθετείται από πολλούς, επειδή τους δίνει μια καλή δικαιολογία για τη χρήση δύναμης, δεν θέλω να υποβαθμίσω την πεποίθηση αυτή ως απλή εκλογίκευση. Υπάρχει κάποια αλήθεια στην άποψη αυτή και γι' αυτό πρέπει να εξεταστεί μάλλον προσεκτικά.

Η κοινή λογική και η εμπειρία επιβεβαιώνουν την άποψη, ότι τα παιδιά θέλουν όντως όρια στη σχέση τους με τους γονείς. Χρειάζεται να γνωρίζουν μέχρι πού μπορούν να φθάσουν, πριν χαρακτηριστεί η συμπεριφορά τους μη αποδεκτή. Μόνο τότε μπορούν να επιλέξουν να μην εμπλακούν σε τέτοιες συμπεριφορές. Αυτό ισχύει για όλες τις ανθρώπινες σχέσεις.

Για παράδειγμα, είμαι πολύ πιο ασφαλής, όταν γνωρίζω ποιες από τις συμπεριφορές μου δεν γίνονται αποδεκτές από τη γυναίκα μου. Μια συμπεριφορά που μου έρχεται στο μυαλό είναι να πάω να παίξω γκολφ ή να πάω για δουλειά στο γραφείο μου μια μέρα που έχουμε καλεσμένους. Γνωρίζοντας προκαταβολικά ότι η απουσία μου θα ήταν μη αποδεκτή, επειδή η γυναίκα μου χρειάζεται τη βοήθειά μου, επιλέγω να μην παίξω γκολφ ή να μην πάω στο γραφείο μου εκείνη τη μέρα, και αποφεύγω τη δυσαρέσκεια ή τον θυμό της και ενδεχομένως και μια σύγκρουση.

Ωστόσο, είναι άλλο πράγμα για ένα παιδί να θέλει να γνωρίζει «τα όρια της αποδοχής των γονέων του» και εντελώς διαφορετικό πράγμα να πούμε ότι το παιδί θέλει *να βάζουν οι γονείς του τα όρια αυτά* στη συμπεριφορά του. Για να επιστρέψουμε στο παράδειγμα που αφορά τη γυναίκα μου κι εμένα: Με βοηθάει το να γνωρίζω ποια είναι τα συναισθήματά της, αν παίξω γκολφ ή πάω στο γραφείο μου τις ημέρες που έχουμε καλεσμένους στο σπίτι. Όμως σίγουρα θα εξαγριωθώ και θα δυσανασχετήσω, αν προσπαθήσει να *βάλει κάποιο όριο στη συμπεριφορά μου* με μια δήλωση όπως: «Δεν μπορώ να σου επιτρέψω να παίζεις γκολφ ή να πηγαίνεις στο γραφείο σου τις ημέρες που έχουμε καλεσμένους. Θέτω όριο. Δεν μπορείς να κάνεις αυτά τα πράγματα».

Δεν θα μου άρεσε καθόλου αυτή η προσέγγιση εξουσίας. Θα ήταν γελοίο να υποθέσω ότι η γυναίκα μου θα προσπαθούσε ποτέ να ελέγξει και να κατευθύνει τη συμπεριφορά μου με αυτό τον τρόπο. Τα παιδιά αντιδρούν το ίδιο στην *οριοθέτηση της συμπεριφοράς τους* εκ μέρους των γονέων τους. Εξίσου μεγάλος είναι ο εκνευρισμός και η δυσανασχέτησή τους, όταν οι γονείς προσπαθούν μονόπλευρα να βάλουν όρια στη συμπεριφορά τους. Δεν έχω γνωρίσει παιδί που να θέλει στη συμπεριφορά του *να θέτουν οι γονείς του όρια*, όπως:

«Πρέπει να είσαι πίσω πριν τα μεσάνυχτα – αυτό είναι το όριό μου».
«Δεν μπορώ να σου επιτρέψω να πάρεις το αυτοκίνητο».
«Δεν μπορείς να παίζεις με το φορτηγό σου στο σαλόνι».
«Θα απαιτήσουμε να μην καπνίζεις μαύρο».
«Πρέπει να σου απαγορεύσουμε να βγαίνεις με αυτά τα δύο αγόρια».

Ο αναγνώστης θα αναγνωρίσει όλες αυτές τις επικοινωνίες σαν τη γνωστή μας «αποστολή της λύσης» (όλες, επίσης, είναι Εσύ-μηνύματα).

Μια πολύ περισσότερο υγιής αρχή από το «Τα παιδιά θέλουν να χρησιμοποιούν οι γονείς τους την εξουσία τους και να βάζουν όρια» είναι η εξής:

> Τα παιδιά θέλουν και χρειάζονται πληροφορίες από τους γονείς τους, που θα τους πληροφορούν για τα συναισθήματα των γονέων τους σχετικά με τη συμπεριφορά τους, έτσι ώστε τα ίδια να μπορούν να αλλάζουν τη συμπεριφορά που θα μπορούσε να μη γίνεται αποδεκτή από τους γονείς τους. Όμως, τα παιδιά δεν θέλουν να προσπαθούν οι γονείς να οριοθετούν ή να τροποποιούν τη συμπεριφορά τους, χρησιμοποιώντας ή απειλώντας ότι θα χρησιμοποιήσουν την εξουσία τους. Με λίγα λόγια, τα παιδιά θέλουν να οριοθετούν τη συμπεριφορά τους *τα ίδια*, αν γίνεται φανερό σε αυτά ότι η συμπεριφορά τους πρέπει να οριοθετηθεί ή να τροποποιηθεί. Τα παιδιά, όπως και οι ενήλικες, προτιμούν να εξουσιάζουν τα ίδια τη συμπεριφορά τους.

Ένα ακόμη σημείο: Στην πραγματικότητα, τα παιδιά θα *προτιμούσαν* να γινόταν *κάθε* συμπεριφορά τους αποδεκτή από τους γονείς τους, ώστε να μη χρειάζεται να οριοθετήσουν ή να τροποποιήσουν κάποιες από αυτές. Κι εγώ, επίσης, θα προτιμούσα να έβρισκε η γυναίκα μου κάθε συμπεριφορά μου αποδεκτή άνευ όρων. Θα το προτιμούσα, όμως ξέρω ότι αυτό δεν είναι μόνο εξωπραγματικό αλλά και αδύνατο.

Επομένως, οι γονείς δεν θα πρέπει να περιμένουν, ούτε και τα παιδιά να περιμένουν από τους γονείς, ότι θα αποδέχονται όλες τους τις συμπεριφορές. Αυτό, όμως, που τα παιδιά έχουν το δικαίωμα να αναμένουν είναι ότι θα τους λένε πάντοτε οι γονείς τους πότε *δεν νιώθουν ότι αποδέχονται* μια συγκεκριμένη συμπεριφορά («Δεν μου αρέσει να με τραβάνε και να με σπρώχνουν, όταν μιλάω με ένα φίλο μου»). Αυτό είναι εντελώς διαφορετικό από το να θέλουν οι γονείς να χρησιμοποιούν εξουσία, για να περιορίζουν τη συμπεριφορά των παιδιών τους.

## Είναι αποδεκτή η άσκηση εξουσίας, αν οι γονείς είναι συνεπείς;

Μερικοί γονείς δικαιολογούν τη χρήση εξουσίας με την πεποίθηση ότι αυτή είναι αποτελεσματική και αβλαβής, εφόσον οι γονείς είναι συνεπείς στη χρήση της. Στις τάξεις μας οι γονείς αυτοί εκπλήσσονται, όταν μαθαίνουν ότι έχουν απόλυτο δίκιο ως προς την ανάγκη για συνέπεια. Οι εκπαιδευτές μας τους διαβεβαιώνουν ότι η συνέπεια είναι ουσιώδης, *αν επιλέγουν να χρησιμοποιούν δύναμη και εξουσία.* Επιπλέον, τα παιδιά προτιμούν να είναι οι γονείς τους συνεπείς, *αν επιλέγουν να χρησιμοποιούν δύναμη και εξουσία.*

Το κρίσιμο σημείο είναι το «αν». Όχι ότι η χρήση δύναμης και εξουσίας είναι αβλαβής. Θα είναι ακόμη πιο επιβλαβής, όμως, αν οι γονείς δεν είναι σταθεροί. Όχι ότι τα παιδιά θέλουν να χρησιμοποιούν εξουσία οι γονείς τους. Ωστόσο, αν πρόκειται να γίνεται χρήση εξουσίας, τα παιδιά θα προτιμούσαν να γίνεται με συνέπεια. Αν οι γονείς νιώθουν ότι πρέπει να χρησιμοποιούν εξουσία, η συνέπεια στη χρήση της θα δίνει στο παιδί πολύ περισσότερες ευκαιρίες να γνωρίζει με σιγουριά ποιες συμπεριφορές θα τιμωρούνται πάντα και ποιες άλλες θα ανταμείβονται.

Αρκετά ερευνητικά δεδομένα αποδεικνύουν τα βλαβερά αποτελέσματα της ασυνέπειας στη χρήση ανταμοιβών και τιμωριών για την τροποποίηση τη συμπεριφοράς των ζώων. Το κλασικό πείραμα του ψυχολόγου Νόρμαν Μάιερ αποτελεί ένα τέτοιο παράδειγμα. Ο Μάιερ αντάμειβε τους αρουραίους, όταν πηδούσαν από μια εξέδρα και μέσα από μια περιστρεφόμενη πόρτα, πάνω από την οποία ήταν ζωγραφισμένο ένα συγκεκριμένο σχέδιο, π.χ. ένα τετράγωνο. Η πόρτα άνοιγε και οδηγούσε στην τροφή και τα ποντίκια ανταμείβονταν. Έπειτα ο Μάιερ τιμωρούσε τα ποντίκια που πηδούσαν από την εξέδρα προς μια πόρτα που ήταν ζωγραφισμένη με ένα διαφορετικό σχέδιο, ένα τρίγωνο. Αυτή η πόρτα δεν άνοιγε και τα ποντίκια χτυπούσαν τις μύτες τους και πετάγονταν αρκετά μακριά μέσα σε ένα δίχτυ. Αυτό «δίδαξε» τα ποντίκια να διακρίνουν το τετράγωνο από το τρίγωνο – ένα απλό πείραμα εξαρτημένης μάθησης.

Στη συνέχεια, ο Μάιερ αποφάσισε να είναι «ασυνεπής» στη χρήση ανταμοιβών και τιμωριών. Σκόπιμα άλλαζε τις συνθήκες, εναλλάσσοντας τυχαία τα σχέδια. Μερικές φορές το τετράγωνο ήταν στην πόρτα που οδηγούσε στην τροφή και μερικές φορές ήταν στην πόρτα που δεν άνοιγε κι έκανε τα ποντίκια να χτυπούν. Όπως και πολλοί γονείς, ο ψυχολόγος δεν ήταν σταθερός στη χρήση ανταμοιβής και τιμωρίας.

Τι αποτέλεσμα είχε λοιπόν αυτό στα ποντίκια; Τα έκανε άραγε «νευρωτικά»; Μερικά παρουσίασαν δερματικά προβλήματα, άλλα περιήλθαν σε κατατονικές καταστάσεις, μερικά έτρεχαν μανιασμένα και άσκοπα μέσα στο κλουβί τους, άλλα απέφευγαν να έρχονται σε επαφή με τα άλλα ποντίκια, μερικά δεν έτρωγαν. Ο Μάιερ προκάλεσε «πειραματικές νευρώσεις» στα ποντίκια με την ασυνέπειά του.

Τα αποτελέσματα της ασυνέπειας στη χρήση ανταμοιβών και τιμωριών μπορεί να είναι εξίσου καταστροφικά για τα παιδιά. Η ασυνέπεια δεν τους δίνει καμιά ευκαιρία να μάθουν τη «σωστή» (ανταμειβόμενη) συμπεριφορά και να αποφύγουν την «ανεπιθύμητη». Δεν μπορούν να κερδίσουν. Μπορεί να νιώσουν απογοητευμένα, μπερδεμένα, θυμωμένα, ακόμη και να γίνουν νευρωτικά.

**Δεν είναι όμως ευθύνη των γονέων να επηρεάζουν τα παιδιά;**

Η πιο συχνή ίσως στάση των γονέων απέναντι στη δύναμη και την εξουσία είναι ότι δικαιολογείται εξαιτίας της «ευθύνης» τους να επηρεάζουν τα παιδιά τους, ώστε να συμπεριφέρονται με συγκεκριμένους τρόπους, οι οποίοι θεωρούνται επιθυμητοί από τους γονείς ή την «κοινωνία» (οτιδήποτε κι αν σημαίνει αυτό). Πρόκειται για το αιώνιο ερώτημα, κατά πόσο δηλαδή επιτρέπεται η χρήση εξουσίας στις ανθρώπινες σχέσεις, εφόσον γίνεται καλοπροαίρετα και συνετά «για το καλό ή το συμφέρον του άλλου προσώπου»» ή «για το καλό της κοινωνίας».

Το πρόβλημα είναι *ποιος θα αποφασίσει* τι είναι προς το συμφέρον της κοινωνίας; Το παιδί; Ο γονέας; Ποιος ξέρει καλύτερα; Αυτές είναι δύσκολες ερωτήσεις και υπάρχουν κίνδυνοι, αν ο προσδιορισμός του «συμφέροντος» αφεθεί στον γονέα.

Μπορεί ο γονέας να μην είναι αρκετά σώφρων ώστε να κάνει αυτό τον προσδιορισμό. Όλοι οι άνθρωποι κάνουν σφάλματα συμπεριλαμβανομένων και των γονέων και άλλων που κατέχουν εξουσία. Και οποιοσδήποτε χρησιμοποιεί δύναμη μπορεί εσφαλμένα να ισχυριστεί ότι αυτό γίνεται για το καλό του άλλου. Η ιστορία του πολιτισμού έχει καταγράψει τις περιπτώσεις πολλών ανθρώπων που ισχυρίστηκαν ότι χρησιμοποίησαν την εξουσία τους για το καλό του προσώπου στο οποίο την άσκησαν. Η φράση: «Το κάνω για το δικό σου καλό και μόνο» δεν είναι πολύ πειστική δικαιολογία για την άσκηση εξουσίας.

«Η εξουσία διαφθείρει και η απόλυτη εξουσία διαφθείρει απόλυτα», έγραφε ο λόρδος Άκτον. Και ο Σέλεϊ έλεγε: «Η εξουσία είναι σαν πανούκλα που μολύνει οτιδήποτε αγγίζει». Ο Έντμουντ Μπαρκ υποστήριζε ότι: «Όσο μεγαλύτερη είναι η εξουσία τόσο πιο επικίνδυνη γίνεται η κατάχρηση».

Οι κίνδυνοι της εξουσίας, που επισημάνθηκαν τόσο από πολιτικούς όσο και από ποιητές, υφίστανται και σήμερα. Η χρήση της αμφισβητείται σοβαρά σήμερα στις σχέσεις μεταξύ των κρατών. Ίσως να έρθει κάποια μέρα που θα έχουμε μια παγκόσμια κυβέρνηση κι ένα διεθνές δικαστήριο, από ανάγκη για επιβίωση όλων στην εποχή της πληροφόρησης. Η άσκηση εξουσίας από τη μια φυλή στην άλλη δεν δικαιολογείται πλέον από το δικαστικό μας σύστημα. Στη βιομηχανία και τις επιχειρήσεις η αυταρχική διοίκηση θεωρείται από πολλούς ξεπερασμένη φιλοσοφία. Η διαφορά εξουσίας που ίσχυε για χρόνια μεταξύ των ανδρών και των γυναικών στα ζευγάρια έχει σταδιακά αλλά σταθερά μειωθεί. Τέλος, η απόλυτη εξουσία και η αυταρχικότητα της εκκλησίας βάλλεται πλέον έξωθεν αλλά και εντός του θεσμού.

Ένα από τα τελευταία προπύργια εξαγνισμού της εξουσίας στις ανθρώπινες σχέσεις βρίσκεται στο σπίτι, στη σχέση γονέα-παιδιού. Ένας παρόμοιος θύλακας αντίστασης βρίσκεται στα σχολεία, στη σχέση δασκάλου-μαθητή, όπου ο αυταρχισμός εξακολουθεί να παραμένει η κύρια μέθοδος ελέγχου και καθοδήγησης της συμπεριφοράς των μαθητών.

Γιατί τα παιδιά είναι οι τελευταίοι που πρέπει να προστατευθούν ενάντια στις πιθανές αρνητικές συνέπειες της δύναμης και της εξουσίας; Μήπως επειδή τα παιδιά είναι μικρότερα ή μήπως επειδή οι ενήλικες βρίσκουν πολύ ευκολότερο να εκλογικεύουν τη χρήση δύναμης με ρήσεις όπως: «Ο πατέρας ξέρει καλύτερα» ή «Είναι για το δικό τους καλό»;

Έχω την πεποίθηση ότι, καθώς όλο και περισσότεροι άνθρωποι αρχίζουν να κατανοούν πληρέστερα τη δύναμη και την εξουσία και να αποδέχονται ότι η χρήση τους είναι ανήθικη, όλο και περισσότεροι γονείς θα υιοθετούν αυτές τις απόψεις στις σχέσεις ενηλίκων-παιδιών· θα αρχίσουν να αισθάνονται ότι είναι το ίδιο ανήθικη και σε αυτές τις σχέσεις· κι έπειτα θα αναγκαστούν να αναζητήσουν νέες, μη εξουσιαστικές δημιουργικές μεθόδους, που όλοι οι ενήλικες θα μπορούν να χρησιμοποιούν με τα παιδιά και τους νέους.

Όμως, πέρα από το ηθικό ζήτημα της άσκησης εξουσίας πάνω σε κάποιον άλλον, όταν οι γονείς ρωτούν: «Δεν έχω την ευθύνη να χρησιμοποιήσω την εξουσία μου, για να επηρεάσω το παιδί μου;» αποκαλύπτουν μια συνηθισμένη παρεξήγηση ως προς την αποτελεσματικότητα της εξουσίας ως τρόπου επηρεασμού των παιδιών τους. Η γονεϊκή εξουσία δεν «επηρεάζει» πραγματικά τα παιδιά. Τα *εξαναγκάζει* να συμπεριφέρονται με προκαθορισμένους τρόπους. Η εξουσία δεν «επηρεάζει» με την έννοια της πειθούς, της μάθησης ή της κινητοποίησης ενός παιδιού να συμπεριφερθεί με ένα συγκεκριμένο τρόπο. Αντίθετα, η εξουσία επιβάλλει ή αποτρέπει μια συμπεριφορά. Όταν το παιδί εξαναγκάζεται ή εμποδίζεται από κάποιον με μεγαλύτερη δύναμη, δεν πείθεται πραγματικά. Στην πραγματικότητα, το σύνηθες είναι να επιστρέψει στους προηγούμενους τρόπους συμπεριφοράς, μόλις εκλείψει η εξουσία ή η δύναμη, γιατί *οι ανάγκες και οι επιθυμίες του παραμένουν αμετάβλητες*. Συχνά, επίσης, παίρνει την απόφαση να εκδικηθεί τον γονέα του για τη μη ικανοποίηση των αναγκών του και την ταπείνωση που υπέστη. Γι' αυτό, στην πραγματικότητα η εξουσία δυναμώνει τα ίδια τα θύματά της, δημιουργεί η ίδια την αντίστασή της, υποθάλπει η ίδια την καταστροφή της.

Οι γονείς που χρησιμοποιούν την εξουσία τους μειώνουν την επιρροή τους στα παιδιά τους, επειδή πολύ συχνά η δύναμη πυροδοτεί την επαναστατική συμπεριφορά, δηλαδή τα παιδιά αντιμετωπίζουν την εξουσία κάνοντας το αντίθετο από αυτό που επιθυμεί ο γονέας. Έχω ακούσει γονείς να λένε: «Θα είχαμε μεγαλύτερη επιρροή στο παιδί μας, αν χρησιμοποιούσαμε την εξουσία μας, για να το αναγκάσουμε να κάνει το αντίθετο από αυτό που θέλαμε. Τότε ίσως να κατέληγε να κάνει αυτό που εμείς θέλαμε πραγματικά».

*Είναι παράδοξο αλλά αληθινό, ότι οι γονείς χάνουν την επιρροή τους, χρησιμοποιώντας εξουσία, ενώ έχουν μεγαλύτερη επιρροή στα παιδιά τους, εγκαταλείποντας την εξουσία τους ή αρνούμενοι να τη χρησιμοποιήσουν.*

Προφανώς, οι γονείς ασκούν μεγαλύτερη επιρροή στα παιδιά τους, όταν οι μέθοδοι επηρεασμού τους *δεν* προκαλούν αντίσταση ή αντιδραστική συμπεριφορά. Οι μη εξουσιαστικές μέθοδοι επηρεασμού καθιστούν πολύ πιθανότερο για τα παιδιά να αναλογιστούν σοβαρά τις ιδέες και τα συναισθήματα των γονέων τους και, ως αποτέλεσμα, να τροποποιήσουν τη συμπεριφορά τους προς την επιθυμητή από τους γονείς κατεύθυνση. Δεν τροποποιούν πάντοτε τη συμπεριφορά τους, μερικές φορές όμως το κάνουν. Αντίθετα, το παιδί που επαναστατεί σπάνια θα θελήσει να τροποποιήσει τη συμπεριφορά του από ενδιαφέρον για τις ανάγκες των γονέων του.

## Γιατί λοιπόν η εξουσία έχει καθιερωθεί στην ανατροφή των παιδιών;

Αυτή η ερώτηση, που τόσο συχνά θέτουν οι γονείς, με έχει προβληματίσει και μου έχει προκαλέσει το ενδιαφέρον. Μου είναι δύσκολο να καταλάβω πώς μπορεί κάποιος να δικαιολογήσει την άσκηση εξουσίας στην ανατροφή των παιδιών ή σε οποιαδήποτε ανθρώπινη σχέση, γνωρίζοντας τα όσα ξέρουμε για την εξουσία και τα αποτελέσματά της στους άλλους. Δουλεύοντας με γονείς, είμαι πλέον πεπεισμένος ότι, με ελάχιστες εξαιρέσεις, όλοι οι γονείς απεχθάνονται την άσκηση εξουσίας στα παιδιά τους. Τους κάνει να νιώθουν άβολα, αμήχανα και συχνά πολύ ενοχικοί. Συχνά οι γονείς φθάνουν στο σημείο να απολογηθούν στα παιδιά τους μετά την άσκηση εξουσίας. Ή προσπαθούν να καταπραΰνουν την ενοχή τους με τις συνήθεις εκλογικεύσεις: «Το κάναμε μόνο γιατί είχαμε το καλό σου στο μυαλό μας», «Κάποια μέρα θα μας ευγνωμονείς γι᾽ αυτό», «Όταν γίνεις γονέας, θα καταλάβεις γιατί πρέπει να σε κρατάμε μακριά από αυτά τα πράγματα».

Πέρα από τα συναισθήματα ενοχής που έχουν, πολλοί γονείς παραδέχονται ότι οι εξουσιαστικές μέθοδοι δεν είναι πολύ αποτελεσματικές, και ιδιαίτερα όσοι γονείς έχουν παιδιά αρκετά μεγάλα για να έχουν αρχίσει να επαναστατούν, να ψεύδονται, να ελίσσονται ή να αμύνονται παθητικά.

Κατέληξα στο συμπέρασμα ότι οι γονείς συνεχίζουν με τα χρόνια να ασκούν εξουσία, επειδή και οι ίδιοι, στη δική τους ζωή, είχαν ελάχιστη ή δεν είχαν καθόλου εμπειρία με άτομα που χρησιμοποιούσαν μη εξουσιαστικές μεθόδους επηρεασμού. Οι περισσότεροι άνθρωποι, από την παιδική τους ηλικία, ελέγχονται από την εξουσία – την εξουσία που ασκούν οι γονείς, οι δάσκαλοι, οι διευθυντές των σχολείων, οι προπονητές, οι κατηχητές, οι θείοι, οι θείες, οι παππούδες, οι γιαγιάδες, οι αρχηγοί στους προσκόπους, οι υπεύθυνοι των κατασκηνώσεων, οι αξιωματικοί στον στρατό και οι εργοδότες. Συνεπώς, οι γονείς επιμένουν στη χρήση εξουσίας, εξαιτίας της έλλειψης γνώσης και εμπειρίας οποιασδήποτε άλλης μεθόδου επίλυσης συγκρούσεων στις ανθρώπινες σχέσεις.

# 11

## Η μέθοδος «μη ήττας» για την επίλυση των συγκρούσεων

Για τους γονείς που παραδοσιακά είναι εγκλωβισμένοι μεταξύ των δύο εξουσιαστικών μεθόδων «νίκης-ήττας» για την επίλυση των συγκρούσεων, το γεγονός ότι έχουν μια εναλλακτική μέθοδο έρχεται ως αποκάλυψη. Σχεδόν όλοι οι γονείς ανακουφίζονται, όταν μαθαίνουν ότι υπάρχει και μια τρίτη μέθοδος. Αν και η μέθοδος αυτή είναι εύκολη στην κατανόηση, συνήθως οι γονείς χρειάζονται εκπαίδευση, εξάσκηση και καθοδήγηση, για να μπορέσουν να τη χρησιμοποιήσουν.

Η εναλλακτική λύση είναι η μέθοδος «μη ήττας» στην επίλυση των συγκρούσεων, όπου κανένας δεν χάνει. Στην Εκπαίδευση Αποτελεσματικού Γονέα την ονομάζουμε Μέθοδο III. Μολονότι η Μέθοδος III ξαφνιάζει σχεδόν όλους τους γονείς ως μια νέα αντίληψη επίλυσης των συγκρούσεων γονέων-παιδιών, την αναγνωρίζουν ωστόσο αμέσως, καθώς την έχουν δει να εφαρμόζεται αλλού. Συχνά τα ανδρόγυνα χρησιμοποιούν τη Μέθοδο III στην επίλυση των διαφορών τους μέσα από αμοιβαία συμφωνία. Οι συνέταιροι στις επιχειρήσεις στηρίζονται σε αυτή, για να επιτύχουν συμφωνία στις συχνές συγκρούσεις τους. Τα εργατικά συνδικάτα και οι διοικήσεις των επιχειρήσεων τη χρησιμοποιούν κατά τη διαπραγμάτευση συμβάσεων, με την οποία και τα δύο μέρη συμφωνούν να δεσμευτούν. Και αναρίθμητες δικαστικές διενέξεις επιλύονται εξωδικαστικά με διακανονισμούς στους οποίους έχουν συμφωνήσει και τα δύο μέρη μέσω της Μεθόδου III.

Η Μέθοδος III χρησιμοποιείται συχνά για την επίλυση συγκρούσεων μεταξύ ατόμων *που κατέχουν ίση ή περίπου ίση εξουσία.* Όταν η διαφορά δύναμης μεταξύ δύο ανθρώπων είναι μικρή ή δεν υφίσταται, υπάρχουν σαφείς και φανεροί λόγοι, γιατί κανείς δεν επιχειρεί να χρησιμοποιήσει τη δύναμή του για να επιλύσει μια σύγκρουση. Η χρήση μιας μεθόδου που στηρίζεται στη δύναμη, όταν δεν υπάρχει υπεροχή δύναμης, είναι σίγουρα ανόητη. Μόνο γελοιοποίηση μπορεί να φέρει.

Φανταστείτε την αντίδραση της γυναίκας μου, αν προσπαθούσα να χρησιμοποιήσω τη Μέθοδο Ι για την επίλυση μιας σύγκρουσης που μερικές φορές έχουμε μεταξύ μας – για το ποια είναι η καλύτερη ώρα ύπνου για την εξάχρονη κόρη μας. Εμένα μου αρέσει να παίζω παιχνίδια μαζί της το βράδυ και να περνάμε ποιοτικό χρόνο μαζί. Με ευχαριστεί ο κοινός μας χρόνος και όταν πηγαίνει για ύπνο στις 8, τότε ο χρόνος αυτός μειώνεται. Η γυναίκα μου θέλει να είναι η κόρη μας στο κρεβάτι στις 8, ώστε να μην είναι δύστροπη την επόμενη ημέρα. Υποθέστε ότι της έλεγα: «Αποφάσισα ότι θα την βάζουμε για ύπνο στις 9, ώστε να έχω κάποιο ποιοτικό χρόνο μαζί της». Αφού θα συνερχόταν από την αρχική της έκπληξη και την άρνησή της να το πιστέψει, πιθανόν να απαντούσε με κάτι σαν:

> «*Εσύ* αποφάσισες!»
> «Λοιπόν, κι *εγώ* αποφάσισα ότι θα πηγαίνει για ύπνο στις 8 ακριβώς!»
> «Ωραία δεν είναι; Ελπίζω να περάσεις καλά αύριο που θα την ξυπνήσεις και θα την φροντίσεις όταν θα αρρωστήσει, επειδή δεν θα έχει κοιμηθεί αρκετά».

Έχω τη σοφία που χρειάζεται, για να καταλάβω πόσο αστεία θα ήταν η προσπάθειά μου με τη Μέθοδο Ι σε αυτή την περίπτωση. Και η γυναίκα μου θα είχε αρκετή δύναμη στη σχέση μας, ώστε *να αντικρούσει* μια τέτοια ηλίθια προσπάθεια εκ μέρους μου, να κερδίσω σε βάρος της.

Είναι ίσως μια αρχή ότι δυο άνθρωποι που έχουν ίση ή σχετικά ίση δύναμη (μια σχέση ισοτιμίας) σπάνια προσπαθούν να χρησιμοποιήσουν τη Μέθοδο Ι. Αν σε κάποια περίπτωση το κάνουν, το άλλο πρόσωπο δεν θα επιτρέψει, σε καμιά περίπτωση, να λυθεί η σύγκρουση με αυτό τον τρόπο. Όταν όμως ένα άτομο νομίζει (ή είναι σίγουρο) ότι έχει περισσότερη δύναμη από το άλλο, ίσως μπει στον πειρασμό να χρησιμοποιήσει τη Μέθοδο Ι. Αν τότε το άλλο άτομο νομίσει ότι το πρώτο έχει περισσότερη εξουσία, δεν έχει άλλη επιλογή παρά να υποταχτεί, εκτός αν επιλέξει να αντισταθεί ή να αγωνιστεί με οποιαδήποτε δύναμη νομίζει ότι έχει.

Γίνεται τώρα φανερό ότι η Μέθοδος ΙΙΙ είναι μια μη εξουσιαστική μέθοδος ή, ακριβέστερα, μια μέθοδος «μη ήττας». Οι συγκρούσεις επιλύονται χωρίς να κερδίζει ο ένας και να χάνει ο άλλος. Και οι δύο κερδίζουν, επειδή *η λύση πρέπει να είναι αποδεκτή και από τους δύο.* Είναι επίλυση συγκρούσεων με αμοιβαία συμφωνία στην τελική λύση. Στο κεφάλαιο αυτό θα περιγράψω πώς λειτουργεί*. Πρώτα όμως, μια σύντομη περιγραφή της Μεθόδου ΙΙΙ:

> Ο γονέας και το παιδί αντιμετωπίζουν μια κατάσταση σύγκρουσης αναγκών. Ο γονέας ζητάει από το παιδί να συνεργαστεί μαζί του σε μια κοινή προσπάθεια για κάποια λύση αποδεκτή και από τους δύο. Ο ένας ή και οι δύο μπορεί να προσφέρουν δυνατές λύσεις. Τις αξιολογούν κριτικά και τελικά παίρνουν μιαν από-

* Στα επόμενα δύο κεφάλαια εξετάζονται τα προβλήματα που συναντούν οι γονείς στην αποδοχή της μεθόδου και στην εφαρμογή της στο σπίτι.

φαση για μια λύση αποδεκτή και από τους δύο. Δεν χρειάζεται να «ρίξει» ο ένας τον άλλον, μετά την επιλογή της λύσης, γιατί και οι δύο την έχουν ήδη αποδεχτεί. Δεν απαιτείται εξουσία για την επιβολή συμμόρφωσης, γιατί κανένας δεν αντιτίθεται στην απόφαση.

Ας επανέλθουμε στο γνωστό μας πρόβλημα με το αδιάβροχο· ιδού πώς επιλύθηκε με τη Μέθοδο ΙΙΙ, όπως ανέφερε ο γονέας του περιστατικού:

*ΤΖΕΪΝ:* Γεια, φεύγω για το σχολείο.
*ΓΟΝΕΑΣ:* Γλυκιά μου, βρέχει έξω και δεν φοράς το αδιάβροχό σου.
*ΤΖΕΪΝ:* Δεν το χρειάζομαι.
*ΓΟΝΕΑΣ:* Νομίζω ότι βρέχει πολύ και ανησυχώ ότι θα κρυώσεις.
*ΤΖΕΪΝ:* Ε, λοιπόν, δεν θέλω να φορέσω το αδιάβροχό μου.
*ΓΟΝΕΑΣ:* Σίγουρα ακούγεσαι σαν να μη θέλεις καθόλου να φορέσεις αυτό το αδιάβροχο.
*ΤΖΕΪΝ:* Σωστά, το μισώ.
*ΓΟΝΕΑΣ:* Πραγματικά μισείς το αδιάβροχό σου.
*ΤΖΕΪΝ:* Ναι, είναι χάλια. Κανείς στο σχολείο δεν φοράει τέτοια αδιάβροχα.
*ΓΟΝΕΑΣ:* Δεν θέλεις να είσαι η μόνη που θα φοράει κάτι διαφορετικό;
*ΤΖΕΪΝ:* Σίγουρα δεν θέλω. Όλοι φοράνε κάτι ωραία μπουφάν.
*ΓΟΝΕΑΣ:* Καταλαβαίνω. Λοιπόν, πραγματικά έχουμε μια σύγκρουση εδώ. Εσύ δεν θέλεις να φορέσεις το αδιάβροχό σου, γιατί είναι χάλια, όμως εγώ σίγουρα δεν θέλω να διακινδυνεύσω να με κολλήσεις το κρύωμά σου και μετά να λείψω απ' τη δουλειά μου. Μπορείς να σκεφτείς κάποια λύση που θα μπορούσαμε να την αποδεχτούμε και οι δύο; Πώς θα μπορούσαμε να το λύσουμε αυτό, ώστε και οι δύο να είμαστε ευχαριστημένοι;
*ΤΖΕΪΝ:* (Παύση) Ίσως θα μπορούσα να δανειστώ το παλιό αδιάβροχο της μαμάς σήμερα.
*ΓΟΝΕΑΣ:* Αυτή την παλιατσαρία;
*ΤΖΕΪΝ:* Ναι, είναι ωραίο.
*ΓΟΝΕΑΣ:* Νομίζεις ότι θα σε αφήσει να το φορέσεις σήμερα;
*ΤΖΕΪΝ:* Θα τη ρωτήσω. (Γυρίζει σε λίγα λεπτά φορώντας το αδιάβροχο της μαμάς της. Τα μανίκια είναι πολύ μεγάλα, αλλά τα γυρίζει.) Εντάξει με τη μαμά.
*ΓΟΝΕΑΣ:* Είσαι ευχαριστημένη με αυτό το πράγμα;
*ΤΖΕΪΝ:* Σίγουρα, είναι εντάξει.
*ΓΟΝΕΑΣ:* Λοιπόν, τώρα είμαι σίγουρος ότι δεν θα βραχείς. Έτσι, αν είσαι εσύ ευχαριστημένη με αυτήν τη λύση, είμαι κι εγώ.
*ΤΖΕΪΝ:* Άντε, λοιπόν, φεύγω. Γεια!

*ΓΟΝΕΑΣ:* Άντε, γεια σου. Να περάσεις μια ευχάριστη μέρα στο σχολείο!

Τι συνέβη εδώ; Είναι φανερό ότι η Τζέιν και ο πατέρας της λύσανε τη σύγκρουσή τους με αμοιβαία ικανοποίηση και των δύο. Επίσης, η σύγκρουση επιλύθηκε μάλλον γρήγορα. Ο πατέρας δεν χρειάστηκε να χάσει χρόνο, σαν πωλητής που εκλιπαρεί, προσπαθώντας να πουλήσει τη λύση του, όπως απαιτείται στη Μέθοδο Ι. Δεν χρησιμοποιήθηκε εξουσία, ούτε από τη μεριά του πατέρα ούτε από τη μεριά της Τζέιν. Τέλος, και οι δύο απομακρύνθηκαν από την επίλυση του προβλήματος νιώθοντας ζεστά μεταξύ τους. Ο πατέρας μπόρεσε να πει: «Να περάσεις μια ευχάριστη μέρα στο σχολείο» –και το εννοούσε πραγματικά αυτό– και η Τζέιν μπόρεσε να πάει στο σχολείο απαλλαγμένη από την αμηχανία για ένα «χάλια» αδιάβροχο.

Παρακάτω παρουσιάζεται ένα άλλο είδος σύγκρουσης, γνωστό στους περισσότερους γονείς, που επιλύεται από μια οικογένεια με χρήση της Μεθόδου ΙΙΙ. Δεν χρειάζεται να δείξουμε πώς θα μπορούσε να αντιμετωπιστεί με τη Μέθοδο Ι ή ΙΙ. Οι περισσότεροι γονείς είναι τόσο εξοικειωμένοι με τις ανεπιτυχείς μάχες νίκης-ήττας γύρω από την καθαριότητα και την τάξη στο δωμάτιο του παιδιού τους. Όπως ανέφερε μία από τις μητέρες που είχε ολοκληρώσει την Εκπαίδευσή μας, η συζήτηση εξελίχτηκε ως εξής:

*ΜΗΤΕΡΑ:* Σίντι, βαρέθηκα και κουράστηκα να σου φωνάζω για το δωμάτιό σου, και είμαι σίγουρη ότι κι εσύ κουράστηκες να σε κυνηγάω συνεχώς γι' αυτό. Πού και πού το καθαρίζεις, συνήθως όμως είναι άνω κάτω κι εγώ θυμώνω. Ας δοκιμάσουμε μια καινούργια μέθοδο που έμαθα στην τάξη. Ας δούμε μήπως μπορούμε να βρούμε μια λύση που θα αποδεχτούμε και οι δύο, μια λύση που θα μας κάνει και τις δύο χαρούμενες. Δεν θέλω να σε αναγκάζω να καθαρίζεις το δωμάτιό σου και να στεναχωριέσαι μ' αυτό, ούτε όμως θέλω να νιώθω δυσάρεστα και άσχημα και να θυμώνω μαζί σου. Πώς θα μπορούσαμε να το λύσουμε αυτό το πρόβλημα μια για πάντα; Θα προσπαθήσεις;
*ΣΙΝΤΙ:* Ναι, θα προσπαθήσω, όμως ξέρω ότι αυτό θα καταλήξει στο να υποχρεωθώ να κρατάω το δωμάτιό μου καθαρό.
*ΜΗΤΕΡΑ:* Όχι. Εννοώ να βρούμε μια λύση που σίγουρα θα είναι αποδεκτή και από τις δυο μας και όχι μόνο από μένα.
*ΣΙΝΤΙ:* Λοιπόν, έχω μια ιδέα. Δεν σου αρέσει να μαγειρεύεις, όμως σου αρέσει να καθαρίζεις, κι εμένα δεν μου αρέσει να καθαρίζω, όμως αγαπώ το μαγείρεμα. Και επιπλέον θέλω να μάθω περισσότερα για το μαγείρεμα. Τι θα έλεγες, αν ετοίμαζα δύο φορές την εβδομάδα το φαγητό για σένα, τον μπαμπά κι εμένα, κι εσύ να καθάριζες το δωμάτιό μου μία ή δύο φορές την εβδομάδα;
*ΜΗΤΕΡΑ:* Πιστεύεις ότι αυτό θα λειτουργούσε πραγματικά;

*ΣΙΝΤΙ:* Ναι, πραγματικά θα μου άρεσε αυτό.
*ΜΗΤΕΡΑ:* Εντάξει, τότε ας κάνουμε μια προσπάθεια. Προτίθεσαι επίσης να πλένεις και τα πιάτα;
*ΣΙΝΤΙ:* Σίγουρα.
*ΜΗΤΕΡΑ:* Εντάξει. Ίσως τώρα το δωμάτιό σου να είναι καθαρό, όπως το θέλω εγώ. Άλλωστε, θα το καθαρίζω η ίδια.

Αυτά τα δύο παραδείγματα επίλυσης συγκρούσεων με τη Μέθοδο ΙΙΙ αποκαλύπτουν ένα πολύ σημαντικό θέμα, που στην αρχή δεν γίνεται πάντοτε αντιληπτό από τους γονείς. Χρησιμοποιώντας τη Μέθοδο ΙΙΙ, διαφορετικές οικογένειες θα καταλήξουν σε διαφορετικές λύσεις στο ίδιο πρόβλημα. *Είναι ένας τρόπος εξεύρεσης μιας λύσης, αποδεκτής και από τον γονέα και από το παιδί, και όχι μια μέθοδος εξασφάλισης της μοναδικής διαθέσιμης λύσης που είναι «η καλύτερη» για όλες τις οικογένειες.* Μια άλλη οικογένεια, προσπαθώντας να επιλύσει το πρόβλημα με το αδιάβροχο χρησιμοποιώντας τη Μέθοδο ΙΙΙ, θα μπορούσε να καταλήξει στην ιδέα να πάρει η Τζέιν μια ομπρέλα. Σε μια άλλη πάλι οικογένεια ίσως να συμφωνούσαν να πάει ο πατέρας την Τζέιν στο σχολείο με το αυτοκίνητο εκείνη την ημέρα. Σε μια τέταρτη οικογένεια, ίσως να συμφωνούσαν να φορέσει η Τζέιν το «χάλια» αδιάβροχο εκείνη την ημέρα και να αγοράσουν αργότερα ένα καινούργιο.

Τα περισσότερα βιβλία για γονείς είναι «προσανατολισμένα στη λύση». Οι γονείς συμβουλεύονται να λύσουν ένα συγκεκριμένο πρόβλημα στην ανατροφή των παιδιών τους με κάποια κλισέ λύση τύπου «συνταγή», που οι ειδικοί θεωρούν την καλύτερη. Στους γονείς προσφέρονται «οι καλύτερες λύσεις» για το πρόβλημα της ώρας του ύπνου, για ένα παιδί που χαζεύει στη διάρκεια του φαγητού, για το πρόβλημα της τηλεόρασης, για το πρόβλημα του ατακτοποίητου δωματίου, για το πρόβλημα των εργασιών στο σπίτι κ.λπ.

Η θέση μου είναι ότι οι γονείς χρειάζεται απλώς να μάθουν *μία μοναδική μέθοδο επίλυσης συγκρούσεων*, μία μέθοδο εφαρμόσιμη με παιδιά κάθε ηλικίας. Με αυτή την προσέγγιση δεν υπάρχουν οι «καλύτερες» λύσεις για όλες ή τις περισσότερες οικογένειες. Μία λύση που είναι η καλύτερη για μια οικογένεια, δηλαδή μια λύση που γίνεται αποδεκτή από τον συγκεκριμένο γονέα και το συγκεκριμένο παιδί, μπορεί να μην είναι η «καλύτερη» για μια άλλη οικογένεια.

Να πώς μια οικογένεια έλυσε μια σύγκρουση γύρω από τη χρήση του νέου ποδήλατου του γιου. Ο πατέρας ανέφερε:

«Στον Μάρκο, ηλικίας δεκατρεισήμισι ετών, επιτρέπεται να αγοράσει ένα μοτοποδήλατο. Ένας γείτοντας παραπονέθηκε, επειδή ο Μάρκος οδηγούσε το μοτοποδήλατό του στον δρόμο, κάτι που είναι παράνομο. Ένας άλλος γείτονας παραπονέθηκε, γιατί ο Μάρκος οδηγούσε το μοτοποδήλατο στην αυλή του και με τα σπινιαρίσματα κατέστρεψε το γρασίδι του. Είχε καταστρέψει επίσης τα λουλούδια της μητέρας του. Προσπαθήσαμε να λύσουμε αυτό το προβλήματα και σκεφτήκαμε διάφορες δυνατές λύσεις:

1. Να μην κάνει μοτοποδήλατο παρά μόνον όταν κάνουμε κάμπινγκ.
2. Να μην κάνει μοτοποδήλατο παρά μόνο στο σπίτι μας.
3. Να μην πατάει τα λουλούδια της μαμάς.
4. Η μαμά θα πηγαίνει τον Μάρκο στο πάρκο για μερικές ώρες κάθε εβδομάδα.
5. Ο Μάρκος μπορεί να κάνει μοτοποδήλατο στα χωράφια, αν πηγαίνει περπατώντας με το μοτοποδήλατο μέχρι εκεί.
6. Να ζητήσει ο Μάρκος άδεια από κάποιον γείτονα να χρησιμοποιεί το οικόπεδό του.
7. Να μην οδηγεί στο γκαζόν κάποιου άλλου.
8. Να μην πατάει το γκαζόν της μαμάς.
9. Να πουλήσει το μοτοποδήλατο.

Απορρίψαμε τις λύσεις 1, 2, 4 και 9, αλλά συμφωνήσαμε σε όλες τις άλλες. Δύο εβδομάδες αργότερα, όλα συνεχίζουν να πηγαίνουν καλά. Όλοι ήμασταν ευχαριστημένοι».

*Επομένως η Μέθοδος ΙΙΙ είναι μία μέθοδος με την οποία κάθε μοναδικός γονέας μαζί με το μοναδικό παιδί του μπορούν να λύσουν καθεμιά από τις μοναδικές συγκρούσεις τους, βρίσκοντας τις δικές τους μοναδικές λύσεις, που είναι αποδεκτές και από τους δύο.*

Αυτό όχι μόνο φαίνεται να είναι μια πιο ρεαλιστική προσέγγιση στην εκπαίδευση των γονέων, αλλά απλοποιεί αρκετά το έργο εκπαίδευσής τους, ώστε να γίνουν πιο αποτελεσματικοί στην ανατροφή των παιδιών. Αν έχουμε ανακαλύψει μια μέθοδο με την οποία οι περισσότεροι γονείς μπορούν να μάθουν να επιλύουν τις συγκρούσεις, τότε μπορούμε να τολμήσουμε να είμαστε πολύ πιο αισιόδοξοι ως προς την αύξηση της αποτελεσματικότητας των μελλοντικών γονέων. Το να μάθουν οι γονείς να είναι αποτελεσματικοί ίσως να μην είναι τόσο πολύπλοκο έργο, όσο τείνουν να πιστεύουν οι ίδιοι και οι ειδικοί.

## ΓΙΑΤΙ Η ΜΕΘΟΔΟΣ ΙΙΙ ΕΙΝΑΙ ΤΟΣΟ ΑΠΟΤΕΛΕΣΜΑΤΙΚΗ

### Το παιδί έχει κίνητρο για να εφαρμόσει τη λύση

Η επίλυση συγκρούσεων με τη Μέθοδο ΙΙΙ δημιουργεί μεγαλύτερο κίνητρο στο παιδί για να εκτελέσει την απόφαση, επειδή αξιοποιεί την *αρχή της συμμετοχής:*

> Ένα άτομο κινητοποιείται περισσότερο να εκτελέσει μιαν απόφαση, στη λήψη της οποίας έχει συμμετάσχει και το ίδιο, παρά μιαν απόφαση που του έχει επιβληθεί από κάποιον άλλον.

Η εγκυρότητα αυτής της αρχής έχει επανειλημμένως αποδειχτεί με πειράματα στη βιομηχανία. Όταν οι υπάλληλοι συμμετέχουν στη λήψη μιας απόφασης, την εκτελούν με μεγαλύτερο κίνητρο από ό,τι αν την είχαν πάρει μονόπλευρα οι προϊστάμενοί τους. Και οι προϊστάμενοι που επιτρέπουν στους υφισταμένους τους υψηλό βαθμό συμμετοχής σε θέματα που τους αφορούν επιτυγχάνουν υψηλή παραγωγικότητα, υψηλή εργασιακή ικανοποίηση, υψηλό ηθικό και χαμηλό δείκτη εγκατάλειψης (της εργασίας).

Μολονότι η Μέθοδος ΙΙΙ δεν εγγυάται ότι τα παιδιά πάντοτε θα εκτελούν πρόθυμα τις συμφωνημένες λύσεις, αυξάνει κατά πολύ την πιθανότητα να το κάνουν. Τα παιδιά έχουν την αίσθηση ότι μια απόφαση με τη Μέθοδο ΙΙΙ είναι και δική τους απόφαση. Έχουν δεσμευτεί με τη λύση και αισθάνονται την ευθύνη να την εκτελέσουν. Αντιδρούν επίσης θετικά στο γεγονός ότι οι γονείς τους δεν προσπάθησαν να νικήσουν σε βάρος τους.

Συχνά οι λύσεις που προκύπτουν με τη Μέθοδο ΙΙΙ είναι ιδέες των παιδιών. Φυσικά, αυτό αυξάνει την επιθυμία τους να τις δουν να υλοποιούνται. Ένας γονέας της Εκπαίδευσης έδωσε το παρακάτω παράδειγμα επίλυσης σύγκρουσης με τη Μέθοδο ΙΙΙ:

> Ο Γουίλμπουρ, ηλικίας τεσσερισήμισι ετών, ήταν απρόθυμος να πάει μαζί με τη μαμά του να επισκεφθεί κάποιους φίλους της. Ένας από αυτούς είχε μια κόρη, την Μπέκι, που ήταν φίλη με τον Γουίλμπουρ. Εκείνος ήταν ιδιαίτερα απρόθυμος να πάει, και η μητέρα του ήταν πολύ σαστισμένη:
>
> *ΜΗΤΕΡΑ:* Δεν θέλεις να πας στο σπίτι της Μπέκι;
> *ΓΟΥΙΛΜΠΟΥΡ:* Όχι.
> *ΜΗΤΕΡΑ:* Υπάρχει κάτι σε σχέση με το σπίτι της Μπέκι που δεν σου αρέσει.
> *ΓΟΥΙΛΜΠΟΥΡ:* Ναι. Η Βανέσα. (Η Βανέσα είναι η μεγαλύτερη αδελφή της Μπέκι.)
> *ΜΗΤΕΡΑ:* Ανησυχείς για τη Βανέσα.
> *ΓΟΥΙΛΜΠΟΥΡ:* Ναι. Φοβάμαι ότι θα με κλοτσήσει και θα με χτυπήσει, και γι' αυτό δεν θέλω να πάω.
> *ΜΗΤΕΡΑ:* Ώστε φοβάσαι ότι η Βανέσα θα σε χτυπήσει, και γι' αυτό θέλεις να μείνεις εδώ.

*ΓΟΥΙΛΜΠΟΥΡ:* Ναι.
*ΜΗΤΕΡΑ:* Λοιπόν, αυτό είναι ένα πρόβλημα. Πραγματικά θέλω να πάω και να μιλήσω στους δύο φίλους μου. Αλλά εσύ δεν θέλεις, εξαιτίας της Βανέσα. Τι μπορούμε να κάνουμε γι' αυτό;
*ΓΟΥΙΛΜΠΟΥΡ:* Να μείνω εδώ.
*ΜΗΤΕΡΑ:* Αυτό δεν θα με χαροποιούσε. Τι λες, αν καθόσουν μαζί μου, όσο θα είμαστε εκεί; Οπότε δεν θα ήσουν αναγκασμένος να παίξεις με τη Βανέσα.
*ΓΟΥΙΛΜΠΟΥΡ:* Α... καλά... Ξέρω! Ξέρω τι μπορώ να κάνω για να σταματήσω τη Βανέσα και να μη χτυπήσει! (Πηγαίνει και φέρνει ένα κομμάτι χαρτί κι ένα μολύβι.) Πώς γράφεις: «Μη με χτυπήσεις»; (Η μητέρα γράφει την πρόταση και ο Γουίλμπουρ την αντιγράφει όσο καλύτερα μπορεί.)
*ΓΟΥΙΛΜΠΟΥΡ:* Έχω αυτή την πινακίδα. Λέει: «Μη με χτυπήσεις». Οπότε αν η Βανέσα θέλει να με χτυπήσει, θα πάω να φέρω αυτή την πινακίδα και θα της τη δείξω και θα ξέρει να μη με χτυπήσει. (Ο Γουίλμπουρ τρέχει στο δωμάτιο και μαζεύει τα παιχνίδια του για την επίσκεψη.)

Το περιστατικό αυτό δείχνει πόσο μεγάλη μπορεί να είναι η κινητοποίηση ενός παιδιού για να επιβάλει και να εκτελέσει μιαν απόφαση, αν συμμετείχε στη λήψη της. Με τη λήψη της απόφασης με τη Μέθοδο ΙΙΙ, φαίνεται ότι τα παιδιά αισθάνονται να δεσμεύονται: Έχουν επενδύσει μέρος του εαυτού τους στη διαδικασία λύσης του προβλήματος. Ο γονέας, επίσης, αποκαλύπτει μια στάση εμπιστοσύνης προς το παιδί. Και όταν τα παιδιά νιώθουν ότι τα εμπιστεύονται, είναι πιο πιθανόν να συμπεριφερθούν κατά τρόπο αξιόπιστο.

## Περισσότερες πιθανότητες εξεύρεσης ποιοτικών λύσεων

Εκτός από την παραγωγή λύσεων που έχουν μεγαλύτερη πιθανότητα αποδοχής και εφαρμογής, η Μέθοδος ΙΙΙ είναι περισσότερο πιθανόν, σε σύγκριση με τη Μέθοδο Ι ή ΙΙ, να δώσει λύσεις υψηλότερης ποιότητας – πιο δημιουργικές και πιο αποτελεσματικές στην επίλυση μιας σύγκρουσης. Λύσεις που να ικανοποιούν τις ανάγκες τόσο του γονέα όσο και του παιδιού και τις οποίες ούτε ο ένας ούτε ο άλλος θα σκεφτόταν μόνος του. Ένα καλό παράδειγμα του πόσο δημιουργική μπορεί να είναι μια λύση είναι ο τρόπος που επιλύθηκε η σύγκρουση για το καθάρισμα του δωματίου, όπου η κόρη ανέλαβε κάποιες από τις εργασίες σχετικά με το μαγείρεμα. Και η μητέρα και η κόρη παραδέχτηκαν ότι η τελική λύση τις εξέπληξε και τις δύο.

Μια άλλη υψηλής ποιότητας λύση παρουσιάστηκε από μια οικογένεια που χρησιμοποίησε τη Μέθοδο ΙΙΙ για να επιλύσει μια σύγκρουση μεταξύ των γονέων και των δύο μικρών κοριτσιών τους σχετικά με τον θόρυβο της τηλεόρασης, την οποία ήθελαν να παρακολουθούν τα κορίτσια κατά την ώρα του φαγητού. Ένα από τα κορίτσια πρότεινε ότι θα μπορούσαν να απολαμβάνουν το πρόγραμμα χωρίς τη φωνή – βλέποντας απλώς την εικόνα. Όλοι συμφώνησαν με αυτήν τη λύση, μια πραγματικά πρωτότυπη λύση, που όμως ίσως να μη γινόταν δεκτή από τα παιδιά μιας άλλης οικογένειας.

## Η Μέθοδος ΙΙΙ αναπτύσσει τις δεξιότητες σκέψης των παιδιών

Η Μέθοδος ΙΙΙ ενθαρρύνει –στην πραγματικότητα απαιτεί– από τα παιδιά να σκέφτονται. Ο γονέας δίνει το μήνυμα στο παιδί: «Έχουμε μια σύγκρουση, ας βάλουμε κάτω τα κεφάλια μας να σκεφτούμε μαζί – ας βρούμε μια καλή λύση». Η Μέθοδος ΙΙΙ είναι μια διανοητική άσκηση λογικής για τον γονέα και το παιδί. Είναι σχεδόν σαν ένα προκλητικό παζλ και απαιτεί το ίδιο είδος «περίσκεψης» ή «συλλογισμού». Δεν θα εκπλαγώ, αν η μελλοντική έρευνα δείξει ότι τα παιδιά σε οικογένειες που χρησιμοποιούν τη Μέθοδο ΙΙΙ αναπτύσσουν πνευματικές ικανότητες ανώτερες από ό,τι τα παιδιά σε οικογένειες που χρησιμοποιείται η Μέθοδος Ι ή ΙΙ.

## Λιγότερη εχθρότητα, περισσότερη αγάπη

Οι γονείς που χρησιμοποιούν σταθερά τη Μέθοδο ΙΙΙ αναφέρουν γενικά μια δραστική μείωση εχθρότητας από τα παιδιά τους. Αυτό δεν είναι απροσδόκητο: Όταν δυο άνθρωποι *συμφωνούν* πάνω σε μια λύση, πικρίες και εχθρότητες είναι σπάνια φαινόμενα. Στην πραγματικότητα, όταν ένας γονέας με ένα παιδί «επεξεργάζονται» μια σύγκρουση και καταλήγουν σε μια αμοιβαία ικανοποιητική λύση, συχνά νιώθουν συναισθήματα βαθιάς αγάπης και τρυφερότητας. Η σύγκρουση που επιλύεται με μια λύση αποδεκτή και από τους δύο φέρνει τον γονέα και το παιδί πιο κοντά. Δεν αισθάνονται ωραία μόνον επειδή έληξε η σύγκρουση, αλλά και γιατί κανείς δεν έχασε. Τέλος, ο καθένας εκτιμά βαθιά την προθυμία του άλλου, να λάβει υπόψη τις ανάγκες του και να σεβαστεί τα δικαιώματά του. Έτσι η Μέθοδος ΙΙΙ δυναμώνει και βαθαίνει τις σχέσεις.

Πολλοί γονείς αναφέρουν ότι αμέσως μετά την επίλυση μιας σύγκρουσης ο καθένας αισθάνεται ένα ιδιαίτερο είδος χαράς. Συχνά γελάνε, εκφράζουν ζεστά συναισθήματα απέναντι στα άλλα μέλη της οικογένειας, και συχνά αγκαλιάζονται και φιλάει ο ένας τον άλλον. Τέτοια χαρά και αγάπη φαίνονται στο παρακάτω απόσπασμα από ένα μαγνητοφωνημένο επεισόδιο μεταξύ της μητέρας και των τριών έφηβων παιδιών της (δύο κοριτσιών και ενός αγοριού). Η οικογένεια είχε μόλις περάσει μια εβδομάδα επιλύοντας διάφορες συγκρούσεις με τη Μέθοδο ΙΙΙ.

*ΑΝ:* Τα πάμε πολύ καλύτερα τώρα. Όλοι αγαπάμε ο ένας τον άλλον.
*ΣΥΜΒΟΥΛΟΣ:* Πραγματικά αισθάνεστε κάποια διαφορά στη συνολική σας στάση, στον τρόπο που νιώθετε ο ένας για τον άλλον.
*ΚΑΘΙ:* Ναι, πραγματικά τους αγαπώ τώρα. Σέβομαι τη μαμά και τώρα αγαπώ τον Τεντ, κι έτσι νιώθω καλύτερα για όλη αυτή την εξέλιξη.
*ΣΥΜΒΟΥΛΟΣ:* Είστε πραγματικά ευχαριστημένοι που ανήκετε σ' αυτή την οικογένεια.
*ΤΕΝΤ:* Ναι, νομίζω είμαστε σπουδαίοι!

Μια άλλη μητέρα μού έγραψε το εξής, ένα χρόνο περίπου μετά τα μαθήματα της Εκπαίδευσης:

«Οι αλλαγές στις οικογενειακές μας σχέσεις φαινομενικά δεν είναι θεαματικές αλλά είναι ουσιαστικές. Τα μεγαλύτερα παιδιά ειδικά εκτιμούν αυτές τις αλλαγές. Κάποτε το σπίτι μας είχε «συναισθηματική ομίχλη»: συναισθήματα ματαίωσης, δυσαρέσκειας και εχθρότητας που κρατιούνταν εσωτερικευμένα μέχρι που κάποιο θα πυροδοτούσε μια έκρηξη. Μετά την Εκπαίδευση και την εφαρμογή των νέων δεξιοτήτων με όλα τα παιδιά, η «συναισθηματική ομίχλη» εξαφανίστηκε. Ο αέρας είναι καθαρός και παραμένει καθαρός. Δεν έχουμε εντάσεις στο σπίτι μας, εκτός από τις αναγκαίες για την αντιμετώπιση των καθημερινών προγραμμάτων. Καταπιανόμαστε με τα προβλήματα, όταν εμφανίζονται, και τα ρυθμίζουμε ανάλογα με τα συναισθήματα των άλλων, καθώς και τα δικά μας. Ο δεκαοκτάχρονος γιος μου λέει ότι μπορεί να νιώσει την ένταση στα σπίτια των φίλων του και εκφράζει ευγνωμοσύνη για την απουσία εντάσεων στο σπίτι μας. Η Εκπαίδευση γεφύρωσε το «χάσμα των γενεών» μεταξύ μας. Και καθώς μπορούμε να συζητάμε ελεύθερα, τα παιδιά μου δέχονται να τους μιλάω για το δικό μου σύστημα αξιών και για τις απόψεις μου για τη ζωή. Και οι δικές τους απόψεις, όμως, με εμπλουτίζουν».

### Απαιτείται λιγότερη επιβολή

Η Μέθοδος ΙΙΙ απαιτεί ελάχιστη επιβολή, γιατί από τη στιγμή που τα παιδιά συμφωνούν σε μια αποδεκτή λύση, συνήθως την εκτελούν, κυρίως λόγω της εκτίμησής τους που δεν πιέζονται να αποδεχτούν μια λύση στην οποία θα είναι χαμένοι.

Με τη Μέθοδο Ι, απαιτείται γενικά επιβολή, γιατί η λύση του γονέα συχνά δεν είναι αποδεκτή από το παιδί. Όσο λιγότερο αποδεκτή είναι μια λύση σε αυτούς που καλούνται να την εφαρμόσουν, τόσο πιο μεγάλη είναι η ανάγκη για επιβολή: επίπληξη, δελεασμός, υπόμνηση, παρενόχληση, έλεγχος κ.λπ. Ένας πατέρας στην Εκπαίδευση συνειδητοποίησε αυτήν τη μειωμένη ανάγκη επιβολής:

«Στην οικογένειά μας το Σάββατο το πρωί γινόταν πάντοτε μεγάλη φασαρία. Κάθε Σάββατο θα έπρεπε να τσακώνομαι με τα παιδιά μου, για να κάνουν τις δουλειές τους στο σπίτι. Κάθε φορά συνέβαινε το ίδιο: μεγάλος καβγάς, θυμός και πικρία. Όταν χρησιμοποιήσαμε τη Μέθοδο ΙΙΙ, για να λύσουμε το πρόβλημα με τις δουλειές στο σπίτι, τα παιδιά άρχισαν να κάνουν τις δουλειές τους μόνα τους. Δεν χρειάστηκε να τους το υπενθυμίσουμε ή να τα υποκινήσουμε».

## Η Μέθοδος ΙΙΙ εξαλείφει την ανάγκη για χρήση εξουσίας

Η Μέθοδος μη ήττας ΙΙΙ καθιστά άσκοπη τη χρήση εξουσίας, είτε για τον γονέα είτε για το παιδί. Ενώ οι Μέθοδοι Ι και ΙΙ τροφοδοτούν τους αγώνες εξουσίας, η Μέθοδος ΙΙΙ επιζητά μια εντελώς διαφορετική στάση. Ο γονέας και το παιδί δεν αγωνίζονται ο ένας εναντίον του άλλου, αλλά μαζί πάνω σε έναν κοινό στόχο, και έτσι τα παιδιά δεν χρειάζεται να αναπτύξουν καμιά από τις γνωστές αναποτελεσματικές μεθόδους αντιμετώπισης της γονεϊκής εξουσίας.

Στη Μέθοδο ΙΙΙ, η στάση του γονέα δείχνει σεβασμό για τις ανάγκες του παιδιού, και παράλληλα σεβασμό και για τις δικές του ανάγκες. Η μέθοδος μεταδίδει στο παιδί το μήνυμα: «Σέβομαι τις ανάγκες σου και το δικαίωμά σου να ικανοποιείς τις ανάγκες σου, όμως σέβομαι επίσης και τις δικές μου ανάγκες και το δικαίωμά μου να τις ικανοποιώ. Ας προσπαθήσουμε να βρούμε μια λύση που θα είναι αποδεκτή και από τους δυο μας. Έτσι θα ικανοποιηθούν οι ανάγκες σου, αλλά θα ικανοποιηθούν επίσης και οι δικές μου. Κανένας δεν θα χάσει – και οι δύο θα κερδίσουμε».

Ένα δεκαεξάχρονο κορίτσι γύρισε στο σπίτι ένα βράδυ και είπε στους γονείς της:

«Ξέρετε, πραγματικά το διασκεδάζω με τους φίλους μου, όταν μιλάνε και παραπονιούνται για το πόσο άδικοι είναι οι γονείς τους. Όλη την ώρα μιλάνε για το ότι είναι θυμωμένοι μαζί τους και τους μισούν. Εγώ απλώς στέκομαι αμίλητη, γιατί δεν έχω κανένα από αυτά τα συναισθήματα. Πραγματικά δεν υπάρχουν. Κάποιος με ρώτησε γιατί δεν νιώθω εχθρικά απέναντι στους γονείς μου – τι είναι διαφορετικό στην οικογένειά μας. Στην αρχή δεν ήξερα τι να απαντήσω, όμως αφού σκέφτηκα για λίγο, είπα ότι στη δική μας οικογένεια γνωρίζεις πάντοτε ότι δεν υποχρεώνεσαι από τους γονείς σου να κάνεις κάτι. Δεν υπάρχει φόβος να σε αναγκάσουν να κάνεις κάτι ή να σε τιμωρήσουν. Αισθάνεσαι πάντοτε ότι θα έχεις μια ευκαιρία».

Οι γονείς στην Εκπαίδευση κατανοούν γρήγορα τη σημασία τού να έχουν μια οικογένεια όπου η εξουσία μπορεί «να πεταχτεί έξω από το παράθυρο». Αναγνωρίζουν τα καταπληκτικά αποτελέσματα: Μια ευκαιρία να μεγαλώσουν παιδιά που θα έχουν λιγότερη ανάγκη για επιζήμιους αμυντικούς μηχανισμούς (αντιμετώπισης).

Τα παιδιά τους θα έχουν πολύ λιγότερη ανάγκη να αναπτύξουν συνήθειες αντίστασης και αντίδρασης. (Δεν θα υπάρχει κάτι εναντίον του οποίου να αντισταθούν ή να επαναστατήσουν.) Πολύ λιγότερη ανάγκη να αναπτύξουν συνήθειες υποταγής και παθητικής παράδοσης. (Δεν θα υπάρχει εξουσία στην οποία να υποταχτούν ή να παραδοθούν.) Πολύ λιγότερη ανάγκη απόσυρσης και τάσεις φυγής. (Δεν θα υπάρχει κάτι για να αποσυρθούν ή να το αποφύγουν.) Πολύ λιγότερη ανάγκη να αντεπιτεθούν και να εκδικηθούν. (Οι γονείς δεν θα προσπαθούν να νικήσουν, εκμεταλλευόμενοι το μεγαλύτερο ψυχολογικό τους μέγεθος.)

## Η Μέθοδος ΙΙΙ οδηγεί στα πραγματικά προβλήματα

Όταν οι γονείς χρησιμοποιούν τη Μέθοδο Ι, συχνά χάνουν την ευκαιρία να ανακαλύψουν τι ενοχλεί πραγματικά το παιδί τους. Οι γονείς που γρήγορα περνάνε τις *λύσεις τους* και κάνουν μετά χρήση της εξουσίας τους, για να τις επιβάλουν, εμποδίζουν το παιδί να εκφράσει συναισθήματα που βρίσκονται πολύ βαθύτερα, και προσδιορίζουν πολύ περισσότερο τη συμπεριφορά του εκείνη τη στιγμή. Έτσι, η Μέθοδος Ι εμποδίζει τους γονείς να οδηγηθούν στο πιο βασικό πρόβλημα και δεν τους επιτρέπει να συνεισφέρουν κάτι πολύ πιο σημαντικό προς την κατεύθυνση της μακροπρόθεσμης ανάπτυξης και εξέλιξης του παιδιού.

Από την άλλη μεριά, η Μέθοδος ΙΙΙ επιφέρει συνήθως μια αλυσίδα θετικών αντιδράσεων. Στο παιδί δίνεται η δυνατότητα να φθάσει στο ουσιαστικό βαθύτερο πρόβλημα, που το κάνει να συμπεριφέρεται με ένα συγκεκριμένο τρόπο. Από τη στιγμή που το *πραγματικό* πρόβλημα αποκαλύπτεται, συχνά γίνεται σχεδόν φανερή η κατάλληλη λύση της σύγκρουσης. Στην πραγματικότητα, η Μέθοδος ΙΙΙ είναι μια *διαδικασία επίλυσης προβλήματος*: Γενικά επιτρέπει στον γονέα και το παιδί να προσδιορίσουν πρώτα πρώτα ποιο είναι το πραγματικό πρόβλημα, γεγονός που αυξάνει την πιθανότητα να καταλήξουν σε μια λύση που να λύνει το πραγματικό πρόβλημα, όχι το αρχικό «φαινομενικό» πρόβλημα, το οποίο πολύ συχνά είναι ένα επιφανειακό ή συμπτωματικό πρόβλημα. Ένα καλό παράδειγμα είναι το «πρόβλημα με το αδιάβροχο» που, όπως αποδείχτηκε, είχε ως αιτία τον φόβο του παιδιού ότι θα νιώθει μειονεκτικά με ένα άσχημο αδιάβροχο. Ακολουθούν και μερικά άλλα παραδείγματα:

Ο Νέιθαν, ηλικίας πέντε ετών, άρχισε να μη θέλει να πηγαίνει στο σχολείο, αρκετούς μήνες αφότου το ξεκίνησε. Στην αρχή, για μερικά πρωινά, η μητέρα του τον έβγαζε έξω από το σπίτι διά της βίας. Στη συνέχεια, προχώρησε στην επίλυση του προβλήματος. Όπως ανέφερε, χρειάστηκε μόνο δέκα λεπτά για να φθάσει στην πραγματική αιτία: Ο Νέιθαν φοβόταν μήπως η μητέρα του δεν επέστρεφε να τον πάρει και ο χρόνος από το σχόλασμα ως την άφιξη της μητέρας του του φαινόταν ατελείωτος. Αναρωτιόταν επίσης μήπως η μητέρα του προσπαθούσε να απαλλαγεί από αυτόν στέλνοντάς τον στο σχολείο.

Η μητέρα είπε στον Νέιθαν ποια ήταν τα συναισθήματα της: Δεν ήθελε να απαλλαγεί από αυτόν και ευχαριστιόταν, όταν τον είχε στο σπίτι. Όμως παράλληλα εκτιμούσε και το σχολείο του. Κατά τη διαδικασία λύσης του προβλήματος με τη Μέθοδο ΙΙΙ, αναδύθηκαν πολλές λύσεις και επέλεξαν μία: Η μητέρα του θα ήταν εκεί πριν από το σχόλασμα για να τον πάρει από το σχολείο. Η μητέρα ανέφερε ότι έπειτα από αυτό ο Νέιθαν έφευγε με ευχαρίστηση για το σχολείο και ότι συχνά αναφερόταν σε αυτήν τη ρύθμιση, λέγοντας πόσο σημαντική ήταν για εκείνον.

Μια παρόμοια σύγκρουση σε μια άλλη οικογένεια επιλύθηκε με διαφορετικό τρόπο, γιατί η διαδικασία της Μεθόδου ΙΙΙ έβγαλε στην επιφάνεια ένα διαφορετικό βασικό πρόβλημα. Σε αυτή την οικογένεια η Μπόνι, ηλικίας πέντε ετών, αρνιόταν να σηκωθεί και να ντυθεί για το νηπιαγωγείο, προκαλώντας κάθε πρωί πρόβλημα σε ολόκληρη την οικογένεια.

Ακολουθεί μια μακροσκελής, αλλά όμορφη και συγκινητική, αυτολεξεί, απομαγνητοφώνηση ενός επεισοδίου, όπου η Μπόνι και η μητέρα της οδηγούνται προς μια δημιουργική λύση. Αυτό το επεισόδιο δεν δείχνει απλώς πώς η διαδικασία βοηθάει τον γονέα να ανακαλύψει ένα υποβόσκον πρόβλημα, αλλά δείχνει επίσης πόσο σημαντική είναι η Ενεργητική ακρόαση στην επίλυση συγκρούσεων με τη Μέθοδο ΙΙΙ, και πώς αυτή η μέθοδος οδηγεί στην ολόθερμη αποδοχή της λύσης. Τέλος, το επεισόδιο δείχνει παραστατικά πως στη Μέθοδο ΙΙΙ τα παιδιά, όπως και οι γονείς, ενδιαφέρονται πάρα πολύ να διαπιστώσουν ότι θα εφαρμοστεί μια λύση, από τη στιγμή που έγινε αμοιβαία αποδεκτή.

Η μητέρα είχε μόλις ολοκληρώσει τη διαδικασία λύσης ενός προβλήματος με συμμετοχή και των τεσσάρων παιδιών της. Τώρα κατευθύνει τη συζήτηση στην Μπόνι και συζητάει ένα πρόβλημα που έχει μόνο μαζί της.

*ΜΗΤΕΡΑ:* Μπόνι, έχω ένα πρόβλημα που θέλω να συζητήσουμε, και αυτό είναι, Μπόνι, ότι αργείς τόσο πολύ να ντυθείς το πρωί, που κάνεις εμάς τους υπόλοιπους να αργούμε, και μερικές φορές κάνεις τον Τέρι να χάνει το λεωφορείο κι εγώ πρέπει να έρθω να σε βοηθήσω να ντυθείς και ύστερα δεν έχω χρόνο να ε-

τοιμάσω το πρωινό για όλους τους άλλους και πρέπει να βιαστώ, να πιέσω και να φωνάξω στον Τέρι να βιαστεί, για να προλάβει το λεωφορείο. Είναι πραγματικά μεγάλο πρόβλημα.
*ΜΠΟΝΙ* (έντονα): Μα δεν θέλω να ντύνομαι το πρωί!
*ΜΗΤΕΡΑ:* Δεν θέλεις να ντύνεσαι για το σχολείο.
*ΜΠΟΝΙ:* Δεν θέλω να πηγαίνω στο σχολείο. Μου αρέσει να μένω στο σπίτι και να κοιτάζω τα βιβλία, όταν εσείς είστε έτοιμοι και ντυμένοι.
*ΜΗΤΕΡΑ:* Θα προτιμούσες να μένεις στο σπίτι, παρά να πηγαίνεις στο σχολείο;
*ΜΠΟΝΙ:* Ναι.
*ΜΗΤΕΡΑ:* Θα προτιμούσες να μένεις στο σπίτι και να παίζεις με τη μαμά;
*ΜΠΟΝΙ:* Ναι... Μου αρέσει να παίζω παιγνίδια και να κοιτάζω τα βιβλία.
*ΜΗΤΕΡΑ:* Δεν έχεις πολλές ευκαιρίες να το κάνεις αυτό...
*ΜΠΟΝΙ:* Όχι, δεν έχω ούτε την ευκαιρία να παίζω παιγνίδια, σαν αυτά που παίζουμε στα γενέθλια, ούτε παίζουμε τέτοια στο σχολείο – στο σχολείο παίζουμε διαφορετικά παιγνίδια.
*ΜΗΤΕΡΑ:* Σου αρέσουν τα παιγνίδια που έχετε στο σχολείο;
*ΜΠΟΝΙ:* Όχι τόσο πολύ, γιατί παίζουμε πάντοτε τα ίδια.
*ΜΗΤΕΡΑ:* Σου άρεσαν κάποτε, αλλά δεν σου αρέσουν πάντοτε τα ίδια.
*ΜΠΟΝΙ:* Ναι, γι' αυτό μου αρέσει να παίζω κάποια παιγνίδια στο σπίτι.
*ΜΗΤΕΡΑ:* Επειδή είναι διαφορετικά από τα παιγνίδια που παίζετε στο σχολείο και δεν σου αρέσει να κάνεις τα ίδια πράγματα κάθε μέρα.
*ΜΠΟΝΙ:* Ναι, δεν μου αρέσει να κάνω τα ίδια πράγματα κάθε μέρα.
*ΜΗΤΕΡΑ:* Είναι ωραίο να έχεις κάτι διαφορετικό να κάνεις.
*ΜΠΟΝΙ:* Ναι, όπως όταν κάνω καλλιτεχνικά στο σπίτι.
*ΜΗΤΕΡΑ:* Κάνετε καλλιτεχνικά στο σχολείο;
*ΜΠΟΝΙ:* Όχι, κάνουμε μόνο χρώματα και ζωγραφική και σχέδιο.
*ΜΗΤΕΡΑ:* Φαίνεται ότι αυτό που βασικά δεν σου αρέσει με το σχολείο είναι ότι κάνετε τα ίδια πράγματα κάθε μέρα, είναι έτσι;
*ΜΠΟΝΙ:* Όχι, κάθε μέρα δεν κάνουμε τα ίδια παιγνίδια.
*ΜΗΤΕΡΑ:* Δεν παίζετε τα ίδια παιγνίδια κάθε μέρα;
*ΜΠΟΝΙ* (απογοητευμένη): Κάνουμε τα ίδια παιγνίδια κάθε μέρα, αλλά καμιά φορά μαθαίνουμε και καινούργια παιγνίδια – όμως εμένα *απλώς δεν μου αρέσει.* Θέλω να κάθομαι *σπίτι.*
*ΜΗΤΕΡΑ:* Δεν σου αρέσει να μαθαίνεις καινούργια παιγνίδια;
*ΜΠΟΝΙ* (πολύ εκνευρισμένη): Ναι, μου αρέσει.
*ΜΗΤΕΡΑ:* Όμως, θα προτιμούσες να μένεις στο σπίτι.
*ΜΠΟΝΙ* (με ανακούφιση): Ναι, πραγματικά μου αρέσει να μένω στο σπίτι και να παίζω παιγνίδια και να κοιτάζω τα βιβλία και να μένω σπίτι και να κοιμάμαι –

όταν *εσύ είσαι* στο σπίτι.
*ΜΗΤΕΡΑ:* Μόνον όταν είμαι κι εγώ στο σπίτι.
*ΜΠΟΝΙ:* Όταν είσαι στο σπίτι όλη τη μέρα, θέλω να μένω στο σπίτι. Όταν φεύγεις, θα πηγαίνω στο σχολείο.
*ΜΗΤΕΡΑ:* Φαίνεται σαν να λες ότι η μαμά δεν μένει αρκετά στο σπίτι.
*ΜΠΟΝΙ:* Δεν μένεις! Πρέπει πάντα να πας στο σχολείο να διδάξεις σε μια τάξη το πρωί ή το βράδυ.
*ΜΗΤΕΡΑ:* Και εσύ θα προτιμούσες να μην έβγαινα τόσο συχνά έξω.
*ΜΠΟΝΙ:* Ναι.
*ΜΗΤΕΡΑ:* Δεν με βλέπεις πραγματικά τόσο πολύ.
*ΜΠΟΝΙ:* Μα κάθε βράδυ, βλέπω μια μπέιμπι σίτερ, τη Σούζαν – όταν λείπεις.
*ΜΗΤΕΡΑ:* Και θα προτιμούσες να έβλεπες εμένα.
*ΜΠΟΝΙ* (με σιγουριά): Ναι!
*ΜΗΤΕΡΑ:* Και σκέφτεσαι ότι ίσως τα πρωινά, όταν είμαι στα σπίτι...
*ΜΠΟΝΙ:* Θα μένω στο σπίτι.
*ΜΗΤΕΡΑ:* Θα προτιμούσες να έμενες σπίτι, ώστε να έβλεπες τη μαμά.
*ΜΠΟΝΙ:* Ναι!
*ΜΗΤΕΡΑ:* Λοιπόν, άσε με να σκεφτώ. Έχω τις τάξεις μου που πρέπει να τις διδάξω. Αναρωτιέμαι αν θα μπορούσαμε να λύσουμε κάπως το πρόβλημα. Έχεις καμιά ιδέα;
*ΜΠΟΝΙ* (διστακτικά): Όχι.
*ΜΗΤΕΡΑ:* Σκέφτομαι μήπως θα είχαμε κάποιο χρόνο, αν θα μπορούσαμε να είμαστε περισσότερο μαζί τα απογεύματα, όταν ο Ρίκι θα κοιμάται.
*ΜΠΟΝΙ* (με χαρά): Αυτό θα μου άρεσε!
*ΜΗΤΕΡΑ:* Θα σου άρεσε αυτό...
*ΜΠΟΝΙ:* Ναι!
*ΜΗΤΕΡΑ:* Θα σου άρεσε να έχεις κάποιο χρόνο μόνο με τη μαμά.
*ΜΠΟΝΙ:* Ναι, χωρίς τον Ράντι, χωρίς τον Τέρι, χωρίς τον Ρίκι – μόνο εγώ κι εσύ να παίζουμε παιγνίδια και να διαβάζουμε ιστορίες. Αλλά δεν θα ήθελα να διαβάζεις ιστορίες, επειδή ύστερα εσύ θα νυστάζεις – όταν διαβάζεις ιστορίες πάντοτε το κάνεις αυτό...
*ΜΗΤΕΡΑ:* Ναι, αυτό είναι σωστό. Θα σου άρεσε αντί να κοιμάσαι το μεσημέρι – αυτό είναι ένα ακόμη πρόβλημα. Δεν κοιμάσαι τελευταία τα μεσημέρια και σκέφτομαι μήπως πραγματικά δεν το χρειάζεσαι.
*ΜΠΟΝΙ:* Δεν μου αρέσει να κοιμάμαι το μεσημέρι – όμως δεν μιλάμε για τον μεσημεριανό ύπνο.
*ΜΗΤΕΡΑ:* Σωστά, δεν μιλάμε για τον μεσημεριανό ύπνο, όμως σκεφτόμουνα μήπως, αντί να κοιμάσαι, μπορούσαμε να καθόμαστε τον χρόνο που συνήθως θα

κοιμόσουνα, μήπως μπορούσαμε να έχουμε αυτόν το χρόνο για εμάς.
*ΜΠΟΝΙ:* Για εμάς!
*ΜΗΤΕΡΑ:* Ναι! Τότε ίσως να μην ένιωθες ότι θέλεις να μένεις στο σπίτι τα πρωινά τόσο πολύ. Νομίζεις ότι αυτό θα έλυνε το πρόβλημά σου;
*ΜΠΟΝΙ:* Δεν κατάλαβα καν τι είπες.
*ΜΗΤΕΡΑ:* Είπα ότι ίσως, αν έχουμε αρκετές ώρες το απόγευμα, που θα μπορούσαμε να είμαστε μαζί και να κάνουμε μόνο αυτά που θα ήθελες να κάνουμε και η μαμά δεν θα έκανε τίποτε άλλο –θα κάνει μόνο αυτά που θέλεις εσύ– τότε ίσως να ήθελες να πηγαίνεις σχολείο το πρωί, αν θα ήξερες ότι θα έχουμε χρόνο τα απογεύματα.
*ΜΠΟΝΙ:* Ναι, αυτό θέλω να κάνω. Θέλω να πηγαίνω στο σχολείο το πρωί και όταν είναι ώρα για μεσημεριναό ύπνο –επειδή έχουμε ώρα ανάπαυσης στο σχολείο– εσύ δεν θα κάνεις καμία δουλειά του σπιτιού. Θα μένεις στο σπίτι και θα κάνεις αυτά που θέλω εγώ.
*ΜΗΤΕΡΑ:* Μόνο ό,τι εσύ θέλεις να κάνει η μαμά και καθόλου δουλειές του σπιτιού.
*ΜΠΟΝΙ* (σταθερά): Όχι! Όχι δουλειές του σπιτιού.
*ΜΗΤΕΡΑ:* Εντάξει, τότε να το δοκιμάσουμε. Να αρχίσουμε αμέσως, ας πούμε από αύριο.
*ΜΠΟΝΙ:* Εντάξει, όμως πρέπει να έχουμε κάποιο σημάδι, γιατί *εσύ δεν θυμάσαι.*
*ΜΗΤΕΡΑ:* Τότε, αν δεν θυμάμαι, θα πρέπει να λύσουμε το πρόβλημά μας ξανά.
*ΜΠΟΝΙ:* Ναι! Όμως, μαμά, πρέπει να φτιάξεις το σημάδι και να το βάλεις στην πόρτα του δωματίου σου, για να θυμάσαι, και να το βάλεις στην κουζίνα, για να θυμάσαι και, όταν εγώ θα έρχομαι από το σχολείο, θα θυμάσαι, γιατί θα κοιτάς το σημάδι, και όταν θα σηκώνεσαι από το κρεβάτι, πάλι θα θυμάσαι γιατί θα το βλέπεις.
*ΜΗΤΕΡΑ:* Και δεν θα ξεχαστώ τυχαία, ώστε να αρχίσω να κοιμάμαι ή να κάνω τις δουλειές του σπιτιού.
*ΜΠΟΝΙ:* Ναι!
*ΜΗΤΕΡΑ:* Εντάξει, είναι μια καλή ιδέα. Θα κάνω κάτι.
*ΜΠΟΝΙ:* Και κάν' το απόψε, όταν εγώ θα κοιμάμαι.
*ΜΗΤΕΡΑ:* Εντάξει.
*ΜΠΟΝΙ:* Και τότε μπορείς να βγεις έξω για τη συνάντησή σου.
*ΜΗΤΕΡΑ:* Εντάξει, νομίζω ότι το λύσαμε αυτό το πρόβλημα.
*ΜΠΟΝΙ* (ευτυχισμένη): Ναι!

Αυτή η μητέρα, που τόσο αποτελεσματικά χρησιμοποίησε τη Μέθοδο ΙΙΙ για να λύσει αυτό το μάλλον συνηθισμένο αλλά δύσκολο οικογενειακό πρόβλημα, ανέφερε αργότερα ότι η Μπόνι σταμάτησε να χρονοτριβεί και να παραπονιέται κάθε πρωί. Αρκετές εβδομάδες αργότερα, η Μπόνι ανακοίνωσε ότι θα προτιμούσε να βγαίνει έξω να παίζει παρά να περνάει τόσο χρόνο με τη μητέρα της. Το συμπέρασμα εδώ είναι ότι, από τη στιγμή που ανακαλύφθηκαν οι πραγματικές ανάγκες του παιδιού με τη διαδικασία επίλυσης προβλημάτων και βρέθηκε μια λύση *κατάλληλη* γι' αυτές, μόλις οι προσωρινές ανάγκες του παιδιού ικανοποιήθηκαν, το πρόβλημα εξαφανίστηκε.

## Αντιμετώπιση των παιδιών ως ενηλίκων

Η Μέθοδος μη ήττας ΙΙΙ μεταφέρει στα παιδιά το μήνυμα ότι οι γονείς θεωρούν πως οι ανάγκες τους είναι επίσης σημαντικές και ότι τα εμπιστεύονται, και αυτά με τη σειρά τους ενδιαφέρονται για τις ανάγκες των γονέων. Κατ' αυτό τον τρόπο αντιμετωπίζουμε τα παιδιά όπως αντιμετωπίζουμε τους φίλους μας ή τον σύντροφό μας. Η μέθοδος φαίνεται τόσο καλή στα παιδιά, γιατί θέλουν τόσο πολύ να νιώθουν ότι τα εμπιστεύονται και ότι τα μεταχειρίζονται ως ίσους. (Η Μέθοδος Ι αντιμετωπίζει τα παιδιά σαν να είναι ανώριμα, ανεύθυνα, χωρίς κουκούτσι μυαλό στο κεφάλι τους.)

Το παρακάτω επεισόδιο το παρουσίασε ένας γονέας που είχε παρακολουθήσει την Εκπαίδευση:

*ΠΑΤΕΡΑΣ:* Νιώθω την ανάγκη να κάνουμε κάτι για την ώρα του ύπνου. Κάθε βράδυ η μητέρα σας ή εγώ ή και οι δυο πρέπει να σας επιπλήξουμε και να σας στενοχωρήσουμε, και μερικές φορές να σας αναγκάσουμε να πάτε στα κρεβάτια σας την κανονική ώρα, στις οχτώ. Δεν νιώθω πολύ καλά με τον εαυτό μου, όταν το κάνω αυτό και αναρωτιέμαι πώς αισθάνεστε εσείς γι' αυτό.
*ΛΑΟΥΡΑ:* Δεν μου αρέσει να μου φωνάζετε... και δε μου αρέσει να πηγαίνω για ύπνο τόσο νωρίς. Είμαι μεγάλο κορίτσι τώρα και θα έπρεπε να μπορούσα να μένω περισσότερο από τον Πίτερ (τον αδελφό της, δυο χρόνια μικρότερο).
*ΜΗΤΕΡΑ:* Αισθάνεσαι σαν να σε μεταχειριζόμαστε το ίδιο όπως τον Πίτερ και αυτό δεν είναι δίκαιο.
*ΛΑΟΥΡΑ:* Ναι. Είμαι δύο χρόνια μεγαλύτερη από τον Πίτερ.
*ΠΑΤΕΡΑΣ:* Και πιστεύεις ότι θα έπρεπε να σε μεταχειριζόμαστε σαν μεγαλύτερη.
*ΛΑΟΥΡΑ:* Ναι!
*ΜΗΤΕΡΑ:* Έχεις ένα καλό επιχείρημα. Όμως, αν σε αφήσουμε να μένεις πιο αργά κι εσύ περιφέρεσαι άσκοπα, φοβάμαι ότι πραγματικά θα πηγαίνεις πολύ αργά για ύπνο.
*ΛΑΟΥΡΑ:* Μα δεν θα περιφέρομαι άσκοπα, αν μπορούσα απλώς να μένω λίγο

παραπάνω...
*ΠΑΤΕΡΑΣ:* Αναρωτιέμαι αν θα μπορούσες να μας δείξεις πόσο καλά μπορείς να συνεργαστείς για λίγες μέρες κι έπειτα ίσως να αλλάξουμε την ώρα.
*ΛΑΟΥΡΑ:* Ούτε αυτό είναι δίκαιο!
*ΠΑΤΕΡΑΣ:* Δεν θα ήταν δίκαιο να σε κάνουμε να «κερδίσεις» την παραπάνω ώρα, ε;
*ΛΑΟΥΡΑ:* Νομίζω ότι θα έπρεπε να ήμουν σε θέση να μένω παραπάνω, γιατί είμαι μεγαλύτερη. (Σιωπή.) Ίσως, αν πήγαινα στο κρεβάτι στις οχτώ και διάβαζα στο κρεβάτι μέχρι τις οχτώμισι;
*ΜΗΤΕΡΑ:* Θα πηγαίνεις στο κρεβάτι την κανονική ώρα, όμως το φως θα παραμένει αναμμένο για λίγο, ώστε να μπορείς να διαβάζεις;
*ΛΑΟΥΡΑ:* Ναι, μου αρέσει να διαβάζω στο κρεβάτι.
*ΠΑΤΕΡΑΣ:* Αυτό μου φαίνεται πολύ καλό, όμως ποιος θα παρακολουθεί το ρολόι;
*ΛΑΟΥΡΑ:* Ω! Εγώ θα το κάνω αυτό. Θα σβήνω το φως ακριβώς στις οχτώ και μισή!
*ΜΗΤΕΡΑ:* Φαίνεται πολύ καλή ιδέα, Λάουρα. Να το δοκιμάσουμε για λίγο;

Το αποτέλεσμα το ανέφερε ο πατέρας ως εξής:

«Μετά από αυτό είχαμε πολύ λίγα προβλήματα με την ώρα του ύπνου. Στις περιπτώσεις που δεν έσβηνε το φως της Λάουρα στις οχτώ και μισή, ένας από εμάς θα της έλεγε κάτι όπως: «Είναι οχτώ και μισή τώρα, Λάουρα, και έχουμε κάνει μια συμφωνία για το φως». Σε αυτές τις υπενθυμίσεις αντιδρούσε πάντοτε με αποδοχή. Αυτή η λύση επέτρεψε στη Λάουρα να είναι ένα "μεγάλο κορίτσι" και να διαβάζει στο κρεβάτι, όπως ο μπαμπάς και η μαμά».

## Η Μέθοδος ΙΙΙ ως «θεραπεία» για το παιδί

Συχνά, η Μέθοδος ΙΙΙ επιφέρει αλλαγές στη συμπεριφορά των παιδιών, παρόμοιες με εκείνες που συμβαίνουν, όταν τα παιδιά είναι σε θεραπεία με ένα επαγγελματία θεραπευτή. Υπάρχει κάτι δυνητικά θεραπευτικό σε αυτήν τη μέθοδο επίλυσης συγκρούσεων ή επίλυσης προβλημάτων.

Ένας πατέρας της Εκπαίδευσης παρουσίασε δύο παραδείγματα, όπου η χρήση της Μεθόδου ΙΙΙ επέφερε άμεσες «θεραπευτικές» αλλαγές στον πεντάχρονο γιο του:

«Ο γιος μου είχε αρχίσει να δείχνει μεγάλο ενδιαφέρον για τα χρήματα και συχνά έπαιρνε κέρματα από το κομοδίνο μου. Είχαμε μια συζήτηση με τη Μέθοδο ΙΙΙ επίλυσης συγκρούσεων και καταλήξαμε σε μια συμφωνία, να του δίνω 10 σεντ την ημέρα ως χαρτζιλίκι. Το αποτέλεσμα ήταν να σταματήσει να παίρνει χρήματα από το κομοδίνο μου και τώρα με συνέπεια κρατάει χρήματα, για να αγοράζει συγκεκριμένα πράγματα που αυτός θέλει».

«Ανησυχούσαμε πάρα πολύ για το ενδιαφέρον του πεντάχρονου γιου μας για ένα τηλεοπτικό πρόγραμμα επιστημονικής φαντασίας, που μάλλον του προκαλούσε εφιάλτες. Ένα άλλο πρόγραμμα την ίδια ώρα ήταν αρκετά εκπαιδευτικό και δεν προκαλούσε φόβο. Στη συζήτηση με τη Μέθοδο ΙΙΙ συμφωνήσαμε όλοι σε μια λύση, να βλέπει εναλλακτικά τα δύο προγράμματα. Το αποτέλεσμα ήταν να μειωθούν οι εφιάλτες του και τελικά άρχισε να βλέπει το εκπαιδευτικό πρόγραμμα πιο συχνά από το πρόγραμμα επιστημονικής φαντασίας».

Άλλοι γονείς ανέφεραν σημαντικές αλλαγές στα παιδιά τους, μετά τη χρήση της Μεθόδου ΙΙΙ για κάποιο διάστημα: καλύτερους βαθμούς στο σχολείο, καλύτερες σχέσεις με τους συνομηλίκους τους, μεγαλύτερη άνεση στην έκφραση των συναισθημάτων τους, λιγότερες εκρήξεις, μικρότερη εχθρότητα προς το σχολείο, μεγαλύτερη υπευθυνότητα ως προς τις οικιακές εργασίες, μεγαλύτερη ανεξαρτησία, μεγαλύτερη αυτοπεποίθηση, πιο ευχάριστη διάθεση, καλύτερες συνήθειες διατροφής και άλλες βελτιώσεις, τις οποίες οι γονείς υποδέχτηκαν με χαρά.

# 12

# Φόβοι και ανησυχίες των γονέων γύρω από τη μέθοδο «μη ήττας»

Η μέθοδος μη ήττας για την επίλυση των συγκρούσεων γίνεται εύκολα κατανοητή και άμεσα αντιληπτή, από όλους σχεδόν τους γονείς στις τάξεις μας, ως μια νέα, πολλά υποσχόμενη εναλλακτική λύση. Ωστόσο, καθώς προχωρούν από τη *θεωρητική συζήτηση* της νέας αυτής μεθόδου στην τάξη στην *εφαρμογή της* στο σπίτι, πολλοί γονείς αισθάνονται δικαιολογημένους φόβους και εκφράζουν κατανοητές ανησυχίες γύρω από τη μέθοδο.

«Φαίνεται υπέροχη στη θεωρία», ακούμε πολλούς γονείς να λένε, «όμως λειτουργεί πραγματικά στην πράξη;» Είναι ανθρώπινο να αισθάνεται κανείς ανήσυχος για κάτι νέο και να θέλει να νιώθει απολύτως σίγουρος ως προς αυτό, πριν εγκαταλείψει αυτό που έχει συνηθίσει. Επίσης, οι γονείς διστάζουν να «πειραματιστούν» με τα παιδιά τους, καθώς αυτά έχουν τόσο μεγάλη αξία γι' αυτούς.

Παραθέτουμε παρακάτω μερικές από τις πιο σοβαρές ανησυχίες και τους φόβους των γονέων, καθώς και τι τους λέμε ελπίζοντας ότι θα δώσουν μια πραγματική ευκαιρία στη μέθοδο μη ήττας.

## ΜΗΠΩΣ ΠΡΟΚΕΙΤΑΙ ΓΙΑ ΤΟ ΠΑΛΙΟ «ΟΙΚΟΓΕΝΕΙΑΚΟ ΣΥΜΒΟΥΛΙΟ» ΜΕ ΝΕΟ ΟΝΟΜΑ;

Στην αρχή, μερικοί γονείς αντιδρούν στη Μέθοδο III, επειδή νομίζουν ότι ακούγεται σαν τη μέθοδο του «οικογενειακού συμβουλίου», που οι δικοί τους γονείς εφάρμοζαν μαζί τους. Όταν ζητάμε από αυτούς τους γονείς να περιγράψουν πώς λειτουργούσαν οι οικογενειακές τους συσκέψεις, όλοι σχεδόν περιγράφουν κάτι που ταιριάζει με την παρακάτω εικόνα:

Κάθε Κυριακή η μαμά και ο μπαμπάς μάς καλούσαν να καθίσουμε γύρω από το τραπέζι, για να κάνουμε οικογενειακό συμβούλιο και να συζητήσουμε κάποια προβλήματα. Συνήθως αυτοί έφερναν τα περισσότερα προβλήματα, όμως περιστασιακά, κι εμείς τα παιδιά μπορούσαμε να πούμε κάτι. Κυρίως μιλούσαν ο μπαμπάς και η μαμά, και τη συζήτηση διηύθυνε ο μπαμπάς. Συχνά μας έκαναν ένα είδος διάλεξης ή κηρύγματος. Συνήθως είχαμε την ευκαιρία να εκφράσουμε τις απόψεις μας, όμως σχεδόν πάντοτε εκείνοι αποφάσιζαν ποια θα ήταν η λύση. Στην αρχή πιστεύαμε ότι θα ήταν κάτι ευχάριστο, αλλά αργότερα γινότανε βαρετό. Δεν κρατούσε και πάρα πολύ, όπως θυμάμαι. Τα πράγματα για τα οποία συζητούσαμε ήταν οι δουλειές του σπιτιού και η ώρα του ύπνου, και το ότι θα έπρεπε να νοιαζόμαστε περισσότερο για τη μητέρα μας κατά τη διάρκεια της ημέρας.

Μολονότι αυτό δεν αντιπροσωπεύει όλες τις οικογενειακές συσκέψεις, αυτές οι συναντήσεις ήταν εντελώς «γονεο-κεντρικές». Ο μπαμπάς ήταν σαφώς ο πρόεδρος, οι λύσεις πάντοτε προέρχονταν από τους γονείς, στα παιδιά γινόταν «διδασκαλία» ή «κήρυγμα», τα προβλήματα ήταν μάλλον αφηρημένα και μη αμφισβητήσιμα και η ατμόσφαιρα ήταν συνήθως αρκετά «ευχάριστη και φιλική».

Η Μέθοδος ΙΙΙ δεν είναι μια συνάντηση αλλά μια *μέθοδος* επίλυσης συγκρούσεων, κατά προτίμηση εν τη γενέσει τους. Δεν εμπλέκουν κατ' ανάγκη ολόκληρη την οικογένεια· οι περισσότερες εμπλέκουν ένα γονέα και ένα παιδί. Τα υπόλοιπα μέλη δεν χρειάζεται και δεν πρέπει να είναι παρόντες. Επίσης, η Μέθοδος ΙΙΙ δεν είναι μια δικαιολογία για τους γονείς, για να κηρύξουν ή να «εκπαιδεύσουν», που συνήθως σημαίνει ότι ο «δάσκαλος» ή ο «ιεροκήρυκας» έχει ήδη την απάντηση. Στη Μέθοδο ΙΙΙ, ο γονέας και το παιδί ψάχνουν για τη δική τους μοναδική απάντηση και, γενικά, δεν υπάρχει μια προσχεδιασμένη απάντηση στα προβλήματα που εμφανίζονται, για μια λύση μη ήττας. Δεν υπάρχει επίσης «πρόεδρος» ούτε «αρχηγός». Ο γονέας και το παιδί συμμετέχουν και εργάζονται σκληρά για να βρουν μια λύση στο κοινό τους πρόβλημα.

Γενικά, η Μέθοδος ΙΙΙ εφαρμόζεται με ένα σύντομο, άμεσο, «εδώ και τώρα» τρόπο επίλυσης των προβλημάτων. Τα ονομάζουμε προβλήματα «στο όρθιο», επειδή οι ενδιαφερόμενοι αντιμετωπίζουν τις συγκρούσεις αμέσως μόλις εμφανιστούν, και δεν περιμένουν να τις φέρουν με μια αφηρημένη μορφή σε κάποια οικογενειακή σύσκεψη γύρω από το τραπέζι.

Τέλος, η ατμόσφαιρα κατά την επίλυση της σύγκρουσης με τη Μέθοδο ΙΙΙ δεν είναι πάντοτε ευχάριστη και φιλική. Συχνά κατά τις συγκρούσεις μεταξύ γονέων και παιδιών υπάρχει συναισθηματική φόρτιση και εκφράζονται έντονα συναισθήματα.

Τον περασμένο μήνα αγοράσατε στον γιο σας ένα αυτοκίνητο κι εκείνος συμφώνησε να πληρώνει τη βενζίνη και την ασφάλεια. Τώρα ήρθε σε εσάς λέγοντας ότι δεν έχει τα χρήματα για να πληρώσει τη δόση της ασφάλειας αυτόν τον μήνα.

Οι έφηβοι γιοι και κόρες σας συχνά πηγαίνουν για ύπνο αργότερα από εσάς κατά τη διάρκεια της εβδομάδας. Παίζουν μουσική στο στερεοφωνικό τους ή βλέπουν τηλεόραση, και ο θόρυβος σας κρατάει ξύπνιους, ενώ έχετε να πάτε στη δουλειά την επόμενη ημέρα.

Εντέλει αγοράσατε ένα κουταβάκι για τη δεκάχρονη κόρη σας με τη συμφωνία να το ταΐζει και να το βγάζει βόλτα. Την τελευταία εβδομάδα, όμως, δεν έχει κάνει τίποτα από τα δύο.

Τέτοιες συγκρούσεις μπορεί να περικλείουν πολύ έντονα συναισθήματα. Όταν οι γονείς αρχίζουν να καταλαβαίνουν αυτές τις διαφορές μεταξύ της οικογενειακής σύσκεψης παλιού τύπου και της επίλυσης συγκρούσεων, γίνεται φανερό ότι δεν ξαναζωντανεύουμε μια παλιά παράδοση βαφτίζοντάς την με ένα καινούργιο όνομα.

## Η ΜΕΘΟΔΟΣ ΙΙΙ ΘΕΩΡΕΙΤΑΙ ΓΟΝΕΪΚΗ ΑΔΥΝΑΜΙΑ

Μερικοί γονείς, ιδιαίτερα πατέρες, εξισώνουν στην αρχή τη Μέθοδο ΙΙΙ με «παραχώρηση» στο παιδί, με «αδυναμία των γονέων», με «συμβιβασμό ως προς τις προσωπικές πεποιθήσεις». Ένας πατέρας, όταν άκουσε στην τάξη το μαγνητοφωνημένο επεισόδιο με την Μπόνι και τη μητέρα της, που επεξεργαζόταν τη σύγκρουση γύρω από την αναχώρηση για το σχολείο, διαμαρτυρήθηκε μάλλον θυμωμένα: «Καλά, η μητέρα αυτή απλώς υποχώρησε απέναντι στο παιδί! Τώρα πρέπει να αφιερώνει μια ώρα κάθε απόγευμα στο κακομαθημένο παιδί της. Το παιδί νίκησε, έτσι δεν είναι;» Βεβαίως το παιδί «νίκησε», όμως το ίδιο «νίκησε» και η μητέρα. Δεν είναι υποχρεωμένη να έχει ένα συναισθηματικό καβγά πέντε πρωινά την εβδομάδα.

Η αντίδραση είναι κατανοητή, γιατί οι άνθρωποι είναι τόσο συνηθισμένοι να σκέφτονται γύρω από τις συγκρούσεις με *όρους νίκης-ήττας*. Πιστεύουν ότι, αν ένα άτομο πετύχει αυτό που θέλει, το άλλο πρόσωπο αποτυγχάνει. Κάποιος πρέπει να χάσει.

Είναι δύσκολο στην αρχή για τους γονείς να καταλάβουν ότι υπάρχει δυνατότητα να επιτύχουν αυτό που θέλουν *και τα δύο* πρόσωπα. Η Μέθοδος ΙΙΙ δεν είναι η Μέθοδος ΙΙ, όπου το παιδί κάνει αυτό που θέλει, με αποτέλεσμα να μη γίνει αυτό που θέλουν οι γονείς. Είναι τόσο φυσικό για κάποιους γονείς να σκέφτονται στην αρχή: «Αν εγκαταλείψω τη Μέθοδο Ι, μένω με τη Μέθοδο ΙΙ», «Αν δεν γίνει το δικό μου, θα γίνει του παιδιού». Αυτή είναι η γνωστή λογική «είτε είτε» γύρω από τις συγκρούσεις.

Οι γονείς χρειάζονται βοήθεια, για να καταλάβουν τη βασική διαφορά μεταξύ της Μεθόδου ΙΙ και της Μεθόδου ΙΙΙ. Χρειάζονται επαναλαμβανόμενες υπενθυμίσεις, ότι στη Μέθοδο ΙΙΙ πρέπει *και αυτοί* να ικανοποιούν τις ανάγκες τους, *και αυτοί* πρέπει να αποδεχτούν την τελική λύση. Αν *αισθάνονται* ότι έχουν υποχωρήσει μπροστά στο παιδί, τότε έχουν χρησιμοποιήσει τη Μέθοδο ΙΙ και όχι τη Μέθοδο ΙΙΙ. Για παράδειγμα, στη σύγκρουση μεταξύ της Μπόνι και της μητέρας της (η Μπόνι δεν ήθελε να πάει στο σχολείο), η μητέρα έπρεπε γνήσια να δεχτεί να αφιερώνει αυτή την ώρα αποκλειστικής προσοχής, όπως πράγματι έκανε σε αυτή την περίπτωση. Διαφορετικά, θα υποχωρούσε στην Μπόνι (Μέθοδος ΙΙ).

Μερικοί γονείς στην αρχή δεν μπορούν να δουν ούτε το ότι και η μητέρα της Μπόνι κέρδισε, με το να μην είναι πια υποχρεωμένη να έχει πρωινούς καβγάδες και φασαρίες, αλλά ούτε ότι δεν ένιωθε πια ένοχη που η Μπόνι πήγαινε στο σχολείο – μάλιστα ένιωσε ικανοποίηση που ανακάλυψε την ανικανοποίητη ανάγκη της Μπόνι και βρήκε έναν τρόπο να την ικανοποιήσει.

Ελάχιστοι γονείς ωστόσο αντιλαμβάνονται τη Μέθοδο ΙΙΙ ως έναν αναγκαίο «συμβιβασμό», και γι' αυτούς συμβιβασμός σημαίνει υποχώρηση ή μικρότερο κέρδος από αυτό που επιδίωκαν, «αδυναμία». Όταν τους ακούω να εκφράζουν ένα τέτοιο συναίσθημα, συχνά θυμάμαι τη φράση που είχε πει ο αείμνηστος Τζον Κένεντι στην πρώτη ομιλία που εκφώνησε ως πρόεδρος: «Μη φοβάστε να διαπραγματευτείτε, αλλά ποτέ να μη διαπραγματεύεστε από φόβο». Η Μέθοδος ΙΙΙ σημαίνει διαπραγμάτευση, όχι όμως διαπραγμάτευση χωρίς το θάρρος επιμονής στη λύση του προβλήματος, μέχρι να βρεθεί μια λύση που να ικανοποιεί και τις ανάγκες του γονέα και εκείνες του παιδιού.

Δεν ταυτίζουμε τη Μέθοδο ΙΙΙ με τον όρο «συμβιβασμός», με την έννοια να δεχτεί κανείς λιγότερα απ' όσα θέλει. Η πείρα μάς έδειξε ότι οι λύσεις με τη Μέθοδο ΙΙΙ σχεδόν πάντοτε προσφέρουν και στον γονέα και στο παιδί περισσότερα απ' όσα ανέμεναν. Οι λύσεις αυτές είναι συχνά αυτό που οι ψυχολόγοι ονομάζουν «κομψή λύση», καλή ή συχνά η καλύτερη και για τους δύο. Συνεπώς, η Μέθοδος ΙΙΙ δεν σημαίνει ότι οι γονείς υποχωρούν ή παραδίνονται τελείως. Εντελώς το αντίθετο. Δείτε την παρακάτω σύγκρουση, που περιλαμβάνει μια ολόκληρη οικογένεια, και σημειώστε πόσο ικανοποιητικά επιλύθηκε και για τους γονείς και για τα παιδιά. Όπως αναφέρει η μητέρα:

> Είχε έρθει η ώρα να κάνουμε σχέδια για την Ημέρα των Ευχαριστιών. Όπως συνήθως, ένιωσα την ανάγκη να ετοιμάσω ένα οικογενειακό τραπέζι με γαλοπούλα και να κάνουμε μια επίσημη οικογενειακή συγκέντρωση. Οι τρεις γιοι μου και ο άντρας μου εξέφρασαν κάποιες άλλες επιθυμίες, και έτσι οδηγηθήκαμε στη διαδικασία επίλυσης προβλήματος. Ο πατέρας ήθελε να βάψει το σπίτι και δυσανασχετούσε που έπρεπε να αφιερώσει χρόνο για ένα επιμελημένο γεύμα και την ψυχαγωγική συντροφιά. Ο γιος μου, που είναι στο κολέγιο, ήθελε να φέρει στο σπίτι ένα φίλο, που ποτέ δεν είχε ζήσει στο σπίτι του μια πραγματική οικογενειακή συγκέντρωση την Ημέρα των Ευχαριστιών. Ο γιος μου που πάει στο λύκειο ήθελε να περάσει και τις τέσσερις ημέρες στο σπιτάκι που έχουμε στην εξοχή. Ο

> μικρότερος γιος γκρίνιαζε που θα έπρεπε να βάλει τα καλά του και να περάσει τη δοκιμασία ενός «επίσημου» γεύματος. Εγώ βέβαια έδινα μεγάλη σημασία στο να νιώσει η οικογένεια την ενότητα του να είμαστε όλοι μαζί, και επιπλέον ένιωθα την ανάγκη να είμαι μια καλή μητέρα, ετοιμάζοντας ένα πλούσιο γεύμα με γαλοπούλα. Το σχέδιο που προέκυψε από τη συζήτηση επίλυσης του προβλήματος ήταν να ετοιμάσω ένα λιγότερο πλούσιο γεύμα με γαλοπούλα, που θα το παίρναμε μαζί μας στο σπιτάκι, αφού πρώτα ο πατέρας έβαφε το σπίτι. Ο γιος μου που πάει στο κολέγιο θα έφερνε στο σπίτι τον φίλο του και όλοι μαζί θα βοηθούσαν τον πατέρα στο βάψιμο, έτσι ώστε να πηγαίναμε νωρίτερα στο σπιτάκι. Τα αποτελέσματα: Η αλλαγή ήταν ότι δεν υπήρχαν ούτε χτυπήματα της πόρτας ούτε θυμός. Όλοι είχαμε μια θαυμάσια εμπειρία, την καλύτερη Ημέρα των Ευχαριστιών που είχε περάσει ποτέ μαζί η οικογένειά μας. Ακόμη και ο καλεσμένος του γιου μου βοήθησε στο βάψιμο. Ήταν η πρώτη φορά που οι γιοι μας βοήθησαν τον πατέρα τους σε κάποια δουλειά στο σπίτι, χωρίς μεγάλη φασαρία. Ο μπαμπάς ήταν εκστατικός, τα αγόρια ήταν ενθουσιασμένα και εγώ ένιωθα ωραία για τον ρόλο μου την Ημέρα των Ευχαριστιών. Και, επιπλέον, δεν είχα όλη εκείνη τη δουλειά που απαιτείται συνήθως να κάνω για την προετοιμασία ενός τεράστιου γεύματος. Πήγε καλύτερα και από τα πιο τολμηρά όνειρά μας. Ποτέ πια δεν θα υπαγορεύσω οικογενειακές αποφάσεις!

Στην ίδια μου την οικογένεια, πριν από λίγα χρόνια, δημιουργήθηκε μια σοβαρή σύγκρουση γύρω από τις διακοπές του Πάσχα, και η Μέθοδος ΙΙΙ οδήγησε σε μια πρωτότυπη λύση που παραδόξως έγινε αποδεκτή από όλους μας. Η γυναίκα μου κι εγώ με κανέναν τρόπο δεν νιώσαμε αδύναμοι στο τέλος. Αισθανθήκαμε τυχεροί που αποφύγαμε τον εφιάλτη της παραλίας του Νιούπορτ.

> Η κόρη μας, ηλικίας δεκαπέντε ετών, ήθελε να δεχτεί μια πρόσκληση να περάσει τις διακοπές του Πάσχα με πολλές φίλες της στην παραλία του Νιούπορτ (στην Καλιφόρνια, «εκεί που είναι τα αγόρια», όπως επίσης και η μπίρα, το χασίς και η αστυνομία). Η γυναίκα μου κι εγώ φοβόμασταν πραγματικά να εκθέσουμε την κόρη μας σε αυτό που είχαμε ακούσει ότι συμβαίνει τόσο συχνά σε αυτές τις ετήσιες συγκεντρώσεις των χιλιάδων παιδιών της ηλικίας της. Εκφράσαμε τους φόβους μας, η κόρη μας τους άκουσε μεν αλλά τους υποτίμησε, λόγω της έντονης επιθυμίας της να βρεθεί με τις φίλες της στην πλαζ. Ξέραμε ότι θα χάναμε τον ύπνο μας και φοβόμασταν ότι θα μας καλούσαν μέσα στα άγρια μεσάνυχτα να σώσουμε την κόρη μας από πραγματικό μπλέξιμο. Η Ενεργητική ακρόαση αποκάλυψε κάτι που μας εξέπληξε: Οι βασικές της ανάγκες ήταν να είναι μαζί με μια συγκεκριμένη φίλη, να πάει κάπου όπου θα υπήρχαν αγόρια και

να πάει στην παραλία, έτσι ώστε να μπορεί να επιστρέψει στο σχολείο πολύ μαυρισμένη. Δύο μέρες μετά την εμφάνιση της σύγκρουσης, κι ενώ ακόμη δεν την είχαμε επιλύσει, η κόρη μας μας πρότεινε μια πρωτότυπη λύση. Τι θα λέγατε για ένα Σαββατοκύριακο διακοπών όλοι μαζί; («Δεν έχετε πάει, ξέρετε, εδώ και πολύ καιρό»). Εκείνη θα έπαιρνε τη φίλη της και θα μπορούσαμε να μείνουμε όλοι μαζί στο μοτέλ που βρισκόταν σ' ένα από τα πιο αγαπημένα μου κέντρα γκολφ, που τύχαινε επίσης να είναι κοντά στην παραλία, όχι την παραλία του Νιούπορτ, αλλά μια άλλη, όπου επίσης ήταν πιθανόν να βρεθούν αγόρια. Κυριολεκτικά αρπαχτήκαμε από τη λύση της, νιώθοντας μεγάλη ανακούφιση που βρήκαμε έναν τρόπο να αποφύγουμε όλες τις αγωνίες που θα ζούσαμε, αν πήγαινε στην παραλία του Νιούπορτ χωρίς επίβλεψη. Κι εκείνη ήταν επίσης ενθουσιασμένη, αφού θα ικανοποιούσε όλες τις ανάγκες της. Πραγματοποιήσαμε όντως αυτό το σχέδιο. Διασκεδάσαμε όλοι μαζί το βράδυ, αφού η γυναίκα μου κι εγώ είχαμε παίξει γκολφ και τα κορίτσια είχαν περάσει τη μέρα τους στην παραλία. Έτυχε να μην υπάρχουν πολλά αγόρια σε αυτήν τη συγκεκριμένη παραλία και αυτό απογοήτευσε τα κορίτσια. Όμως, καμιά τους δεν μας παραπονέθηκε, ούτε εξέφρασε κάποια συναισθήματα που να δείχνουν δυσαρέσκεια εναντίον μας για την απόφαση που είχαμε πάρει.

Αυτή η περίπτωση δείχνει επίσης ότι μερικές φορές οι λύσεις της Μεθόδου ΙΙΙ δεν αποδεικνύονται τέλειες. Μερικές φορές, απρσδόκητα, αυτό που φαίνεται να είναι η λύση που ικανοποιεί τις ανάγκες όλων, καταλήγει να είναι απογοητευτική για όλους. Ωστόσο, στις οικογένειες που χρησιμοποιούν τη Μέθοδο ΙΙΙ, αυτό δεν φαίνεται να προκαλεί δυσαρέσκεια και πικρία, ίσως γιατί γίνεται φανερό ότι δεν προκαλούν οι γονείς την απογοήτευση των παιδιών (όπως συμβαίνει με τη Μέθοδο Ι), αλλά μάλλον η σύμπτωση, ο καιρός ή η ατυχία. Μπορεί να κατηγορηθούν κάποιοι εξωτερικοί ή απρόβλεπτοι παράγοντες, όχι όμως οι γονείς. Ένας άλλος παράγοντας, βέβαια, είναι ότι η Μέθοδος ΙΙΙ κάνει τα παιδιά να αισθάνονται ότι η λύση ήταν εξίσου και δική τους, όπως και των γονέων τους.

## «ΟΙ ΟΜΑΔΕΣ ΔΕΝ ΜΠΟΡΟΥΝ ΝΑ ΠΑΡΟΥΝ ΑΠΟΦΑΣΕΙΣ»

Είναι ένας κοινά αποδεκτός μύθος ότι μόνο τα άτομα, και όχι οι ομάδες, είναι σε θέση να πάρουν αποφάσεις. «Μια καμήλα είναι το αποτέλεσμα μιας επιτροπής που πήρε μια ομαδική απόφαση για το πώς θα σχεδιάσει ένα άλογο». Αυτή η χιουμοριστική φράση αναφέρεται συχνά από τους γονείς, για να υποστηρίξουν την πεποίθησή τους, ότι είτε οι ομάδες δεν μπορούν να καταλήξουν σε μία λύση είτε ότι η λύση είναι ατυχής. Μια άλλη άποψη, την οποία οι γονείς συχνά επικαλούνται στην τάξη, είναι: «Τελικά, *ένας* πρέπει να αποφασίσει για την ομάδα».

Αυτός ο μύθος παραμένει, γιατί τόσο λίγοι άνθρωποι είχαν την ευκαιρία να συμμετάσχουν σε μια αποτελεσματική ομάδα λήψης αποφάσεων. Σε όλη τους τη ζωή, πολλοί ενήλικες στερήθηκαν αυτή την εμπειρία από εκείνους που είχαν εξουσία πάνω τους και που σταθερά χρησιμοποιούσαν τη Μέθοδο Ι, για να λύνουν προβλήματα ή να επιλύουν συγκρούσεις: γονείς, δάσκαλοι, θείοι, θείες, αρχηγοί προσκόπων, προπονητές, μπέιμπι σίτερ, αξιωματικοί στον στρατό, αφεντικά κ.λπ. Πολλοί ενήλικες στη «δημοκρατική» κοινωνία μας σπάνια είχαν την ευκαιρία να δουν μια ομάδα να επιλύει προβλήματα και συγκρούσεις δημοκρατικά. Γι' αυτόν τον λόγο, δεν αποτελεί έκπληξη το ότι οι γονείς αμφιβάλλουν για τις δυνατότητες των ομάδων να παίρνουν αποφάσεις: Δεν είχαν ποτέ την ευκαιρία να δουν μια τέτοια ομάδα! Οι συνέπειες είναι τρομακτικές, αν μάλιστα λάβει κανείς υπόψη του πόσο συχνά οι διάφοροι ηγέτες διακηρύσσουν τη σημασία της ανατροφής των παιδιών, ώστε να γίνουν υπεύθυνοι πολίτες.

Ίσως αυτός να είναι ο λόγος που μερικοί γονείς στις τάξεις μας απαιτούν πολλές αποδείξεις ότι μια οικογενειακή ομάδα μπορεί και παίρνει ποιοτικές αποφάσεις, για να επιλύσει προβλήματα, ακόμη και εκείνα που είναι δύσκολα και σύνθετα, όπως οι συγκρούσεις για:

- Χαρτζιλίκι και γενικότερα χρήματα
- Φροντίδα του σπιτιού
- Δουλειές του σπιτιού
- Οικογενειακά ψώνια
- Χρήση της τηλεόρασης
- Χρήση του βίντεο για το παίξιμο βιντεοπαιχνιδιών
- Διακοπές
- Συμπεριφορά των παιδιών στα πάρτι στο σπίτι
- Χρήση του τηλεφώνου
- Ώρες ύπνου
- Ώρες φαγητού
- Θέσεις στο αυτοκίνητο
- Χρήση του υπολογιστή
- Είδη διαθέσιμων τροφίμων
- Κατανομή δωματίων ή ντουλαπιών
- Κατάσταση των δωματίων

Ο κατάλογος είναι ατέλειωτος. Οι οικογένειες *μπορούν* να παίρνουν αποφάσεις ως ομάδα και η απόδειξη θα έρχεται καθημερινά, όταν κάνουν χρήση της μεθόδου μη ήττας. Φυσικά, οι γονείς πρέπει να δεσμευτούν ότι θα χρησιμοποιούν τη Μέθοδο III και ότι θα δίνουν στους εαυτούς τους και τα παιδιά τους την ευκαιρία να βιώνουν το πόσο πολύ μπορεί κανείς να εμπιστεύεται μια ομάδα, ως προς το ότι θα φθάσει σε δημιουργικές και αμοιβαία αποδεκτές λύσεις.

## «Η ΜΕΘΟΔΟΣ III ΑΠΑΙΤΕΙ ΠΑΡΑ ΠΟΛΥ ΧΡΟΝΟ»

Η ιδέα ότι θα πρέπει να αφιερώνουν πολύ χρόνο επιλύοντας προβλήματα ανησυχεί πολλούς γονείς. Ο κ. Β., ένα πολυάσχολο στέλεχος επιχειρήσεων, ήδη εξαντλημένος από την προσπάθειά του να ανταποκριθεί στις απαιτήσεις της δουλειάς του, δηλώνει: «Δεν υπάρχει περίπτωση να μπορώ να βρίσκω τον χρόνο να κάθομαι και να αφιερώνω μία ώρα με καθένα από τα παιδιά μου, κάθε φορά που εμφανίζεται μια σύγκρουση – είναι γελοίο!» Η κ. Μπ., μητέρα πέντε παιδιών, λέει: «Δεν θα προλάβαινα να κάνω καμία δουλειά στο σπίτι, αν χρησιμοποιούσα τη Μέθοδο III με καθένα από τα πέντε παιδιά μου – ήδη είναι μπελάς!»

Δεν υπάρχει αμφιβολία ότι η Μέθοδος III απαιτεί χρόνο. Το πόσο χρόνο εξαρτάται από το πρόβλημα και τη διάθεση του γονέα και του παιδιού να ψάξουν για μια λύση μη ήττας. Παρακάτω παρατίθενται μερικά δεδομένα από τις εμπειρίες γονέων που έκαναν μια πραγματική προσπάθεια με τη Μέθοδο III:

1. Πολλές συγκρούσεις είναι «στιγμιαίες» ή προβλήματα «του ποδαριού» και απαιτούν από ελάχιστα μέχρι δέκα λεπτά.
2. Μερικά προβλήματα χρειάζονται περισσότερο χρόνο, όπως το χαρτζιλίκι, οι δουλειές του σπιτιού, η χρήση της τηλεόρασης, οι ώρες του ύπνου. Ωστόσο, από τη στιγμή που θα επιλυθούν με τη Μέθοδο III παραμένουν σε γενικές γραμμές επιλυμένα. Αντίθετα από τις αποφάσεις που παίρνονται με τη Μέθοδο I, οι αποφάσεις της Μεθόδου III λαμβάνονται μόνο μία φορά.
3. Μακροπρόθεσμα, οι γονείς κερδίζουν χρόνο, γιατί δεν χρειάζεται να ξοδεύουν αμέτρητες ώρες υπενθυμίζοντας, επιβάλλοντας, ελέγχοντας, φωνάζοντας.
4. Όταν η Μέθοδος III εισάγεται για πρώτη φορά σε μια οικογένεια, οι αρχικές συζητήσεις με τη Μέθοδο III παίρνουν συνήθως περισσότερο χρόνο, γιατί τα παιδιά (όπως και οι γονείς) είναι άπειρα με την καινούργια διαδικασία, γιατί μπορεί να είναι δύσπιστα ως προς τις καλές προθέσεις των γονέων τους («Τι είναι αυτή η καινούργια τεχνική που βρήκες για να μας ελέγχεις;»), γιατί έχουν ακόμα πικρίες ή τη συνηθισμένη στάση νίκης-ήττας («Πρέπει να περάσει το δικό μου»).

Το πιο σημαντικό ίσως επίτευγμα των οικογενειών που χρησιμοποιούν τη μέθοδο μη ήττας –κάτι που δεν το περίμενα– είναι ότι εξοικονομεί τον περισσότερο χρόνο από όλες τις μεθόδους: Μετά από κάποια χρονική περίοδο, απλώς δεν εμφανίζονται πολύ συχνά συγκρούσεις.

«Φαίνεται ότι δεν υπάρχουν πια προβλήματα για επίλυση», μας ανέφερε μια μητέρα, πριν περάσει χρόνος από τότε που είχε παρακολουθήσει την Εκπαίδευση.

Μια άλλη μητέρα, απαντώντας στο αίτημά μου για παραδείγματα της Μεθόδου III στην οικογένειά της, έγραψε: «Θέλουμε να ανταποκριθούμε στην έκκλησή σας για υλικό, όμως τελευταία δεν φαίνεται να έχουμε και πολλές συγκρούσεις, που θα μας έδιναν την ευκαιρία να ασκηθούμε περισσότερο στη Μέθοδο III».

Στην ίδια μου την οικογένεια, την τελευταία χρονιά συνέβησαν τόσο λίγες σοβαρές συγκρούσεις, που ειλικρινά δεν μπορώ αυτήν τη στιγμή να θυμηθώ κάποια, απλώς και μόνο γιατί τα πράγματα εξελίχθηκαν ομαλά, χωρίς να χρειαστεί να καταλήξουμε σε έντονες «συγκρούσεις».

Ανέμενα ότι οι συγκρούσεις θα συνέχιζαν να εμφανίζονται, χρόνο με τον χρόνο, και είμαι σίγουρος ότι και οι περισσότεροι γονείς της Εκπαίδευσης περίμεναν το ίδιο. Πού οφείλεται λοιπόν η μείωση; Μου φαίνεται λογικό, τώρα που το έχω σκεφτεί: Η Μέθοδος III διαμορφώνει μια εντελώς διαφορετική στάση των παιδιών απέναντι στους γονείς, και αντίστροφα. Γνωρίζοντας ότι οι γονείς έχουν εγκαταλείψει τη χρήση εξουσίας, ώστε να γίνεται αυτό που θέλουν –να κερδίζουν χωρίς να λαμβάνουν υπόψη τις ανάγκες των παιδιών–, τα παιδιά δεν έχουν λόγο να ασκούν ισχυρή πίεση, ώστε να γίνεται αυτό που θέλουν αυτά, ή να αμύνονται σθεναρά εναντίον της εξουσίας των γονέων τους. Ως επακόλουθο, εξαφανίζονται σχεδόν ολοκληρωτικά οι μεγάλες συγκρούσεις αναγκών. Αντίθετα, τα παιδιά γίνονται προσαρμοστικά: Σέβονται εξίσου τις ανάγκες των γονέων τους, όπως και τις δικές τους. Όταν έχουν κάποια ανάγκη, την εκφράζουν, και οι γονείς τους αναζητούν τρόπους προσαρμογής. Όταν οι γονείς έχουν ανάγκες, τις εκφράζουν, και τα παιδιά αναζητούν τρόπους προσαρμογής τους. Όταν κάποιος από τους δύο συναντά μια δυσκολία στην προσαρμογή, αντιμετωπίζουν την περίπτωση περισσότερο ως ένα πρόβλημα που πρέπει να επιλυθεί, παρά ως μια μάχη που πρέπει να κερδηθεί.

Συμβαίνει και κάτι άλλο: Οι γονείς και τα παιδιά αρχίζουν να χρησιμοποιούν μεθόδους για να *αποφεύγουν* τη σύγκρουση. Η έφηβη κόρη θεωρεί σημαντικό να αφήσει ένα σημείωμα στην μπροστινή πόρτα για τον πατέρα της, θυμίζοντάς του ότι χρειάζεται το αυτοκίνητο το βράδυ. Ή ρωτάει έγκαιρα αν θα πείραζε τους γονείς της να προσκαλούσε για φαγητό μια φίλη της την επόμενη Παρασκευή. Σημειώστε ότι δεν ζητάει *άδεια.* Το να πάρει την άδεια των γονέων είναι ένα σχήμα που χαρακτηρίζει την οικογένεια της Μεθόδου I, και σημαίνει ότι οι γονείς θα μπορούσαν να μη δώσουν την άδεια. Σε ένα κλίμα Μεθόδου III, το παιδί λέει: «Θέλω να κάνω αυτό που μου αρέσει, εκτός αν μάθω ότι ίσως σας εμποδίζει να κάνετε αυτό που θέλετε εσείς».

## «ΔΕΝ ΕΙΝΑΙ ΔΙΚΑΙΟΛΟΓΗΜΕΝΟ ΝΑ ΧΡΗΣΙΜΟΠΟΙΟΥΝ ΟΙ ΓΟΝΕΙΣ ΤΗ ΜΕΘΟΔΟ Ι, ΑΦΟΥ ΕΙΝΑΙ ΣΟΦΟΤΕΡΟΙ;»

Η άποψη ότι ένας γονέας δικαιολογείται να ασκεί εξουσία στα παιδιά του, επειδή είναι σοφότερος ή πιο έμπειρος, έχει βαθιές ρίζες. Αναφέραμε ήδη πολλές από τις συνήθεις εκλογικεύσεις: «Ξέρουμε καλύτερα λόγω πείρας», «Σου το αρνούμαστε μόνο και μόνο για το καλό σου», «Όταν θα μεγαλώσεις, θα μας ευγνωμονείς που σε πιέσαμε να κάνεις αυτά τα πράγματα», «Απλώς θέλουμε να σε εμποδίσουμε να κάνεις τα ίδια σφάλματα με εμάς», «Απλώς δεν μπορούμε να σε αφήσουμε να κάνεις κάτι, για το οποίο ξέρουμε ότι θα το μετανιώσεις αργότερα κ.λπ. κ.λπ.».

Πολλοί γονείς που μεταδίδουν αυτά ή παρόμοια μηνύματα στα παιδιά τους πιστεύουν ειλικρινά αυτά που λένε. Στις τάξεις μας, καμιά άλλη στάση δεν είναι τόσο δύσκολο να αλλάξει όσο η θέση ότι οι γονείς δικαιολογούνται να ασκούν εξουσία –και μάλιστα ότι έχουν την ευθύνη να ασκούν εξουσία– γιατί «αυτοί ξέρουν περισσότερα, είναι πιο έξυπνοι, πιο σοφοί, πιο ώριμοι ή πιο έμπειροι».

Αυτή η θέση δεν υποστηρίζεται μόνον από τους γονείς. Στη διάρκεια της ιστορίας, οι διάφοροι τύραννοι χρησιμοποιούσαν αυτό το επιχείρημα, για να δικαιολογήσουν τη χρήση εξουσίας πάνω σε όσους καταπίεζαν. Οι περισσότεροι είχαν πολύ κακή γνώμη για τους υποτακτικούς τους, ανεξάρτητα αν ήταν σκλάβοι, χωρικοί, βάρβαροι, άποικοι, μαύροι, λαθρομετανάστες, χριστιανοί, αιρετικοί, όχλος, κοινοί θνητοί, εργάτες, Εβραίοι, Λατίνοι, Ασιάτες ή γυναίκες. Φαίνεται ότι είναι σχεδόν παγκόσμιο φαινόμενο πως αυτοί που ασκούν εξουσία πρέπει με κάποιον τρόπο να εκλογικεύουν και να δικαιολογούν την καταπίεση και την απανθρωπιά τους, κρίνοντας ως κατώτερους αυτούς στους οποίους το κάνουν.

Πώς μπορεί κανείς να αντικρούσει την άποψη ότι οι γονείς είναι σοφότεροι και πιο έμπειροι από τα παιδιά; Φαίνεται ότι αυτό είναι αυταπόδεικτη αλήθεια. Και όμως, όταν ρωτάμε τους γονείς στις τάξεις μας, αν οι δικοί τους γονείς είχαν πάρει μη συνετές αποφάσεις με τη Μέθοδο Ι, όλοι απαντάνε «ναι». Πόσο εύκολο είναι για τους γονείς να ξεχνάνε τις δικές τους εμπειρίες ως παιδιά! Πόσο εύκολο είναι να ξεχνάνε ότι μερικές φορές τα παιδιά γνωρίζουν καλύτερα από τους γονείς πότε νυστάζουν ή πεινάνε. Ότι γνωρίζουν καλύτερα τα προτερήματα των φίλων τους, τις δικές τους φιλοδοξίες και στόχους, τον τρόπο που τους συμπεριφέρονται οι διάφοροι δάσκαλοί τους. Ότι γνωρίζουν καλύτερα τα κίνητρα και τις ανάγκες μέσα στο σώμα τους, ποιον αγαπάνε και ποιον όχι, τι εκτιμούν και τι όχι.

Οι γονείς έχουν ανώτερη σοφία; Όχι, δεν έχουν για πολλά πράγματα που αφορούν τα παιδιά. Οι γονείς έχουν πράγματι πολλή, αξιόλογη σοφία και εμπειρία, και αυτή η σοφία και η εμπειρία δεν πρέπει ποτέ να πηγαίνουν χαμένες.

Πολλοί γονείς στο Πρόγραμμα παραβλέπουν αρχικά το γεγονός ότι η σοφία *τόσο του γονέα όσο και του παιδιού* πρέπει να αξιοποιείται με τη μέθοδο μη ήττας. Κανείς δεν μένει εκτός της διαδικασίας επίλυσης του προβλήματος (σε αντίθεση με τη Μέθοδο Ι, που αγνοεί τη σοφία του παιδιού, ή τη Μέθοδο ΙΙ, που αγνοεί τη σοφία των γονέων).

Μια μητέρα δυο χαριτωμένων, εξαιρετικά έξυπνων δίδυμων κοριτσιών ανέφερε μια επιτυχή συνεδρία επίλυσης του προβλήματος για το αν τα δίδυμα κορίτσια θα έπρεπε να προωθηθούν μία τάξη στο σχολείο, έτσι ώστε τα μαθήματα να ήταν πιο ενδιαφέροντα, ή να παραμείνουν στην παρούσα τάξη με τις φίλες τους. Αυτό είναι το είδος του προβλήματος που παραδοσιακά επιλύεται αποκλειστικά από τους «ειδικούς» – τους δασκάλους και τους γονείς. Σε αυτή την περίπτωση, η μητέρα είχε ιδέες, εμπιστευόταν όμως επίσης και τη σοφία των συναισθημάτων των κοριτσιών της, την εκτίμησή τους για τις πνευματικές τους ικανότητες, την κρίση τους για το τι θα ήταν καλύτερο γι' αυτά. Αφού επί αρκετές ημέρες ζύγισαν τα υπέρ και τα κατά, έχοντας ακούσει τις ιδέες και τις προτάσεις της μητέρας τους και έχοντας πάρει πληροφορίες από τον δάσκαλό τους, οι δίδυμες αδελφές αποδέχτηκαν τη λύση ότι θα έπρεπε να πάνε στην άλλη τάξη. Το αποτέλεσμα αυτής της οικογενειακής απόφασης αποδείχτηκε ότι ήταν ευνοϊκό, σε όλους του τομείς, τόσο αναφορικά με την ευτυχία των κοριτσιών όσο και με την επίδοσή τους στο σχολείο.

## ΜΠΟΡΕΙ ΝΑ ΕΦΑΡΜΟΣΤΕΙ Η ΜΕΘΟΔΟΣ ΙΙΙ ΜΕ ΜΙΚΡΑ ΠΑΙΔΙΑ;

«Μπορώ να καταλάβω πώς θα μπορούσε να εφαρμοστεί η Μέθοδος ΙΙΙ με μεγαλύτερα παιδιά, που χρησιμοποιούν καλύτερα τον λόγο, είναι πιο ώριμα και μπορούν να σκεφτούν λογικά, όχι όμως με μικρά παιδιά από δύο έως έξι ετών. Είναι πολύ μικρά, για να γνωρίζουν τι είναι το καλύτερο γι' αυτά, γιατί λοιπόν να μη χρησιμοποιούμε τη Μέθοδο Ι;»

Αυτή η ερώτηση γίνεται σε κάθε τάξη μας. Και όμως, υπάρχουν αποδείξεις από οικογένειες που έχουν δοκιμάσει τη Μέθοδο ΙΙΙ με πολύ μικρά παιδιά, που δείχνουν ότι μπορεί να εφαρμοστεί. Ακολουθεί μια σύντομη συζήτηση μεταξύ ενός τρίχρονου κοριτσιού και της μητέρας της, η οποία και έφερε στην τάξη την περίπτωση:

*ΛΟΡΙ:* Δεν θέλω να ξαναπάω στο σπίτι της μπέιμπι σίτερ μου.
*ΜΗΤΕΡΑ:* Δεν θέλεις να πηγαίνεις στο σπίτι της κ. Κρόκετ, όταν εγώ πηγαίνω για δουλειά.
*ΛΟΡΙ:* Όχι, δεν θέλω να πηγαίνω.
*ΜΗΤΕΡΑ:* Εγώ πρέπει να πηγαίνω στη δουλειά μου κι εσύ δεν μπορείς να μένεις στο σπίτι, όμως σίγουρα δεν περνάς καλά, όταν μένεις εκεί. Υπάρχει κάτι που μπορούμε να κάνουμε, για να είναι ευκολότερο για σένα να μένεις εκεί;

*ΛΟΡΙ* (Σιωπή): Θα μπορούσα να στέκομαι στο πεζοδρόμιο μέχρι να φύγεις μακριά με το αυτοκίνητο.
*ΜΗΤΕΡΑ:* Όμως, η κ. Κρόκετ θα πρέπει νε σε έχει μέσα μαζί με τα άλλα παιδιά, ώστε να γνωρίζει πού βρίσκεσαι.
*ΛΟΡΙ:* Θα μπορούσα να σε βλέπω από το παράθυρο, καθώς θα φεύγεις.
*ΜΗΤΕΡΑ:* Θα σε έκανε αυτό να αισθάνεσαι καλύτερα;
*ΛΟΡΙ:* Ναι.
*ΜΗΤΕΡΑ:* Εντάξει. Ας το δοκιμάσουμε την επόμενη φορά.

Ένα κορίτσι δύο ετών ανταποκρίθηκε στη μη εξουσιαστική μέθοδο στο παρακάτω επεισόδιο που περιγράφει η μητέρα της:

«Μαγείρευα το φαγητό ένα βράδυ και η κόρη μου γουργούριζε ευχαριστημένη πάνω στο κουνιστό της αλογάκι. Έπειτα πήρε τη ζώνη ασφαλείας και προσπάθησε να τη δέσει μόνη της. Το πρόσωπό της έγινε κατακόκκινο και άρχισε να τσιρίζει όλο και πιο δυνατά, καθώς η απογοήτευσή της κορυφωνόταν. Κατάλαβα ότι άρχισα να θυμώνω με τις φωνές της κι έτσι, όπως συνηθίζω, γονάτισα για να τη δέσω εγώ αντί για εκείνη. Αυτή όμως με απώθησε και συνέχισε να τσιρίζει. Τώρα ήμουν έτοιμη να τη σηκώσω και να την πάω μαζί με το κουνιστό αλογάκι της στο υπνοδωμάτιό της, κλείνοντας την πόρτα, για να απαλλαγώ από τον θόρυβο. Τότε κάτι κατάλαβα μέσα μου. Κι έτσι γονάτισα, έβαλα τα χέρια μου πάνω στα δικά της και είπα: «Είσαι πραγματικά πολύ θυμωμένη, γιατί δεν μπορείς να το κάνεις αυτό μόνη σου». Κούνησε το κεφάλι της, νεύοντας καταφατικά». Σταμάτησε να τσιρίζει και μετά από κάποιους αναστεναγμούς άρχισε ξανά να κουνιέται με ευχαρίστηση. Και εγώ σκέφτηκα: «Ώστε είναι πραγματικά τόσο απλό;»

Σε αυτήν τη μάλλον έκπληκτη μητέρα θα έλεγα: «Όχι, δεν είναι πάντοτε τόσο απλό», όμως η Μέθοδος ΙΙΙ λειτουργεί απρόσμενα ικανοποιητικά και με παιδιά προσχολικής ηλικίας, ακόμη και με τα βρέφη. Θυμάμαι καλά το παρακάτω περιστατικό στην οικογένειά μας:

«Όταν η κόρη μας ήταν μόλις πέντε μηνών, πήγαμε για ένα μήνα διακοπές, κατά τη διάρκεια των οποίων μέναμε σε ένα σπιτάκι δίπλα στη λίμνη, όπου ψαρεύαμε. Πριν από αυτό το ταξίδι νιώθαμε τυχεροί, επειδή η κόρη μας ποτέ δεν χρειαζόταν γάλα από τις 11 το βράδυ μέχρι τις 7 το πρωί. Η αλλαγή στο περιβάλλον επέφερε και μια αλλαγή στην τύχη μας. Άρχισε να ξυπνάει στις 4 το πρωί για να πιει γάλα. Το να ξυπνάμε τέτοια ώρα το πρωί για να την ταΐσουμε ήταν μαρτύριο. Τον Σεπτέμβριο στο βόρειο Γουισκόνσιν έκανε πολύ κρύο μέσα στο σπιτάκι και το μόνο που είχαμε ήταν μια ξυλόσομπα. Αυτό σήμαινε ότι θα έπρεπε είτε να ανάβουμε τη σόμπα, είτε να τυλιγόμαστε με μια κουβέρτα, πράγμα εξίσου άβολο, και να προσπαθούμε να μένουμε ζεστοί όση ώρα χρειαζόταν για να ετοιμάσουμε τη δόση, να ζεστάνουμε το μπιμπερό και να την ταΐσουμε. Πραγματικά νιώσαμε ότι αυτό ήταν μια "κατάσταση σύγκρουσης αναγκών", που χρειαζόταν κάποια λύση του προβλήματος από κοινού. Αφού σκεφτήκαμε μαζί, η γυναίκα μου κι εγώ αποφασίσαμε να προσφέρουμε στο μωρό μια εναλλακτική λύση, με την ελπίδα ότι θα την έβρισκε αποδεκτή. Αντί να την ξυπνάμε στις 11 και να την ταΐζουμε, το επόμενο βράδυ την αφήσαμε να κοιμηθεί μέχρι τις 12 και μετά την ταΐσαμε. Εκείνο το πρωί κοιμήθηκε μέχρι τις 5. Αρκετά καλά μέχρι εδώ. Το επόμενο βράδυ κάναμε ειδική προσπάθεια να πιει περισσότερο γάλα απ' όσο συνήθως, και τη βάλαμε για ύπνο γύρω στις 12.30. Έπιασε. Η κόρη μας το δέχτηκε. Εκείνο το πρωί και τα επόμενα πρωινά δεν ξυπνούσε πριν από τις 7.00, την ώρα που θέλαμε έτσι κι αλλιώς να σηκωθούμε κι εμείς για να πάμε στη λίμνη, την ώρα που τα ψάρια τσιμπούσαν καλύτερα. Κανένας δεν έχασε, όλοι κερδίσαμε.

Όχι μόνο είναι δυνατόν να χρησιμοποιήσετε τη Μέθοδο ΙΙΙ με βρέφη, αλλά είναι σημαντικό να αρχίσετε να τη χρησιμοποιείτε νωρίς στη ζωή του παιδιού. Όσο πιο νωρίς την αρχίσετε, τόσο πιο σύντομα θα μάθει το παιδί πώς να σχετίζεται δημοκρατικά με τους άλλους, να σέβεται τις ανάγκες τους και να το αναγνωρίζει, όταν λαμβάνονται υπόψη οι δικές του.

Οι γονείς που έρχονται στην Εκπαίδευση, όταν έχουν ήδη μεγαλώσει τα παιδιά τους, και τα εισάγουν στη Μέθοδο ΙΙΙ, ενώ έχουν ήδη συνηθίσει στις δύο μεθόδους εξουσίας, αναμφισβήτητα έχουν πιο δύσκολη δουλειά να κάνουν απ' ό,τι οι γονείς που αρχίζουν να χρησιμοποιούν τη Μέθοδο ΙΙΙ από την αρχή.

Ένας πατέρας ανακοίνωσε στην τάξη μας ότι τις πρώτες φορές που εκείνος και η γυναίκα του δοκίμασαν τη Μέθοδο ΙΙΙ, το μεγαλύτερο αγόρι τους τους είπε: «Τι είναι αυτή η νέα ψυχολογική τεχνική που χρησιμοποιείτε, προσπαθώντας να μας πείσετε να κάνουμε αυτό που θέλετε εσείς;» Ήταν δύσκολο γι' αυτό τον έξυπνο γιο, συνηθισμένο στην επίλυση συγκρούσεων με όρους νίκης-ήττας (με χαμένους συνήθως τα παιδιά), να εμπιστευτεί τις καλές προθέσεις των γονέων του και την ειλικρινή τους επιθυμία να εφαρμόσουν τη μέθοδο μη ήττας. Στο επόμενο κεφάλαιο θα σας παρουσιάσω πώς να αντιμετωπίζετε ανάλογη αντίσταση από τους εφήβους.

## ΔΕΝ ΥΠΑΡΧΟΥΝ ΠΕΡΙΠΤΩΣΕΙΣ ΣΤΙΣ ΟΠΟΙΕΣ ΠΡΕΠΕΙ ΝΑ ΧΡΗΣΙΜΟΠΟΙΕΙΤΑΙ Η ΜΕΘΟΔΟΣ Ι;

Ένα είδος αστείου ανάμεσα σε όσους διδάσκουμε την Εκπαίδευση είναι το ότι σε κάθε κανούργια τάξη κάποιος γονέας θα θίξει την εγκυρότητα ή τους περιορισμούς της Μεθόδου ΙΙΙ με μία από τις παρακάτω δύο ερωτήσεις:

«Όμως τι θα κάνετε, αν το παιδί σας πεταχτεί στον δρόμο μπροστά από ένα αυτοκίνητο; Δεν θα *πρέπει* να χρησιμοποιήσετε τη Μέθοδο Ι;»
«Όμως τι θα κάνετε, αν το παιδί σας έχει οξεία σκωληκοειδίτιδα; Δεν θα *πρέπει* να χρησιμοποιήσετε τη Μέθοδο Ι, για να το αναγκάσετε να πάει στο νοσοκομείο;»

Η απάντησή μας και στις δυο ερωτήσεις είναι «Ασφαλώς ναι». Αυτές είναι κρίσιμες καταστάσεις που απαιτούν άμεση και αποφασιστική δράση. Όμως, πριν από την κρίση που το παιδί πετάγεται στον δρόμο μπροστά από ένα αυτοκίνητο ή που πρέπει να το πάτε στο νοσοκομείο, μπορούν να χρησιμοποιηθούν μη εξουσιαστικές μέθοδοι.

Αν ένα παιδί αναπτύσσει μια συνήθεια να τρέχει στους δρόμους, ο γονέας θα μπορούσε πρώτα να προσπαθήσει να του μιλήσει για τους κινδύνους που συνδέονται με τα αυτοκίνητα, να περπατήσει μαζί του στην άκρη της αυλής και να του πει ότι πέρα από αυτό το σημείο δεν υπάρχει ασφάλεια, να του δείξει την εικόνα ενός παιδιού που το χτυπάει ένα αυτοκίνητο, να χτίσει ένα φράχτη γύρω από την αυλή ή να το παρακολουθεί, καθώς θα παίζει στην μπροστινή αυλή, για μερικές ημέρες, υπενθυμίζοντάς το στο παιδί κάθε φορά που περνάει τα όρια. Ακόμη κι αν ακολουθούσα την προσέγγιση της τιμωρίας, ποτέ δεν θα διακινδύνευα τη ζωή τού παιδιού μου θεωρώντας ότι η τιμωρία από μόνη της θα το εμπόδιζε να τρέξει στον δρόμο. Θα ήθελα να χρησιμοποιήσω πιο σίγουρες μεθόδους σε κάθε περίπτωση.

Με τα παιδιά που αρρωσταίνουν και απαιτείται κάποια επέμβαση, ενέσεις ή φάρμακα, οι μη εξουσιαστικές μέθοδοι μπορούν επίσης να είναι εξαιρετικά αποτελεσματικές. Στο παρακάτω περιστατικό ένα εννιάχρονο κορίτσι και η μητέρα της πηγαίνουν στην κλινική για να αρχίσει το κορίτσι μια σειρά ενέσεων δύο φορές την εβδομάδα για τον αλλεργικό πυρετό της. Η μητέρα χρησιμοποιεί μόνο Ενεργητική ακρόαση:

*ΛΙΝΤΣΕΪ* (σε έναν μακροσκελή μονόλογο): Δεν θέλω να κάνω αυτές τις ενέσεις. Ποιος θέλει ενέσεις; Οι ενέσεις πονάνε... Υποθέτω ότι πρέπει να τις κάνω για πάντα... Δύο φορές την εβδομάδα... Καλύτερα να ρουφάω τη μύτη μου και να φταρνίζομαι. Γιατί με βάζεις σε τέτοιον μπελά;
*ΜΗΤΕΡΑ:* Μμμ...
*ΛΙΝΤΣΕΪ:* Μαμά, θυμάσαι που είχαν μπει γυαλάκια στο γόνατό μου και μου έκαναν ένεση μετά;

*ΜΗΤΕΡΑ:* Ναι, θυμάμαι. Σου έκαναν αντιτετανικό ορό, αφού σου έβγαλε τα γυαλάκια ο γιατρός.
*ΛΙΝΤΣΕΪ:* Εκείνη η νοσοκόμα μού μιλούσε και μου έλεγε να κοιτάζω σε μια εικόνα στον τοίχο, κι έτσι ούτε που κατάλαβα πότε μπήκε η βελόνα.
*ΜΗΤΕΡΑ:* Μερικές νοσοκόμες μπορούν να κάνουν ενέσεις, έτσι που ούτε καν τις καταλαβαίνεις.
*ΛΙΝΤΣΕΪ* (Όταν έφθαναν): Δεν θα μπω εκεί μέσα.
*ΜΗΤΕΡΑ* (Με το χέρι πάνω στο ώμο της Λίντσεϊ, ενώ έμπαιναν μέσα): Θα προτιμούσες πραγματικά να μην έμπαινες.
*ΛΙΝΤΣΕΪ* (Βαδίζει μέσα με υπερβολική βραδύτητα).

Αυτή η μητέρα περιέγραψε στη συνέχεια το αποτέλεσμα: Τελικά η Λίντσεϊ μπήκε μέσα, κράτησε το ραντεβού, όπως είχε προγραμματιστεί, έκανε τις ενέσεις της και δεχόταν τα κομπλιμέντα της νοσοκόμας για τη συνεργασία τους. Η μητέρα της Λίντσεϊ πρόσθεσε τα εξής:

«Πριν από την Εκπαίδευση θα της έκανα κήρυγμα για το πόσο σημαντικό είναι να τηρήσει το πρόγραμμα θεραπείας που θα έδινε ο γιατρός ή θα της έλεγα πόσο είχαν βοηθήσει εμένα οι ενέσεις για την αλλεργία ή ότι οι ενέσεις δεν πονάνε και τόσο πολύ, ή θα επιχειρηματολογούσα για το πόσο τυχερή ήταν που δεν είχε άλλα προβλήματα υγείας ή θα έχανα την υπομονή μου και θα της έλεγα έξω από τα δόντια να πάψει να παραπονιέται. Σίγουρα δεν θα της έδινα καμία ευκαιρία να θυμηθεί τη νοσοκόμα που κάνει ενέσεις έτσι που "ούτε που το καταλαβαίνεις, όταν μπαίνει η βελόνα".

## ΔΕΝ ΘΑ ΧΑΣΩ ΤΟΝ ΣΕΒΑΣΜΟ ΤΩΝ ΠΑΙΔΙΩΝ ΜΟΥ;

Μερικοί γονείς, ιδιαίτερα πατέρες, φοβούνται ότι χρησιμοποιώντας τη Μέθοδο III, θα κάνουν τα παιδιά τους να χάσουν τον σεβασμό απέναντί τους. Μας λένε:

«Φοβάμαι ότι τα παιδιά θα μου πάρουν τον αέρα».
«Δεν πρέπει τα παιδιά να σέβονται τους γονείς τους;»
«Νομίζω ότι τα παιδιά πρέπει να σέβονται την εξουσία των γονέων τους».
«Προτείνετε να μεταχειρίζονται οι γονείς τα παιδιά τους ως ίσους;»

Πολλοί γονείς βρίσκονται σε σύγχυση ως προ τον όρο «σεβασμός». Μερικές φορές, όταν χρησιμοποιούν τον όρο, όπως στην έκφραση «να σέβονται την εξουσία μου», στην πραγματικότητα εννοούν «να φοβούνται». Ενδιαφέρονται μήπως τα παιδιά πάψουν να τους φοβούνται και μετά δεν θα τους υπακούνε ή θα αντιδρούν στις προσπάθειές τους να τα ελέγχουν. Όταν έρχονται αντιμέτωποι με αυτόν τον ορισμό, μερικοί γονείς λένε: «Όχι, δεν εννοώ αυτό, θέλω να με σέβονται για τις ικανότητές μου, για τις γνώσεις μου κ.λπ. Νομίζω ότι πραγματικά δεν θα ήθελα να με φοβούνται».

Εμείς τότε ρωτάμε αυτούς τους γονείς: «Πώς φθάνετε *εσείς* στο σημείο να σεβαστείτε έναν άλλον ενήλικα για τις *δικές του* ικανότητες ή γνώσεις;». Συνήθως η απάντηση είναι: «Να, θα έπρεπε να έχει δείξει τις ικανότητές του, να έχει *κερδίσει τον σεβασμό μου* κατά κάποιον τρόπο». Γενικά, γίνεται φανερό σε αυτούς τους γονείς ότι και αυτοί πρέπει να *κερδίζουν* τον σεβασμό των παιδιών τους δείχνοντας τις ικανότητές τους ή τις γνώσεις τους.

Οι περισσότεροι γονείς, όταν σκέφτονται καθαρά πάνω σε αυτό, γνωρίζουν ότι δεν μπορούν να *απαιτήσουν* τον σεβασμό κάποιου, πρέπει να τον κερδίσουν. Αν οι ικανότητές τους και οι γνώσεις τους αξίζουν τον σεβασμό, τα παιδιά τους θα τους σέβονται, αν δεν αξίζουν, δεν θα τους σέβονται.

Οι γονείς που κάνουν ειλικρινείς προσπάθειες να αντικαταστήσουν τις μεθόδους νίκης-ήττας με τη Μέθοδο ΙΙΙ ανακαλύπτουν γενικά ότι τα παιδιά τους αναπτύσσουν ένα νέο είδος σεβασμού γι' αυτούς, όχι ένα σεβασμό που στηρίζεται στον φόβο, αλλά ένα σεβασμό που στηρίζεται στην αλλαγή της αντίληψης που έχουν για τον *γονέα ως πρόσωπο*. Ένας διευθυντής σχολείου μού έγραψε το εξής ενδιαφέρον γράμμα:

> «Μπορώ καλύτερα να σας πω τι σημαίνει για τη ζωή μου η Εκπαίδευση λέγοντάς σας ότι η θετή μου κόρη δεν με συμπάθησε από την πρώτη στιγμή που μπήκα στη ζωή της, όταν ήταν δυόμισι χρόνων. Αυτό πραγματικά με πείραξε – η περιφρόνησή της. Γενικά τα παιδιά με συμπαθούν, όχι όμως η Σάλι. Άρχισα να μην τη συμπαθώ κι εγώ, ακόμη και να την αντιπαθώ. Τόσο πολύ, που ένα πρωί είδα ένα όνειρο, όπου τα συναισθήματά μου γι' αυτήν ήταν τόσο ανταγωνιστικά, τόσο δυσάρεστα, που αυτή η ένταση των αρνητικών συναισθημάτων με ξύπνησε. Κατάλαβα τότε ότι χρειαζόμουνα βοήθεια. Πήγα σε κάποιον ψυχολόγο. Η θεραπεία με έκανε να χαλαρώσω λίγο, όμως η Σάλι εξακολουθούσε να μη με συμπαθεί. Έξι μήνες αφού είχα ολοκληρώσει τη θεραπεία μου –η Σάλι ήταν τότε δέκα ετών– γράφτηκα στην Εκπαίδευση και αργότερα άρχισα να τη διδάσκω. Μέσα σε ένα χρόνο η Σάλι κι εγώ διαμορφώσαμε μια τόσο ζεστή σχέση, όπως θα επιθυμούσα και θα ήθελα. Τώρα η Σάλι είναι δεκατριών ετών. Σεβόμαστε ο ένας τον άλλον, αγαπάμε ο ένας τον άλλον, γελάμε, διαφωνούμε, παίζουμε, εργαζόμαστε και, περιστασιακά, κλαίμε μαζί. Πήρα το «πιστοποιητικό αποφοίτησης» από τη Σάλι πριν από ένα μήνα περίπου. Τρώγαμε οικογενειακά σε ένα κι-

νέζικο εστιατόριο. Ενώ ανοίγαμε τα χαρτάκια απ' τα μπισκότα της τύχης, η Σάλι διάβασε σιωπηρά το δικό της και μετά μου το έδωσε λέγοντας: "Αυτό πρέπει να είναι για σένα, μπαμπά". Έγραφε: "Θα είστε ευτυχισμένος με τα παιδιά σας και τα παιδιά σας μαζί σας". Βλέπετε, έχω λόγους να σας ευχαριστήσω, που μου προσφέρατε την Εκπαίδευση».

Ο σεβασμός της Σάλι για τον θετό της πατέρα –θα συμφωνούσαν πρόθυμα οι περισσότεροι γονείς– είναι το είδος του σεβασμού που *πραγματικά* θέλουν οι γονείς από τα παιδιά τους. Η Μέθοδος III κάνει τα παιδιά να αποβάλουν τον «σεβασμό» που στηρίζεται στον φόβο. Όμως δεν πρόκειται για απώλεια για τον γονέα, αφού στη θέση του κερδίζει ένα πολύ ανώτερο είδος σεβασμού.

# 13

## Η μέθοδος «μη ήττας» στην πράξη

Ακόμη και αφού πεισθούν οι γονείς στην Εκπαίδευση ότι θέλουν να αρχίσουν να εφαρμόζουν τη μέθοδο μη ήττας, υποβάλλουν ερωτήσεις για το πώς να αρχίσουν. Μερικοί γονείς, επίσης, συναντούν δυσκολίες, όταν ξεκινούν την εφαρμογή. Παρακάτω δίνονται μερικές συμβουλές για το πώς να ξεκινήσετε, πώς να διαχειριστείτε μερικά από τα συνηθέστερα προβλήματα που αντιμετωπίζουν οι γονείς και πώς να επιλύετε ενοχλητικές συγκρούσεις που ανακύπτουν *μεταξύ* των παιδιών.

### ΠΩΣ ΝΑ ΑΡΧΙΣΕΤΕ;

Οι γονείς που έχουν τη μεγαλύτερη επιτυχία κατά την πρώτη εφαρμογή της μεθόδου μη ήττας παίρνουν σοβαρά υπόψη τους τη συμβουλή μας να καθίσουν μαζί με τα παιδιά τους και να τους εξηγήσουν τα πάντα σχετικά με τη μέθοδο αυτή. Λάβετε υπόψη σας ότι τα περισσότερα παιδιά, όπως και οι γονείς, δεν είναι εξοικειωμένα με αυτήν τη μέθοδο. Καθώς έχουν συνηθίσει να λύνουν τις συγκρούσεις με τους γονείς τους με τη Μέθοδο I ή με τη Μέθοδο II, έχουν ανάγκη να ακούσουν πού διαφέρει η Μέθοδος III.

Οι γονείς εξηγούν και τις τρεις μεθόδους και περιγράφουν τις διαφορές. Παραδέχονται ότι συχνά έχουν κερδίσει εις βάρος του παιδιού και το αντίστροφο. Εκφράζουν ελεύθερα την ανυπομονησία τους να εγκαταλείψουν τις μεθόδους νίκης-ήττας και να δοκιμάσουν τη μέθοδο μη ήττας.

Τα παιδιά συνήθως ενθουσιάζονται από μια τέτοια εισαγωγή. Είναι περίεργα να μάθουν για τη Μέθοδο III, και ανυπομονούν να την εφαρμόσουν. Μερικοί γονείς εξηγούν αρχικά ότι παρακολουθούν μια τάξη για να γίνουν πιο αποτελεσματικοί γονείς, και πως η νέα αυτή μέθοδος είναι ένα από τα πράγματα που θα ήθελαν να δοκιμάσουν. Φυσικά, η προσέγγιση αυτή δεν είναι η κατάλληλη με παιδιά κάτω των τριών ετών. Με παιδιά τέτοιων ηλικιών απλώς ξεκινήστε χωρίς επεξηγήσεις.

## ΤΑ ΕΞΙ ΒΗΜΑΤΑ ΤΗΣ ΜΕΘΟΔΟΥ ΜΗ ΗΤΤΑΣ

Ήταν βοηθητικό για τους γονείς να καταλάβουν ότι η μέθοδος μη ήττας στην πραγματικότητα εμπεριέχει έξι ξεχωριστά βήματα. Όταν οι γονείς ακολουθούν αυτά τα βήματα, είναι πολύ πιο πιθανό να έχουν επιτυχείς εμπειρίες:

Βήμα 1: Αναγνώριση και προσδιορισμός της σύγκρουσης.
Βήμα 2: Εύρεση πιθανών εναλλακτικών λύσεων.
Βήμα 3: Αξιολόγηση των εναλλακτικών λύσεων.
Βήμα 4: Λήψη απόφασης για την καλύτερα αποδεκτή λύση.
Βήμα 5: Επεξεργασία των τρόπων εφαρμογής της λύσης.
Βήμα 6: Παρακολούθηση για να αξιολογηθεί η εφαρμογή της λύσης.

Υπάρχουν κάποια βασικά σημεία που πρέπει να γίνουν κατανοητά για το καθένα από αυτά τα έξι βήματα. Όταν οι γονείς τα καταλάβουν και τα εφαρμόσουν, θα αποφύγουν πολλές δυσκολίες και παγίδες. Αν και μερικές «στιγμιαίες» συγκρούσεις μπορούν να τις επεξεργαστούν χωρίς να ακολουθηθούν όλα τα βήματα, είναι καλύτερο για τους γονείς να καταλάβουν τι εμπεριέχει κάθε στάδιο.

### Προετοιμάζοντας το σκηνικό για τη Μέθοδο ΙΙΙ

Είναι η κρίσιμη φάση, στην οποία οι γονείς θέλουν να συμμετάσχει το παιδί. Πρέπει να κερδίσουν την προσοχή του κι έπειτα να διασφαλίσουν την προθυμία του να ασχοληθεί με την επίλυση του προβλήματος. Οι πιθανότητες να το κάνει αυτό θα είναι πολύ μεγαλύτερες, αν θυμηθούν τα εξής:

1. Να πείτε στο παιδί απλά και καθαρά ότι υπάρχει κάποιο πρόβλημα που πρέπει να λυθεί. Μη φανείτε διστακτικοί με αναποτελεσματικές δηλώσεις του τύπου: «Θα ήθελες να ακολουθήσουμε τη διαδικασία επίλυσης προβλήματος;» ή «Νομίζω ότι θα μπορούσε να ήταν μια καλή ιδέα, αν προσπαθούσαμε να το λύσουμε».
2. Να εκάνετε σαφές ότι θέλετε να συνεργαστείτε με το παιδί, για να βρείτε μια λύση *αποδεκτή και από τους δύο*, μια λύση «με την οποία να είμαστε ευχαριστημένοι και οι δύο», με την οποία κανένας δεν χάνει και οι ανάγκες και των δυο σας θα ικανοποιούνται. Είναι σημαντικό να πιστεύουν τα παιδιά ότι θέλετε ειλικρινά να βρείτε μια λύση μη ήττας. Πρέπει να γνωρίζουν ότι «το όνομα του παιγνιδιού» είναι «Μέθοδος ΙΙΙ», που σημαίνει όχι ήττα, όχι πια νικητές και νικημένοι με άλλη μεταμφίεση.

3. Συμφωνήστε για την ώρα που θα ξεκινήσετε. Επιλέξτε μια ώρα που το παιδί δεν είναι απασχολημένο ούτε πρέπει να πάει κάπου, οπότε να μην αντισταθεί ούτε να αγανακτήσει, επειδή το διακόψατε ή το καθυστερείτε.

### Βήμα 1: Αναγνώριση και προσδιορισμός της σύγκρουσης

Το Βήμα 1 είναι το πιο κρίσιμο βήμα της Μεθόδου ΙΙΙ, γιατί είναι η στιγμή που προσδιορίζονται οι ανάγκες του γονέα και του παιδιού. Οπότε συχνά κάτι που φαίνεται να είναι πρόβλημα ή σύγκρουση διαπιστώνεται ότι είναι ένα «επιφανειακό πρόβλημα» και όχι το πραγματικό.

Επιπλέον, οι γονείς ασυνείδητα εμφανίζουν λύσεις που έχουν ήδη σκεφτεί και οι οποίες θα ικανοποιήσουν τις ανάγκες τους αντί να εκφράσουν την ίδια την ανάγκη. Ο διαχωρισμός των αναγκών από τις λύσεις μπορεί να είναι πολύ δύσκολος, γιατί ακόμα και όταν οι άνθρωποι λένε τη λέξη *χρειάζομαι*, αυτό που κάνουν συχνά είναι να προτείνουν μια λύση που ικανοποιεί μια ανάγκη.

Αν και η Ενεργητική ακρόαση είναι η πιο σημαντική δεξιότητα για τον διαχωρισμό των αναγκών από τις λύσεις, οι ερωτήσεις: «Τι θα μου χρησιμεύσει εμένα;» ή «Τι θα σου χρησιμεύσει εσένα;» μπορούν επίσης να είναι εξαιρετικά βοηθητικές. Για παράδειγμα, αν πείτε: «Έχω ανάγκη ένα καινούργιο αμάξι», πρόκειται για ανάγκη ή για λύση; Κάντε την ερώτηση: «Τι θα μου χρησιμεύσει εμένα;» Πιθανές απαντήσεις μπορεί να είναι: «Να πηγαίνω στη δουλειά με ασφάλεια», «Να νιώθω καλά με την εικόνα μου /με τον εαυτό μου», «Να εξοικονομήσω χρήματα, καθώς το παλιό μου αμάξι τρώει πάρα πολλή βενζίνη και απαιτεί πολλές επισκευές». Οι απαντήσεις αυτές είναι οι ανάγκες· το καινούργιο αυτοκίνητο είναι η λύση.

Το παιδί σας μπορεί να πει: «Χρειάζομαι ένα δικό μου δωμάτιο», κάτι που στην πραγματικότητα είναι μια λύση. Τι χρησιμεύει στο παιδί το να έχει το δικό του δωμάτιο; Θα του προσφέρει ιδιωτικότητα ή ένα συναίσθημα ότι έχει τον δικό του χώρο ή ησυχία κ.λπ. Αυτές είναι οι υποβόσκουσες ανάγκες· το δικό του δωμάτιο είναι η λύση.

*Αν οι υποβόσκουσες ανάγκες τόσο του γονέα όσο και του παιδιού δεν είναι σαφώς κατανοητές και εκφρασμένες, η διαδικασία θα τελματώσει.* Τα επόμενα βήματα θα αστοχήσουν και η σύγκρουση δεν θα επιλυθεί.

1. Να πείτε στο παιδί με σαφήνεια και όσο πιο σθεναρά μπορείτε ποια συναισθήματα έχετε ακριβώς ή ποιες ανάγκες σας δεν ικανοποιούνται ή τι σας ενοχλεί. Εδώ είναι σημαντικό να στέλνετε Εγώ-μηνύματα: «*Εγώ* ανησυχώ μήπως τρακάρεις το αυτοκίνητό *μου* και τραυματιστείς, αν συνεχίσεις να τρέχεις με με-

γαλύτερη από την επιτρεπόμενη ταχύτητα» ή: «Εκνευρίζομαι να κάνω τόσο πολλές δουλειές στο σπίτι. Δεν έχω καθόλου χρόνο να ξεκουραστώ». Να αποφεύγετε μηνύματα που προσβάλλουν ή κατηγορούν το παιδί, όπως: «Είσαι απρόσεκτος με το αυτοκίνητό μου», «Εσείς τα παιδιά είστε ένα τσούρμο χαραμοφάηδες μέσα στο σπίτι».
2. Εφαρμόστε την Ενεργητική ακρόαση, έτσι ώστε οι ανάγκες του παιδιού να καταστούν σαφείς.
3. Στη συνέχεια διατυπώστε τη σύγκρουση ή το πρόβλημα, έτσι ώστε και οι δύο να συμφωνήσετε ποιο είναι το πρόβλημα που πρέπει να λυθεί.

### Βήμα 2: Εύρεση εφικτών λύσεων

Σε αυτήν τη φάση, το κλειδί είναι η δημιουργία μιας *ποικιλίας λύσεων*. Ο γονέας μπορεί να προτείνει: «Ποια είναι τα πράγματα που θα μπορούσαμε να κάνουμε;». «Ας σκεφτούμε πιθανές λύσεις», «Ας κάτσουμε να σκεφτούμε και να βρούμε κάποιες πιθανές λύσεις», «Πρέπει να υπάρχουν πολλοί διαφορετικοί τρόποι, για να μπορέσουμε να λύσουμε αυτό το πρόβλημα». Τα παρακάτω πρόσθετα βασικά σημεία θα βοηθήσουν:

1. Προσπαθήστε πρώτα να μάθετε τις λύσεις του παιδιού. Μπορείτε να προσθέσετε τις δικές σας αργότερα. (Τα μικρότερα παιδιά μπορεί να μη δώσουν από την αρχή λύσεις.)
2. Είναι πολύ σημαντικό να μην αξιολογείτε ούτε να κρίνετε ή να υποτιμάτε όποια λύση κι αν παρουσιάζεται. Θα υπάρξει χρόνος γι' αυτό στην επόμενη φάση. Δεχτείτε *όλες* τις ιδέες ως πιθανές λύσεις. Για τα πιο σύνθετα προβλήματα ίσως θελήσετε να τις καταγράψετε. Μην αρχίσετε να αξιολογείτε ή να κρίνετε κάποιες λύσεις ως «καλές», γιατί αυτό μπορεί να υπονοεί ότι οι άλλες λύσεις του καταλόγου δεν είναι τόσο καλές.
3. Σε αυτό το σημείο προσπαθήστε να μην κάνετε κάποιο σχόλιο που θα άφηνε να εννοηθεί ότι δεν θα αποδεχόσασταν κάποιες από τις προτεινόμενες λύσεις.
4. Όταν χρησιμοποιείτε τη μέθοδο μη ήττας για ένα πρόβλημα που αφορά πολλά παιδιά, αν κάποιο από αυτά δεν προσφέρει κάποια λύση, ίσως χρειαστεί να το ενθαρρύνετε να συνεισφέρει και αυτό.
5. Συνεχίστε να πιέζετε για εναλλακτικές λύσεις, μέχρι να φανεί ότι δεν πρόκειται να προταθούν άλλες.

### Βήμα 3: Αξιολόγηση των εναλλακτικών λύσεων

Σε αυτήν τη φάση, επιτρέπεται να αρχίσετε να αξιολογείτε τις διάφορες λύσεις. Ο γονέας μπορεί να πει: «Εντάξει, ποια από αυτές τις λύσεις φαίνεται καλύτερη;» ή «Ας δούμε τώρα ποια λύση νομίζουμε ότι είναι αυτή που θέλουμε» ή «Τι νομίζετε γι' αυτές τις διάφορες λύσεις που βρήκαμε;» ή «Είναι κάποιες από αυτές καλύτερες από τις άλλες;»

Γενικά, διαγράφοντας εκείνες που δεν γίνονται αποδεκτές είτε από εσάς είτε από τα παιδιά (για οποιαδήποτε αιτία), περιορίζετε τις λύσεις σε μία ή δύο που φαίνονται οι καλύτερες. Σε αυτήν τη φάση, οι γονείς πρέπει να θυμούνται να είναι ειλικρινείς στη διατύπωση των δικών τους συναισθημάτων: «Δεν θα ήμουν ευχαριστημένος με αυτό» ή «Αυτό δεν θα ικανοποιούσε την ανάγκη μου» ή «Δεν νομίζω ότι αυτή η λύση θα ήταν δίκαιη για μένα».

## Βήμα 4: Λήψη απόφασης για την καλύτερη λύση

Αυτό το βήμα δεν είναι τόσο δύσκολο όσο συχνά νομίζουν οι γονείς. Αν έχουν προηγηθεί τα άλλα βήματα και αν υπήρξαν ανοιχτές και ειλικρινείς ανταλλαγές ιδεών και αντιδράσεις, συχνά μια σαφώς καλύτερη λύση αναδύεται φυσικά μέσα από τη συζήτηση. Μερικές φορές, είτε ο γονέας είτε το παιδί προτείνει μια πολύ δημιουργική λύση, που είναι εμφανώς η πιο καλή – και είναι επίσης αποδεκτή και από τους δύο.

Μερικές συμβουλές, για να καταλήξετε σε μια τελική απόφαση, είναι οι εξής:

1. Συνεχίστε να ελέγχετε τις υπόλοιπες λύσεις, σε σχέση με τα συναισθήματα των παιδιών, με ερωτήσεις, όπως: «Θα βρίσκατε καλή αυτήν τη λύση τώρα;» ή «Είμαστε όλοι ικανοποιημένοι με αυτήν τη λύση;» «Νομίζετε ότι αυτό θα έλυνε το πρόβλημά μας;» ή «Πρόκειται να λειτουργήσει αυτή η λύση;»
2. Μη θεωρείτε καμία απόφαση τελική και αμετάβλητη. Θα μπορούσατε να πείτε: «Εντάξει, ας δοκιμάσουμε αυτήν τη λύση και ας δούμε αν λειτουργεί» ή «Φαίνεται ότι συμφωνούμε με αυτήν τη λύση – ας αρχίσουμε να την εφαρμόζουμε και να δούμε αν πραγματικά λύνει τα προβλήματά μας» ή «Είμαι πρόθυμος να αποδεχτώ αυτήν τη λύση, είσαι πρόθυμος να τη δοκιμάσουμε;»
3. Αν η λύση περιλαμβάνει αρκετά σημεία, μια καλή ιδέα είναι να τα γράψετε, έτσι ώστε να μην ξεχαστούν.
4. Βεβαιωθείτε ότι γίνεται απόλυτα κατανοητό το ότι ο καθένας δεσμεύεται να εκτελέσει την απόφαση: «Εντάξει, λοιπόν, να τι συμφωνήσαμε να κάνουμε» ή «Κατανοούμε, τώρα, ότι αυτό θα είναι η συμφωνία μας και λέμε ότι θα τηρήσουμε ο καθένας την πλευρά του».

### Βήμα 5: Εφαρμογή της απόφασης

Συχνά, μετά την κατάληξη σε κάποια απόφαση, υπάρχει η ανάγκη να προσδιοριστεί με ορισμένες λεπτομέρειες ο τρόπος εφαρμογής της. Οι γονείς και τα παιδιά μπορεί να χρειαστεί να θέσουν στον εαυτό τους το ερώτημα: «*Ποιος* θα κάνει *τι* και *πότε;*» ή «Τι χρειάζεται να κάνουμε τώρα για να εκτελέσουμε την απόφαση;» ή «Πότε θα αρχίσουμε;»

Για παράδειγμα, σε συγκρούσεις γύρω από τις δουλειές του σπιτιού και την εκτέλεση καθηκόντων, ερωτήσεις που συχνά πρέπει να συζητηθούν είναι: «Πόσο συχνά;» «Ποιες μέρες;» και «Ποια είναι τα απαιτούμενα κριτήρια απόδοσης;»

Σε συγκρούσεις γύρω από την ώρα για ύπνο, ίσως θελήσει η οικογένεια να συζητήσει το ποιος θα παρακολουθεί το ρολόι και θα ανακοινώνει την ώρα.

Σε συγκρούσεις γύρω από την τάξη στα δωμάτια των παιδιών, ίσως θα πρέπει να διερευνηθεί το θέμα τού «πόσο τακτοποιημένα».

Μερικές φορές, οι αποφάσεις ίσως απαιτήσουν κάποιες προμήθειες, όπως ένα σημειωματάριο για να αφήνονται μηνύματα, ένα καλάθι ρούχων, μια δεύτερη τηλεφωνική γραμμή, μία ακόμη συσκευή τηλεόρασης, ένα πιστολάκι για τα μαλλιά κ.λπ. Σε τέτοιες περιπτώσεις, ίσως είναι απαραίτητο να καθοριστεί ποιος θα κάνει αυτά τα ψώνια ή, καμιά φορά, και ποιος θα πληρώσει.

Ωστόσο, οι ερωτήσεις που αφορούν την εφαρμογή είναι καλύτερα να αναβληθούν, μέχρι να υπάρξει μια σαφής συμφωνία ως προς την τελική απόφαση. Η εμπειρία μας λέει ότι από τη στιγμή που λαμβάνεται η τελική απόφαση, τα ζητήματα εφαρμογής συνήθως επιλύονται εύκολα.

### Βήμα 6: Παρακολούθηση για να αξιολογηθεί η εφαρμογή της λύσης

Δεν αποδεικνύονται όλες οι αρχικές αποφάσεις με τη μέθοδο μη ήττας καλές. Συνεπώς, μερικές φορές χρειάζεται να τις ελέγξουν οι γονείς, ρωτώντας το παιδί αν εξακολουθεί να είναι ευχαριστημένο με την απόφαση. Τα παιδιά συχνά δεσμεύονται με μια απόφαση που αποδεικνύεται αργότερα ότι είναι δύσκολο να την εφαρμόσουν. Επίσης, μπορεί ένας γονέας να δυσκολευτεί να εκπληρώσει το δικό του κομμάτι, για διάφορους λόγους. Ίσως θελήσουν οι γονείς, ύστερα από λίγο, να κάνουν μια επαλήθευση με ερωτήσεις, όπως: «Πώς λειτουργεί η απόφασή μας;» «Εξακολουθείτε να είστε ευχαριστημένοι με την απόφασή μας;» Αυτό δείχνει στα παιδιά το ενδιαφέρον σας για τις ανάγκες τους.

Μερικές φορές, αυτός ο έλεγχος φανερώνει πληροφορίες που καθιστούν απαραίτητη την τροποποίηση της αρχικής απόφασης. Το να πετάγονται τα σκουπίδια δύο φορές την ημέρα μπορεί να αποδειχτεί αδύνατο ή και περιττό. Ή η επιστροφή στο σπίτι στις 11 το βράδυ τα Σαββατοκύριακα αποδεικνύεται αδύνατη για τα παιδιά, αν έχουν πάει πολύ μακριά από το σπίτι τους. Μια οικογένεια ανακάλυψε ότι με τη λύση που δώσανε με τη μέθοδο μη ήττας στο πρόβλημα των οικιακών εργασιών, η μικρότερη κόρη, που συμφώνησε να πλένει τα πιάτα το βράδυ, έπρεπε να αφιερώνει πέντε με έξι ώρες την εβδομάδα, ενώ ο γιος τους, που είχε αναλάβει να καθαρίζει εβδομαδιαία το κοινό τους μπάνιο και το καθιστικό, χρειαζόταν μόνο τρεις ώρες την εβδομάδα. Αυτό φαινόταν άδικο στη κόρη, γι' αυτό και η απόφαση τροποποιήθηκε έπειτα από μια δοκιμή μερικών εβδομάδων.

Φυσικά, δεν ακολουθούν όλες οι περιπτώσεις επίλυσης συγκρούσεων με τη μέθοδο μη ήττας τη συνήθη διαδοχή και των έξι βημάτων. Μερικές φορές, οι συγκρούσεις επιλύονται, αφού προταθεί μία μόνο λύση. Μερικές φορές, η τελική λύση βγαίνει από το στόμα κάποιου κατά τη διάρκεια του βήματος 3, ενώ αξιολογούνται οι λύσεις που είχαν προταθεί προηγουμένως. Παρ' όλα αυτά, αξίζει να έχουμε στο μυαλό μας και τα έξι βήματα.

## Η ανάγκη για Ενεργητική ακρόαση και Εγώ-μηνύματα

Επειδή η μέθοδος μη ήττας απαιτεί από τα ενδιαφερόμενα μέρη να συνεργαστούν στη λύση του προβλήματος, η αποτελεσματική επικοινωνία είναι προϋπόθεση. Συνεπώς, οι γονείς πρέπει να εφαρμόζουν αρκετή Ενεργητική ακρόαση και πρέπει να στέλνουν σαφή Εγώ-μηνύματα. Οι γονείς που δεν έχουν μάθει αυτές τις δεξιότητες σπάνια επιτυγχάνουν με τη μέθοδο μη ήττας.

Η Ενεργητική ακρόαση απαιτείται πρώτα πρώτα, γιατί οι γονείς πρέπει να καταλάβουν τα συναισθήματα ή τις ανάγκες των παιδιών. Τι θέλουν; Γιατί επιμένουν να θέλουν να κάνουν κάτι, μολονότι γνωρίζουν ότι αυτό δεν είναι αποδεκτό από τους γονείς τους; Ποιες ανάγκες τα κάνουν να συμπεριφέρονται με ένα συγκεκριμένο τρόπο;

Γιατί η Μπόνι δεν θέλει να πάει στον παιδικό σταθμό; Γιατί η Τζέιν δεν θέλει να φορέσει το «χάλια» αδιάβροχο; Γιατί ο Νέιθαν κλαίει και χτυπάει τη μητέρα του, όταν εκείνη τον αφήνει στην μπέιμπι σίτερ; Ποιες είναι οι ανάγκες της κόρης μου που καθιστούν τόσο σημαντικό γι' αυτήν να πάει στην πλαζ στις διακοπές του Πάσχα;

Η Ενεργητική ακρόαση είναι ένα ισχυρό εργαλείο για να βοηθήσει το παιδί να ανοιχτεί και να αποκαλύψει τις πραγματικές του ανάγκες και τα συναισθήματα. Όταν αυτά γίνουν κατανοητά από τον γονέα, στη συνέχεια είναι συνήθως εύκολο να σκεφτεί έναν άλλον τρόπο ικανοποίησης αυτών των αναγκών, που θα περιλαμβάνει μια συμπεριφορά αποδεκτή από τον ίδιο.

Καθώς κατά την επίλυση του προβλήματος μπορεί να εκδηλωθούν έντονα συναισθήματα, και από τους γονείς και από τα παιδιά, η Ενεργητική ακρόαση είναι εξαιρετικά χρήσιμη στο να βοηθήσει να απελευθερωθούν συναισθήματα και να εξαλειφθούν, έτσι ώστε να μπορεί να συνεχιστεί αποτελεσματικά η διαδικασία επίλυσης του προβλήματος.

Τέλος, η Ενεργητική ακρόαση είναι μια θαυμάσια μέθοδος που επιτρέπει στα παιδιά να διαπιστώσουν ότι οι λύσεις που προτείνουν γίνονται κατανοητές και αποδεκτές ως προτάσεις που έγιναν καλή τη πίστη. Και ότι οι σκέψεις τους και οι αξιολογήσεις τους σχετικά με όλες τις προτεινόμενες λύσεις είναι επιθυμητές και αποδεκτές.

Τα Εγώ-μηνύματα παίζουν ουσιαστικό ρόλο στη διαδικασία της μη ήττας, ώστε να γνωρίζουν τα παιδιά πώς αισθάνεται ο γονέας, χωρίς να θίγεται η προσωπικότητα του παιδιού ή να προσβάλλεται με κατηγορίες και ταπεινώσεις. Τα Εσύ-μηνύματα στην επίλυση των συγκρούσεων συχνά προκαλούν Εσύ-μηνύματα και από την άλλη πλευρά, και υποβιβάζουν τη συζήτηση σε μια μη λειτουργική λεκτική μάχη, με τους αντιμαχόμενους να συναγωνίζονται ποιος θα μπορέσει να πληγώσει περισσότερο τον άλλον με προσβολές.

Τα Εγώ-μηνύματα πρέπει επίσης να χρησιμοποιούνται, για να δίνουν στα παιδιά τη δυνατότητα να αντιληφθούν ότι και οι γονείς έχουν ανάγκες και ενδιαφέρονται σοβαρά να δουν ότι αυτές οι ανάγκες δεν πρόκειται να αγνοηθούν, απλώς και μόνο επειδή τα παιδιά έχουν τις δικές τους ανάγκες. Τα Εγώ-μηνύματα εκφράζουν και τα όρια του ίδιου του γονέα, δηλαδή τι δεν μπορεί να ανεχθεί και τι δεν θέλει να θυσιάσει. Τα Εγώ-μηνύματα σημαίνουν: «Είμαι ένα πρόσωπο με ανάγκες και συναισθήματα», «Έχω το δικαίωμα να απολαύσω τη ζωή», «Έχω δικαιώματα στο σπίτι μας».

## Η πρώτη προσπάθεια μη ήττας

Στην Εκπαίδευση συμβουλεύουμε τους γονείς να κάνουν την πρώτη τους προσπάθεια επίλυσης προβλήματος με τη μέθοδο μη ήττας με κάποιες επαναλαμβανόμενες συγκρούσεις και όχι με μια άμεση και εκρηκτική σύγκρουση. Είναι επίσης φρόνιμο σε αυτή την πρώτη συζήτηση να δίνουν στα παιδιά μια ευκαιρία να εντοπίζουν κάποια προβλήματα που τα ενοχλούν. Έτσι, μια πρώτη προσπάθεια επίλυσης σύγκρουσης με τη μέθοδο μη ήττας θα μπορούσε να γίνει από κάποιον γονέα με τον παρακάτω τρόπο:

> «Τώρα που όλοι καταλαβαίνουμε τι είναι η επίλυση προβλήματος με τη μέθοδο μη ήττας (ή τη Μέθοδο ΙΙΙ), ας αρχίσουμε να κάνουμε έναν κατάλογο κάποιων συγκρούσεων που έχουμε στην οικογένειά μας. Πρώτα πρώτα, ποια προβλήματα βλέπετε εσείς, παιδιά, ότι έχουμε; Ποια προβλήματα θα θέλατε να δείτε να επιλύουμε; Ποιες καταστάσεις σάς εκνευρίζουν;»

Τα πλεονεκτήματα τού να αρχίζουμε με προβλήματα που εντοπίζονται από τα ί-δια τα παιδιά είναι μάλλον φανερά. Πρώτον, τα παιδιά ενθουσιάζονται, όταν βλέπουν ότι αυτή η νέα μέθοδος μπορεί να λειτουργήσει για *το συμφέρον τους*. Δεύτερον, τα απομακρύνει από την εσφαλμένη εντύπωση ότι οι γονείς τους βρήκαν κάποιο καινούργιο μέσο για να ικανοποιούν απλώς τις ανάγκες τους. Μια οικογένεια που άρχισε με αυτόν τον τρόπο κατέληξε με έναν κατάλογο παραπόνων κατά της συμπεριφοράς των γονέων:

- Ο μπαμπάς δεν ψωνίζει αρκετά συχνά, για να έχουμε τρόφιμα στο σπίτι.
- Η μαμά μερικές φορές δεν αφήνει τα παιδιά να επισκεφθούν τον πατέρα τους το Σαββατοκύριακο.
- Η μαμά συχνά δεν ενημερώνει τα παιδιά πότε θα επιστρέψει σπίτι μετά τη δουλειά για να ετοιμάσει το φαγητό.
- Ένας γονέας υπόσχεται πράγματα στην κόρη του και συχνά δεν κρατά τις υποσχέσεις του.

Αφού συνέταξαν τον κατάλογο παραπόνων τους, οι έφηβοι αυτοί ήταν πολύ πιο πρόθυμοι να ακούσουν κάποια από τα προβλήματα που είχαν οι γονείς με τη συμπεριφορά τους.

Μερικές φορές, είναι συνετό για μια οικογένεια να αρχίσει μιλώντας για τους βασικούς κανόνες που μπορεί να χρειαστούν για να έχουν μια αποτελεσματική συζήτηση επίλυσης συγκρούσεων χωρίς ηττημένους. Ίσως προτείνουν οι γονείς να συμφωνήσουν όλοι ότι θα αφήνουν τον καθένα να μιλήσει χωρίς να τον διακόψουν. Θα πρέπει να δηλωθεί σαφώς ότι δεν θα γίνει ψηφοφορία – αναζητάτε μια συμφωνία που να γίνει αποδεκτή από όλους. Συμφωνείτε να βγαίνετε από το δωμάτιο, όταν δύο άνθρωποι επιλύουν μια σύγκρουση που δεν αφορά άλλους. Συμφωνείτε να μην κάνετε θόρυβο και να μη χειρονομείτε κατά την επίλυση του προβλήματος. Μια οικογένεια συμφώνησε ακόμη ότι κατά τις συζητήσεις επίλυσης προβλημάτων δεν θα απαντούσαν ούτε στο τηλέφωνο. Πολλές οικογένειες βρίσκουν πολύ χρήσιμο να χρησιμοποιούν, ως βοηθητικό μέσο στα σύνθετα προβλήματα, κάποιον πίνακα ή ένα μεγάλο φύλλο χαρτί.

## ΠΡΟΒΛΗΜΑΤΑ ΠΟΥ ΘΑ ΣΥΝΑΝΤΗΣΟΥΝ ΟΙ ΓΟΝΕΙΣ

Συχνά οι γονείς κάνουν λάθη, προσπαθώντας να θέσουν σε εφαρμογή τη νέα μέθοδο και, βεβαίως, χρειάζεται επίσης χρόνος και στα παιδιά για να μάθουν πώς να επιλύουν συγκρούσεις χωρίς τη χρήση εξουσίας, ειδικά στους εφήβους που έχουν πείρα ετών με μεθόδους νίκης-ήττας. Και οι γονείς και τα παιδιά πρέπει να αποβάλουν μερικά παλιά μοτίβα συμπεριφοράς, και να μάθουν κάποια νέα, και αυτό φυσικά δεν γίνεται χωρίς δυσκολίες. Από τους γονείς στις τάξεις μας μάθαμε ποια λάθη γίνονται συχνότερα και ποια είναι τα συνήθη προβλήματα.

### Αρχική δυσπιστία και αντίσταση

Μερικοί γονείς συναντούν αντιδράσεις στη μέθοδο μη ήττας, ειδικά όταν τα παιδιά είναι έφηβοι και έχουν συνηθίσει σε χρόνια συνεχούς αγώνα επικράτησης με τους γονείς τους.

«Η Ντίνα αρνήθηκε να καθίσει και να συζητήσει μαζί μας».
«Ο Μπίλι θύμωσε και εγκατέλειψε τη συζήτηση επίλυσης του προβλήματος, επειδή δεν έγινε το δικό του».
«Η Ελένη απλώς καθόταν εκεί κακόκεφη και σιωπηλή».
«Ο Άγγελος είπε ότι θα κάναμε αυτό που θέλαμε, όπως κάνουμε συνήθως».

Ο καλύτερος τρόπος για να χειριστούν οι γονείς τέτοια δυσπιστία και αντίδραση είναι να αφήσουν προς στιγμή την επίλυση του προβλήματος και να προσπαθήσουν να κατανοήσουν με συμπάθεια τι λέει στην πραγματικότητα το παιδί. Η Ενεργητική ακρόαση είναι το καλύτερο εργαλείο για να το καταλάβουν αυτό. Αυτό μπορεί να ενθαρρύνει τα παιδιά να εκφράσουν περισσότερα συναισθήματά τους. Αν το κάνουν, αυτό θα είναι μια πρόοδος, γιατί από τη στιγμή που απελευθερώνονται τα συναισθήματα, τα παιδιά συχνά συμμετέχουν στην επίλυση των προβλημάτων. Αν παραμείνουν αποσυρμένα και απρόθυμα να συμμετάσχουν, οι γονείς θα θελήσουν να στείλουν τα δικά τους συναισθήματα – ως Εγώ-μηνύματα φυσικά:

«Δεν θέλω πλέον να χρησιμοποιώ την εξουσία μου στην οικογένειά μας, δεν θέλω όμως επίσης να υποταχτώ και στη δική σας».
«Ενδιαφερόμαστε πραγματικά να βρούμε μια λύση που να μπορείτε να αποδεχτείτε».
«Δεν προσπαθούμε να σας κάνουμε να ενδώσετε – ούτε κι εμείς εξάλλου θέλουμε να ενδώσουμε».
«Κουραστήκαμε να έχουμε καβγάδες στην οικογένεια. Νομίζουμε ότι μπορούμε να επιλύουμε τις συγκρούσεις μας με αυτόν τον νέο τρόπο».
«Θα ήθελα πολύ να κάνατε μια προσπάθεια. Για να δούμε πώς θα λειτουργήσει».

Συνήθως αυτά τα μηνύματα είναι αποτελεσματικά για τη διάλυση της δυσπιστίας και της αντίδρασης. Αν όχι, οι γονείς μπορούν απλώς να αφήσουν άλυτο το πρόβλημα για μία ή δύο μέρες και να δοκιμάσουν τη μέθοδο μη ήττας ξανά.

Λέμε στους γονείς: «Απλώς θυμηθείτε πόσο διστακτικοί και δύσπιστοι ήσασταν, όταν μας ακούσατε να σας μιλάμε για τη μέθοδο μη ήττας για πρώτη φορά στην τάξη. Αυτό μπορεί να σας βοηθήσει να καταλάβετε τις πρώτες αντιδράσεις δισταγμού των παιδιών σας».

## «Τι γίνεται, αν δεν μπορούμε να βρούμε μια αποδεκτή λύση;»

Αυτός είναι ένας από τους πιο συχνούς φόβους των γονέων. Αν και δικαιολογείται σε κάποιες περιπτώσεις, μόνον ένας εξαιρετικά μικρός αριθμός συζητήσεων επίλυσης συγκρούσεων με τη μέθοδο μη ήττας δεν καταφέρνουν να φθάσουν σε μια αποδεκτή λύση. Όταν μια οικογένεια συναντάει ένα τέτοιο αδιέξοδο, αυτό σημαίνει συνήθως ότι οι γονείς και τα παιδιά λειτουργούν ακόμη στα πλαίσια νίκης-ήττας, σε έναν αγώνα εξουσίας.

Η συμβουλή μας προς τους γονείς είναι: Δοκιμάστε οτιδήποτε μπορείτε να σκεφτείτε σε τέτοιες περιπτώσεις. Για παράδειγμα:

1. Συνεχίστε να μιλάτε.
2. Πηγαίνετε πίσω στο βήμα 2 και σκεφτείτε και άλλες λύσεις.
3. Αφήστε τη σύγκρουση εκείνη την ημέρα και επανέλθετε με μια δεύτερη συζήτηση την επομένη.
4. Κάντε εκκλήσεις, όπως: «Ελάτε, πρέπει να υπάρχει κάποιος τρόπος να το λύσουμε αυτό», «Ας προσπαθήσουμε σκληρά να βρούμε μια αποδεκτή λύση», «Διερευνήσαμε όλες τις πιθανές λύσεις;» ή «Ας προσπαθήσουμε περισσότερο».
5. Κοινοποιήστε τη δυσκολία και προσπαθήστε να βρείτε κατά πόσο κάποιο υποβόσκον πρόβλημα ή κρυμμένος στόχος εμποδίζει την πρόοδο της διαδικασίας. Θα μπορούσατε να πείτε: «Αναρωτιέμαι τι συμβαίνει εδώ, που μας εμποδίζει να βρούμε μια λύση» ή «Υπάρχουν άλλα πράγματα που μας απασχολούν και δεν τα εξετάσαμε;»

Συνήθως, μία ή αρκετές από αυτές τις προσεγγίσεις αποδίδουν και αρχίζει ξανά η επίλυση του προβλήματος.

## Επιστροφή στη Μέθοδο Ι, όταν η Μέθοδος ΙΙΙ τελματώνει

«Δοκιμάσαμε τη μέθοδο μη ήττας και δεν καταλήξαμε πουθενά. Έτσι, η γυναίκα μου κι εγώ αναγκαστήκαμε να πατήσουμε πόδι και να πάρουμε την απόφαση».

Μερικοί γονείς παρασύρονται και γυρίζουν στη Μέθοδο Ι. Αυτό συνήθως έχει σοβαρές συνέπειες. Τα παιδιά θυμώνουν· αισθάνονται ότι εξαπατήθηκαν με το να πιστέψουν ότι οι γονείς τους δοκίμαζαν μια νέα μέθοδο. Και την επόμενη φορά που θα δοκιμάσουν οι γονείς τους τη μέθοδο μη ήττας, θα είναι ακόμη πιο δύσπιστα.

Συστήνουμε ιδιαίτερα στους γονείς να αποφεύγουν να επανέρχονται στη Μέθοδο Ι. Εξίσου καταστροφικό ωστόσο είναι να επιστρέφουν οι γονείς στη Μέθοδο ΙΙ και να επιτρέπουν να κερδίσουν τα παιδιά, γιατί την επόμενη φορά που θα δοκιμάσουν τη μέθοδο μη ήττας, τα παιδιά θα είναι έτοιμα να αγωνιστούν, μέχρι να γίνει και πάλι το δικό τους.

## Πρέπει να προβλέπεται τιμωρία στην απόφαση;

Οι γονείς αναφέρουν ότι οι ίδιοι (ή τα παιδιά) συλλαμβάνουν τον εαυτό τους, μόλις καταλήξουν σε μια συμφωνία με τη μέθοδο μη ήττας, να περιλαμβάνουν στη συμφωνία και τις κυρώσεις ή τις τιμωρίες που θα έπρεπε να επιβληθούν στα παιδιά, αν δεν τηρήσουν τη συμφωνία.

Η αρχική αντίδρασή μου σε αυτές τις αναφορές ήταν να προτείνω πως δεν θα υπήρχε πρόβλημα με τις αμοιβαία συμφωνημένες κυρώσεις και τις τιμωρίες, *εφόσον θα ίσχυαν και για τους γονείς*, στην περίπτωση που *εκείνοι* δεν θα τηρούσαν αυτό που είχαν υποσχεθεί. Τώρα όμως έχω διαφορετική γνώμη γι' αυτό το θέμα.

Είναι πολύ καλύτερο για τους γονείς να αποφεύγουν να μιλάνε για κυρώσεις και τιμωρίες, για την αδυναμία συμμόρφωσης σε μια συμφωνία ή εκτέλεσης μιας απόφασης με τη Μέθοδο ΙΙΙ. Πρώτον, οι γονείς θέλουν να επικοινωνήσουν στα παιδιά το μήνυμα ότι δεν πρόκειται να χρησιμοποιηθεί πια τιμωρία, ακόμη και αν προταθεί από τα παιδιά, όπως γίνεται συχνά. Δεύτερον, το κέρδος είναι μεγαλύτερο με μια στάση εμπιστοσύνης στις καλές προθέσεις και την εντιμότητα των παιδιών. Τα παιδιά μάς λένε: «Όταν με εμπιστεύονται, είναι λιγότερο πιθανόν να προδώσω αυτή την εμπιστοσύνη. Όταν όμως αισθάνομαι ότι οι γονείς μου ή κάποιοι δάσκαλοι δεν με εμπιστεύονται, ίσως κι εγώ να κάνω αυτό που ήδη νομίζουν ότι κάνω. Κατά τη γνώμη τους, είμαι ήδη κακός. Είμαι ήδη χαμένος, και επομένως γιατί να μην το κάνω έτσι κι αλλιώς;»

Στη μέθοδο μη ήττας, οι γονείς πρέπει απλώς *να θεωρήσουν ότι τα παιδιά θα εκτελέσουν την απόφαση*. Αυτό είναι μέρος της νέας μεθόδου: η αμοιβαία εμπιστοσύνη, η εμπιστοσύνη ότι θα τηρήσουν και οι δύο τις δεσμεύσεις, θα επιμείνουν στις υποσχέσεις, θα τηρήσει ο καθένας τους αυτό που είχε υποσχεθεί. Κάθε συζήτηση για κυρώσεις και τιμωρίες αναπόφευκτα θα επικοινωνήσει δυσπιστία, αμφιβολία, καχυποψία, απαισιοδοξία. Αυτό δεν σημαίνει ότι τα παιδιά θα τηρούν *πάντοτε* τις συμφωνίες τους. Δεν θα τις τηρούν. Σημαίνει απλώς ότι οι γονείς πρέπει να *θεωρούν* ότι τα παιδιά θα τις τηρούν. Η φιλοσοφία που συνιστούμε είναι: «Αθώος μέχρι να αποδειχθεί ένοχος» ή «Υπεύθυνος μέχρι να αποδειχθεί ανεύθυνος».

## Όταν καταστρατηγούνται οι συμφωνίες

Είναι σχεδόν αναπόφευκτο ότι τα παιδιά μερικές φορές δεν θα τηρήσουν τη δέσμευσή τους. Μερικοί από τους λόγους είναι οι εξής:

1. Ίσως δεσμεύτηκαν με κάτι που είναι δύσκολο να εκτελέσουν.
2. Απλώς δεν έχουν πολλή εμπειρία αυτοπειθαρχίας και αυτονομίας.
3. Προηγουμένως στηρίζονταν στην εξουσία των γονέων για πειθαρχία και έλεγχο.
4. Ίσως ξέχασαν.
5. Ίσως δοκιμάζουν τη μέθοδο μη ήττας, ίσως δοκιμάζουν αν η μαμά και ο μπαμπάς πραγματικά εννοούν αυτά που λένε και αν τα παιδιά μπορούν να γίνονται αποδεκτά ακόμα και όταν παραβαίνουν την υπόσχεσή τους.
6. Ίσως να εκφράσανε αποδοχή της απόφασης εκείνη τη στιγμή, απλώς γιατί ένιωθαν κουρασμένα από την ανιαρή συζήτηση επίλυσης του προβλήματος.

Οι γονείς μάς ανέφεραν όλους αυτούς τους λόγους για την αποτυχία των παιδιών να τηρήσουν τις δεσμεύσεις τους.

Διδάσκουμε στους γονείς να αντιμετωπίζουν, άμεσα και με ειλικρίνεια, κάθε παιδί που δεν τηρεί μια συμφωνία. Το κλειδί της επιτυχίας είναι να στείλετε στο παιδί ένα Εγώ-μήνυμα χωρίς κατηγορίες, προσβολές και απειλές. Η αντιπαράθεση θα πρέπει επίσης να γίνει όσο το δυνατόν πιο γρήγορα, ίσως κάπως έτσι:

«Είμαι απογοητευμένος, που δεν τήρησες αυτό που συμφώνησες».
«Εκπλήσσομαι, που δεν τήρησες το κομμάτι σου στη συμφωνία μας».
«Δημήτρη, νομίζω ότι δεν είναι δίκαιο για μένα, εγώ μεν να τηρώ την υπόσχεσή μου κι εσύ όχι».
«Νομίζω ότι είχαμε συμφωνήσει... και τώρα βλέπω ότι εσύ δεν κάνεις αυτό που έχεις αναλάβει. Δεν μου αρέσει αυτό».
«Έλπιζα ότι είχαμε λύσει το πρόβλημά μας και είμαι πολύ ενοχλημένος που προφανώς δεν το έχουμε λύσει».

Τέτοια Εγώ-μηνύματα θα προκαλέσουν κάποια αντίδραση από τη μεριά του παιδιού, που ίσως σας δώσει κάποια πρόσθετη πληροφορία και σας βοηθήσει να καταλάβετε την αιτία. Και πάλι είναι η ώρα για Ενεργητική ακρόαση. Πάντοτε, όμως, στο τέλος, ο γονέας πρέπει να καταστήσει σαφές ότι στη μέθοδο μη ήττας αναμένεται από κάθε άτομο να είναι υπεύθυνο και άξιο της εμπιστοσύνης των άλλων. Οι δεσμεύσεις *αναμένεται* να τηρηθούν: «Δεν είναι κάποιο παιγνίδι που παίζουμε. Προσπαθούμε σοβαρά να λάβουμε υπόψη μας ο ένας τις ανάγκες του άλλου».

Αυτό ίσως απαιτήσει πραγματική πειθαρχία, πραγματική εντιμότητα, πραγματική δουλειά. Ανάλογα με τα αίτια που κάνουν ένα παιδί να μην τηρήσει τον λόγο του, οι γονείς ίσως: (1) να διαπιστώσουν ότι τα Εγώ-μηνύματα είναι αναποτελεσματικά, (2) να δουν ότι χρειάζεται να ξαναεξετάσουν το πρόβλημα και να βρούνε μια καλύτερη λύση, ή (3) να θελήσουν να βοηθήσουν το παιδί να βρει τρόπους που θα το βοηθήσουν να θυμάται.

Αν ένα παιδί ξεχνάει, οι γονείς μπορούν να θέσουν το ζήτημα του τι θα μπορούσε να κάνει, ώστε την επόμενη φορά να θυμάται. Μήπως χρειάζεται ένα ρολόι, ένα ξυπνητήρι, μια υπενθύμιση στον εαυτό του, ένα μήνυμα στο σημειωματάριό του, μια κλωστή στο δάκτυλό του, ένα ημερολόγιο, ένα σημάδι στο δωμάτιό του;

Πρέπει οι γονείς να υπενθυμίζουν στα παιδιά; Πρέπει να αναλαμβάνουν την ευθύνη να τους λένε πότε πρέπει να κάνουν αυτό που έχουν συμφωνήσει να κάνουν; Στην Εκπαίδευση λέμε *σίγουρα όχι.* Πέρα από την ενόχληση που δημιουργεί αυτό στον γονέα, έχει ως αποτέλεσμα να διατηρεί το παιδί εξαρτημένο, να επιβραδύνει την ανάπτυξη του αυτοελέγχου και της υπευθυνότητάς του. Η υπενθύμιση στα παιδιά να κάνουν αυτό που είχαν δεσμευτεί να κάνουν είναι ντάντεμα – αντιμετωπίζονται σαν ανώριμα και ανεύθυνα. Και θα συνεχίσουν να είναι, αν δεν αρχίσουν αμέσως οι γονείς *να μετατοπίζουν την ευθύνη στο παιδί, όπου και αυτή ανήκει.* Τότε, αν το παιδί παραπατήσει, στείλτε του ένα Εγώ-μήνυμα.

## Όταν τα παιδιά έχουν συνηθίσει να κερδίζουν

Συχνά, γονείς που στηρίχτηκαν πολύ στη Μέθοδο ΙΙ αναφέρουν ότι δυσκολεύονται να εφαρμόσουν τη Μέθοδο ΙΙΙ, γιατί τα παιδιά τους, συνηθισμένα καθώς είναι να γίνεται το δικό τους τις περισσότερες φορές, αντιστέκονται σθεναρά να εμπλακούν σε μια μέθοδο επίλυσης προβλημάτων που ενδεχομένως θα απαιτούσε να υποχωρήσουν λίγο, να συνεργαστούν ή να συμβιβαστούν. Τέτοια παιδιά είναι τόσο συνηθισμένα να κερδίζουν σε βάρος των γονέων τους, ώστε είναι φυσικό να διστάζουν να εγκαταλείψουν αυτή την πολύ πλεονεκτική ανταγωνιστική θέση. Σε τέτοιες οικογένειες, όταν οι γονείς συναντούν αρχικά ισχυρή αντίσταση στη μέθοδο μη ήττας, μερικές φορές φοβούνται και εγκαταλείπουν την προσπάθεια να την κάνουν να λειτουργήσει. Συχνά πρόκειται για γονείς που μετακινούνται προς τη Μέθοδο ΙΙ, φοβούμενοι τον θυμό ή τα κλάματα των παιδιών τους.

Συνεπώς, η αλλαγή προς τη Μέθοδο ΙΙΙ για τους γονείς που προηγουμένως ήταν επιτρεπτικοί, θα απαιτήσει περισσότερη δύναμη και σταθερότητα εκ μέρους τους απ' ό,τι ήταν συνηθισμένοι να επιδεικνύουν με τα παιδιά τους. Αυτοί οι γονείς χρειάζεται κάπως να βρούνε μια καινούργια πηγή δύναμης, για να μπορέσουν να ξεφύγουν από την προηγούμενη στάση τους, που σήμαινε «ειρήνη με οποιοδήποτε κόστος». Συχνά βοηθά να τους υπενθυμίζει κανείς το τρομερό κόστος που θα υπάρξει γι' αυτούς στο μέλλον, αν τα παιδιά τους πάντοτε κερδίζουν. Θα πρέπει να πεισθούν ότι και αυτοί ως γονείς έχουν δικαιώματα. Ή θα πρέπει να τους υπενθυμίζει κανείς ότι η συνήθης υποχώρησή τους απέναντι στο παιδί το έκανε εγωιστή και αδιάφορο. Τέτοιοι γονείς χρειάζεται να πεισθούν ότι το να είναι κανείς γονέας μπορεί να γίνει ευχάριστο, όταν ικανοποιούνται και οι δικές του ανάγκες. Πρέπει να *θέλουν* να αλλάξουν και πρέπει να είναι έτοιμοι να πάρουν πίσω αρκετά από τα προνόμια του παιδιού, όταν μετακινηθούν προς τη Μέθοδο ΙΙΙ. Κατά τη διάρκεια της αλλαγής, οι γονείς πρέπει επίσης να είναι έτοιμοι να διαχειριστούν τα συναισθήματα των παιδιών με τη δεξιότητα της Ενεργητικής ακρόασης και να εκφράσουν τα δικά τους συναισθήματα, χρησιμοποιώντας σωστά και σαφή Εγώ-μηνύματα.

> Σε μια οικογένεια η μητέρα είχε δυσκολίες με τη δεκατριάχρονη κόρη της, που ήταν συνηθισμένη να περνά το δικό της. Στην πρώτη της προσπάθεια να χρησιμοποιήσει τη Μέθοδο ΙΙΙ, το κορίτσι όταν είδε ότι δεν θα γινόταν το δικό της, είχε μια έκρηξη οργής και έτρεξε στο δωμάτιό της κλαίγοντας. Αντί να την καθησυχάσει ή να την αγνοήσει, όπως έκανε συνήθως, η μητέρα έτρεξε πίσω της και της είπε: «Είμαι πολύ θυμωμένη μαζί σου τώρα! Εδώ συζητάμε κάτι που με ενοχλεί κι εσύ φεύγεις! Αυτό πραγματικά με κάνει να αισθάνομαι ότι δεν δίνεις δεκάρα για τις ανάγκες μου. Δεν μου αρέσει αυτό! Νομίζω ότι είναι άδικο και θέλω να λυθεί αυτό το πρόβλημα τώρα. Δεν θέλω να χάσεις εσύ, όμως σίγουρα δεν πρόκειται να είμαι εγώ αυτή που θα χάσει, για να κερδίσεις εσύ. Νομίζω ότι μπορούμε να βρούμε μια λύση, ώστε να κερδίσουμε και οι δύο, όμως σίγουρα δεν μπορούμε να βρούμε τη λύση, αν δεν γυρίσεις πίσω στο τραπέζι. Θα έρθεις μαζί μου τώρα στο τραπέζι, ώστε να μπορέσουμε να βρούμε μια καλή λύση;»
> Αφού σκούπισε τα δάκρυά της, η κόρη γύρισε πίσω με τη μητέρα της και σε λίγα λεπτά κατέληξαν σε μια λύση που ήταν ικανοποιητική και για το παιδί και για τη μητέρα. Ποτέ ξανά δεν εγκατέλειψε η κόρη μια συζήτηση επίλυσης κάποιου προβλήματος. Έπαψε να προσπαθεί να ασκεί έλεγχο με τον θυμό της, όταν έγινε φανερό ότι η μητέρα της δεν ήταν πια διατεθειμένη να την αφήνει να την κοντρολάρει με αυτό τον τρόπο.

## Η ΜΕΘΟΔΟΣ ΜΗ ΗΤΤΑΣ ΣΤΙΣ ΣΥΓΚΡΟΥΣΕΙΣ ΜΕΤΑΞΥ ΤΩΝ ΠΑΙΔΙΩΝ

Πολλοί γονείς προσεγγίζουν τις αναπόφευκτες και τόσο συχνές συγκρούσεις μεταξύ των παιδιών με το ίδιο σκεπτικό νίκης-ήττας που εφαρμόζουν και στις συγκρούσεις γονέα-παιδιού. Οι γονείς αισθάνονται ότι πρέπει να παίζουν τον ρόλο του δικαστή, του διαιτητή ή του κριτή – αναλαμβάνουν *εκείνοι* την ευθύνη να συγκεντρώσουν τα γεγονότα, να βρουν ποιος έχει δίκιο και ποιος άδικο, και να αποφασίσουν ποια θα πρέπει να είναι η λύση. Το σκεπτικό αυτό έχει κάποια σοβαρά μειονεκτήματα και γενικά καταλήγει σε δυσάρεστες συνέπειες για όλους τους ενδιαφερομένους. Η μέθοδος μη ήττας είναι γενικά πιο αποτελεσματική στην επίλυση τέτοιων συγκρούσεων και πολύ ευκολότερη για τους γονείς. Παίζει επίσης σημαντικό ρόλο στο να γίνουν τα παιδιά πιο ώριμα, πιο υπεύθυνα, πιο ανεξάρτητα και πιο αυτοελεγχόμενα.

Όταν οι γονείς προσεγγίζουν τις συγκρούσεις των παιδιών ως δικαστές ή διαιτητές, κάνουν το λάθος να αναλαμβάνουν και *την ευθύνη* του προβλήματος. Παρεμβαίνοντας για να επιλύσουν το πρόβλημα, στερούν από τα παιδιά την ευκαιρία να αναλάβουν την ευθύνη των συγκρούσεών τους και να μάθουν πώς να τις επιλύουν με τις δικές τους προσπάθειες. Αυτό εμποδίζει τα παιδιά να μεγαλώσουν και να ωριμάσουν, και μπορεί να τα κάνει να εξαρτώνται πάντοτε από κάποια εξουσία που θα επιλύει τις συγκρούσεις τους *για λογαριασμό τους*. Από τη μεριά των γονέων, η χειρότερη συνέπεια της προσέγγισης νίκης-ήττας είναι ότι τα παιδιά τους θα συνεχίσουν να φέρνουν όλες τις συγκρούσεις τους στους γονείς. Αντί να λύνουν τις συγκρούσεις τους μόνα τους, τρέχουν στους γονείς για να λύσουν τις διαφορές και τις διαφωνίες τους:

«Μαμά, ο Τζίμι με πειράζει, πες του να σταματήσει».
«Μπαμπά, η Μάρθα δεν με αφήνει να χρησιμοποιήσω με τη σειρά μου τον υπολογιστή».
«Θέλω να κοιμηθώ, όμως ο Άρης συνεχίζει να μιλάει. Πες του να ησυχάσει».
«Αυτός με χτύπησε πρώτος, αυτός φταίει. Εγώ δεν του έκανα τίποτε».

Τέτοιες «εκκλήσεις στην εξουσία» είναι κοινές στις περισσότερες οικογένειες, επειδή οι γονείς επιτρέπουν στους εαυτούς τους να εμπλέκονται στις αντιδικίες *των παιδιών τους*.

Στην Εκπαίδευση χρειάζεται προσπάθεια για να πείσουμε τους γονείς να δεχτούν ότι τέτοιες αντιδικίες αφορούν τα παιδιά και ότι *τα παιδιά έχουν το πρόβλημα*. Οι πιο πολλές αντιδικίες και συγκρούσεις μεταξύ των παιδιών ανήκουν στην περιοχή «Το παιδί έχει το πρόβλημα», δηλαδή στην επάνω περιοχή του διαγράμματός μας:

| Το παιδί έχει το πρόβλημα. |
| --- |
| Δεν υπάρχει πρόβλημα. |
| Ο γονέας έχει το πρόβλημα. |

Αν οι γονείς μπορούν να θυμούνται να προσδιορίζουν πού ανήκουν αυτές οι συγκρούσεις, τότε μπορούν και να τις χειρίζονται με τις κατάλληλες μεθόδους:

1. Καμία ανάμειξη στη σύγκρουση.
2. Ανοίγματα, προσκλήσεις στα παιδιά να μιλήσουν.
3. Ενεργητική ακρόαση.

Ο Μαξ και ο Μπράιαν, δύο αδέλφια, τραβάνε και οι δυο δυνατά το φορτηγό τους, ο ένας από μπροστά κι ο άλλος από πίσω. Και οι δυο φωνάζουν και τσιρίζουν, ο ένας μάλιστα κλαίει. *Και οι δύο προσπαθούν να χρησιμοποιήσουν τη δύναμή τους για να γίνει το δικό τους.* Αν οι γονείς δεν αναμειχθούν σε αυτήν τη σύγκρουση, τα αγόρια μπορεί να βρούνε κάποιον τρόπο να τη λύσουν μόνα τους. Αν γίνει έτσι, έχει καλώς· δόθηκε η ευκαιρία στα παιδιά να μάθουν πώς να λύνουν μόνα τους τα προβλήματά τους. Παραμένοντας έξω από τη σύγκρουση, οι γονείς βοήθησαν και τα δύο αγόρια να μεγαλώσουν λίγο.

Αν τα αγόρια συνεχίσουν να τσακώνονται, και οι γονείς εκτιμήσουν ότι αν παρέμβουν, θα τα βοηθήσουν να επιλύσουν μόνα τους τη σύγκρουσή *τους*, ένα άνοιγμα ή μια πρόσκληση είναι συχνά χρήσιμη. Να πώς λειτουργεί:

*ΜΑΞ:* Θέλω το φορτηγό! Δώσε μου το φορτηγό! Άφησέ το! Άφησέ το!
*ΜΠΡΑΪΑΝ:* Εγώ το είχα πρώτος! Αυτός ήρθε και μου το πήρε. Το θέλω πίσω!
*ΓΟΝΕΑΣ:* Βλέπω ότι πραγματικά έχετε μια σύγκρουση για το φορτηγό. Θέλετε να έρθετε εδώ και να το συζητήσουμε; Θα ήθελα να βοηθήσω, αν θέλετε να το συζητήσουμε.

Μερικές φορές, ακριβώς ένα τέτοιο άνοιγμα επικοινωνίας επιφέρει άμεση λύση σε μια σύγκρουση. Είναι σαν να προτιμούν τα παιδιά μερικές φορές να βρουν μια λύση *μόνα τους*, παρά να περάσουν μέσα από τη διαδικασία επίλυσης με συζήτηση υπό την επίβλεψη του γονέα. Σκέφτονται: «Ω! Δεν είναι στ' αλήθεια τόσο μεγάλο θέμα!»

Κάποιες συγκρούσεις ίσως απαιτούν έναν πιο ενεργητικό ρόλο εκ μέρους του γονέα. Σε τέτοιες περιπτώσεις, ο γονέας μπορεί να ενθαρρύνει την επίλυση του προβλήματος, χρησιμοποιώντας την Ενεργητική ακρόαση σε ρόλο διευκολυντή και όχι διαιτητή. Αυτό λειτουργεί ως εξής:

*ΜΑΞ:* Θέλω το φορτηγό! Δώσε μου το φορτηγό! Άφησέ το! Άφησέ το.
*ΓΟΝΕΑΣ:* Μαξ, πραγματικά θέλεις το φορτηγό.
*ΜΠΡΑΪΑΝ:* Μα, εγώ το είχα πρώτος! Αυτός ήρθε και μου το πήρε. Το θέλω πίσω!
*ΓΟΝΕΑΣ:* Μπράιαν, πιστεύεις ότι εσύ πρέπει να πάρεις το φορτηγό, γιατί εσύ το είχες πρώτος. Είσαι θυμωμένος με τον Μαξ, γιατί σου το πήρε. Βλέπω ότι έχετε μια σύγκρουση εδώ. Μπορείτε να σκεφτείτε κάποιον τρόπο να λύσετε αυτό το πρόβλημα; Έχετε καμιά ιδέα;
*ΜΠΡΑΪΑΝ:* Πρέπει να με αφήσει να το πάρω.
*ΓΟΝΕΑΣ:* Μαξ, ο Μπράιαν προτείνει αυτήν τη λύση.
*ΜΑΞ:* Ναι, αυτό θα ήθελε, γιατί έτσι θα γινόταν το δικό του.
*ΓΟΝΕΑΣ:* Μπράιαν, ο Μαξ λέει ότι δεν του αρέσει αυτή η λύση, γιατί εσύ θα κέρδιζες και αυτός θα έχανε.
*ΜΠΡΑΪΑΝ:* Ωραία, θα τον αφήσω να παίζει με τα αυτοκινητάκια μου μέχρι να τελειώσω με το φορτηγό.
*ΓΟΝΕΑΣ:* Μαξ, ο Μπράιαν προτείνει μια άλλη λύση: Μπορείς να παίξεις με τα αυτοκινητάκια του, ενώ αυτός θα παίζει με το φορτηγό.
*ΜΑΞ:* Και θα παίξω με το φορτηγό, όταν αυτός τελειώσει, μαμά;
*ΓΟΝΕΑΣ:* Μπράιαν, ο Μαξ θέλει να είναι σίγουρος ότι θα τον αφήσεις να παίξει με το φορτηγό, όταν τελειώσεις.
*ΜΠΡΑΪΑΝ:* Εντάξει. Θα τελειώσω σύντομα.
*ΓΟΝΕΑΣ:* Μαξ, ο Μπράιαν λέει ότι συμφωνεί.
*ΜΑΞ:* Εντάξει, τότε.
*ΓΟΝΕΑΣ:* Υποθέτω ότι και οι δυο σας λύσατε το πρόβλημα, σωστά;

Οι γονείς αναφέρουν πολλές τέτοιες επιτυχημένες λύσεις συγκρούσεων μεταξύ παιδιών, όπου ο γονέας πρώτα προτείνει τη μέθοδο μη ήττας και έπειτα διευκολύνει την επικοινωνία μεταξύ των αντιδίκων με Ενεργητική ακρόαση. Στους γονείς που δυσκολεύονται να πιστέψουν ότι θα μπορέσουν να κάνουν τα παιδιά να συμμετάσχουν στην προσέγγιση μη ήττας, χρειάζεται να θυμίσουμε ότι, εν τη απουσία των ενηλίκων, τα παιδιά συχνά επιλύουν τις συγκρούσεις τους με τη μέθοδο μη ήττας: στο σχολείο, την παιδική χαρά, τα παιγνίδια, τα αθλήματα και σε άλλες περιπτώσεις. Όταν κάποιος μεγάλος είναι παρών και παρασύρεται να παίξει τον ρόλο του δικαστή ή του διαιτητή, τα παιδιά τείνουν να χρησιμοποιούν αυτό τον ενήλικα – το καθένα επικαλούμενο την εξουσία του ενήλικα και προσπαθώντας να κερδίσει σε βάρος του άλλου παιδιού.

Συνήθως οι γονείς καλωσορίζουν τη μέθοδο μη ήττας για την επίλυση συγκρούσεων μεταξύ παιδιών, γιατί σχεδόν όλοι έχουν κακές εμπειρίες στην προσπάθειά τους να επιλύσουν τις διενέξεις των παιδιών τους. Πάντοτε, όταν ένας γονέας προσπαθεί να επιλύσει μια σύγκρουση, ένα παιδί αισθάνεται ότι η απόφαση του γονέα είναι άδικη και αντιδρά με δυσαρέσκεια και εχθρότητα απέναντί του. Μερικές φορές οι γονείς εισπράττουν την οργή και των δύο παιδιών, ίσως γιατί αρνούνται και στα δύο παιδιά αυτό για το οποίο μάλωναν («Τώρα κανένας σας δεν θα παίξει με το φορτηγό»).

Πολλοί γονείς, όταν δοκιμάζουν τη μέθοδο μη ήττας και αφήνουν στα παιδιά την ευθύνη να βρουν τη δική τους λύση, μας λένε πόσο πολύ ανακουφίζονται, όταν βρίσκουν έναν τρόπο να μείνουν έξω από τον ρόλο του δικαστή ή του διαιτητή. Μας λένε: «Είναι πολύ μεγάλη ανακούφιση, να νιώθω ότι δεν είμαι υποχρεωμένος να βρίσκω λύση στις διαφωνίες τους. Κατέληγα πάντα να είμαι ο κακός της παρέας, ανεξάρτητα από την απόφασή μου».

Ένα άλλο προβλεπόμενο αποτέλεσμα, όταν αφήνουμε τα παιδιά να λύνουν μόνα τους τις συγκρούσεις τους με τη μέθοδο μη ήττας, είναι ότι σταδιακά παύουν να μεταφέρουν τις διαφωνίες και τις συγκρούσεις τους στους γονείς τους. Μαθαίνουν έπειτα από λίγο ότι το να πάνε στον γονέα απλώς σημαίνει ότι έτσι κι αλλιώς τελικά θα πρέπει να βρουν τη δική τους λύση. Κατά συνέπεια, εγκαταλείπουν την παλιά αυτή συνήθεια και αρχίζουν να επιλύουν τις συγκρούσεις τους μόνα τους. Ελάχιστοι γονείς μπορούν να αντισταθούν στην ελκυστικότητα αυτού του αποτελέσματος.

## ΟΤΑΝ ΚΑΙ ΟΙ ΔΥΟ ΓΟΝΕΙΣ ΕΜΠΛΕΚΟΝΤΑΙ ΣΤΙΣ ΣΥΓΚΡΟΥΣΕΙΣ ΓΟΝΕΑ-ΠΑΙΔΙΟΥ

Μερικές φορές, οι οικογένειες βρίσκονται αντιμέτωπες με περισσότερο σύνθετα προβλήματα, όταν στις συγκρούσεις που έχουν με τα παιδιά διακυβεύεται κάτι και για τους δύο γονείς.

### Ο καθένας μόνος του

Είναι ουσιαστικό να αρχίζει ο κάθε γονέας την επίλυση προβλήματος με τη μέθοδο μη ήττας ως «ανεξάρτητος φορέας». Οι γονείς δεν θα πρέπει να αναμένουν ότι θα έχουν «ενιαίο μέτωπο» ή ότι θα βρίσκονται και οι δυο τους στην ίδια πλευρά σε κάθε σύγκρουση, μολονότι αυτό μπορεί να συμβεί περιστασιακά. Το ουσιαστικό συστατικό στην επίλυση προβλήματος με τη μέθοδο μη ήττας είναι να είναι ο κάθε γονέας αληθινός – ο καθένας να αντιπροσωπεύει τα δικά του συναισθήματα και τις δικές του ανάγκες. Κάθε γονέας έχει μια ξεχωριστή και μοναδική συμμετοχή στην επίλυση συγκρούσεων, και θα πρέπει να βλέπει την επίλυση του προβλήματος ως μια διαδικασία που εμπλέκει τρία ή περισσότερα χωριστά άτομα και όχι γονείς, οι οποίοι συμμαχούν εναντίον των παιδιών.

Μερικές προτεινόμενες λύσεις κατά τη διάρκεια της επίλυσης του προβλήματος μπορεί να είναι αποδεκτές από τη μητέρα και μη αποδεκτές από τον πατέρα. Άλλοτε πάλι ο πατέρας και ο έφηβος γιος μπορεί να συντάσσονται σε ένα συγκεκριμένο θέμα, ενώ η μητέρα να έχει αντίθετη άποψη. Μερικές φορές η μητέρα μπορεί να ευθυγραμμίζεται περισσότερο με τον γιο της, ενώ ο πατέρας υπερασπίζεται μια διαφορετική λύση. Άλλοτε η μητέρα και ο πατέρας έχουν παραπλήσιες θέσεις, αλλά η άποψη του εφήβου διαφέρει από τη δική τους. Μερικες φορές το κάθε άτομο διαπιστώνει ότι δεν συμφωνεί με κανέναν άλλον. Οι οικογένειες που κάνουν χρήση της μεθόδου μη ήττας ανακαλύπτουν ότι προκύπτουν όλοι αυτοί οι συνδυασμοί, ανάλογα με τη φύση της σύγκρουσης. Το κλειδί για την επίλυση των συγκρούσεων με τη μέθοδο μη ήττας είναι ότι αυτές οι διαφορές συζητιούνται μέχρι να βρεθεί μια λύση αποδεκτή από όλους.

Στα τμήματά μας μάθαμε από τους γονείς ποια είδη συγκρούσεων φέρνουν στην επιφάνεια συνήθως σημαντικές διαφορές μεταξύ πατέρων και μητέρων:

1. Πιο συχνά οι πατέρες συντάσσονται με τα παιδιά σε συγκρούσεις που εμπεριέχουν πιθανούς σωματικούς τραυματισμούς των παιδιών. Φαίνεται ότι οι πατέρες αποδέχονται περισσότερο από τις μητέρες ότι ο τραυματισμός των παιδιών μερικές φορές είναι αναπόφευκτος.
2. Πιο συχνά οι μητέρες παρά οι πατέρες φαίνεται να αποδέχονται ότι η κόρη τους είναι έτοιμη να αρχίσει να έχει σχέσεις με αγόρια και όλα όσα αυτό συνεπάγεται: μέικ-απ, ραντεβού, τρόπους αμφίεσης, τηλέφωνα κ.λπ. Συχνά οι πατέρες αντιδρούν στην ιδέα να βλέπουν τις κόρες τους να βγαίνουν ραντεβού με νεαρούς.
3. Συχνά οι πατέρες και οι μητέρες διαφωνούν σε θέματα που αφορούν τη χρήση του οικογενειακού αυτοκινήτου.
4. Συνήθως οι μητέρες έχουν πιο αυστηρά κριτήρια από τους πατέρες σχετικά με την τάξη και την καθαριότητα στο σπίτι.

Το θέμα είναι ότι οι μητέρες και οι πατέρες είναι διαφορετικά άτομα και οι διαφορές αυτές, αν κάθε γονέας είναι αληθινός και ειλικρινής, αναπόφευκτα θα φανούν στις συγκρούσεις τους με τα παιδιά τους. Αποκαλύπτοντας οι μητέρες και οι πατέρες τις ειλικρινείς τους διαφορές στην επίλυση των συγκρούσεων –επιτρέποντας να φανεί η ανθρώπινη υπόστασή τους και να τη δουν και τα παιδιά τους– ανακαλύπτουν ότι δέχονται από εκείνα ένα νέο είδος σεβασμού και αγάπης. Από αυτή την άποψη, τα παιδιά δεν διαφέρουν από τους ενήλικες: Και αυτά μαθαίνουν να αγαπάνε αυτούς που είναι ανθρώπινοι και να μην εμπιστεύονται αυτούς που δεν είναι. Θέλουν να είναι οι γονείς τους αληθινοί, να μην παριστάνουν τους «γονείς», συμφωνώντας πάντοτε ο ένας με τον άλλον, ανεξάρτητα από το αν η συμφωνία είναι πραγματική ή όχι.

## Όταν ο ένας γονέας χρησιμοποιεί τη Μέθοδο ΙΙΙ και ο άλλος όχι

Συχνά, οι γονείς στην Εκπαίδευση με ρωτάνε κατά πόσο είναι δυνατόν ο ένας γονέας να επιλύει τις συγκρούσεις με την προσέγγιση της Μεθόδου μη ήττας ΙΙΙ και ο άλλος όχι. Η ερώτηση γίνεται στις τάξεις μας, γιατί υπάρχουν γονείς που δεν εγγράφονται μαζί με τον/τη σύζυγό τους, μολονότι εμείς προτρέπουμε να παρακολουθούν την Εκπαίδευση και οι δύο γονείς.

Σε ορισμένες περιπτώσεις, όταν μόνον ο ένας γονέας δεσμεύεται να αλλάξει και να χρησιμοποιήσει τη μέθοδο μη ήττας, συνήθως η μητέρα, απλώς αρχίζει να επιλύει όλες τις συγκρούσεις της με τα παιδιά κάνοντας χρήση της μεθόδου μη ήττας και επιτρέπει στον πατέρα να συνεχίζει να χρησιμοποιεί τη Μέθοδο Ι στις δικές του συγκρούσεις. Αυτό μπορεί να μην προκαλέσει πάρα πολλά προβλήματα, εκτός από το ότι τα παιδιά, συνειδητοποιώντας πλήρως τη διαφορά, συχνά παραπονούνται στον πατέρα ότι δεν τους αρέσει πλέον η δική του προσέγγιση και θα επιθυμούσαν να επιλύει τα προβλήματα με τον τρόπο που τα επιλύει η μητέρα. Μερικοί πατέρες ανταποκρίνονται σε αυτά τα παράπονα εγγραφόμενοι σε μια επόμενη τάξη της Εκπαίδευσης. Τυπική περίπτωση ενός τέτοιου πατέρα είναι ο πατέρας που σηκώθηκε στην πρώτη συνάντηση μιας τάξης της Εκπαίδευσης και παραδέχτηκε:

> «Βρίσκομαι εδώ απόψε αμυνόμενος, νομίζω, επειδή άρχισα να βλέπω πόσο καλά αποτελέσματα έχει η γυναίκα μου με τις νέες μεθόδους της. Η σχέση της με τα παιδιά έχει βελτιωθεί, ενώ η δική μου όχι. Σε εκείνη μιλάνε, αλλά σε εμένα όχι».

Ένας άλλος πατέρας, στην πρώτη συνάντηση της τάξης στην οποία γράφτηκε, αφού η γυναίκα του είχε γραφτεί σε μια προηγούμενη τάξη, έκανε το εξής σχόλιο:

> «Θέλω να πω σε εσάς, κυρίες που παίρνετε αυτό το πρόγραμμα χωρίς τους άντρες σας, τι θα πρέπει να αναμένετε από εκείνους! Καθώς θα αρχίσετε να χρησιμοποιείτε τις νέες μεθόδους ακρόασης, αντιμετώπισης και επίλυσης προβλη-μάτων με τα παιδιά, αυτός θα αισθάνεται πληγωμένος και απομονωμένος. Θα νιώθει ότι χάνει τον ρόλο του ως πατέρα. Εσείς θα έχετε αποτελέσματα, ενώ εκείνος δεν θα έχει. Εξαγριώθηκα με τη γυναίκα μου και της εί-

πα: "Τι περιμένεις από μένα; Δεν θα παρακολουθήσω αυτή την παλιοεκπαίδευση". Καταλαβαίνετε τώρα γιατί λέω ότι δεν με παίρνει να μην έρθω στην Εκπαίδευση;»

Μερικοί πατέρες που δεν μαθαίνουν τις νέες δεξιότητες και εξακολουθούν να ικανοποιούνται με την προσέγγιση της Μεθόδου Ι, συχνά περνάνε μια άσχημη περίοδο με τη γυναίκα τους. Μια μητέρα μάς είπε ότι άρχισε να δυσανασχετεί με τον σύζυγό της και τελικά έγινε πολύ εχθρική μαζί του, γιατί δεν μπορούσε να τον βλέπει να επιλύει τις συγκρούσεις με τη χρήση εξουσίας. «Βλέπω τώρα ακριβώς πόσο πολύ βλάπτει τα παιδιά η Μέθοδος Ι και δεν μπορώ να στέκομαι εκεί και να τον βλέπω να πληγώνει τα παιδιά με αυτό τον τρόπο», είπε στην τάξη. Μια άλλη σύζυγος είπε: «Μπορώ τώρα να δω ότι καταστρέφει τη σχέση του με τα παιδιά, και αυτό με κάνει να νιώθω απογοητευμένη και λυπημένη. Τα παιδιά χρειάζονται τη σχέση μαζί του, όμως η σχέση αυτή καταστρέφεται γρήγορα».

Μερικές μητέρες επιστρατεύουν τη βοήθεια και των άλλων μελών της ομάδας της Εκπαίδευσης για να βρουν το θάρρος να αντιμετωπίσουν τους άντρες τους ανοιχτά και ειλικρινά. Θυμάμαι μια νεαρή μητέρα που βοηθήθηκε στην τάξη να δει πόσο πολύ φοβόταν τον άντρα της, και γι' αυτό είχε αποφύγει να του εκφράσει τα συναισθήματά της για τη χρήση της Μεθόδου Ι. Με κάποιον τρόπο, συζητώντας γι' αυτό στην τάξη, απέκτησε αρκετό θάρρος, ώστε να πάει στο σπίτι και να του εκφράσει τα συναισθήματα που είχε συνειδητοποιήσει στην τάξη:

> «Αγαπώ τα παιδιά μου πάρα πολύ, για να κάθομαι παράμερα και να σε βλέπω να τα πληγώνεις. Γνωρίζω ότι αυτά που έμαθα στην Εκπαίδευση είναι καλύτερα για τα παιδιά και θέλω κι εσύ να μάθεις αυτές τις μεθόδους. Πάντοτε σε φοβόμουνα και βλέπω ότι προκαλείς τον ίδιο φόβο και στα παιδιά».

Τα αποτελέσματα της αντιπαράθεσης άφησαν έκπληκτη αυτήν τη μητέρα. Για πρώτη φορά στη σχέση τους, ο άντρας της την άκουσε. Της είπε ότι δεν είχε καταλάβει πόσο καταπιεστικός ήταν και προς αυτήν και προς τα παιδιά, και στη συνέχεια συμφώνησε να εγγραφεί στην επόμενη τάξη Εκπαίδευσης της περιοχής τους.

Δεν εξελίσσονται τα πράγματα πάντα τόσο ευνοϊκά όσο σε αυτή την οικογένεια, στις περιπτώσεις που ο ένας γονέας εξακολουθεί να χρησιμοποιεί τη Μέθοδο Ι. Είμαι σίγουρος ότι σε μερικές οικογένειες αυτό το πρόβλημα δεν επιλύεται ποτέ. Μολονότι σπάνια μαθαίνουμε κάτι γι' αυτό, είναι πιθανόν μερικοί άντρες και μερικές γυναίκες να μην εφαρμόζουν ποτέ τις ίδιες μεθόδους επίλυσης συγκρούσεων ή, σε μερικές περιπτώσεις, κάποιος γονέας που εκπαιδεύτηκε με τις μεθόδους της Εκπαίδευσης μπορεί ακόμα και να επιστρέψει στις παλιές του μεθόδους, υπό την πίεση ενός συζύγου που αρνείται να εγκαταλείψει τη χρήση εξουσίας στην επίλυση των συγκρούσεων.

## «ΜΠΟΡΟΥΜΕ ΝΑ ΧΡΗΣΙΜΟΠΟΙΟΥΜΕ ΚΑΙ ΤΙΣ ΤΡΕΙΣ ΜΕΘΟΔΟΥΣ;»

Πότε πότε συναντάμε κάποιον γονέα που δέχεται την εγκυρότητα της προσέγγισης μη ήττας και πιστεύει στην αποτελεσματικότητά της, δεν είναι όμως πρόθυμος να εγκαταλείψει τις δυο προσεγγίσεις νίκης-ήττας.

«Δεν μπορεί ένας καλός γονέας να χρησιμοποιεί ένα δίκαιο μείγμα και των τριών μεθόδων, ανάλογα με τη φύση του προβλήματος;» ρώτησε ένας πατέρας σε μια τάξη μου.

Ενώ γίνεται κατανοητός ο φόβος κάποιων γονέων να χάσουν όλη τους την εξουσία πάνω στα παιδιά, αυτή η άποψη δεν μπορεί να υποστηριχτεί. Όπως δεν είναι δυνατόν να είναι μια γυναίκα «ολίγον έγκυος», δεν είναι δυνατόν να είναι κάποιος «λιγάκι» δημοκρατικός στις συγκρούσεις γονέα-παιδιού. Πρώτα πρώτα, οι περισσότεροι γονείς που θέλουν να κάνουν χρήση ενός συνδυασμού και των τριών μεθόδων, στην πραγματικότητα εννοούν ότι θέλουν να διατηρήσουν το δικαίωμα να χρησιμοποιούν τη Μέθοδο Ι για τις σημαντικές συγκρούσεις. Με απλά λόγια, η στάση τους είναι: «Σε θέματα που δεν είναι τόσο σημαντικά για τα παιδιά, θα τα αφήνω να συμμετέχουν στην απόφαση, θα διατηρήσω όμως το δικαίωμα να αποφασίζω με τον δικό μου τρόπο για τα θέματα που είναι πολύ σημαντικά».

Η πείρα που έχουμε, βλέποντας γονείς να ακολουθούν αυτήν τη μεικτή προσέγγιση, μας λέει ότι αυτό απλώς δεν λειτουργεί. Τα παιδιά, από τη στιγμή που θα δούνε πόσο καλά νιώθουν, όταν επιλύουν τις συγκρούσεις τους χωρίς να χάνουν, δυσανασχετούν, όταν ο γονέας επιστρέφει στη Μέθοδο Ι ή ίσως χάσουν κάθε ενδιαφέρον να εφαρμόσουν τη διαδικασία της Μεθόδου ΙΙΙ για *ασήμαντα προβλήματα*, επειδή αισθάνονται πολύ δυσαρεστημένα που χάνουν στα *πιο σημαντικά προβλήματα.*

Ένα ακόμη αποτέλεσμα της προσέγγισης του «ισορροπημένου μείγματος» (των τριών μεθόδων) είναι ότι τα παιδιά αρχίζουν να δυσπιστούν έναντι των γονέων τους, όταν εφαρμόζουν τη Μέθοδο ΙΙΙ, επειδή έχουν μάθει πως όταν τα πράγματα φθάσουν σε κρίσιμο σημείο και ο γονέας έχει έντονα συναισθήματα για το πρόβλημα, θα βγει στο τέλος οπωσδήποτε νικητής. Συνεπώς, γιατί να μπούνε στη διαδικασία επίλυσης του προβλήματος; Κάθε φορά που πρόκειται για πραγματική σύγκρουση, γνωρίζουν ότι ο μπαμπάς θα χρησιμοποιήσει την εξουσία του, για να γίνει οπωσδήποτε το δικό του.

Μερικοί γονείς τα βολεύουν χρησιμοποιώντας περιστασιακά τη Μέθοδο Ι για προβλήματα όπου τα παιδιά δεν έχουν έντονα συναισθήματα – για τα λιγότερο σημαντικά προβλήματα. Η Μέθοδος III όμως θα πρέπει να χρησιμοποιείται πάντοτε, όταν μια σύγκρουση είναι σημαντική και περιλαμβάνει έντονα συναισθήματα και πεποιθήσεις από τη μεριά των παιδιών. Είναι ίσως μια αρχή κοινή σε όλες τις ανθρώπινες σχέσεις, ότι *αν κάποιος δεν ενδιαφέρεται πάρα πολύ για το αποτέλεσμα μιας σύγκρουσης, μπορεί να είναι πρόθυμος να ενδώσει στη δύναμη του άλλου· όταν όμως ενδιαφέρεται πραγματικά για το αποτέλεσμα, θέλει να είναι σίγουρος ότι θα έχει λόγο στη λήψη της απόφασης.*

## ΑΠΟΤΥΓΧΑΝΕΙ ΠΟΤΕ Η ΜΕΘΟΔΟΣ ΜΗ ΗΤΤΑΣ;

Η απάντηση σε αυτό το ερώτημα είναι: «Φυσικά». Στις τάξεις μας έχουμε συναντήσει κάποιους γονείς που για διάφορους λόγους δεν μπορούν να εφαρμόσουν αποτελεσματικά τη Μέθοδο III. Μολονότι δεν έχουμε κάνει κάποια συστηματική μελέτη αυτής της ομάδας, η συμμετοχή τους στην τάξη αποκαλύπτει συχνά γιατί δεν επιτυγχάνουν.

Μερικοί φοβούνται πάρα πολύ να εγκαταλείψουν την εξουσία τους. Η ιδέα να χρησιμοποιήσουν τη Μέθοδο III απειλεί τις παγιωμένες αξίες και πεποιθήσεις τους για την αναγκαιότητα της εξουσίας και της δύναμης στην ανατροφή των παιδιών. Συχνά αυτοί οι γονείς έχουν πολύ διαστρεβλωμένη αντίληψη της ανθρώπινης φύσης. Γι' αυτούς δεν μπορεί κανείς να εμπιστευτεί τα ανθρώπινα όντα και είναι σίγουροι ότι η απόσυρση της εξουσίας θα έχει ως αποτέλεσμα να γίνουν τα παιδιά τους άγρια, εγωιστικά τέρατα. Οι περισσότεροι από αυτούς τους γονείς δεν προσπάθησαν ποτέ να δοκιμάσουν τη Μέθοδο III.

Μερικοί από τους γονείς που απέτυχαν ανέφεραν ότι τα παιδιά τους απλώς αρνήθηκαν να μπούνε στη διαδικασία επίλυσης του προβλήματος με τη μέθοδο μη ήττας. Συνήθως πρόκειται για παιδιά προχωρημένης εφηβικής ηλικίας, που έχουν ήδη διαγράψει τους γονείς τους ή είναι τόσο πικραμένα και θυμωμένα μαζί τους, ώστε θεωρούν ότι η Μέθοδος III θα τους προσφέρει πολύ περισσότερα απ' όσα δικαιούνται. Έχω γνωρίσει κάποιους τέτοιους νέους στην ιδιωτική πρακτική μου και πρέπει να παραδεχτώ ότι συχνά ένιωσα πως το καλύτερο πράγμα γι' αυτούς θα ήταν να βρούνε το θάρρος να χωρίσουν από τους γονείς τους, να εγκαταλείψουν το σπίτι και να ψάξουν για νέες σχέσεις που θα μπορούσαν να είναι περισσότερο ικανοποιητικές. Ένα έξυπνο αγόρι, μαθητής λυκείου, κατέληξε μόνο του στο συμπέρασμα ότι η μητέρα του δεν θα άλλαζε ποτέ. Έχοντας εξοικειωθεί με αυτά που διδάσκονται στην Εκπαίδευση μέσω του εγχειριδίου της τάξης της μητέρας του, ο έξυπνος αυτός έφηβος μοιράστηκε μαζί μου τα εξής συναισθήματα:

«Η μητέρα μου ποτέ δεν πρόκειται να αλλάξει. Ποτέ δεν χρησιμοποιεί τις μεθόδους που διδάσκετε στην Εκπαίδευση. Νομίζω ότι πρέπει να πάψω να ελπίζω ότι θα αλλάξει. Είναι κρίμα, αλλά είναι υπεράνω βοήθειας. Τώρα, πρέπει να βρω έναν τρόπο να κερδίζω μόνος μου τα προς το ζην, έτσι ώστε να μπορέσω να φύγω από το σπίτι».

Είναι φανερό σε όλους εμάς στο πρόγραμμα ότι μια σειρά μαθημάτων διάρκειας είκοσι τεσσάρων ωρών δεν αλλάζει όλους τους γονείς, και ιδιαίτερα εκείνους που εφάρμοζαν τις αναποτελεσματικές μεθόδους τους για δεκαπέντε ή και περισσότερα χρόνια. Για κάποιους από αυτούς τους γονείς, το πρόγραμμα αποτυγχάνει να φέρει κάποια αλλαγή. Αυτός είναι ο λόγος που υποστηρίζουμε τόσο σθεναρά ότι οι γονείς πρέπει να μαθαίνουν αυτήν τη νέα φιλοσοφία ανατροφής των παιδιών, όταν τα παιδιά τους είναι μικρά. Όπως σε όλες τις ανθρώπινες σχέσεις, κάποιες σχέσεις γονέων-παιδιών μπορεί να έχουν τόσο τραυματιστεί και καταστραφεί, που να μην επιδέχονται ίσως καμία επιδιόρθωση.

# 14

## Πώς να αποφύγετε το να σας «απολύσουν» τα παιδιά σας

Όλο και πιο συχνά τα παιδιά «απολύουν» τους γονείς τους. Καθώς μπαίνουν στην εφηβεία, απορρίπτουν τις μητέρες και τους πατέρες τους, τους διαγράφουν, διακόπτουν τη σχέση μαζί τους. Αυτό συμβαίνει σήμερα σε χιλιάδες οικογένειες, ανεξάρτητα από την κοινωνική και την οικονομική τους τάξη. Πολλοί νέοι εγκαταλείπουν τους γονείς τους, χωροταξικά ή ψυχολογικά, για να βρουν πιο κανοποιητικές σχέσεις κάπου αλλού, συνήθως με ομάδες συνομηλίκων.

Γιατί όμως συμβαίνει αυτό; Από την πείρα που απέκτησα εργαζόμενος με χιλιάδες γονείς στην Εκπαίδευση, είμαι πεπεισμένος ότι αυτά τα παιδιά απομακρύνονται από τις οικογένειές τους εξαιτίας της συμπεριφοράς των γονέων τους, ένα συγκεκριμένο είδος συμπεριφοράς. Τα παιδιά απορρίπτουν τους γονείς τους, όταν εκείνοι τα παρενοχλούν και τους κάνουν κήρυγμα να αλλάξουν τις αγαπημένες τους πεποιθήσεις και αξίες. Οι έφηβοι απορρίπτουν τους γονείς τους, όταν αισθάνονται ότι εκείνοι τους αρνούνται βασικά ατομικά δικαιώματα.

Οι γονείς χάνουν την ευκαιρία να ασκήσουν μια εποικοδομητική επίδραση στα παιδιά τους, καθώς προσπαθούν τόσο πιεστικά και επίμονα να τα επηρεάσουν, ενώ τα ίδια θέλουν όσο τίποτε άλλο να καθορίσουν μόνα τους τα πιστεύω και το μέλλον τους. Εδώ, όπως και στις τάξεις μας, θα εξετάσω αυτό το σημαντικό πρόβλημα και θα σας παρουσιάσω συγκεκριμένες μεθόδους για να αποφύγετε να σας απορρίψουν τα παιδιά πάνω σε αυτά τα ζητήματα.

Ενώ η μέθοδος μη ήττας μπορεί να είναι εξαιρετικά αποτελεσματική, όταν οι γονείς αποκτούν τις δεξιότητες για να τη θέσουν σε εφαρμογή, υπάρχουν συγκεκριμένες αναπόφευκτες συγκρούσεις που οι γονείς *δεν θα πρέπει να περιμένουν ότι θα επιλυθούν*, ακόμη και με επιδέξια χρήση αυτής της μεθόδου, γιατί συνήθως αυτές οι συγκρούσεις δεν επιλύονται με τη Μέθοδο ΙΙΙ επίλυσης προβλημάτων. Ονομάζουμε αυτές τις συγκρούσεις «συγκρούσεις αξιών». Το Παράθυρο της συμπεριφοράς τις αναπαριστά ως εξής:

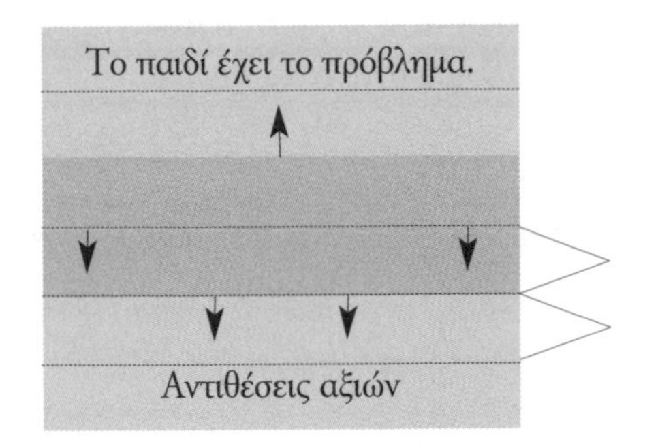


Αποτελεσματικά Εγώ-μηνύματα

Αποτελεσματική Μέθοδος III

Και αν οι γονείς προσπαθήσουν να κάνουν τα παιδιά τους να συμμετάσχουν στη διαδικασία επίλυσης συγκρούσεων γι' αυτές τις αντιθέσεις αξιών, είναι περισσότερο από πιθανό ότι θα αποτύχουν. Είναι μια δύσκολη αποστολή της Εκπαίδευσης το να κάνει τους γονείς να το καταλάβουν αυτό και να το αποδεχτούν, γιατί αυτό απαιτεί εγκατάλειψη κάποιων παλαιών απόψεων και πεποιθήσεων γύρω από τον ρόλο του γονέα στην κοινωνία μας.

Όταν συμβαίνουν οικογενειακές διενέξεις για ζητήματα που αφορούν αγαπημένες αξίες, πεποιθήσεις και προσωπικά γούστα, οι γονείς πρέπει ίσως να τις χειριστούν διαφορετικά, γιατί συχνά τα παιδιά δεν είναι πρόθυμα να βάλουν αυτά τα ζητήματα στο τραπέζι των διαπραγματεύσεων ή να μπούνε στη διαδικασία επίλυσης προβλημάτων. Αυτό *δεν* σημαίνει ότι οι γονείς πρέπει να πάψουν να προσπαθούν να επηρεάζουν τα παιδιά τους, διδάσκοντάς τα αξίες. Για να είναι όμως αποτελεσματικοί, πρέπει να χρησιμοποιούν μια διαφορετική προσέγγιση.

## ΕΝΑ ΖΗΤΗΜΑ ΑΞΙΩΝ

Αναπόφευκτα δημιουργούνται συγκρούσεις μεταξύ γονέα-παιδιού για συμπεριφορές που έχουν μια πολύπλοκη σχέση με τις πεποιθήσεις του παιδιού, τις αξίες του, το στυλ του, τις προτιμήσεις του, τη φιλοσοφία του για τη ζωή. Ας πάρουμε ως ένα αρχικό παράδειγμα τα διαφορετικά στυλ των μαλλιών. Για πολλά παιδιά σήμερα, τα διαφορετικά στυλ μαλλιών έχουν ένα σημαντικό συμβολικό νόημα. Δεν είναι αναγκαίο για ένα γονέα να καταλάβει όλα τα συστατικά στοιχεία του συμβολικού νοήματος ενός στυλ μαλλιών· *είναι* ουσιαστικό να αναγνωρίσει πόσο σημαντικό είναι για ένα παιδί να έχει τα μαλλιά του έτσι όπως θέλει. *Γι' αυτόν έχει ιδιαίτερη αξία αυτό.* Σημαίνουν κάτι πολύ σημαντικό γι' αυτόν. Τα *προτιμά* έτσι – κατά μία έννοια, έχει *ανάγκη* να έχει τα μαλλιά του έτσι, δεν το θέλει απλώς.

Οι προσπάθειες των γονέων να εμποδίσουν την ικανοποίηση αυτής της ανάγκης ή να αφαιρέσουν από το παιδί αυτό που έχει μεγάλη αξία γι' αυτό σχεδόν πάντοτε θα συναντούν σθεναρή αντίσταση. Το στυλ των μαλλιών τους είναι έκφραση της επιθυμίας των νέων να κάνουν αυτό που θέλουν, να ζήσουν τη ζωή τους, να εκφράσουν τις αξίες τους και τις πεποιθήσεις τους.

Αν προσπαθήσετε να πείσετε τον γιο σας να κόψει τα μαλλιά του όπως σας αρέσει εσάς, κατά πάσα πιθανότητα θα σας πει:

«Δικό μου είναι το μαλλί».
«Μου αρέσει έτσι».
«Άφησέ με ήσυχο».
«Έχω δικαίωμα να έχω τα *δικά μου* μαλλιά όπως εγώ θέλω».
«Δεν σ' επηρεάζει εσένα καθόλου».
«Εγώ δεν σου λέω πώς να κάνεις τα μαλλιά σου, επομένως μη μου λες κι εσύ πώς να κάνω εγώ τα δικά μου».

Αυτά τα μηνύματα, αν αποκωδικοποιηθούν κατάλληλα, λένε στον γονέα: «Νομίζω ότι έχω το δικαίωμα να διατηρώ την αξία μου, εφόσον δεν μπορώ να δω πώς αυτή επηρεάζει εσένα με απτό ή συγκεκριμένο τρόπο». Αν αυτός ήταν ο γιος μου, θα ήμουν υποχρεωμένος να πω ότι έχει δίκιο. Το πώς έχει τα μαλλιά του δεν βλέπω να παρεμβαίνει στην ικανοποίηση των δικών μου αναγκών κατά χειροπιαστό ή συγκεκριμένο τρόπο: Δεν θα με κάνει να απολυθώ, δεν θα μειώσει το εισόδημά μου, δεν θα με εμποδίσει να έχω τους φίλους μου ή να κάνω κανούργιους, δεν θα με κάνει να γίνω χειρότερος παίκτης του γκολφ, δεν θα με εμποδίσει να γράψω αυτό το βιβλίο ή να εξασκώ το επαγγελμά μου και σίγουρα δεν θα με εμποδίσει να έχω τα *δικά μου* μαλλιά όπως μου αρέσει. Ούτε ακόμη θα μου κοστίσει σε χρήματα.

Και όμως, πολλές συμπεριφορές, όπως ο τρόπος που κάποιο αγόρι έχει τα μαλλιά του, φαίνονται «δικά τους» προβλήματα σε κάποιους γονείς. Παρακάτω παρατίθεται το πώς εξελίχτηκε μια τέτοια συζήτηση με έναν γονέα που παρακολούθησε μια τάξη της Εκπαίδευσης:

*ΓΟΝΕΑΣ:* Δεν μπορώ να ανεχτώ τα μαλλιά σου. Φαίνεσαι απαίσιος.
*ΓΙΟΣ:* Μου αρέσουν έτσι.
*ΓΟΝΕΑΣ:* Δεν μπορεί να μιλάς σοβαρά. Μοιάζεις με αλήτη.
*ΓΙΟΣ:* Και λοιπόν;
*ΓΟΝΕΑΣ:* Πρέπει να λύσουμε αυτήν τη σύγκρουση με κάποιον τρόπο. Δεν μπορώ να δεχτώ τα μαλλιά σου όπως είναι. Τι μπορούμε να κάνουμε;
*ΓΙΟΣ:* Δικά μου είναι τα μαλλιά και θα τα αφήσω όπως εγώ θέλω.
*ΓΟΝΕΑΣ:* Δεν μπορείς τουλάχιστον να κάνεις κάτι, για να τα κάνεις να φαίνο-

νται πιο αξιοπρεπή;

*ΓΙΟΣ:* Εγώ δεν σου λέω πώς να έχεις τα μαλλιά σου, σου λέω;

*ΓΟΝΕΑΣ:* Όχι. Όμως εγώ δεν φαίνομαι σαν αλήτης.

*ΓΙΟΣ:* Σταμάτα να με αποκαλείς έτσι. Στους φίλους μου αρέσουν – ιδιαίτερα στα κορίτσια.

*ΓΟΝΕΑΣ:* Δεν με νοιάζει, εμένα με αηδιάζει.

*ΓΙΟΣ:* Τότε μη με κοιτάς.

Είναι φανερό ότι το αγόρι δεν επιθυμεί να μπει στη διαδικασία επίλυσης της σύγκρουσης γύρω από τα μαλλιά του, γιατί, όπως το ίδιο το δήλωσε: «Δικά μου είναι τα μαλλιά». Το τελικό αποτέλεσμα, αν ο γονέας επιμένει να συζητάει το πρόβλημα των μαλλιών, είναι ότι το παιδί θα αποσυρθεί, θα γυρίσει την πλάτη στον γονέα του, θα απομακρυνθεί, θα φύγει από το σπίτι ή θα κλειστεί στο δωμάτιό του.

Παρ' όλα αυτά, οι γονείς επιμένουν να αλλάξουν μια τέτοια συμπεριφορά και αυτή η παρέμβαση σχεδόν πάντοτε προκαλεί διαμάχες, αντίσταση και δυσαρέσκεια από την πλευρά των παιδιών, και συνήθως μια σοβαρή επιδείνωση της σχέσης γονέα-παιδιού.

Όταν τα παιδιά αντιστέκονται σθεναρά στις προσπάθειες τροποποίησης της συμπεριφοράς τους, που εκείνα πιστεύουν ότι δεν εμποδίζει την ικανοποίηση των αναγκών των γονέων τους, η συμπεριφορά τους δεν είναι διαφορετική από αυτή των ενηλίκων. Κανένας ενήλικας δεν θέλει να αλλάξει τη συμπεριφορά του, όταν είναι πεπεισμένος ότι αυτή δεν βλάπτει κανέναν άλλον. Οι ενήλικες, όπως και τα παιδιά, θα αγωνιστούν σθεναρά για να διατηρήσουν την ελευθερία τους, όταν αισθάνονται ότι κάποιος τους πιέζει να αλλάξουν μια συμπεριφορά που δεν παρεμβαίνει στη ζωή του άλλου.

Αυτό είναι ένα από το σοβαρότερα λάθη που κάνουν οι γονείς και μια από τις συχνότερες αιτίες της αναποτελεσματικότητάς τους. Αν οι γονείς περιόριζαν τις προσπάθειες τροποποίησης της συμπεριφοράς σε εκείνες τις συμπεριφορές που εμποδίζουν την ικανοποίηση των αναγκών τους, θα υπήρχαν πολύ λιγότερες εξεγέρσεις και συγκρούσεις, και οι σχέσεις γονέων-παιδιών δεν θα χαλούσαν τόσο. Οι περισσότεροι γονείς χωρίς καμία σύνεση κριτικάρουν, καλοπιάνουν ή ταλαιπωρούν τα παιδιά τους, για να αλλάξουν συμπεριφορές, οι οποίες δεν έχουν απτές ή συγκεκριμένες επιδράσεις επάνω τους. Αμυνόμενα τα παιδιά αντεπιτίθενται, αντιστέκονται, επαναστατούν ή απομακρύνονται.

Όχι σπάνια, τα παιδιά αντιδρούν υπερτονίζοντας τα πράγματα που οι γονείς τα πιέζουν να μην κάνουν, όπως συμβαίνει τόσο συχνά στην περίπτωση των μαλλιών, του ντυσίματος, των τατουάζ ή του body pearcing (τρύπημα σε διάφορα σημεία του σώματος). Άλλα παιδιά, από φόβο για τη γονεϊκή εξουσία, μπορεί να ενδώσουν στις πιέσεις των γονέων τους, βαθιά μέσα τους όμως κρύβουν εχθρότητα ή μίσος για τον γονέα που τα υποχρεώνει να αλλάξουν.

Πολλές από τις επαναστάσεις των σημερινών εφήβων μπορούν να αποδοθούν στους γονείς και σε άλλους ενήλικες που τους πιέζουν να τροποποιήσουν συμπεριφορές που τα ίδια τα παιδιά πιστεύουν ότι είναι δικό τους θέμα.

Τα παιδιά δεν επαναστατούν κατά των *ενηλίκων*. Επαναστατούν κατά των *προσπαθειών των ενηλίκων να τους στερήσουν την ελευθερία τους*. Επαναστατούν κατά των προσπαθειών να τα αλλάξουν ή να τα διαπλάσουν σύμφωνα με την εικόνα που έχουν οι ενήλικες γι' αυτά. Επαναστατούν κατά της παρενόχλησης εκ μέρους των ενηλίκων, κατά της πίεσης που τους ασκούν οι ενήλικες, για να ενεργούν σύμφωνα με αυτό που εκείνοι νομίζουν ότι είναι σωστό ή λάθος.

Το τραγικό είναι πως, όταν οι γονείς χρησιμοποιούν την επιρροή τους προσπαθώντας να τροποποιήσουν μια συμπεριφορά που *δεν* παρεμβαίνει στη ζωή τους, χάνουν την ικανότητά τους να επηρεάσουν τα παιδιά να αλλάξουν μια συμπεριφορά που *όντως* παρεμβαίνει. Η εμπειρία μου με παιδιά όλων των ηλικιών είναι ότι συνήθως είναι πρόθυμα να αλλάξουν τη συμπεριφορά τους, όταν τους είναι σαφές ότι *αυτό που κάνουν εμποδίζει πράγματι κάποιον άλλον να ικανοποιήσει τις ανάγκες του.* Όταν οι γονείς περιορίζουν τις προσπάθειές τους να αλλάξουν τη συμπεριφορά των παιδιών σε κάτι που απτά και συγκεκριμένα τους επηρεάζει, γενικά βρίσκουν τα παιδιά αρκετά ανοιχτά στην αλλαγή, πρόθυμα να σεβαστούν τις ανάγκες των γονέων τους και ευνοϊκά διατεθειμένα απέναντι στην «επίλυση προβλήματος».

Τα διάφορα στιλ ντυσίματος –όπως και μαλλιών– έχουν τεράστια συμβολική αξία για τα παιδιά. Στις μέρες μου ήταν το ξεθωριασμένο κίτρινο κοτλέ παντελόνι και τα βρόμικα (πάντα *πολύ* βρόμικα) δερμάτινα παπούτσια. Θυμάμαι ότι ήταν μια τελετουργία για μένα να αγοράσω καινούργια παπούτσια και να τα τρίψω με βρομιά, πριν ακόμη τολμήσω να σκεφτώ να τα φορέσω. Σήμερα μπορεί να είναι οτιδήποτε, από τα χαμηλοκάβαλα τζιν, τα τατουάζ, το body piercing, τα ακριβά παπούτσια του μπάσκετ, και οτιδήποτε έχει μια μάρκα επάνω του.

Πώς αγωνιζόμουνα για το δικαίωμά μου να φοράω τα κοτλέ μου και τα δερμάτινα παπούτσια μου! Είχα πολύ μεγάλη ανάγκη αυτά τα σύμβολα. Το πιο σημαντικό ήταν ότι οι γονείς μου δεν μπορούσαν να βρουν ένα λογικό επιχείρημα που να αποδεικνύει ότι το να φορώ αυτά τα παπούτσια τούς επηρέαζε με έναν απτό και συγκεκριμένο τρόπο.

Υπάρχουν περιπτώσεις που ένα παιδί κατανοεί και αποδέχεται το γεγονός ότι ο τρόπος αμφίεσής του έχει μια απτή και συγκεκριμένη επίδραση στους γονείς του. Ένα παράδειγμα είναι αυτό της Τζέιν και του προβλήματος του «απαίσιου» αδιάβροχου, το οποίο έχω επανειλημμένα μνημονεύσει. Σε αυτή την περίπτωση ήταν σαφές στην Τζέιν ότι, αν περπατούσε αρκετό δρόμο μέχρι το λεωφορείο χωρίς κατάλληλη προστασία από τη βροχή, μπορεί να κρύωνε και μετά να κολλούσε το κρύωμα στον πατέρα της, ο οποίος στη συνέχεια έπρεπε να απουσιάσει από την εργασία του.

Ένα δεύτερο παράδειγμα προβλήματος που επιδέχεται λύση με τη μέθοδο μη ήττας ήταν η σύγκρουση που αφορούσε την επιθυμία της κόρης μου να πάει χωρίς συνοδό στην παραλία του Νιούπορτ το Σαββατοκύριακο του Πάσχα. Σε αυτή την περίπτωση τής κατέστη σαφές ότι εμείς μπορεί και να χάναμε τον ύπνο μας ανησυχώντας ή ότι μπορεί να μας ξυπνούσαν μέσα στη νύχτα, αν τύχαινε να βρισκόταν με κάποια ομάδα παιδιών που θα συρόταν στο δικαστήριο ανηλίκων.

Ακόμη και η σύγκρουση γύρω από το κούρεμα ενός γιου, σε μερικές περιπτώσεις θα μπορούσε να επιλυθεί με την επίλυση προβλήματος, όπως συνέβη σε μια οικογένεια που γνωρίζω. Ο πατέρας ήταν διευθυντής σχολείου. Ένιωθε ότι η θέση του θα μπορούσε να κινδυνεύσει σε αυτήν τη συντηρητική κοινωνία, αν οι άνθρωποι εκλάμβαναν τα μαλλιά του γιου του ως ένδειξη ότι ο πατέρας ήταν πολύ ελαστικός γι' αυτήν τη θέση. Σε αυτή την οικογένεια, ο γιος αποδέχτηκε αυτό τον κίνδυνο ως μια απτή και συγκεκριμένη επίδραση των μαλλιών του στη ζωή του πατέρα του. Συμφώνησε να αλλάξει αρκετά το κούρεμά του, από ένα ειλικρινές ενδιαφέρον για τις ανάγκες του πατέρα του.

Σε μια άλλη οικογένεια με τις ίδιες συνθήκες, το αποτέλεσμα μπορεί να μην ήταν το ίδιο. Το κλειδί είναι ότι το παιδί πρέπει να πειστεί με επιχειρήματα ότι η συμπεριφορά του έχει μια απτή και συγκεκριμένη επίδραση στον γονέα. Μόνο τότε θα είναι πρόθυμο να μπει στη διαδικασία επίλυσης προβλήματος με τη μέθοδο της μη ήττας. Το δίδαγμα για τους γονείς είναι ότι θα πρέπει να έχουν κάποιο δυνατό επιχείρημα ότι κάποια συγκεκριμένη συμπεριφορά έχει μια απτή ή συγκεκριμένη επίδραση στη ζωή τους, διαφορετικά το παιδί ίσως να μην είναι πρόθυμο να διαπραγματευτεί.

Μερικές φορές τα παιδιά είναι διατεθειμένα να περιορίσουν τις μη αποδεκτές συμπεριφορές τους σε μέρη ή χρόνους όπου ο γονέας δεν είναι απαραίτητο να τα δει ή να τα ακούσει. Σε αντάλλαγμα, ο γονέας συμφωνεί να μην κάνει περαιτέρω προσπάθειες επηρεασμού.

Παρακάτω παρατίθενται άλλες συμπεριφορές, οι οποίες, όπως μας είπαν μερικοί γονείς, δεν έγιναν αποδεκτές ως διαπραγματεύσιμες, επειδή τα παιδιά τους δεν μπορούσαν να πεισθούν ότι θα επηρέαζαν τους γονείς τους με απτό ή συγκεκριμένο τρόπο:

- Η έφηβη κόρη που της αρέσουν τα τατουάζ.
- Ο γιος που φοράει μεγαλύτερο μέγεθος τζιν και φθαρμένα παπούτσια.
- Ο έφηβος που προτιμάει μια ομάδα φίλων που δεν αρέσουν στους γονείς του.
- Το παιδί που χαζεύει, όταν κάνει τα μαθήματά του.
- Το παιδί που θέλει να παρατήσει το πανεπιστήμιο για να γίνει ράπερ.

- Το τετράχρονο που κουβαλάει ακόμη την κουβέρτα του.
- Η κόρη που θέλει τα ανοιχτά πουκάμισα και τις πολύ κοντές φούστες.
- Ο νεαρός που δεν θέλει να πάει στην εκκλησία.

Η Μέθοδος ΙΙΙ προφανώς δεν είναι η κατάλληλη για τη διάπλαση των παιδιών σύμφωνα με τα γούστα των γονιών. Αν οι γονείς προσπαθήσουν να χρησιμοποιήσουν τη μέθοδο γι' αυτόν το σκοπό, είναι σίγουρο ότι τα παιδιά θα το καταλάβουν και θα αντισταθούν. Έτσι, οι γονείς διατρέχουν τον κίνδυνο να χάσουν κάθε ευκαιρία να τη χρησιμοποιήσουν σε προβλήματα που πράγματι τους επηρεάζουν, όπως όταν τα παιδιά δεν κάνουν τις δουλειές τους στο σπίτι, κάνουν υπερβολική φασαρία, καταστρέφουν πράγματα, οδηγούν το αυτοκίνητο πάρα πολύ γρήγορα, αφήνουν τα ρούχα τους οπουδήποτε, δεν σκουπίζουν τα βρόμικα πόδια τους πριν μπουν στο σπίτι, μονοπωλούν την τηλεόραση ή τον υπολογιστή, δεν καθαρίζουν την κουζίνα αφού τσιμπολογήσουν, δεν βάζουν τα εργαλεία πίσω στο κουτί τους, ποδοπατάνε τον ανθόκηπο και αναρίθμητες άλλες συμπεριφορές.

## ΕΝΑ ΖΗΤΗΜΑ ΑΤΟΜΙΚΩΝ ΔΙΚΑΙΩΜΑΤΩΝ

Οι μάχες μεταξύ γονέων-παιδιών γύρω από τα μαλλιά και άλλες συμπεριφορές που τα παιδιά θεωρούν ότι δεν επηρεάζουν απτά ή συγκεκριμένα τους γονείς τους εμπεριέχουν ένα ερώτημα για τα *ατομικά δικαιώματα των νέων*. Εκείνοι αισθάνονται ότι έχουν το *δικαίωμα* να έχουν τα μαλλιά τους όπως επιθυμούν, να επιλέγουν τους φίλους τους, να φοράνε το είδος των ρούχων που τους αρέσουν κ.λπ. Και οι νέοι σήμερα, όπως και σε άλλες εποχές, υπερασπίζονται σθεναρά αυτό το δικαίωμα.

Οι νέοι, όπως και οι ενήλικες, οι ομάδες ή τα έθνη, θα αγωνιστούν για να διατηρήσουν τα δικαιώματά τους. Θα αντισταθούν με όλα τα μέσα που έχουν στη διάθεσή τους σε κάθε προσπάθεια στέρησης της ελευθερίας ή της αυτονομίας τους. Αυτά είναι σημαντικά πράγματα γι' αυτούς και δεν επιδέχονται διαπραγμάτευση, συμβιβασμό ή επίλυση με συγκεκριμένο κόστος.

Γιατί δεν το βλέπουν αυτό οι γονείς; Γιατί δεν καταλαβαίνουν ότι οι γιοι και οι κόρες τους είναι ανθρώπινα όντα και ότι είναι στοιχείο της ανθρώπινης φύσης να μάχεται κανείς για την ελευθερία του, όταν απειλείται από κάποιον άλλον; Γιατί δεν καταλαβαίνουν ότι εδώ έχουμε να κάνουμε με κάτι πολύ βασικό και ουσιαστικό, την ανάγκη του ατόμου να διατηρήσει την ελευθερία του; Γιατί οι γονείς δεν καταλαβαίνουν ότι τα ανθρώπινα δικαιώματα πρέπει να αρχίζουν στο σπίτι;

Ένας λόγος που οι γονείς σπάνια σκέπτονται ότι τα παιδιά τους έχουν ατομικά δικαιώματα είναι η διαδεδομένη αντίληψη ότι θεωρούν τα παιδιά τους ιδιοκτησία τους. Έχοντας αυτήν τη στάση, οι γονείς δικαιολογούν τις προσπάθειές τους να διαπλάσουν τα παιδιά τους, να τα διαμορφώσουν, να τα κατηχήσουν, να τα αλλάξουν, να τα ελέγξουν, να τους κάνουν πλύση εγκεφάλου. Η αναγνώριση στα παιδιά ατομικών δικαιωμάτων ή συγκεκριμένων αναφαίρετων ελευθεριών προϋποθέτει ότι θεωρούνται ως χωριστά ανθρώπινα όντα ή ανεξάρτητα πρόσωπα, που έχουν τη *δική τους ζωή*. Δεν βλέπουν πολλοί γονείς τα παιδιά τους κατ' αυτό τον τρόπο, όταν έρχονται για πρώτη φορά στην Εκπαίδευση. Δυσκολεύονται να αποδεχτούν την αρχή μας να δίνουν το ελεύθερο στο παιδί να γίνει ό,τι αυτό θέλει να γίνει, υπό τον όρο ότι η συμπεριφορά του δεν θα εμποδίζει τον γονέα, κατά τρόπο απτό και συγκεκριμένο, να γίνει ό,τι αυτός θέλει να γίνει.

## «ΔΕΝ ΜΠΟΡΩ ΝΑ ΔΙΔΑΞΩ ΤΙΣ ΑΞΙΕΣ ΜΟΥ;»

Αυτή είναι μια από τις συχνότερες ερωτήσεις στην Εκπαίδευση, γιατί οι περισσότεροι γονείς νιώθουν μεγάλη ανάγκη να μεταδώσουν τις πιο αγαπημένες τους αξίες στους απογόνους τους. Η απάντησή μας είναι: «Βεβαίως! Όχι μόνο *μπορείτε* να διδάξετε τις αξίες σας, αλλά αναπόφευκτα *θα* τις διδάξετε». Οι γονείς δεν μπορούν παρά να διδάξουν τις αξίες τους στα παιδιά τους, απλά και μόνο γιατί τα παιδιά είναι επόμενο ότι θα μάθουν τις αξίες των γονέων τους, παρατηρώντας τι κάνουν οι μητέρες τους και οι πατέρες τους και ακούγοντας τι λένε.

### Ο γονέας ως πρότυπο

Οι γονείς, όπως και πολλοί άλλοι ενήλικες με τους οποίους έρχονται σε επαφή τα παιδιά, καθώς μεγαλώνουν, γίνονται *πρότυπα* για τα παιδιά. Οι γονείς λειτουργούν συνεχώς ως πρότυπα για τα παιδιά, δείχνοντας με τις πράξεις τους, ακόμη πιο σθεναρά από ό,τι με τα λόγια τους, τι εκτιμούν ή τι πιστεύουν.

Οι γονείς *μπορούν* να διδάξουν τις αξίες τους, εφαρμόζοντάς τες στη ζωή τους. Αν οι γονείς θέλουν να αξιολογούν τα παιδιά τους την εντιμότητα, πρέπει να επιδεικνύουν τη δική τους εντιμότητα. Αν θέλουν να δίνουν τα παιδιά τους αξία στη γενναιοδωρία, πρέπει οι ίδιοι να συμπεριφέρονται γενναιόδωρα. Αν θέλουν να υιοθετήσουν τα παιδιά τους «χριστιανικές» αξίες, πρέπει οι ίδιοι να συμπεριφέρονται ως χριστιανοί. Αυτός είναι ο καλύτερος και ίσως ο *μόνος* τρόπος, για να «διδάξουν» οι γονείς τις αξίες τους στα παιδιά τους.

Το «Κάνε ό,τι σου λέω, όχι ό,τι κάνω» δεν είναι αποτελεσματικός τρόπος ούτε έχει μεγάλη πιθανότητα αλλαγής ή επηρεασμού ενός παιδιού.

Οι γονείς που θέλουν να γίνουν τα παιδιά τους ειλικρινή άτομα δεν επιτυγχάνουν τον σκοπό τους, αν όταν δέχονται τηλεφωνικά μια ανεπιθύμητη πρόσκληση ψεύδονται μπροστά στα παιδιά λέγοντας: «Ω, θα θέλαμε πολύ να έρθουμε, όμως περιμένουμε επισκέπτες από έξω». Ή αν ο μπαμπάς καμαρώνει στο τραπέζι για την ικανότητά του να παραφουσκώσει τις αφορολόγητες δαπάνες του στη φορολογική του δήλωση. Ή αν η μητέρα προειδοποιεί την κόρη της: «Ας μην πούμε τίποτε στον μπαμπά για το πόσα πλήρωσα για το καινούριο DVD player». Ή αν και οι δύο γονείς δεν λένε στα παιδιά τους όλη την αλήθεια για τη ζωή, το σεξ, τη θρησκεία.

Οι γονείς που θέλουν να εκτιμούν τα παιδιά τους την έλλειψη βίας στις ανθρώπινες σχέσεις θα φαίνονται υποκριτές, όταν χρησιμοποιούν σωματικές ποινές για να «επιβάλλουν πειθαρχία». Θυμάμαι ένα δηκτικό σκίτσο που παρουσίαζε έναν πατέρα, ο οποίος είχε βάλει τον γιο του πάνω στα γόνατά του και τον χτυπούσε στον πισινό φωνάζοντας: «Ελπίζω αυτό να σε μάθει να μη χτυπάς τον μικρό σου αδελφό!»

Οι γονείς διδάσκουν αξίες στα παιδιά τους, όταν *ζουν τη ζωή τους* σύμφωνα με αυτές και όχι όταν *πιέζουν τα παιδιά να ζουν σύμφωνα με ορισμένους κανόνες*. Πιστεύω ακράδαντα ότι μία από τις κύριες αιτίες που οι έφηβοι σήμερα απορρίπτουν διαμαρτυρόμενοι πολλές από τις αξίες της κοινωνίας των ενηλίκων είναι ότι έχουν ανακαλύψει πως οι ενήλικες με πολλούς τρόπους δεν εφαρμόζουν αυτά που κηρύττουν. Με έκπληξη ανακαλύπουν τα παιδιά ότι τα σχολικά βιβλία δεν λένε ολόκληρη την αλήθεια για την κυβέρνηση και την ιστορία του κράτους, ή ότι οι καθηγητές τους ψεύδονται, παραλείποντας κάποια από τα γεγονότα της ζωής. Δεν μπορούν να μην αισθάνονται θυμό για τους ενήλικες που κηρύττουν συγκεκριμένες αρχές σεξουαλικής ηθικής, όταν εκτίθενται σε τηλεοπτικά έργα και σειρές που προβάλλουν μια σεξουαλική συμπεριφορά των μεγάλων αντίθετη με την ηθική που υποστηρίζουν για τα παιδιά τους.

Ναι, οι γονείς μπορούν να διδάξουν τις αξίες τους, αν τις ζουν. Όμως πόσοι γονείς το κάνουν αυτό; Διδάξτε τις αξίες σας– μπορείτε να το κάνετε μόνο με το παράδειγμά σας, κι όχι με λεκτικά επιχειρήματα ή με την εξουσία του γονέα. Διδάξτε οτιδήποτε εκτιμάτε *εσείς ο ίδιος*, όντας όμως ένα πρόσωπο που εφαρμόζει τις αξίες του.

Αυτό που απασχολεί τους γονείς είναι ότι τα παιδιά τους *ίσως να μη δεχτούν τις αξίες τους*. Αυτό είναι γεγονός, ίσως να μην τις δεχτούν. Ίσως κάποιες αξίες των γονέων να μην τους αρέσουν ή μπορεί να διακρίνουν σωστά ότι κάποιες αξίες που έχουν οι γονείς φέρνουν αποτελέσματα που δεν αρέσουν στα παιδιά (όπως στην περίπτωση κάποιων σημερινών νέων που απορρίπτουν τις εξοντωτικού ρυθμού και υψηλού στρες δουλειές των γονέων τους, γιατί τις βλέπουν σαν «αξίες» που προκαλούν καρδιοπάθειες και επαγγελματική εξουθένωση (burnout).

Όταν οι γονείς φοβούνται ότι οι νέοι μπορεί να μην ακολουθήσουν τις αξίες τους, πάντοτε επιστρέφουν στην εκλογίκευση, και υποστηρίζουν ότι δικαιολογούνται να κάνουν χρήση της εξουσίας τους για να επιβάλουν τις αξίες τους στα παιδιά τους. Η πρόταση «Είναι πολύ νέα για να κρίνουν μόνα τους» είναι η πιο συχνή δικαιολογία για την επιβολή αξιών στα παιδιά.

Είναι ποτέ *δυνατόν* να επιβάλει κανείς αξίες σε κάποιο άλλο υγιές άτομο με τη χρήση δύναμης και εξουσίας; Νομίζω πως όχι. Το πιο πιθανό αποτέλεσμα είναι ότι αυτοί, των οποίων το μυαλό επιθυμεί κάποιος να επηρεάσει, θα αντιδράσουν ακόμη πιο σθεναρά σε μια τέτοια επιβολή, συχνά υποστηρίζοντας τις πεποιθήσεις τους και τις αξίες τους όλο και πιο επίμονα. Η δύναμη και η εξουσία μπορούν να ελέγξουν τις πράξεις των άλλων, σπάνια όμως ελέγχουν *τις σκέψεις τους, τις ιδέες τους, τις πεποιθήσεις τους*.

## Ο γονέας ως σύμβουλος

Πέρα από τον επηρεασμό των αξιών των παιδιών με την παροχή προτύπων, οι γονείς μπορούν να χρησιμοποιήσουν και μια άλλη προσέγγιση, για να διδάξουν αυτό που αισθάνονται ότι είναι «σωστό ή λάθος». Μπορούν *να μοιραστούν με τα παιδιά τους* τις απόψεις τους, τις γνώσεις και τις εμπειρίες τους, όπως κάνει ένας σύμβουλος, όταν ζητούνται οι υπηρεσίες του από κάποιον πελάτη. Υπάρχει ωστόσο μια παγίδα εδώ. Ο επιτυχημένος σύμβουλος *μοιράζεται* μάλλον παρά κηρύττει, *προσφέρει* παρά επιβάλλει, *προτείνει* παρά απαιτεί. Ακόμη πιο σημαντικό είναι ότι ο επιτυχημένος σύμβουλος συζητάει, προσφέρει και προτείνει συνήθως μόνο μία φορά. Ο αποτελεσματικός σύμβουλος προσφέρει στους πελάτες του το πλεονέκτημα των γνώσεων και των εμπειριών του. Ναι! Όμως δεν «τους τα ψέλνει» κάθε εβδομάδα, δεν τους προσβάλλει, αν δεν ακολουθούν τις ιδέες του, δεν εξακολουθεί να πιέζει να αποδεχτούν την άποψή του, όταν διαβλέπει αντίσταση από τη μεριά του πελάτη. Ο επιτυχημένος σύμβουλος προσφέρει τις ιδέες του και μετά *αφήνει την ευθύνη της αποδοχής ή της απόρριψής τους στον πελάτη*. Αν ένας σύμβουλος συμπεριφερόταν με τον τρόπο που συμπεριφέρονται οι περισσότεροι γονείς, οι πελάτες του θα τον πληροφορούσαν ότι δεν επιθυμούν πλέον τις υπηρεσίες του.

Οι σημερινοί νέοι απορρίπτουν τους γονείς τους –τους πληροφορούν ότι δεν επιθυμούν πλέον τις υπηρεσίες τους– επειδή ελάχιστοι γονείς είναι αποτελεσματικοί σύμβουλοι για τα παιδιά τους. Διδάσκουν, καλοπιάνουν, απειλούν, προειδοποιούν, πείθουν, εκλιπαρούν, κηρύττουν, ηθικολογούν και προσβάλλουν τα παιδιά τους, και όλα αυτά σε μια προσπάθεια να τα αναγκάσουν να κάνουν αυτό που εκείνοι θεωρούν σωστό. Οι γονείς τρέχουν κάθε μέρα πίσω από τα παιδιά με τα διδακτικά ή ηθικοπλαστικά μηνύματά τους. Δεν αφήνουν στο παιδί την ευθύνη αποδοχής ή απόρριψης, αλλά αναλαμβάνουν οι ίδιοι την ευθύνη της εκμάθησης των παιδιών τους. Η στάση των περισσότερων γονέων ως συμβούλων είναι ότι *οι πελάτες τους πρέπει να πεισθούν*· αν δεν πεισθούν οι πελάτες, αισθάνονται ότι έχουν αποτύχει.

Οι γονείς αισθάνονται ένοχοι για την «επίπονη απογοήτευση». Δεν είναι παράξενο ότι στις περισσότερες οικογένειες τα παιδιά λένε απεγνωσμένα στους γονείς: «Άσε με ήσυχο» «Σταμάτα να με ενοχλείς», «Ξέρω τι εννοείς, δεν χρειάζεται να μου το λες κάθε μέρα», «Σταμάτα το κήρυγμα», «Αρκετά», «Αντίο».

Το δίδαγμα για τους γονείς είναι ότι *μπορούν* να γίνουν βοηθητικοί σύμβουλοι για τα παιδιά τους. Μπορούν να μοιράζονται τις ιδέες τους, τις εμπειρίες τους, τη σοφία τους, αρκεί να θυμούνται να ενεργούν όπως ένας *αποτελεσματικός* σύμβουλος, ώστε να μην απορριφθούν από τους πελάτες, τους οποίους θέλουν να βοηθήσουν.

Αν πιστεύετε ότι έχετε κάποια χρήσιμη γνώση για τις συνέπειες του καπνίσματος στην υγεία των ανθρώπων, μιλήστε γι' αυτό στα παιδιά σας. Αν αισθάνεστε ότι η θρησκεία άσκησε σημαντική επίδραση στη ζωή σας, μοιραστείτε το με τα παιδιά σας. Αν διαβάσατε ένα ωραίο άρθρο για τις συνέπειες των ναρκωτικών στη ζωή των νέων, δώστε το περιοδικό στα παιδιά σας ή διαβάστε το φωναχτά σε όλη την οικογένεια. Αν έχετε στοιχεία για την αξία της πανεπιστημιακής εκπαίδευσης, μοιραστείτε τα με τα παιδιά σας. Αν στα νιάτα σας είχατε μάθει πώς να κάνετε λιγότερο πληκτικό το διάβασμα στο σπίτι, προσφέρτε τη μέθοδό σας στα παιδιά σας. Αν νομίζετε ότι είστε ειδικός για το πρόβλημα των προγαμιαίων σχέσεων, ανακοινώστε τα ευρήματά σας στα παιδιά σας κάποια κατάλληλη στιγμή.

Μια επιπλέον σύσταση βασίζεται στην προσωπική μου εμπειρία ως συμβούλου, όταν έμαθα ότι το *πολυτιμότερο εργαλείο μου*, όταν εργαζόμουνα με πελάτες, ήταν η Ενεργητική ακρόαση. Καθώς πρότεινα νέες ιδέες, οι πελάτες μου σχεδόν πάντοτε αντιδρούσαν, αρχικά με άμυνα και αντίσταση, εν μέρει επειδή οι ιδέες μου συνήθως ήταν αντίθετες με τις δικές τους πεποιθήσεις ή τις συνήθειές τους. Όταν μπορούσα να κάνω Ενεργητική ακρόαση στα συναισθήματά τους, αυτά γενικά εξαφανίζονταν και οι νέες ιδέες τελικά γίνονταν αποδεκτές. Οι γονείς που θέλουν να διδάξουν στα παιδιά τους τις πεποιθήσεις και τις αξίες τους, πρέπει να είναι έτοιμοι να δεχτούν αντίσταση στη διδασκαλία τους, να είναι ευαίσθητοι στις αντιδράσεις στις απόψεις τους. Όταν συναντάτε αντίσταση, μην ξεχνάτε να κάνετε Ενεργητική ακρόαση. Θα σας φανεί χρήσιμη, όταν γίνεστε σύμβουλος στα παιδιά σας.

Συνεπώς, στους γονείς της Εκπαίδευσης και τους γονείς που διαβάζουν το βιβλίο αυτό λέμε: «Σίγουρα μπορείτε να δοκιμάσετε να διδάξετε τις αξίες σας στα παιδιά σας, σταματήστε όμως να προσπαθείτε τόσο πολύ! Δηλώστε τις αξίες σας καθαρά, αλλά σταματήστε να σφυροκοπάτε! Μοιραστείτε τες με γενναιοδωρία, όμως μην κηρύττετε. Προσφέρετέ τες με σιγουριά, αλλά μην τις επιβάλλετε. Έπειτα αποσυρθείτε διακριτικά και αφήστε τους «πελάτες» σας να αποφασίσουν κατά πόσο θα αποδεχτούν ή θα απορρίψουν τις ιδέες σας. Και μην ξεχνάτε να χρησιμοποιείτε Ενεργητική ακρόαση! Αν κάνετε τα παραπάνω, ίσως τα παιδιά σας να ζητήσουν τις υπηρεσίες σας ξανά. Ίσως να σας έβαζαν στην υπηρεσία τους, πεπεισμένα ότι μπορείτε να είστε ένας χρήσιμος σύμβουλος γι' αυτά. Ίσως απλώς να μη θελήσουν να σας απολύσουν!»

## «Να αποδέχομαι ό,τι δεν μπορώ να αλλάξω»

Οι αναγνώστες ίσως να θυμούνται την προσευχή του Ράινχολτ Νίμπουρ, καθώς αναφέρεται συχνά. Νομίζω ότι έχει ως εξής:

> Θεέ μου, δώσε μου το θάρρος να αλλάξω τα πράγματα που μπορώ να αλλάξω, την ηρεμία να αποδεχτώ τα πράγματα που δεν μπορώ να αλλάξω, και τη σοφία να γνωρίζω τη διαφορά.

Η φράση «την ηρεμία να αποδεχτώ τα πράγματα που δεν μπορώ να αλλάξω» σχετίζεται με το θέμα, στο οποίο αναφέρομαι. Γιατί υπάρχουν πολλές συμπεριφορές των παιδιών που οι γονείς ίσως απλώς δεν μπορούν να αλλάξουν. Η μόνη εναλλακτική δυνατότητα είναι να αποδεχτούν αυτό το γεγονός.

Πολλοί γονείς αντιστέκονται σθεναρά στην άποψή μας να είναι απλοί σύμβουλοι για τα παιδιά τους. Λένε:

> «Μα έχω την ευθύνη να μεριμνήσω, ώστε τα παιδιά μου να μην καπνίζουν».
> «Πρέπει να χρησιμοποιήσω την εξουσία μου, για να εμποδίσω το παιδί μου να έχει προγαμιαίες σχέσεις».
> «Δεν είμαι διατεθειμένος να ενεργήσω μόνον ως σύμβουλος ως προς τη χρήση χασίς. Πρέπει να σιγουρευτώ ότι ο γιος μου δεν το κάνει».
> «Δεν θα είμαι ικανοποιημένος, αν επιτρέπω στο παιδί μου να μην κάνει τα μαθήματά του κάθε βράδυ».

Είναι κατανοητό ότι πολλοί γονείς έχουν έντονες πεποιθήσεις για συγκεκριμένες συμπεριφορές και δεν θέλουν να εγκαταλείψουν την προσπάθεια να επηρεάσουν τα παιδιά τους, όμως συνήθως μια πιο αντικειμενική ματιά τούς πείθει ότι δεν έχουν καμιά άλλη εναλλακτική δυνατότητα παρά να υποχωρήσουν, να αποδεχτούν δηλαδή αυτά που δεν μπορούν να αλλάξουν.

Ας πάρουμε για παράδειγμα το κάπνισμα. Ας υποθέσουμε ότι οι γονείς έχουν δώσει στα παιδιά τους όλα τα στοιχεία (τη δική τους κακή εμπειρία από αυτήν τη συνήθεια, τις ανακοινώσεις του Υπουργείου Υγείας, άρθρα περιοδικών). Ας υποθέσουμε τώρα ότι ο νέος εξακολουθεί να επιλέγει να καπνίζει. Τι μπορούν να κάνουν οι γονείς; Αν προσπαθήσουν να του απαγορεύσουν να καπνίζει στο σπίτι, σίγουρα θα καπνίζει, όταν θα είναι μακριά από το σπίτι (και πιθανόν θα καπνίζει και στο σπίτι, όταν απουσιάζει ο γονέας). Προφανώς δεν μπορούν να τον συνοδεύουν οποτεδήποτε βγαίνει από το σπίτι, ούτε και να παραμένουν πάντα στο σπίτι, όταν αυτός βρίσκεται εκεί. Ακόμη και αν τον πιάσουν να καπνίζει, τι μπορούν να κάνουν; Αν του στερήσουν την έξοδο, απλώς θα περιμένει μέχρι να λήξει αυτή η περίοδος, και τότε θα αρχίσει και πάλι να καπνίζει. Θεωρητικά, ίσως δοκιμάσουν να τον απειλήσουν ότι θα τον διώξουν από το σπίτι, όμως ελάχιστοι γονείς είναι πρόθυμοι να λάβουν ένα τέτοιο ακραίο μέτρο, αντιλαμβανόμενοι ότι μπορεί να αναγκαστούν να πραγματοποιήσουν την απειλή τους. Έτσι, στην πραγματικότητα, οι γονείς δεν έχουν άλλη εναλλακτική λύση παρά να αποδεχτούν την αδυναμία τους να κάνουν το έφηβο παιδί τους να κόψει το κάπνισμα. Μια μητέρα εξέφρασε με ακρίβεια το δίλημμά της λέγοντας: «Ο μόνος τρόπος με τον οποίο θα μπορούσα να σταματήσω την κόρη μου να καπνίζει θα ήταν να τη δέσω στο πόδι του κρεβατιού».

Τα μαθήματα του σχολείου, ένα πρόβλημα που δημιουργεί συγκρούσεις σε πολλές οικογένειες, είναι ένα άλλο παράδειγμα. Τι μπορούν να κάνουν οι γονείς, αν το παιδί δεν κάνει τα μαθήματά του; Αν το αναγκάσουν να πάει στο δωμάτιό του, αυτό ίσως να ακούει ραδιόφωνο ή να περιφέρεται κάνοντας οτιδήποτε άλλο εκτός από τις εργασίες του. Το νόημα είναι ότι απλώς δεν μπορείτε να αναγκάσετε κάποιον να διαβάσει ή να μάθει. Το «Μπορείτε να οδηγήστε ένα άλογο στο νερό, αλλά δεν μπορείτε να το αναγκάσετε να πιει» ισχύει εξίσου και για την περίπτωση εξαναγκασμού ενός παιδιού να κάνει τα μαθήματά του.

Τι γίνεται τώρα με τις προγαμιαίες σχέσεις; Η ίδια αρχή ισχύει κι εδώ. Είναι αδύνατον για τους γονείς να επιτηρούν τα παιδιά τους όλη την ώρα. Ένας γονέας σε μία από τις τάξεις της Εκπαίδευσης παραδέχτηκε: «Ίσως να είναι καλύτερα να σταματήσω να προσπαθώ να εμποδίσω την κόρη μου να έχει προγαμιαίες σχέσεις, γιατί σίγουρα δεν μπορώ να είμαι συνέχεια επί ποδός κάθε φορά που βγαίνει ραντεβού».

Και άλλες συμπεριφορές μπορούν να προστεθούν στον κατάλογο των πραγμάτων που οι γονείς μάλλον δεν έχουν τη δύναμη να αλλάξουν: προκλητικό ντύσιμο, ποτό, φασαρίες στο σχολείο, παρέες με συγκεκριμένα παιδιά, κάπνισμα χασίς κ.λπ. Το μόνο που μπορεί να κάνει ο γονέας είναι να προσπαθήσει να επηρεάσει τα παιδιά λειτουργώντας ως πρότυπο και ως αποτελεσματικός σύμβουλος, και αναπτύσσοντας μια «θεραπευτική» σχέση με τα παιδιά. Και μετά από αυτό τι άλλο; Κατά την άποψή μου, ο γονέας δεν μπορεί παρά να αποδεχτεί το γεγονός ότι τελικά δεν έχει τη δύναμη να εμποδίσει τέτοιες συμπεριφορές, αν το παιδί έχει την τάση να κάνει αυτά τα πράγματα.

Ίσως αυτό να είναι μια από τις συνέπειες του να είναι κανείς γονέας. Μπορείτε να *κάνετε* το καλύτερο και στη συνέχεια να *ελπίζετε* για το καλύτερο, μακροπρόθεσμα όμως διατρέχετε τον κίνδυνο, ακόμη και οι καλύτερες προσπάθειές σας να μην επαρκούν. Τελικά, ίσως πείτε κι εσείς «Θεέ μου, δώσε μου... την ηρεμία να αποδεχτώ τα πράγματα που δεν μπορώ να αλλάξω».

# 15

## Πώς μπορούν οι γονείς να προλαμβάνουν συγκρούσεις αλλάζοντας οι ίδιοι

Η τελευταία άποψη που προσφέρουμε στους γονείς είναι ότι μπορούν να προλάβουν πολλές συγκρούσεις με τα παιδιά τους, αλλάζοντας κάποιες από τις δικές τους απόψεις. Αφήσαμε αυτή την πρόταση για το τέλος, επειδή μπορεί να είναι κάπως απειλητικό για τους γονείς το να τους πει κάποιος ότι μερικές φορές *εκείνοι* θα έπρεπε να αλλάξουν, παρά τα παιδιά τους. Είναι πολύ ευκολότερο για τους περισσότερους γονείς να αποδεχτούν νέες μεθόδους για να αλλάξουν *τα παιδιά τους* και νέες μεθόδους για να αλλάξουν *το περιβάλλον*, παρά να αποδεχτούν την ιδέα να κάνουν αλλαγές *στον εαυτό τους*.

Στην κοινωνία μας η ιδιότητα του γονέα θεωρείται περισσότερο ένας τρόπος επηρεασμού της ανάπτυξης και της εξέλιξης των παιδιών παρά των ίδιων των γονέων. Πολύ συχνά η ιδιότητα του γονέα σημαίνει «ανατροφή» παιδιών – τα παιδιά είναι εκείνα που πρέπει να προσαρμοστούν στους γονείς. Υπάρχουν «προβληματικά» *παιδιά* αλλά όχι «προβληματικοί» *γονείς*. Υποθετικά, δεν υπάρχουν ούτε προβληματικές σχέσεις γονέων-παιδιών.

Ωστόσο, κάθε γονέας γνωρίζει ότι στις σχέσεις του με τον/τη σύζυγο, ένα φίλο, το αφεντικό του ή κάποιον συνάδελφο υπάρχουν περιπτώσεις όπου αυτός *ο ίδιος* πρέπει να αλλάξει, προκειμένου να προλάβει σοβαρές συγκρούσεις ή να διατηρήσει τη σχέση σε καλό επίπεδο. Ο καθένας μας έχει εμπειρίες αλλαγής της στάσης του απέναντι στη συμπεριφορά κάποιου άλλου: Γινόμαστε περισσότερο αποδεκτικοί των τρόπων του άλλου, αλλάζοντας τη δική μας στάση απέναντι στη συμπεριφορά του. Μπορεί να σας ενοχλούσε πάρα πολύ η συνήθης τάση κάποιου φίλου να αργεί στα ραντεβού του. Με τα χρόνια αρχίζετε να το αποδέχεστε, ίσως πλέον να γελάτε και να πειράζετε τον φίλο σας γι' αυτό. Τώρα δεν σας ενοχλεί πια· αποδεχτήκατε αυτήν τη συμπεριφορά ως ένα από τα χαρακτηριστικά του φίλου σας. *Η συμπεριφορά του* δεν άλλαξε. *Η στάση σας* ως προς τη συμπεριφορά του άλλαξε. *Εσείς* προσαρμοστήκατε. *Εσείς* αλλάξατε.

Και οι γονείς, επίσης, μπορούν να αλλάξουν στάση απέναντι στη συμπεριφορά των παιδιών τους.

Η μητέρα της Κικής έγινε περισσότερο αποδεκτική ως προς την ανάγκη της κόρης της να φοράει κοντές φούστες, όταν θυμήθηκε τα δικά της νεανικά χρόνια, όταν ευλαβικά ακολουθούσε τη μόδα της φούστας πάνω από το γόνατο, προς απελπισία της μητέρας της.

Ο πατέρας του Μανώλη έγινε περισσότερο αποδεκτικός ως προς την υπερκινητικότητα του τρίχρονου γιου του, όταν άκουσε σε μια ομάδα συζήτησης με άλλους γονείς ότι αυτό το είδος της συμπεριφοράς είναι συνηθισμένο για τα αγόρια αυτής της ηλικίας.

Συνεπώς, ένας γονέας θα ήταν σώφρων αν καταλάβαινε ότι μπορεί να μειώσει τον αριθμό των συμπεριφορών που βρίσκει μη αποδεκτές αλλάζοντας τον εαυτό του, έτσι ώστε εκείνος να γίνει περισσότερο αποδεκτικός ως προς τη συμπεριφορά του παιδιού του ή των παιδιών γενικά.

Αυτό δεν είναι τόσο δύσκολο όσο ίσως φαίνεται. Πολλοί γονείς γίνονται πολύ πιο αποδεκτικοί ως προς τη συμπεριφορά των παιδιών μετά το πρώτο τους παιδί, και συχνά ακόμη πιο αποδεκτικοί μετά το δεύτερο ή το τρίτο. Επίσης, οι γονείς μπορούν να γίνουν περισσότερο αποδεκτικοί με τα παιδιά διαβάζοντας κάποιο βιβλίο σχετικά με παιδιά ή ακούγοντας μια διάλεξη πάνω στην εκπαίδευση των γονέων ή αποκτώντας κάποια εμπειρία ως υπεύθυνοι μιας ομάδας νέων. Η άμεση επαφή με τα παιδιά ή ακόμη και η απόκτηση γνώσεων σχετικά με τα παιδιά από τις εμπειρίες άλλων μπορούν να αλλάξουν σημαντικά τη στάση ενός γονέα. Υπάρχουν και άλλοι σημαντικοί τρόποι με τους οποίους μπορούν να αλλάξουν οι γονείς, έτσι ώστε να γίνουν περισσότερο αποδεκτικοί με τα παιδιά.

## ΜΠΟΡΕΙΤΕ ΝΑ ΓΙΝΕΤΕ ΠΕΡΙΣΣΟΤΕΡΟ ΑΠΟΔΕΚΤΙΚΟΙ ΜΕ ΤΟΝ ΕΑΥΤΟ ΣΑΣ;

Οι μελέτες δείχνουν ότι υπάρχει μια άμεση σχέση μεταξύ του βαθμού αποδοχής των άλλων και του βαθμού αποδοχής του εαυτού μας. Ένα άτομο που αποδέχεται τον εαυτό του ως πρόσωπο είναι πιθανόν να αισθάνεται πολύ αποδεκτικός με τους άλλους. Οι άνθρωποι που δεν μπορούν να ανεχτούν πολλά πράγματα γύρω από τον εαυτό τους συνήθως δυσκολεύονται να ανεχτούν πολλά πράγματα στους άλλους.

Οι γονείς πρέπει να κάνουν στον εαυτό τους μια διεισδυτική ερώτηση: «Πόσο πολύ μου αρέσει αυτό που είμαι;»

Αν η ειλικρινής απάντηση δείχνει έλλειψη αποδοχής του εαυτού του ως προσώπου, ο γονέας αυτός θα πρέπει να επανεξετάσει τη δική του ζωή και να βρει τρόπους να είναι πιο ικανοποιημένος από τα επιτεύγματά του. Τα άτομα με υψηλή αυτοαποδοχή και αυτοεκτίμηση είναι γενικά άτομα που δημιουργούν και επιτυγχάνουν, άτομα που χρησιμοποιούν τα ταλέντα τους, που πραγματώνουν το δυναμικό τους, που πετυχαίνουν πράγματα, που είναι «δημιουργοί».

Οι γονείς που ικανοποιούν τις ανάγκες τους μέσα από ανεξάρτητη, δημιουργική προσπάθεια, όχι μόνο αποδέχονται τον εαυτό τους, αλλά επίσης *δεν χρειάζεται να αναζητήσουν ικανοποίηση των αναγκών τους στο πώς συμπεριφέρονται τα παιδιά τους.* Δεν έχουν ανάγκη να εξελιχθούν τα παιδιά τους με ένα συγκεκριμένο τρόπο. Οι άνθρωποι με υψηλή αυτοεκτίμηση, που στηρίζονται στα θεμέλια των δικών τους ανεξάρτητων επιτευγμάτων, αποδέχονται περισσότερο τα παιδιά τους και τον τρόπο με τον οποίο αυτά συμπεριφέρονται.

Από την άλλη μεριά, αν ένας γονέας έχει ελάχιστη ή καθόλου ικανοποίηση και αυτοεκτίμηση από τη δική του ζωή και πρέπει, για να βρει ικανοποίηση, να στηρίζεται σε μεγάλο βαθμό στο πώς οι άλλοι κρίνουν τα παιδιά του, είναι πιθανόν να μην είναι αποδεκτικός με τα παιδιά του, ιδιαίτερα με τις συμπεριφορές που φοβάται ότι ίσως τον κάνουν να φαίνεται κακός γονέας.

Στηριζόμενος σε αυτή την «εξωτερική πηγή αυτοαποδοχής» *ένας τέτοιος γονέας έχει ανάγκη να βλέπει τα παιδιά του να συμπεριφέρονται με συγκεκριμένους και καθορισμένους τρόπους.* Και είναι πιο πιθανό να είναι μη αποδεκτικός και να θυμώνει μαζί τους, όταν αποκλίνουν από αυτό το σχέδιο.

Το να κάνουν «καλά παιδιά» – με υψηλές επιδόσεις στο σχολείο, κοινωνικά επιτυχημένα, με επιδόσεις στον αθλητισμό κ.λπ., έχει γίνει σύμβολο κοινωνικής υπόστασης για πολλούς γονείς. «Έχουν ανάγκη» να είναι περήφανοι για τα παιδιά τους· έχουν ανάγκη τα παιδιά τους να συμπεριφέρονται κατά έναν τρόπο που θα τους κάνει να φαίνονται καλοί γονείς. Κατά μία έννοια, πολλοί γονείς *χρησιμοποιούν* τα παιδιά τους, για να νιώσουν οι ίδιοι ένα συναίσθημα αυτοαξίας και αυτοεκτίμησης. Αν ένας γονέας δεν έχει άλλη πηγή αυτοαξίας και αυτοεκτίμησης –κάτι που δυστυχώς ισχύει για πολλούς γονείς, των οποίων η ζωή περιορίζεται στην ανατροφή «καλών» παιδιών– στήνεται το σκηνικό για εξάρτηση από τα παιδιά, κάτι που κάνει τον γονέα υπερβολικά ανήσυχο και τον αναγκάζει να επιζητεί συγκεκριμένη συμπεριφορά από τα παιδιά του.

## ΤΙΝΟΣ ΠΑΙΔΙΑ ΕΙΝΑΙ;

Πολλοί γονείς δικαιολογούν τις μεγάλες τους προσπάθειες να διαπλάσουν τα παιδιά τους σύμφωνα με ένα προκαθορισμένο σχήμα, λέγοντας: «Στο κάτω κάτω είναι δικά μου παιδιά, δεν είναι;» ή «Δεν έχουν οι γονείς το δικαίωμα να επηρεάζουν τα δικά τους παιδιά με όποιον τρόπο θεωρούν αυτοί καλύτερο;»

Ο γονέας που αισθάνεται ότι το παιδί είναι ιδιοκτησία του και συνεπώς θεωρεί ότι έχει το δικαίωμα να το διαπλάσει κατά ένα συγκεκριμένο τρόπο, θα έχει πολύ περισσότερο την τάση να μην αποδέχεται τη συμπεριφορά του παιδιού, όταν αυτή αποκλίνει από το προκαθορισμένο σχήμα. Ο γονέας που βλέπει το παιδί σαν κάποιον εντελώς ξεχωριστό, ακόμη και εντελώς διαφορετικό –που δεν είναι ιδιοκτησία του– έχει την τάση να αποδέχεται τις περισσότερες συμπεριφορές του παιδιού, γιατί δεν υπάρχει καλούπι ούτε προκαθορισμένο σχήμα για το παιδί. Ένας τέτοιος γονέας μπορεί πιο εύκολα να αποδεχτεί τη μοναδικότητα ενός παιδιού, είναι περισσότερο σε θέση να επιτρέψει στο παιδί να γίνει αυτό που γενετικά είναι ικανό να γίνει.

Ένας αποδεκτικός γονέας είναι πρόθυμος να αφήσει ένα παιδί να αναπτύξει το δικό του «πρόγραμμα» για τη ζωή. Ένας λιγότερο αποδεκτικός γονέας αισθάνεται την ανάγκη να προγραμματίζει ο ίδιος τη ζωή του παιδιού του.

Πολλοί γονείς βλέπουν τα παιδιά τους ως «προεκτάσεις του εαυτού τους». Αυτό συχνά κάνει ένα γονέα να προσπαθεί πάρα πολύ να επηρεάσει ένα παιδί να γίνει αυτό που ο ίδιος θεωρεί «καλό παιδί» ή να γίνει αυτό που ο ίδιος δεν μπόρεσε να γίνει, προς μεγάλη του λύπη. Αυτό τον καιρό οι ανθρωπιστές ψυχολόγοι μιλάνε πολύ για τη διαφοροποίηση. Αυξάνουν οι αποδείξεις ότι στις υγιείς ανθρώπινες σχέσεις το κάθε πρόσωπο μπορεί να επιτρέπει στο άλλο να είναι διαφοροποιημένο από το ίδιο. Όσο περισσότερο υπάρχει αυτή η στάση διάκρισης, τόσο μικρότερη είναι η ανάγκη να αλλάξει κανείς τον άλλον, να μην ανέχεται τη μοναδικότητά του και να μην αποδέχεται διαφορές στη συμπεριφορά του.

Στην κλινική μου εργασία με προβληματικές οικογένειες και στις τάξεις της Εκπαίδευσης συχνά είναι απαραίτητο να υπενθυμίζω στους γονείς: «Εσείς δημιουργήσατε μια ζωή, αφήστε τώρα το παιδί να τη ζήσει. Αφήστε το να αποφασίσει τι θέλει να κάνει με τη ζωή που του δώσατε». Ο Γκιμπράν διατύπωσε ωραία αυτή την αρχή στον *Προφήτη*:

> «Τα παιδιά σας δεν είναι δικά σας.
> Είναι οι γιοι και οι θυγατέρες της Ζωής που έχει τη λαχτάρα να ζήσει τη ζωή της.
> Βγαίνουν μέσα από εσάς, όχι όμως για εσάς:
> Και, αν και παρευρίσκονται μαζί σας, δεν ανήκουν σε εσάς. Μπορείτε να τους δώσετε την αγάπη σας, όχι όμως τις σκέψεις σας.
> Γιατί έχουν τις δικές τους σκέψεις...
> Μπορεί να προσπαθείτε να είστε σαν κι αυτά, όμως μην επιδιώκετε να τα κάνετε σαν εσάς.
> Γιατί η ζωή δεν πηγαίνει προς τα πίσω ούτε μένει με το χθες».

Οι γονείς *μπορούν* να αλλάξουν τον εαυτό τους και να μειώσουν τον αριθμό των συμπεριφορών που δεν γίνονται αποδεκτές από αυτούς, αν φθάσουν να δουν ότι τα παιδιά τους δεν είναι ιδιοκτησία τους, δεν είναι προέκταση του εαυτού τους, αλλά ξεχωριστά και μοναδικά άτομα. Ένα παιδί έχει το δικαίωμα να γίνει αυτό που είναι ικανό να γίνει, ανεξάρτητα από το πόσο θα διαφοροποιηθεί από τον γονέα ή από το σχέδιο ζωής του γονέα για το παιδί. Αυτό είναι το *αναφαίρετο* δικαίωμά του.

## ΑΓΑΠΑΤΕ ΠΡΑΓΜΑΤΙΚΑ ΤΑ ΠΑΙΔΙΑ Ή ΜΟΝΟ ΕΝΑ ΣΥΓΚΕΚΡΙΜΕΝΟ ΕΙΔΟΣ ΠΑΙΔΙΩΝ;

Έχω γνωρίσει γονείς που δηλώνουν ότι αγαπούν τα παιδιά, με τη συμπεριφορά τους όμως δείχνουν καθαρά ότι συμπαθούν μόνο συγκεκριμένες κατηγορίες παιδιών. Οι πατέρες που εκτιμούν τους αθλητές συχνά απορρίπτουν τραγικά ένα γιο που τα ενδιαφέροντά του και τα ταλέντα του δεν είναι τα αθλητικά. Οι μητέρες που εκτιμούν τη φυσική ομορφιά ενδέχεται να απορρίψουν μια κόρη που δεν ικανοποιεί το πολιτιστικό στερεότυπο της γυναικείας ομορφιάς. Οι γονείς που έχουν εμπλουτίσει με τη μουσική τη ζωή τους συχνά δείχνουν σε ένα μη μουσικόφιλο παιδί πόσο βαθιά απογοητευμένοι είναι μαζί του. Οι γονείς που εκτιμούν τις ακαδημαϊκές και σχολικές ικανότητες μπορούν να προκαλέσουν ανεπανόρθωτη συναισθηματική ζημιά σε ένα παιδί που δεν έχει αυτόν τον ειδικό τύπο ευφυΐας.

Λιγότερες συμπεριφορές θα είναι μη αποδεκτές στους γονείς, αν καταλάβουν ότι υπάρχει μια ατέλειωτη ποικιλία παιδιών που έρχονται σε αυτό τον κόσμο και μια ατέλειωτη ποικιλία τρόπων ζωής που μπορούν να ακολουθήσουν. Η ομορφιά της φύσης και το θαύμα της ζωής είναι αυτή η τεράστια ποικιλία στις διάφορες μορφές της.

Συχνά λέω στους γονείς: «Μην επιδιώκετε να γίνει κάτι συγκεκριμένο το παιδί σας· απλώς να επιθυμείτε να εξελιχθεί σε αυτό που θέλει το ίδιο». Με μια τέτοια στάση αναπόφευκτα οι γονείς θα δουν τον εαυτό τους να νιώθει όλο και περισσότερο αποδεκτικός με κάθε παιδί και να αισθάνεται χαρά και συγκίνηση βλέποντας το κάθε παιδί να γίνεται αυτό που το ίδιο θέλει.

## ΕΙΝΑΙ ΟΙ ΔΙΚΕΣ ΣΑΣ ΑΞΙΕΣ ΚΑΙ ΠΕΠΟΙΘΗΣΕΙΣ ΟΙ ΜΟΝΕΣ ΑΛΗΘΙΝΕΣ;

Ενώ είναι προφανές ότι οι γονείς είναι μεγαλύτεροι και πιο έμπειροι από τα παιδιά τους, είναι συχνά λιγότερο προφανές ότι η συγκεκριμένη εμπειρία ή γνώση τούς δίνει αποκλειστική πρόσβαση στην αλήθεια ή τους εφοδιάζει με επαρκή σοφία για να κρίνουν πάντοτε τι είναι σωστό και τι λάθος. Η εμπειρία είναι ένας καλός δάσκαλος, όμως δεν διδάσκει πάντοτε τι είναι σωστό. Η γνώση είναι καλύτερη από την άγνοια, όμως ένας γνώστης δεν έχει πάντοτε την απαραίτητη σοφία.

Έχω εντυπωσιαστεί βλέποντας πόσο πολλοί γονείς που έχουν σοβαρά προβλήματα στις σχέσεις τους με τα παιδιά τους, είναι άτομα με πολύ ισχυρές και πολύ άκαμπτες απόψεις για το τι είναι σωστό και τι λάθος. Αυτό σημαίνει ότι *όσο πιο σίγου-*

*ροι είναι οι γονείς ότι οι αξίες και οι πεποιθήσεις τους είναι σωστές, τόσο περισσότερο τείνουν να τις επιβάλλουν στα παιδιά τους* (και συνήθως και στους άλλους). Σημαίνει επίσης ότι τέτοιοι γονείς τείνουν να μην είναι αποδεκτικοί με συμπεριφορές που φαίνεται να αποκλίνουν από τις αξίες και τις πεποιθήσεις τους.

Οι γονείς των οποίων το σύστημα αξιών και πεποιθήσεων είναι περισσότερο ευέλικτο, χαλαρό και πιο ανοιχτό στην αλλαγή, λιγότερο «άσπρο-μαύρο», τείνουν να είναι πολύ πιο αποδεκτικοί με συμπεριφορές που θα φαίνονταν ότι αποκλίνουν από τις αξίες και τις πεποιθήσεις τους. Και πάλι, έχω παρατηρήσει ότι τέτοιοι γονείς είναι πιο απίθανο να επιβάλλουν πρότυπα ή να προσπαθούν να διαπλάσουν τα παιδιά τους σύμφωνα με προκαθορισμένα σχήματα. Είναι οι γονείς που μπορούν ευκολότερα να δεχτούν το ξυρισμένο κεφάλι του γιου τους, αν και πιθανόν να μην τους άρεσε μια τέτοια επιλογή για τον εαυτό τους. Είναι οι γονείς που μπορούν ευκολότερα να αποδεχτούν τα μεταβαλλόμενα πρότυπα της σεξουαλικής συμπεριφοράς, τα διαφορετικά στυλ ντυσίματος, ή την εξέγερση ενάντια στις σχολικές αρχές. Αυτοί είναι οι γονείς που κατά κάποιον τρόπο φαίνεται να αποδέχονται ότι η αλλαγή είναι αναπόφευκτη, «ότι η ζωή δεν πηγαίνει προς τα πίσω ούτε καθυστερεί στο χθες», ότι οι πεποιθήσεις και οι αξίες μιας γενιάς δεν είναι απαραίτητα και εκείνες της επόμενης, ότι η κοινωνία μας χρειάζεται βελτιώσεις, ότι κάποια πράγματα πρέπει να προστατεύονται δυναμικά και ότι συχνά αξίζει να αντιστέκεται κανείς σθεναρά στην παράλογη και καταπιεστική εξουσία. Οι γονείς με τέτοιες απόψεις βρίσκουν πολύ περισσότερες συμπεριφορές των νέων κατανοητές, δικαιολογημένες και γνήσια αποδεκτές.

## ΕΙΝΑΙ Η ΣΧΕΣΗ ΣΑΣ ΜΕ ΤΟΝ ΣΥΝΤΡΟΦΟ ΣΑΣ Η ΚΥΡΙΑ ΣΧΕΣΗ ΣΑΣ;

Πολλοί γονείς στηρίζονται μάλλον στα *παιδιά* τους για την πρωταρχική τους σχέση παρά στον *σύντροφό* τους. Οι μητέρες, ιδιαίτερα, στηρίζονται πάρα πολύ στα παιδιά τους, για να πάρουν από αυτά ικανοποίηση και ευχαρίστηση, που λογικά θα έπρεπε να προέρχονται από τη συζυγική σχέση. Συχνά αυτό οδηγεί στο να «βάζουν πρώτα τα παιδιά», να «θυσιάζονται για τα παιδιά» ή να δίνουν πολύ μεγάλη σημασία στο να «γίνουν καλά παιδιά», επειδή εκείνοι έχουν επενδύσει πολύ ως γονείς στη σχέση γονέα-παιδιού. Η συμπεριφορά των παιδιών τους έχει *υπέρμετρη σημασία* γι' αυτούς τους γονείς. Το πώς συμπεριφέρονται τα παιδιά είναι υπερβολικά σημαντικό. Αυτοί οι γονείς πιστεύουν ότι τα παιδιά πρέπει να ελέγχονται συνεχώς, να κατευθύνονται, να καθοδηγούνται, να παρακολουθούνται, να κρίνονται, να αξιολογούνται. Είναι πολύ δύσκολο για τέτοιους γονείς να επιτρέπουν στα παιδιά τους να κάνουν λάθη ή να ολισθαίνουν στη ζωή τους. Πιστεύουν ότι τα παιδιά τους πρέπει να προστατεύονται από εμπειρίες αποτυχίας, να προφυλάσσονται από όλους τους πιθανούς κινδύνους.

Οι αποτελεσματικοί γονείς είναι σε θέση να έχουν μια πιο χαλαρή σχέση με τα παιδιά τους. Η πρωταρχική τους σχέση είναι η συζυγική. Τα παιδιά τους κατέχουν σημαντική θέση στη ζωή τους, αλλά σχεδόν δευτερεύουσα – αν όχι δευτερεύουσα, τουλάχιστον όχι περισσότερο σημαντική από τη θέση του/της συζύγου. Φαίνεται ότι τέτοιοι γονείς επιτρέπουν πολύ περισσότερη ελευθερία και ανεξαρτησία στα παιδιά τους. Ευχαριστιούνται να περνούν χρόνο με τα παιδιά τους αλλά για περιορισμένα διαστήματα· τους αρέσει επίσης να περνάνε χρόνο μόνοι τους με τον σύντροφό τους. Δεν επενδύουν αποκλειστικά στα παιδιά τους· επενδύουν και στον γάμο τους. Γι' αυτό, το πώς συμπεριφέρονται τα παιδιά ή το πόσο πολύ αυτά επιτυγχάνουν δεν είναι τόσο καθοριστικό γι' αυτούς. Τείνουν περισσότερο να νιώθουν ότι τα παιδιά έχουν να ζήσουν τη ζωή τους και πρέπει να τους δίνεται μεγαλύτερη ελευθερία να διαμορφώσουν τον εαυτό τους. Τέτοιοι γονείς τείνουν να διορθώνουν λιγότερο συχνά τα παιδιά τους και να ελέγχουν λιγότερο εντατικά τις δραστηριότητές τους. Όταν τα παιδιά τους τους χρειάζονται, μπορούν να είναι εκεί, όμως δεν αισθάνονται έντονη ανάγκη να παρεμβαίνουν ή να εισβάλλουν στη ζωή των παιδιών τους, αν εκείνα δεν τους το ζητήσουν. Γενικά δεν παραμελούν τα παιδιά τους. Σίγουρα ενδιαφέρονται γι' αυτά, αλλά δεν ανησυχούν. Ενδιαφέρονται, αλλά δεν καταπιέζουν. Η θέση τους είναι ότι «τα παιδιά είναι παιδιά», γι' αυτό και μπορούν να είναι περισσότερο αποδεκτικοί με αυτό που είναι, δηλαδή παιδιά. Οι αποτελεσματικοί γονείς διασκεδάζουν μάλλον παρά αναστατώνονται με την ανωριμότητα ή τις αδυναμίες των παιδιών τους.

Οι γονείς αυτής της τελευταίας ομάδας προφανώς τείνουν να είναι πολύ περισσότερο αποδεκτικοί· λιγότερες συμπεριφορές θα τους εκνευρίσουν. Έχουν μικρότερη ανάγκη να ελέγχουν, να περιορίζουν, να κατευθύνουν, να απαγορεύουν, να προειδοποιούν, να διδάσκουν. Μπορούν να επιτρέψουν στα παιδιά τους περισσότερη ελευθερία, περισσότερη αυτονομία. Οι γονείς της πρώτης ομάδας τείνουν να είναι λιγότερο αποδεκτικοί. Έχουν *ανάγκη* να ελέγχουν, να περιορίζουν, να κατευθύνουν, να απαγορεύουν κ.λπ. Επειδή η σχέση τους με τα παιδιά τους είναι η πρωταρχική, αυτοί οι γονείς έχουν έντονη ανάγκη να ελέγχουν τη συμπεριφορά των παιδιών τους και να προγραμματίζουν τις ζωές τους.

Έφθασα στο σημείο να μπορώ να διακρίνω πιο καθαρά γιατί οι γονείς που έχουν μια μη ικανοποιητική σχέση με τον/τη σύντροφό τους έχουν τόση δυσκολία να είναι αποδεκτικοί με τα παιδιά τους: Έχουν υπερβολική ανάγκη τα παιδιά τους, για να τους συμπληρώνουν αυτά τις χαρές και την ικανοποίηση που λείπει από τη συζυγική τους σχέση.

## ΜΠΟΡΟΥΝ ΟΙ ΓΟΝΕΙΣ ΝΑ ΑΛΛΑΞΟΥΝ ΤΗ ΣΤΑΣΗ ΤΟΥΣ;

Μπορεί το βιβλίο αυτό ή ένα πρόγραμμα Εκπαίδευσης Αποτελεσματικού Γονέα να επιφέρει κάποια αλλαγή σε τέτοιες γονεϊκές απόψεις; Μπορούν οι γονείς να μάθουν να είναι πιο αποδεκτικοί με τα παιδιά τους; Παλιά θα ήμουν σκεπτικιστής. Όπως και οι περισσότεροι επαγγελματίες που ασχολούνται με τη συμβουλευτική, είχα πολλές προκαταλήψεις, τις οποίες κουβαλούσα από την εκπαίδευσή μου. Οι περισσότεροι από εμάς είχαμε μάθει ότι οι άνθρωποι δεν αλλάζουν πολύ, εκτός αν κάνουν εντατική ψυχοθεραπεία υπό την καθοδήγηση ενός επαγγελματία θεραπευτή, για τουλάχιστον έξι μήνες μέχρι ένα χρόνο ή και περισσότερο.

Τα τελευταία χρόνια, όμως, έχει γίνει μια ριζική στροφή στη σκέψη των επαγγελματιών συμβούλων. Οι περισσότεροι από εμάς έχουμε δει ανθρώπους να επιτυγχάνουν σημαντικές αλλαγές στις απόψεις και τη συμπεριφορά τους, ως αποτέλεσμα εμπειριών που είχαν με ατομική και οικογενειακή συμβουλευτική ή θεραπεία, σεμινάρια αυτοβοήθειας, βιβλία, βιντεοκασέτες και CD. Οι περισσότεροι ειδικοί (και πολλοί γονείς) δέχονται τώρα την άποψη ότι οι άνθρωποι μπορούν να αλλάξουν σημαντικά, όταν έχουν την ευκαιρία να μάθουν και να εξασκηθούν στην επικοινωνία και τις δεξιότητες επίλυσης συγκρούσεων.

Σχεδόν όλοι οι γονείς που παρακολούθησαν την Εκπαίδευση Αποτελεσματικού Γονέα συνειδητοποιούν ότι οι παρούσες νοοτροπίες και οι μέθοδοι που χρησιμοποιούν ως γονείς έχουν πολλά περιθώρια βελτίωσης. Πολλοί γνωρίζουν ότι έχουν ήδη υπάρξει αναποτελεσματικοί με ένα ή περισσότερα από τα παιδιά τους. Άλλοι φοβούνται για το τι μπορεί να προκαλέσουν αργότερα στα παιδιά οι μέθοδοί τους. Όλοι συνειδητοποιούν πλήρως το πόσο πολλά παιδιά έχουν προβλήματα και πόσες σχέσεις γονέων-παιδιών χειροτερεύουν, όταν τα παιδιά εισέρχονται στην εφηβεία.

Συνεπώς, οι πιο πολλοί γονείς στην Εκπαίδευση έχουν την ετοιμότητα και τη διάθεση να αλλάξουν, να μάθουν νέες, πιο αποτελεσματικές μεθόδους, να αποφύγουν τα σφάλματα των άλλων γονέων (ή και τα δικά τους) και να ανακαλύψουν οποιαδήποτε τεχνική θα μπορούσε να κάνει ευκολότερη τη δουλειά τους. Ακόμη δεν έχουμε συναντήσει κάποιον γονέα που να μη θέλει να γίνει καλύτερος στην ανατροφή των παιδιών του.

Με όλα αυτά που συμβαίνουν σε εμάς στην Εκπαίδευση δεν αποτελεί έκπληξη το ότι η εκπαιδευτική εμπειρία επιφέρει σημαντικές αλλαγές στη στάση και τη συμπεριφορά των γονέων. Ακολουθεί ένα μικρό δείγμα σχολίων που λάβαμε από γράμματα ή από τις φόρμες αξιολόγησης των γονέων:

«Μακάρι να είχαμε μπορέσει να έρθουμε σε αυτή την τάξη χρόνια πριν, προτού μπουν τα παιδιά μας στην εφηβεία».
«Τώρα αντιμετωπίζουμε τα παιδιά μας με τον ίδιο σεβασμό που δείχνουμε στους φίλους μας».
«Αισθάνομαι ευτυχής που είμαι ένας από τους γονείς που έχουν παρακολουθήσει

το πρόγραμμα. Το πιο σημαντικό είναι ότι νιώθω πως έχει διευρυνθεί η αντίληψή μου για το ανθρώπινο γένος συνολικά, και έχω γίνει πολύ πιο αποδεκτικός με τους άλλους, όπως πραγματικά είναι, και όχι όπως εγώ συνήθιζα να τους βλέπω».

«Πάντοτε συμπαθούσα τα παιδιά, όμως τώρα μαθαίνω και να τα σέβομαι. Η Εκπαίδευση δεν είναι απλά μια τάξη για την ανατροφή των παιδιών. Μου φαίνεται ότι είναι τρόπος ζωής».

«Με έκανε να συνειδητοποιήσω πόσο πολύ υποτιμούσα τα παιδιά μου και πόσο αδύναμα τα έκανα με την υπερπροστατευτικότητα και την υπερευσυνειδησία μου. Έχω υπάρξει μέλος μιας πραγματικά εξαιρετικής ομάδας μελέτης του παιδιού, που ενίσχυε όμως τα συναισθήματά ενοχής μου και με έκανε να συνεχίσω να προσπαθώ να γίνω η "τέλεια μαμά"».

«Ήμουν τόσο σκεπτικιστής και είχα τόσο λίγη εμπιστοσύνη στα παιδιά μου, που δεν μπορώ να το πιστέψω. Όταν ανακάλυψα ότι αντιμετώπιζαν τα συναισθήματά τους και τα προβλήματά τους πολύ καλύτερα απ' όσο μπόρεσα εγώ ποτέ, ένιωσα ένα τεράστιο βάρος να φεύγει από τους ώμους μου. Άρχισα να ζω για εμένα. Επέστρεψα στο σχολείο κι έγινα ένα πολύ πιο ευτυχισμένο αυτοπραγματωμένο άτομο και άρα ένας καλύτερος γονέας».

Δεν είναι όλοι οι γονείς σε θέση να κάνουν τις αλλαγές που απαιτούνται για να μπορούν να αποδέχονται περισσότερο τα παιδιά τους. Μερικοί αντιλαμβάνονται τελικά ότι ο γάμος τους δεν είναι αμοιβαία ικανοποιητικός, και ότι ο ένας ή και οι δύο σύζυγοι δεν μπορούν να είναι αποτελεσματικοί με τα παιδιά. Άλλοτε γιατί σπάνια βρίσκουν τον απαιτούμενο χρόνο και την ενέργεια, καθώς συνήθως τους τα απορροφούν αυτά οι δικές τους συζυγικές συγκρούσεις, κι άλλοτε γιατί διαπιστώνουν ότι δεν μπορούν να είναι αποδεκτικοί με τα παιδιά τους, επειδή δεν αισθάνονται οι ίδιοι αποδεκτικοί μεταξύ τους ως άντρας και γυναίκα.

Άλλοι γονείς δυσκολεύονται να εγκαταλείψουν το καταπιεστικό σύστημα αξιών που κληρονόμησαν από τους δικούς τους γονείς και που τους κάνει τώρα να είναι υπερβολικά κριτικοί και μη αποδεκτικοί με τα παιδιά τους. Άλλοι πάλι δυσκολεύονται να αλλάξουν τη στάση «ιδιοκτησίας» των παιδιών τους ή τη βαθιά τους δέσμευση στον στόχο να κάνουν τα παιδιά τους να ανταποκρίνονται σε ένα προκαθορισμένο σχήμα. Αυτή τη στάση τη συναντάμε κυρίως σε γονείς που έχουν επηρεαστεί σοβαρά από τα δόγματα κάποιων θρησκευτικών αιρέσεων, που διδάσκουν στους γονείς ότι έχουν ηθική υποχρέωση να προσηλυτίσουν τα παιδιά τους, έστω και αν αυτό συνεπάγεται τη χρήση δύναμης και εξουσίας εκ μέρους τους ή τη χρήση μεθόδων επηρεασμού που δεν διαφέρουν πολύ από την πλύση εγκεφάλου και τον έλεγχο της σκέψης.

Για κάποιους γονείς, που δυσκολεύονται να αλλάξουν τις βασικές τους πεποιθήσεις, η εμπειρία της Εκπαίδευσης, όπως και να έχει, ανοίγει τον δρόμο αναζήτησης άλλων μορφών βοήθειας, όπως είναι η ομαδική θεραπεία, η συμβουλευτική γάμου, η οικογενειακή θεραπεία ή ακόμη και η ατομική θεραπεία. Αρκετοί από αυτούς τους γονείς ομολόγησαν ότι πριν από την Εκπαίδευση ποτέ δεν θα διανοούνταν να συμβουλευτούν έναν ψυχολόγο ή ψυχίατρο για βοήθεια. Προφανώς, η Εκπαίδευση δημιουργεί μεγαλύτερη αυτοσυνείδηση, καθώς και κινητοποίηση και επιθυμία για αλλαγή, ακόμη και όταν από μόνη της δεν είναι ίσως ικανή να επιφέρει σημαντική αλλαγή.

Μετά τα μαθήματα της Εκπαίδευσης μερικοί γονείς ζητάνε να συνεχίσουν να συναντώνται με μια μικρότερη ομάδα μητέρων και πατέρων, για να βοηθηθούν να επεξεργαστούν τις απόψεις και τα προβλήματα που τους εμποδίζουν να εφαρμόσουν αποτελεσματικά τις νέες μεθόδους που έχουν μάθει. Σε αυτές τις «προχωρημένες ομάδες» οι γονείς ασχολούνται κυρίως με τη συζυγική τους σχέση, με τη σχέση με τους δικούς τους γονείς ή με βασικές πεποιθήσεις για τον εαυτό τους ως πρόσωπα. Μόνο μετά την εμπειρία τους σε αυτές τις βαθύτερες θεραπευτικές ομάδες αποκτούν οι γονείς αυτοί την απαιτούμενη κατανόηση και προβαίνουν στις αλλαγές που θα τους επιτρέψουν στη συνέχεια να χρησιμοποιήσουν αποτελεσματικά τις μεθόδους της Εκπαίδευσης. Έτσι, για κάποιους γονείς η Εκπαίδευση από μόνη της μπορεί να μην προκαλέσει σημαντική αλλαγή απόψεων, ξεκινάει όμως μια διαδικασία αλλαγής ή τους ενθαρρύνει να πάρουν τον δρόμο για μεγαλύτερη αποτελεσματικότητα, ως άτομα και ως γονείς.

Ασφαλώς, η μελέτη του βιβλίου αυτού δεν ισοδυναμεί με την παρακολούθηση ενός προγράμματος της Εκπαίδευσης ή του βίντεο της Εκπαίδευσης Οικογενειών στην Αποτελεσματικότητα. Ωστόσο, έχω στην αίσθηση ότι οι περισσότεροι γονείς θα είναι σε θέση να αποκτήσουν μια πολύ καλή εικόνα αυτής της νέας φιλοσοφίας ανατροφής των παιδιών με την ανάγνωση και την προσεκτική μελέτη αυτού του βιβλίου. Πολλοί γονείς θα είναι σε θέση να αποκτήσουν από αυτό το βιβλίο ένα ικανοποιητικό επίπεδο επάρκειας στις ειδικές δεξιότητες που απαιτούνται, για να βάλουν σε εφαρμογή αυτήν τη φιλοσοφία στο σπίτι τους. Αυτές τις δεξιότητες μπορείτε να τις εφαρμόζετε συχνά και για αρκετό διάστημα μετά την ανάγνωση του βιβλίου, όχι μόνο στις σχέσεις σας με τα παιδιά σας αλλά και στις σχέσεις σας με τον/τη σύντροφό σας, τους συνεργάτες σας, τους γονείς σας, τους φίλους σας.

Η πείρα μας μας λέει ότι, για να γίνει κανείς πιο αποτελεσματικός στην ανατροφή υπεύθυνων παιδιών, απαιτείται δουλειά –σκληρή δουλειά– ανεξάρτητα αν αυτό γίνει μέσα από το πρόγραμμα της Εκπαίδευσης ή τη μελέτη αυτού του βιβλίου ή και από τα δύο. Στο κάτω κάτω, όμως, ποιο επάγγελμα δεν απαιτεί δουλειά;

# 16

## Οι άλλοι γονείς των παιδιών σας

Σε όλη τη διάρκεια της ζωής τους, τα παιδιά σας εκτίθενται στην επίδραση και άλλων ενηλίκων, στους οποίους εκχωρείτε συγκεκριμένες γονεϊκές ευθύνες. Καθώς οι άνθρωποι αυτοί διεκπεραιώνουν γονεϊκές λειτουργίες με τα παιδιά σας, θα έχουν επίσης έντονη επίδραση στην ανάπτυξη και την εξέλιξη τους. Αναφέρομαι, βέβαια, στους παππούδες και τις γιαγιάδες, σε συγγενείς και μπέιμπι σίτερ, σε δασκάλους, διευθυντές σχολείων και συμβούλους, σε προπονητές, αρχηγούς κατασκηνώσεων και οργανωτές ψυχαγωγικών εκδηλώσεων, υπεύθυνους προγραμμάτων ΧΑΝ και ΧΕΝ, σε αρχηγούς στα Σώματα Προσκόπων και Οδηγών, σε επιτηρητές ανηλίκων.

Όταν εμπιστεύεστε τα παιδιά σας σε τέτοιους «αναπληρωματικούς» γονείς, ποια εξασφάλιση έχετε για την αποτελεσματικότητά τους; Οι σχέσεις που θα αναπτύξουν αυτοί οι ενήλικες με τον γιο και την κόρη σας θα είναι «θεραπευτικές» και εποικοδομητικές ή «μη θεραπευτικές» και καταστροφικές; Πόσο αποτελεσματικοί θα είναι ως φορείς βοήθειας στα παιδιά σας; Μπορείτε να εμπιστευτείτε τα παιδιά σας σε αυτούς τους ανθρώπους που εργάζονται με τους νέους, και να είστε σίγουροι ότι δεν θα πάθουν κάτι βλαβερό;

Αυτές είναι σημαντικές ερωτήσεις, γιατί η ζωή των παιδιών σας θα επηρεαστεί σημαντικά από όλους τους ενήλικες με τους οποίους εκείνα αναπτύσσουν σχέσεις.

Πολλοί από αυτούς τους υποκατάστατους γονείς μαθαίνουν τις δεξιότητες της Εκπαίδευσης μέσα από τις τάξεις ή τα προγράμματά της που διετίθενται στο εμπόριο (DVD κ.λπ.) ή μέσω άλλων ειδικά σχεδιασμένων προγραμμάτων μας: την Εκπαίδευση Δασκάλων στην Αποτελεσματικότητα, την Εκπαίδευση Ηγετών στην Αποτελεσματικότητα, το Εργαστήριο Επίλυσης Συγκρούσεων, καθώς και άλλα προγράμματα που προσφέρουμε. Έχουμε διαπιστώσει ότι οι περισσότεροι από αυτούς τους επαγγελματίες μοιάζουν πάρα πολύ με τους γονείς στη στάση τους απέναντι στα παιδιά και στις μεθόδους που χρησιμοποιούν για να τα αντιμετωπίσουν. Και αυτοί, επίσης, δεν ακούνε με προσοχή τα παιδιά. Και αυτοί, επίσης, μιλάνε στα παιδιά με τρόπο που τα προσβάλλει και μειώνει την αυτοεκτίμησή τους. Και αυτοί, επίσης, στηρίζονται πολύ στην εξουσία και τη δύναμη για να ελέγξουν και να χειραγωγήσουν τη συμπεριφορά των παιδιών. Και αυτοί, επίσης, είναι μπλοκαρισμένοι ανάμεσα στις δυο μεθόδους νίκης-ήττας στην επίλυση των συγκρούσεων. Και αυτοί, επίσης, πιέζουν, φωνάζουν, διδάσκουν και ντροπιάζουν τα παιδιά, στην προσπάθειά τους να διαμορφώσουν τις αξίες και τις πεποιθήσεις τους, και να τα διαπλάσουν σύμφωνα με το δικό τους πρότυπο.

Φυσικά υπάρχουν εξαιρέσεις, ακριβώς όπως υπάρχουν εξαιρέσεις και μεταξύ των γονέων. Όμως, ως επί το πλείστον, οι ενήλικες που εμπλέκονται στη ζωή των παιδιών σας δεν πληρούν τις βασικές προϋποθέσεις, για να είναι αποτελεσματικοί φορείς βοήθειας. Όπως συμβαίνει και με τους γονείς, δεν έχουν εκπαιδευτεί επαρκώς για να είναι αποτελεσματικοί «θεραπευτικοί φορείς» σε μια διαπροσωπική σχέση με ένα παιδί ή έναν έφηβο, κι έτσι δυστυχώς μπορεί να κάνουν κακό στα παιδιά σας.

Θα χρησιμοποιήσω ως παραδείγματα τους εκπαιδευτικούς και τις διοικήσεις των σχολείων, χωρίς αυτό να σημαίνει ότι είναι οι πιο αναποτελεσματικοί ή ότι έχουν τη μεγαλύτερη ανάγκη για εκπαίδευση. Επειδή όμως περνάνε τόσο πολύ χρόνο με τα παιδιά σας, έχουν τη μεγαλύτερη δυνατότητα να τα επηρεάσουν, για καλό ή για κακό. Βασιζόμενος στην πείρα μου από την εργασία μου σε πολλές εκπαιδευτικές περιφέρειες έχω σαφώς την άποψη ότι τα σχολεία, με ελάχιστες εξαιρέσεις, είναι βασικά αυταρχικά ιδρύματα, που διαμορφώνουν την οργανωτική τους δομή και τη διοικητική τους φιλοσοφία κατά τα πρότυπα των στρατιωτικών οργανισμών.

Οι κανόνες και οι κανονισμοί για τη συμπεριφορά των μαθητών καθορίζονται σχεδόν ανεξαιρέτως μονομερώς από ενήλικες που βρίσκονται στην κορυφή της ιεραρχίας, χωρίς συμμετοχή των νέων, οι οποίοι απλώς καλούνται να τους εφαρμόζουν. Οι παραβάσεις αυτών των κανόνων επιφέρουν τιμωρίες και σε μερικές περιπτώσεις, είτε το πιστεύετε είτε όχι, σωματική τιμωρία. Ούτε καν οι δάσκαλοι δεν συμμετέχουν στη διαμόρφωση των κανόνων συμπεριφοράς που καλούνται να επιβάλουν. Κι όμως, οι δάσκαλοι αυτοί κρίνονται συνήθως με βάση το πόσο αποτελεσματικά επιβάλλουν την τάξη στις τάξεις τους παρά από το πόσο αποτελεσματικά προωθούν τη μάθηση.

Επίσης, τα σχολεία επιβάλλουν στα παιδιά ένα πρόγραμμα μαθημάτων που τα πιο πολλά θεωρούν βαρετό και εντελώς ασύμβατο με το τι συμβαίνει στη ζωή τους. Ταυτόχρονα, αναγνωρίζοντας ότι ένα τέτοιο πρόγραμμα είναι απίθανο να κινητοποιήσει τα παιδιά, επειδή δεν είναι σχετικό με τα ενδιαφέροντά τους, τα σχολεία, σχεδόν χωρίς εξαίρεση, εφαρμόζουν ένα σύστημα ανταμοιβών και τιμωριών – την ευρέως διαδεδομένη βαθμολογία, που εξασφαλίζει ότι ένα συγκεκριμένο, μάλλον μεγάλο, ποσοστό παιδιών θα βαθμολογηθεί «κάτω από τον μέσο όρο».

Συχνά τα παιδιά προσβάλλονται και ταπεινώνονται από τους δασκάλους τους.

Ανταμείβονται για την ικανότητά τους να εξιστορούν ό,τι τους ζητούν να διαβάζουν και συχνά δέχονται επιπλήξεις για αντιρρήσεις ή διαφωνίες. Σε όλο σχεδόν τον κόσμο, στις μεγαλύτερες τάξεις τουλάχιστον του δημοτικού, του γυμνασίου και του λυκείου, οι εκπαιδευτικοί είναι αρκετά αναποτελεσματικοί στο να κάνουν τους μαθητές τους να συμμετέχουν σε ουσιαστικές ομαδικές συζητήσεις, επειδή πολλοί δάσκαλοι από συνήθεια αντιδρούν σε ό,τι λένε οι μαθητές με τα «δώδεκα εμπόδια επικοινωνίας». Έτσι, με εξαίρεση κάποιους εκπαιδευτικούς, η ανοιχτή και ειλικρινής επικοινωνία από την πλευρά των μαθητών αποθαρρύνεται.

Όταν τα παιδιά αντιδρούν στην τάξη, όπως είναι φυσιολογικό σε ένα τέτοιο «μη θεραπευτικό» και αδιάφορο περιβάλλον, οι συγκρούσεις αντιμετωπίζονται συνήθως με τη Μέθοδο I και σε μερικές περιπτώσεις με τη Μέθοδο II. Συχνά τα παιδιά στέλνονται στον διευθυντή ή τον σύμβουλο του σχολείου, οι οποίοι υποτίθεται ότι προσπαθούν να επιλύσουν αυτές τις συγκρούσεις μεταξύ δασκάλου και μαθητών, *μολονότι ένα μέλος της σύγκρουσης δεν είναι παρόν*, συγκεκριμένα ο δάσκαλος. Έτσι ο διευθυντής ή ο σύμβουλος θεωρεί ότι φταίει ο μαθητής και είτε τον τιμωρεί είτε τον συμβουλεύει «να ηρεμήσει και να συγκρατείται».

Στα περισσότερα σχολεία, οι μαθητές ολοφάνερα στερούνται πολλών ατομικών δικαιωμάτων: της ελευθερίας του λόγου, της διαφωνίας, του να έχουν όπως θέλουν τα μαλλιά τους, του να φοράνε τα ρούχα που τους αρέσουν. Τα σχολεία στερούν από τα παιδιά το δικαίωμα να αρνηθούν να καταθέσουν ενάντια στον εαυτό τους και, στις περιπτώσεις που έχουν μπλεξίματα με τον νόμο, η διοίκηση σπάνια ακολουθεί τη συνήθη «νόμιμη διαδικασία» που συνηθίζει να διασφαλίζει στους πολίτες το δικαστικό σύστημα.

Μήπως τα παραπάνω παρουσιάζουν μια παραμορφωμένη εικόνα των σχολείων μας; Δεν νομίζω. Πολλοί άλλοι παρατηρητές του εκπαιδευτικού συστήματος διακρίνουν τα ίδια μειονεκτήματα. Επιπλέον, αρκεί μόνο να ρωτήσει κανείς τα παιδιά πώς αισθάνονται για το σχολείο και τους δασκάλους. Πολλά παιδιά λένε ότι μισούν το σχολείο και ότι οι δάσκαλοί τους τα μεταχειρίζονται χωρίς σεβασμό και άδικα. Τα περισσότερα παιδιά καταλήγουν να βιώνουν το σχολείο ως ένα μέρος όπου *πρέπει* να πάνε αναγκαστικά. Βλέπουν τη μάθηση σαν κάτι που σπάνια είναι ευχάριστο ή διασκεδαστικό, και τη μελέτη σαν μια ανιαρή δουλειά. Και βλέπουν τους δασκάλους τους σαν αντιπαθείς αστυνομικούς.

Όταν τα παιδιά ανατίθενται σε ενήλικες που τα μεταχειρίζονται με τρόπο που προκαλεί τέτοιες αρνητικές αντιδράσεις, δεν θα έπρεπε οι γονείς να επωμίζονται όλες τις επικρίσεις για τον τρόπο συμπεριφοράς των παιδιών τους. Βεβαίως μπορούν να κατηγορηθούν οι γονείς, πρέπει όμως και άλλοι ενήλικες να μοιραστούν τις κατηγόριες.

Τι μπορούν να κάνουν οι γονείς; Μπορούν να επιδράσουν εποικοδομητικά στους «άλλους γονείς» των παιδιών τους; Μπορούν να έχουν λόγο στο πώς θα μιλάνε και θα συμπεριφέρονται στα παιδιά τους οι άλλοι ενήλικες; Νομίζω ότι μπορούν και πρέπει να έχουν. Όμως πρέπει να γίνουν πολύ λιγότερο παθητικοί και υποχωρητικοί απ' ό,τι υπήρξαν στο παρελθόν.

Πρώτα πρώτα πρέπει να είναι σε ετοιμότητα ώστε να εντοπίζουν, σε όλα τα ιδρύματα που προσφέρουν υπηρεσίες στους νέους, και την παραμικρή ένδειξη ότι τα παιδιά τους ελέγχονται και καταπιέζονται από ενήλικες που αυθαίρετα ασκούν πάνω τους δύναμη και εξουσία. Πρέπει να υψώσουν το ανάστημά τους και να αγωνιστούν εναντίον εκείνων που συνηγορούν υπέρ της αυστηρότητας προς τα παιδιά, που επιδοκιμάζουν τη χρήση εξουσίας στην αντιμετώπιση των παιδιών με το λάβαρο «του νόμου και της τάξης», που δικαιολογούν τη χρήση αυταρχικών μεθόδων με το σκεπτικό ότι δεν μπορεί κανείς να εμπιστευθεί τα παιδιά να είναι υπεύθυνα και αυτοπειθαρχημένα.

Οι γονείς πρέπει να ξεσηκωθούν και να αγωνιστούν για να προστατεύσουν τα ατομικά δικαιώματα των παιδιών τους ως πολιτών, οποτεδήποτε αυτά απειλούνται από ενήλικες που νομίζουν ότι τα παιδιά δεν μπορούν να έχουν τέτοια δικαιώματα.

Οι γονείς μπορούν, επίσης, να υπερασπίζονται και να υποστηρίζουν προγράμματα που προσφέρουν καινοτόμες ιδέες και μεθόδους για τη δημιουργία αλλαγών στα σχολεία, όπως εκείνα που προτείνουν αλλαγές στο πρόγραμμα, καταργούν το σύστημα βαθμολόγησης, εισάγουν νέες διδακτικές μεθόδους, προσφέρουν στους μαθητές μεγαλύτερη ελευθερία να μάθουν με τον δικό τους τρόπο και τον δικό τους ρυθμό, προσφέρουν εξατομικευμένη διδασκαλία, δίνουν στα παιδιά την ευκαιρία να συμμετέχουν, μαζί με τους ενήλικες, στη διαδικασία διοίκησης των σχολείων. Επίσης, μπορούν να υποστηρίζουν προγράμματα που εκπαιδεύουν τους δασκάλους να έχουν μια περισσότερο ανθρώπινη και θεραπευτική σχέση με τους μαθητές τους.

Τέτοια προγράμματα υφίστανται ήδη σε κοινωνίες που θέλουν να βελτιώσουν τα σχολεία τους. Πολλά ακόμη βρίσκονται στο στάδιο του σχεδιασμού. Οι γονείς δεν πρέπει να φοβούνται τέτοια νέα εκπαιδευτικά προγράμματα, αλλά αντίθετα θα πρέπει να τα καλωσορίζουν, να ενθαρρύνουν τις διοικήσεις των σχολείων να τα δοκιμάζουν και να αξιολογούν τα αποτελέσματά τους.

Το πρόγραμμα με το οποίο έχω τη μεγαλύτερη εξοικείωση είναι το δικό μας, η Εκπαίδευση Αποτελεσματικού Δασκάλου. Έχει προσφερθεί σε εκατοντάδες σχολικές περιφέρειες σε όλες τις πολιτείες της Αμερικής, καθώς και σε άλλες χώρες. Τα αποτελέσματα που έχουμε δει είναι πολύ ενθαρρυντικά.

Σε ένα γυμνάσιο, στο Καπερτίνο της Καλιφόρνιας, η Εκπαίδευση κινητοποίησε τον διευθυντή να συμπεριλάβει τους καθηγητές και τους μαθητές σε ένα πρόγραμμα αναθεώρησης ολόκληρου του Σχολικού Κανονισμού. Η συμμετοχική αυτή ομάδα επίλυσης προβλημάτων άφησε κατά μέρος το παλιό χοντρό βιβλίο του κανονισμού και στη θέση του έβαλε δύο απλούς κανόνες: Κανείς δεν έχει το δικαίωμα να παρεμβαίνει στη μάθηση του άλλου, και κανείς δεν έχει το δικαίωμα να προκαλεί φυσική βλάβη στον άλλον. Ο διευθυντής ανέφερε το εξής αποτέλεσμα:

> «Η μειωμένη χρήση δύναμης και εξουσίας σε ολόκληρο το μαθητικό σώμα κατέληξε σε έναν πιο αυτοκατευθυνόμενο μαθητικό πληθυσμό με μαθητές που αναλαμβάνουν μεγαλύτερη ευθύνη για τη συμπεριφορά τους, καθώς και για τη συμπεριφορά των άλλων».

Σε ένα άλλο σχολείο, στο Πάλο Άλτο της Καλιφόρνιας, ένας δάσκαλος, κάνοντας χρήση της διαδικασίας επίλυσης συγκρούσεων με τη Μέθοδο ΙΙΙ στην τάξη του, που λόγω έλλειψης πειθαρχίας ήταν αποδιοργανωμένη, μείωσε τον αριθμό των «μη αποδεκτών και ενοχλητικών περιστατικών» από τριάντα ανά διδακτική ώρα σε τέσσερα με πέντε κατά μέσον όρο. Ένα ερωτηματολόγιο που χορηγήθηκε στη συνέχεια έδειξε ότι το 76% των μαθητών πίστευαν ότι η τάξη έβγαζε περισσότερη δουλειά από τότε που χρησιμοποίησαν τη μέθοδο επίλυσης προβλημάτων, και το 95% είχαν τη γνώμη ότι το κλίμα της τάξης είχε «βελτιωθεί» ή είχε «βελτιωθεί σημαντικά».

Ο διευθυντής του γυμνασίου «Απόλλων» στο Σίμι Βάλεϊ έγραψε για τα αποτελέσματα που είχε η Εκπαίδευση των Δασκάλων στον ίδιο και το σχολείο του:

> 1. Τα προβλήματα πειθαρχίας μειώθηκαν τουλάχιστον σε ποσοστό 50%. Διαπίστωσα ότι πρόκειται για μια ικανοποιητική και αποτελεσματική μέθοδο αντιμετώπισης προβλημάτων συμπεριφοράς, χωρίς να χρειάζεται να αποβάλλουμε μαθητές. Έμαθα ότι η αποβολή απλώς εξαφανίζει το πρόβλημα για τρεις ή τέσσερις ημέρες και δεν κάνει τίποτε για να εξαλείψει τις αιτίες της μη αποδεκτής συμπεριφοράς. Οι δεξιότητες που έμαθα στην τάξη της Εκπαίδευσης διευκολύνουν την επίλυση προβλημάτων μεταξύ των μαθητών, μεταξύ του προσωπικού της διοίκησης και μεταξύ δασκάλων και μαθητών.
> 2. Έχουμε καθιερώσει σχολικές συναντήσεις, με τις οποίες πιστεύουμε ότι προλαβαίνουμε τις συγκρούσεις, πριν εμφανιστούν. Εφαρμόζουμε τη μέθοδο επίλυσης προβλημάτων του δρ. Γκόρντον και έχουμε επιτύχει την πρόληψη των συγκρούσεων, πριν εξελιχθούν σε προβλήματα συμπεριφοράς.
> 3. Οι σχέσεις μου με τους μαθητές έχουν βελτιωθεί εντυπωσιακά με το να τους αφήνω να έχουν την ευθύνη των πράξεών τους και της συμπεριφοράς τους, και να έχουν το δικαίωμα να αντιμετωπίζουν μόνοι τα προβλήματά τους.

Ο διευθυντής ενός δημοτικού σχολείου στο Λα Μέζα έγραψε την εξής αξιολόγηση του προγράμματος Εκπαίδευσης Αποτελεσματικού Δασκάλου.

Ως διευθυντής δημοτικού σχολείου εργάστηκα με μεγάλο αριθμό μελών του εκπαιδευτικού προσωπικού που εκπαιδεύτηκαν με το πρόγραμμα Εκπαίδευσης Αποτελεσματικού Δασκάλου (16 από σύνολο 23), και παρατήρησα αλλαγές συμπεριφοράς τόσο στους μαθητές όσο και στο προσωπικό, που οφείλονται άμμεσα σε αυτό το πρόγραμμα:

1. Οι δάσκαλοι νιώθουν εμπιστοσύνη στις ικανότητές τους να χειρίζονται δύσκολα προβλήματα συμπεριφοράς.
2. Το συναισθηματικό κλίμα της τάξης είναι πολύ πιο άνετο και υγιές.
3. Τα παιδιά συμμετέχουν στη διαμόρφωση των κανόνων, σύμφωνα με τους οποίους οργανώνονται οι σχολικές τους εμπειρίες. Γι' αυτό και αισθάνονται προσωπική δέσμευση απέναντι σε αυτούς τους κανόνες.
4. Τα παιδιά μαθαίνουν πώς να επιλύουν κοινωνικά προβλήματα, χωρίς να χρησιμοποιούν δύναμη ή χειραγώγηση.
5. Μου αναφέρονται πολύ λιγότερα «περιστατικά απειθαρχίας».
6. Οι δάσκαλοι δείχνουν πολύ πιο κατάλληλη συμπεριφορά, π.χ. η συμβουλευτική στους μαθητές εφαρμόζεται τώρα, όταν ο μαθητής έχει ένα πρόβλημα, και όχι όταν ο δάσκαλος έχει ένα πρόβλημα.
7. Οι δάσκαλοι είναι πολύ πιο αποτελεσματικοί στην επίλυση των δικών τους προβλημάτων, χωρίς να καταφεύγουν στη χρήση εξουσίας ενάντια στα παιδιά.
8. Έχει βελτιωθεί η ικανότητα των δασκάλων να διεξάγουν με ουσιαστικό τρόπο τις συναντήσεις με τους γονείς.

*Μπορούμε* να επιφέρουμε σημαντικές αλλαγές στα σχολεία, προσφέροντας σε διευθυντές και δασκάλους εκπαίδευση στις ίδιες δεξιότητες, στις οποίες εκπαιδεύσαμε γονείς με την Εκπαίδευση Αποτελεσματικού Γονέα. Έχουμε όμως μάθει ότι τα σχολεία δεν είναι ανοιχτά στις αλλαγές, σε κοινωνίες όπου οι περισσότεροι γονείς είναι δεσμευμένοι στη διατήρηση της καθεστηκυΐας τάξης, φοβούνται τις αλλαγές ή είναι εμποτισμένοι με την παράδοση της αυταρχικής αντιμετώπισης της νεολαίας.

Ελπίζω ότι περισσότεροι γονείς μπορούν να επηρεαστούν ώστε να αφουγκράζονται τα παιδιά τους, όταν παραπονούνται για την αντιμετώπιση που έχουν από πολλούς δασκάλους, προπονητές, κατηχητές και ηγέτες της νεολαίας. Μπορούν να αρχίσουν να εμπιστεύονται την αξιοπιστία των συναισθημάτων των παιδιών τους, όταν αυτά λένε ότι μισούν το σχολείο ή δυσφορούν με τον τρόπο που τα μεταχειρίζονται οι δάσκαλοι. Οι γονείς μπορούν να ανακαλύψουν τι φταίει με θεσμούς και ιδρύματα, αν ακούσουν τα παιδιά τους και σταματήσουν να υποστηρίζουν πάντοτε την πλευρά των οργανισμών και των θεσμών.

Μόνο με αφυπνισμένους γονείς μπορούν τα σχολεία και τα άλλα ιδρύματα να γίνουν πιο δημοκρατικά, πιο ανθρωπιστικά και πιο θεραπευτικά. Αυτό που χρειάζεται, περισσότερο από οτιδήποτε άλλο, είναι μια εντελώς διαφορετική φιλοσοφία αντιμετώπισης των παιδιών και των νέων, ένας νέος Κατάλογος Δικαιωμάτων των Νέων. Δεν μπορεί πλέον η κοινωνία να αντιμετωπίζει τα παιδιά, όπως αντιμετωπίζονταν πριν από δύο χιλιάδες χρόνια, με τον ίδιο τρόπο που δεν μπορεί να υπερασπιστεί και τον τρόπο που αντιμετωπίζονταν οι μειονότητες στο παρελθόν.

Μια τέτοια φιλοσοφία σχέσεων ενηλίκων-παιδιών παραθέτω στη συνέχεια με τη μορφή ενός «Πιστεύω», πάνω στο οποίο έχουν στηριχτεί τα προγράμματά μας της Εκπαίδευσης. Έχει γραφτεί πριν από πολλά χρόνια, σε μια προσπάθεια να συνοψίσω τη φιλοσοφία της Εκπαίδευσης σε μια περιεκτική, σαφή και ευκολονόητη δήλωση, και αυτό το «Πιστεύω» δίνεται σε όλους τους γονείς που παρακολουθούν την Εκπαίδευση και προσφέρεται εδώ ως μια πρόκληση σε όλους τους ενήλικες:

## Ένα «πιστεύω» για τις σχέσεις μου με τους νέους

Εσύ κι εγώ έχουμε μια σχέση που εκτιμώ και θέλω να διατηρήσω. Όμως, καθένας από εμάς είναι ένα χωριστό πρόσωπο με τις δικές του μοναδικές ανάγκες και το δικαίωμα να προσπαθεί να ικανοποιεί αυτές τις ανάγκες. Θα προσπαθώ να αποδέχομαι γνήσια τη συμπεριφορά σου, όταν θα προσπαθείς να ικανοποιείς τις ανάγκες σου ή όταν θα αντιμετωπίζεις πρόβλημα να τις ικανοποιήσεις.

Όταν θα μοιράζεσαι τα προβλήματά σου, θα προσπαθώ να σε ακούω με κατανόηση και αποδοχή, με έναν τρόπο που θα σε διευκολύνει να βρίσκεις τις δικές σου λύσεις αντί να στηρίζεσαι στις δικές μου. Όταν θα έχεις πρόβλημα, επειδή η συμπεριφορά μου θα εμποδίζει την ικανοποίηση των αναγκών σου, θα σε ενθαρρύνω να μου ανακοινώνεις ανοιχτά και ειλικρινά τα συναισθήματά σου. Σε αυτές τις περιπτώσεις, θα σε ακούω και μετά θα προσπαθώ να αλλάξω τη συμπεριφορά μου, εφόσον μπορώ.

Όμως, όταν η δική σου συμπεριφορά θα με εμποδίζει να ικανοποιώ τις δικές μου ανάγκες και θα με κάνει να αισθάνομαι ότι δεν σε αποδέχομαι, θα μοιράζομαι το πρόβλημά μου μαζί σου και θα σου λέω, όσο πιο ανοιχτά και ειλικρινά μπορώ, ακριβώς πώς αισθάνομαι, έχοντας εμπιστοσύνη ότι σέβεσαι αρκετά τις ανάγκες μου, ώστε να με ακούς και να προσπαθείς μετά να αλλάξεις τη συμπεριφορά σου.

Στις περιπτώσεις εκείνες, που κανένας από εμάς δεν θα μπορεί να αλλάξει τη συμπεριφορά του, ώστε να ικανοποιηθούν οι ανάγκες του άλλου, και θα βλέπουμε ότι έχουμε μια σύγκρουση αναγκών στη σχέση μας, ας δεσμευτούμε να επιλύουμε κάθε τέτοια σύγκρουση χωρίς ποτέ να καταφύγουμε, είτε εγώ είτε εσύ, στη χρήση εξουσίας, ώστε ο ένας να κερδίσει σε βάρος του άλλου. Σέβομαι τις ανάγκες σου, όμως πρέπει επίσης να σέβομαι και τις δικές μου. Συνεπώς, στις αναπόφευκτες συγκρούσεις μας, ας προσπαθούμε πάντοτε να ψάχνουμε για λύσεις που θα γίνονται αποδεκτές και από τους δυο μας. Κατ' αυτόν τον τρόπο, οι ανάγκες σου θα ικανοποιούνται, αλλά εξίσου θα ικανοποιούνται και οι δικές μου· κανένας δεν θα χάνει· και οι δύο θα κερδίζουμε.

Έτσι, εσύ μπορείς να συνεχίσεις να αναπτύσσεσαι ως πρόσωπο ικανοποιώντας τις ανάγκες σου, αλλά το ίδιο μπορώ να κάνω κι εγώ. Η σχέση μας μπορεί πάντοτε να είναι μια υγιής σχέση, γιατί θα είναι αμοιβαία ικανοποιητική. Καθένας από εμάς μπορεί να γίνει αυτό που είναι ικανός να γίνει, και μπορούμε να συνεχίσουμε να σχετιζόμαστε μεταξύ μας με συναισθήματα αμοιβαίας εκτίμησης και αγάπης, σε κλίμα φιλικό και ειρηνικό.

Ενώ δεν αμφιβάλλω ότι το «Πιστεύω» αυτό, αν υιοθετηθεί και εφαρμοστεί από τους ενήλικες σε οργανισμούς και θεσμούς που υπηρετούν τους νέους, θα οδηγήσει με τον καιρό σε εποικοδομητικές βελτιώσεις. Καταλαβαίνω επίσης ότι μια τέτοια μεταρρύθμιση μπορεί να αργήσει να έλθει. Άλλωστε, οι σημερινοί ενήλικες είναι τα χθεσινά παιδιά και οι ίδιοι είναι προϊόντα αναποτελεσματικής άσκησης του γονεϊκού ρόλου.

Χρειαζόμαστε μια *νέα* γενιά γονέων, που θα αποδεχτούν την πρόκληση να μάθουν τις δεξιότητες ανατροφής υπεύθυνων παιδιών στο σπίτι. Γιατί από εκεί πρέπει να ξεκινήσουν όλα. Και μπορούν να αρχίσουν εκεί σήμερα, αυτήν τη στιγμή – στο δικό σας σπίτι.

# Παράρτημα

## 1. Ακρόαση για συναισθήματα (άσκηση)

ΟΔΗΓΙΕΣ: *Τα παιδιά επικοινωνούν στους γονείς πολύ περισσότερα από λέξεις ή απόψεις. Πίσω από τις λέξεις υπάρχουν συνήθως συναισθήματα. Ακολουθούν μερικά τυπικά «μηνύματα» που στέλνουν τα παιδιά. Διαβάστε καθένα χωριστά, προσπαθώντας να «ακούσετε» προσεκτικά τα συναισθήματα. Έπειτα γράψτε στη δεξιά στήλη το συναίσθημα ή τα συναισθήματα που «ακούσατε». Αγνοήστε το «περιεχόμενο» και γράψτε μόνο το συναίσθημα, συνήθως μία λέξη ή μερικές λέξεις. Μερικές από τις δηλώσεις μπορεί να περιέχουν αρκετά διαφορετικά συναισθήματα – γράψτε όλα τα κύρια συναισθήματα που ακούτε, αριθμώντας κάθε διαφορετικό συναίσθημα. Όταν τελειώσετε, συγκρίνετε τον κατάλογό σας με τα συναισθήματα που είναι στη σελίδα των απαντήσεων (σελ. 282), βαθμολογώντας κάθε στοιχείο σύμφωνα με τις οδηγίες βαθμολόγησης.*

| Το παιδί λέει | Το παιδί αισθάνεται |
|---|---|
| ΠΑΡΑΔΕΙΓΜΑ: Δεν ξέρω πού είναι το λάθος. Δεν μπορώ να καταλάβω. Έτσι μου έρχεται να τα παρατήσω. | (α) Μπλοκαρισμένο.<br>(β) Αποθαρρυμένο.<br>(γ) Έτοιμο να εγκαταλείψει. |
| 1. Ε, μόνο δέκα μέρες ακόμη για να τελειώσει το σχολείο. | |
| 2. Κοίτα, μπαμπά. Έφτιαξα ένα αεροπλάνο με τα καινούργια μου εργαλεία! | |
| 3. Θα μου κρατάς το χέρι, όταν θα μπαίνουμε στον παιδικό σταθμό; | |
| 4. Δεν διασκεδάζω καθόλου. Δεν μπορώ να σκεφτώ τίποτε να κάνω. | |
| 5. Ποτέ δεν θα γίνω τόσο καλός όσο ο Τζιμ. Όλο προσπαθώ και αυτός εξακολουθεί να είναι καλύτερος από μένα. | |

| Το παιδί λέει | Το παιδί αισθάνεται |
|---|---|
| ΠΑΡΑΔΕΙΓΜΑ: Δεν ξέρω πού είναι το λάθος. Δεν μπορώ να καταλάβω. Έτσι μου έρχεται να τα παρατήσω. | (α) Μπλοκαρισμένο.<br>(β) Αποθαρρυμένο.<br>(γ) Έτοιμο να εγκαταλείψει. |
| 6. Ο νέος μας δάσκαλος μας βάζει πάρα πολλή δουλειά για το σπίτι. Ποτέ δεν προλαβαίνω να τα κάνω όλα. Τι να κάνω; | |
| 7. Όλα τα παιδιά πήγαν στην παραλία. Δεν έχω κανέναν να παίξω. | |
| 8. Οι γονείς του Τζιμ τον άφησαν να πάει με το ποδήλατο στο σχολείο, όμως εγώ κάνω καλύτερα ποδήλατο από τον Τζιμ. | |
| 9. Δεν έπρεπε να ήμουν τόσο κακός και αγενής με τον μικρό Νικόλα. Νομίζω ότι ήμουν απαράδεκτος. | |
| 10. Θέλω να κουρέψω έτσι τα μαλλιά μου. Δικά μου δεν είναι; | |
| 11. Νομίζεις ότι γράφω σωστά αυτή την έκθεση; Θα είναι καλή; | |
| 12. Γιατί με υποχρέωσε να μείνω μετά το σχολείο; Δεν μιλούσα μόνο εγώ. Θα ήθελα να της ρίξω μία στα μούτρα. | |
| 13. Μπορώ να το κάνω μόνος μου. Δεν χρειάζεται να με βοηθήσεις. Είμαι αρκετά μεγάλος για να το κάνω μόνος μου. | |
| 14. Τα Μαθηματικά είναι πολύ δύσκολα. Είμαι πολύ κουτός για να τα καταλάβω. | |

| Το παιδί λέει | Το παιδί αισθάνεται |
| --- | --- |
| ΠΑΡΑΔΕΙΓΜΑ: Δεν ξέρω πού είναι το λάθος. Δεν μπορώ να καταλάβω. Έτσι μου έρχεται να τα παρατήσω. | (α) Μπλοκαρισμένο.<br>(β) Αποθαρρυμένο.<br>(γ) Έτοιμο να εγκαταλείψει. |
| 15. Φύγε από εδώ, άφησέ με ήσυχο. Δεν θέλω να μιλήσω σε εσένα ούτε σε κανέναν άλλον. Εσύ δεν νοιάζεσαι για το τι μου συμβαίνει έτσι κι αλλιώς. | |
| 16. Για κάποιο διάστημα τα πήγαινα καλά, τώρα όμως είμαι χειρότερα από πριν. Προσπαθώ πολύ, όμως φαίνεται να μη βοηθάει αυτό. Ποιο το όφελος; | |
| 17. Θα ήθελα σίγουρα να πάω, όμως δεν τολμώ να της τηλεφωνήσω. Κι αν γελάσει μαζί μου που τόλμησα να της ζητήσω να βγούμε μαζί; | |
| 18. Δεν θέλω ποτέ πια να ξαναπαίξω με την Παμ. Είναι χαζή. | |
| 19. Σίγουρα είμαι χαρούμενος που είχα την τύχη να είμαι παιδί δικό σου και του μπαμπά και όχι κάποιων άλλων γονέων. | |
| 20. Νομίζω ότι ξέρω τι να κάνω, ίσως όμως δεν είναι σωστό. Πάντοτε φαίνεται να κάνω το λάθος πράγμα. Τι νομίζεις ότι πρέπει να κάνω, μπαμπά, να βρω δουλειά ή να πάω στο πανεπιστήμιο; | |

Χρησιμοποιήστε τώρα τις παρακάτω οδηγίες και βαθμολογήστε τις απαντήσεις σας:

1. Βαθμολογήστε κάθε πρόταση ξεχωριστά και βάλτε τον βαθμό αριστερά από τον αριθμό της.
2. Προσθέστε όλους τους βαθμούς και γράψτε τον συνολικό βαθμό κάτω από τις απαντήσεις στο αντίστοιχο σημείο.

ΟΔΗΓΙΕΣ: *Υπολογίστε 4 βαθμούς για τις προτάσεις όπου νομίζετε ότι οι επιλογές σας βρίσκονται πολύ κοντά στις σωστές απαντήσεις. Υπολογίστε 2 βαθμούς για τις προτάσεις όπου οι επιλογές σας ταιριάζουν μόνο μερικώς ή όπου παραλείψατε κάποιο συγκεκριμένο συναίσθημα. Υπολογίστε 0 βαθμούς, αν δώσατε εντελώς λανθασμένες απαντήσεις.*

## ΑΠΑΝΤΗΣΕΙΣ

1. (α) Χαρούμενος.
   (β) Ανακουφισμένος.
2. (α) Περήφανος.
   (β) Ευχαριστημένος.
3. (α) Φοβισμένος, τρομαγμένος.
4. (β) Βαριεστημένος.
   (β) Μπλοκαρισμένος.
5. (α) Αισθάνεται ανεπαρκής.
   (β) Αποθαρρυμένος.
6. (α) Αισθάνεται ότι η δουλειά είναι πολύ σκληρή.
   (β) Αισθάνεται ηττημένος.
7. (α) Νιώθει ότι έχει μείνει πίσω.
   (β) Αισθάνεται μοναξιά.
8. (α) Αισθάνεται ότι οι γονείς του είναι άδικοι.
   (β) Αισθάνεται ικανός.
9. (α) Αισθάνεται ένοχος.
   (β) Μετανιώνει για τις πράξεις του.
10. (α) Δυσανασχετεί με την παρέμβαση των γονέων.
11. (α) Νιώθει κάποια αμφιβολία.
    (β) Δεν είναι σίγουρος.
12. (α) Θυμωμένος, γεμάτος μίσος.
    (β) Αισθάνεται ότι αυτό ήταν άδικο.
13. (α) Αισθάνεται ικανός.
    (β) Δεν θέλει βοήθεια.
14. (α) Απογοητευμένος.
    (β) Αισθάνεται ανεπαρκής.
15. (α) Αισθάνεται πληγωμένος.
    (β) Αισθάνεται θυμωμένος.
    (γ) Αισθάνεται να μην τον αγαπάνε.
16. (α) Αποθαρρυμένος.
    (β) Θέλει να τα παρατήσει.
17. (α) Θέλει να πάει.
    (β) Φοβάται.
18. (α) Είναι θυμωμένος.
19. (α) Ευγνώμων, ευτυχής.
    (β) Εκτιμά τους γονείς του.
20. (α) Αβέβαιος, όχι σίγουρος.

Ο συνολικός σας βαθμός: _______

Πώς βαθμολογηθήκατε στην αναγνώριση των συναισθημάτων:

| | |
|---|---|
| 61-80 | Πολύ καλή αναγνώριση συναισθημάτων |
| 41-60 | Πάνω από τον μέσο όρο στην αναγνώριση συναισθημάτων |
| 21-40 | Κάτω από τον μέσο όρο στην αναγνώριση συναισθημάτων |
| 0-20 | Κακή αναγνώριση συναισθημάτων |

## 2. Αναγνώριση αναποτελεσματικών μηνυμάτων (άσκηση)

ΟΔΗΓΙΕΣ: *Διαβάστε κάθε περίπτωση και το μήνυμα που στέλνεται από τον γονέα. Στη στήλη «Λανθασμένη αποστολή επειδή...» γράψτε τον λόγο που το μήνυμα του γονέα δεν ήταν αποτελεσματικό, χρησιμοποιώντας τον παρακάτω κατάλογο «σφαλμάτων αποστολής».*

Υποτίμηση συναισθημάτων.
Κατηγορία, κριτική.
Έμμεσο μήνυμα, σαρκασμός.
Αποστολή λύσεων, εντολές.
Εξωτερίκευση δευτερευογενών συναισθημάτων.
Χαρακτηρισμός με ταμπέλες.
«Χτυπώ και φεύγω».

| Περίπτωση και μήνυμα | Λανθασμένη αποστολή επειδή... |
|---|---|
| ΠΑΡΑΔΕΙΓΜΑ: Το δεκάχρονο αγόρι άφησε ανοιχτό τον προσκοπικό του σουγιά στο πάτωμα του δωματίου τού μωρού. «Αυτό ήταν πολύ ηλίθιο. Το μωρό θα μπορούσε να κοπεί». | Κατηγορία, κριτική |
| 1. Τα παιδιά μαλώνουν για το ποιο τηλεοπτικό πρόγραμμα να παρακολουθήσουν. «Σταματήστε να τσακώνεστε και κλείστε αμέσως την τηλεόραση». | |
| 2. Η κόρη φθάνει στο σπίτι στη μία και μισή μετά τα μεσάνυχτα, ενώ είχε συμφωνήσει να είναι στο σπίτι πριν από τα μεσάνυχτα. Η μητέρα έχει ανησυχήσει πολύ, μήπως κάτι της έχει συμβεί. Ανακουφίζεται, όταν τελικά έρχεται στο σπίτι. «Λοιπόν, βλέπω ότι δεν μπορεί κανείς να σου έχει εμπιστοσύνη. Είμαι πολύ θυμωμένη μαζί σου. Δεν θα βγεις έξω για ένα μήνα». | |

| Περίπτωση και μήνυμα | Λανθασμένη αποστολή επειδή... |
| --- | --- |
| 3. Το δωδεκάχρονο αγόρι άφησε ανοιχτή την πόρτα προς την πισίνα, βάζοντας σε κίνδυνο τη ζωή του δίχρονου αδελφού του. «Τι ήθελες να κάνεις, να πνίξεις τον μικρό σου αδελφό; Είμαι έξαλλος μαζί σου». | |
| 4. Η δασκάλα έστειλε σημείωμα στο σπίτι, αναφέροντας ότι ο εντεκάχρονος γιος έκανε πολλή φασαρία και έλεγε βρομόλογα στην τάξη. «Έλα εδώ και εξήγησέ μου γιατί θέλεις να ντροπιάζεις τους γονείς σου με το βρομόστομά σου». | |
| 5. Η μητέρα είναι θυμωμένη και αναστατωμένη, επειδή το παιδί χαζεύει και θα την κάνει να αργήσει σε ένα ραντεβού. «Η μητέρα θα ήθελε από σένα να ενδιαφέρεσαι πιο πολύ για εκείνη». | |
| 6. Η μητέρα επιστρέφει στο σπίτι και βρίσκει το σαλόνι άνω κάτω, ενώ είχε ζητήσει από τα παιδιά να το κρατήσουν καθαρό, γιατί θα έρχονταν επισκέπτες. «Ελπίζω οι δυο σας να διασκεδάσατε αρκετά αυτό το απόγευμα σε βάρος μου». | |
| 7. Ο πατέρας νιώθει απέχθεια από τη θέα και τη μυρωδιά των βρόμικων ποδιών της κόρης του. «Δεν πλένεις ποτέ τα πόδια σου όπως οι άλλοι άνθρωποι; Άντε, πήγαινε πλύσου». | |

| Περίπτωση και μήνυμα | Λανθασμένη αποστολή επειδή... |
|---|---|
| 8. Το παιδί ενοχλεί τη μητέρα, επειδή προκαλεί την προσοχή των καλεσμένων της κάνοντας τούμπες. Η μητέρα λέει: «Εσύ, μικρέ επιδειξία». | |
| 9. Η μητέρα θύμωσε με το παιδί, επειδή δεν μάζεψε τα πιάτα. Καθώς το παιδί τρέχει για το σχολικό λεωφορείο, η μητέρα φωνάζει: «Είμαι πολύ θυμωμένη μαζί σου από το πρωί, το ξέρεις αυτό;» | |

Συγκρίνετε τις απαντήσεις σας με αυτές:

1. Αποστολή λύσης.
2. Κατηγορία, κριτική.
   Εξωτερίκευση δευτερογενών συναισθημάτων.
   Αποστολή λύσης.
3. Κατηγορία, κριτική.
   Απελευθέρωση δευτερογενών συναισθημάτων.
4. Κατηγορία, κριτική.
5. Κατηγορία, κριτική.
   Υποτίμηση.
6. Έμμεσο μήνυμα.
7. Έμμεσο μήνυμα.
   Αποστολή λύσης,
   Κατηγορία, κριτική.
8. Χαρακτηρισμός.
9. «Χτυπώ και φεύγω».

(Για περισσότερες εξηγήσεις, παρακαλώ κοιτάξτε τις επόμενες σελίδες.)
Γράψτε Εγώ-μηνύματα που συμφωνούν με τα συναισθήματά σας για καθεμία από τις παραπάνω περιπτώσεις, αποφεύγοντας όλα τα «σφάλματα αποστολής».

1. ..........................................................................................................
2. ..........................................................................................................
3. ..........................................................................................................
4. ..........................................................................................................
5. ..........................................................................................................
6. ..........................................................................................................
7. ..........................................................................................................
8. ..........................................................................................................
9. ..........................................................................................................

## 3. Στέλνοντας Εγώ-μηνύματα (άσκηση)

ΟΔΗΓΙΕΣ: *Διαβάστε κάθε πρόταση ξεχωριστά, μελετήστε το Εσύ-μήνυμα στη δεύτερη στήλη και έπειτα γράψτε ένα Εγώ-μήνυμα στην τρίτη στήλη. Όταν τελειώσετε, συγκρίνετε τα δικά σας Εγώ-μηνύματα με αυτά στη σελίδα 288.*

| Περίπτωση | Εσύ-μήνυμα | Εγώ-μήνυμα |
|---|---|---|
| 1. Η μητέρα θέλει να δει τις ειδήσεις. Το παιδί πηδάει συνέχεια στα γόνατά της. Η μητέρα εκνευρίζεται. | «Δεν θα πρέπει να διακόπτεις ποτέ κάποιον, όταν βλέπει τις ειδήσεις». | |
| 2. Ο πατέρας χρησιμοποιεί την ηλεκτρική σκούπα. Το παιδί βγάζει συνεχώς το καλώδιο από την πρίζα. Ο πατέρας βιάζεται. | «Είσαι άτακτος». | |
| 3. Το παιδί έρχεται στο τραπέζι με πολύ λερωμένα χέρια και πρόσωπο. | «Δεν είσαι υπεύθυνο, μεγάλο αγόρι. Αυτό θα το έκανε ένα μικρό παιδί». | |
| 4. Το παιδί καθυστερεί να πάει στο κρεβάτι του. Η μητέρα και ο πατέρας θέλουν να συζητήσουν ένα προσωπικό θέμα που τους αφορά. Το παιδί εξακολουθεί να τριγυρνάει, εμποδίζοντάς τους να συζητήσουν. | «Ξέρεις ότι πέρασε η ώρα και έπρεπε να είχες πάει για ύπνο. Προσπαθείς να μας ενοχλείς. Χρειάζεσαι τον ύπνο σου». | |

| Περίπτωση | Εσύ-μήνυμα | Εγώ-μήνυμα |
|---|---|---|
| 5. Το παιδί παρακαλεί συνέχεια να το πάνε στον κινηματογράφο, όμως δεν έχει καθαρίσει το δωμάτιό του για ημέρες, όπως είχε συμφωνήσει να κάνει. | «Δεν δικαιούσαι να πας στον κινηματογράφο, τη στιγμή που είσαι τόσο αδιάφορος και εγωιστής». | |
| 6. Το παιδί όλη μέρα στέκεται παράμερα και δείχνει παραπονεμένο. Η μητέρα δεν γνωρίζει την αιτία. | «Έλα τώρα. Μην κάνεις έτσι. Χαμογέλα ή βγες έξω να μη σε βλέπω. Ό,τι και να είναι, το παραπήρες στα σοβαρά». | |
| 7. Το παιδί έχει τη μουσική τόσο δυνατά, που εμποδίζει τη συζήτηση των γονέων στο διπλανό δωμάτιο. | «Δεν μπορείς να δείξεις περισσότερο ενδιαφέρον για τους άλλους; Γιατί βάζεις τη μουσική τόσο δυνατά;» | |
| 8. Το παιδί υποσχέθηκε να καθαρίσει το μπάνιο για το πάρτι. Όλη τη μέρα χάζευε. Τώρα απομένει μία ώρα πριν φτάσουν οι καλεσμένοι, και ακόμα δεν έχει αρχίσει τη δουλειά. | «Χάζευες όλη την ημέρα και έμεινες πίσω στη δουλειά σου. Πώς μπορείς να είσαι τόσο απερίσκεπτη και ανεύθυνη;» | |
| 9. Το παιδί ξέχασε να έρθει τη συμφωνημένη ώρα στο σπίτι, ώστε να το πάει η μητέρα να αγοράσουν ρούχα. Η μητέρα βιάζεται. | «Θα έπρεπε να ντρέπεσαι. Στο κάτω κάτω δέχτηκα να σε πάω κι έπειτα εσύ αδιαφόρησες για την ώρα». | |

## ΑΠΑΝΤΗΣΕΙΣ

1. «Δεν μπορώ να βλέπω τηλεόραση και να παίζω συγχρόνως. Πραγματικά ενοχλούμαι, όταν δεν μπορώ να έχω λίγο χρόνο για μένα, να χαλαρώσω και να δω τις ειδήσεις».
2. «Βιάζομαι πολύ και πραγματικά θυμώνω πολύ, που καθυστερώ για να ξαναβάλω την πρίζα. Δεν μου αρέσει να παίζω, όταν έχω να κάνω κάποια δουλειά».
3. «Δεν μπορώ να ευχαριστηθώ το φαγητό μου, όταν βλέπω όλη αυτή τη βρομιά. Με κάνει να ανακατεύομαι και χάνω την όρεξή μου».
4. «Η μητέρα κι εγώ έχουμε κάτι σημαντικό να συζητήσουμε. Δεν μπορούμε να μιλήσουμε γι' αυτό, όταν είσαι εσύ εδώ, και δεν μπορούμε να περιμένουμε μέχρι τελικά να πας για ύπνο».
5. «Δεν έχω όρεξη να κάνω κάτι για εσένα, όταν εσύ δεν κρατάς την υπόσχεσή σου για το δωμάτιό σου».
6. «Λυπάμαι που σε βλέπω τόσο στενοχωρημένο, όμως δεν ξέρω πώς να βοηθήσω, επειδή δεν γνωρίζω γιατί αισθάνεσαι άσχημα».
7. «Αισθάνομαι κάπως αδικημένος. Θέλω να περάσω λίγο χρόνο με τον πατέρα σου και ο θόρυβος μας τρελαίνει».
8. «Πραγματικά αισθάνομαι απογοητευμένη. Δούλευα όλη την ημέρα, για να είμαστε έτοιμοι για το πάρτι, και τώρα πρέπει ακόμη να ανησυχώ για το βρόμικο μπάνιο».
9. «Δεν μου αρέσει να προγραμματίζω προσεκτικά την ημέρα μου, για να μπορέσουμε να σου ψωνίσουμε καινούργια ρούχα, κι εσύ να μην εμφανίζεσαι».

## 4. Χρήση της γονεϊκής εξουσίας (άσκηση)

ΟΔΗΓΙΕΣ: *Ακολουθεί μια λίστα τυπικών συμπεριφορών των γονέων στη σχέση τους με τα παιδιά τους. Αν είστε αντικειμενικοί και ειλικρινείς με τον εαυτό σας σε αυτή την άσκηση, θα μάθετε κάτι για μια σημαντική πλευρά του ρόλου σας ως γονέα – πώς χρησιμοποιείτε τη γονεϊκή σας εξουσία.*

*Παρακαλούμε να διαβάσετε όλες τις προτάσεις και να καταγράψετε στη σελίδα των απαντήσεων αν είναι πιθανό ή απίθανο για εσάς να ακολουθήσετε αυτές τις συμπεριφορές (είτε ακριβώς είτε παρόμοια).*

*Αν δεν έχετε παιδιά ή αν η πρόταση αφορά ένα παιδί μεγαλύτερο ή μικρότερο ή διαφορετικού φύλου από το δικό σας, απλώς υποθέστε πώς θα συμπεριφερόσασταν. Κυκλώστε μόνο μία από τις εναλλακτικές. Μόνον αν δεν καταλαβαίνετε μια πρόταση ή νιώθετε πολύ αβέβαιοι, κυκλώστε το «;»*

**Α** Απίθανο για εσάς να κάνατε κάτι παρόμοιο
**Π** Πιθανό για εσάς να κάνατε κάτι παρόμοιο
**;** Αβέβαιοι ή δεν καταλαβαίνετε

Για να καταλάβετε τους όρους που χρησιμοποιούνται σε αυτή την άσκηση, διαβάστε τους ακόλουθους ορισμούς:

| | |
|---|---|
| «Τιμωρώ» | Προκαλώ κάποιο είδος δυσαρέσκειας στο παιδί με το να του αρνηθώ κάτι που θέλει ή να του προκαλέσω σωματικό ή ψυχολογικό πόνο. |
| «Επιτιμώ» | Έντονα διατυπωμένη κριτική, επίπληξη, φωνές, επίκριση, αρνητική αξιολόγηση. |
| «Απειλώ» | Προειδοποιώ το παιδί για πιθανή τιμωρία. |
| «Ανταμείβω» | Προκαλώ κάποιο είδος ευχαρίστησης στο παιδί δίνοντάς του κάτι που θέλει. |
| «Επαινώ» | Αξιολογώ το παιδί θετικά ή ευνοϊκά, λέω κάτι καλό γι' αυτό. |

**Σημειώστε τις απαντήσεις σας στη σελίδα των απαντήσεων**

ΠΑΡΑΔΕΙΓΜΑ: Ζητάτε από τη δεκάχρονη κόρη σας να ζητά άδεια για να μιλήσει, όταν βρίσκεται σε μια συγκέντρωση ενηλίκων **Α Π ;**
Κυκλώνοντας το **Α** υποδεικνύετε ότι είναι απίθανο να ζητήσετε κάτι τέτοιο.

1. Απομακρύνετε με τη βία το παιδί σας από το πιάνο, όταν αρνείται να σταματήσει να το κοπανά, αφού του έχετε πει ότι έχει γίνει εντελώς ανυπόφορο για εσάς.

2. Επαινείτε το παιδί σας, επειδή είναι πάντα συνεπές στην ώρα που έρχεται στο σπίτι για το δείπνο.

3. Επιπλήττετε το εξάχρονο παιδί σας, αν επιδεικνύει απαράδεκτους τρόπους στο τραπέζι μπροστά στους καλεσμένους.

4. Επαινείτε τον έφηβο γιο σας, όταν τον βλέπετε να διαβάζει ένα καλό λογοτεχνικό βιβλίο.

5. Τιμωρείτε το παιδί σας, όταν χρησιμοποιεί μια απαράδεκτη βρισιά.

6. Δίνετε μια ανταμοιβή, όταν το παιδί σας σας δείχνει σ' ένα σχεδιάγραμμα ότι δεν παρέλειψε ούτε μία φορά να βουρτσίσει τα δόντια του.

7. Βάζετε το παιδί σας να απολογηθεί σε ένα άλλο παιδί, στο οποίο φέρθηκε με μεγάλη αγένεια.

8. Επαινείτε το παιδί σας, όταν θυμάται να σας περιμένει στο σχολείο για να το πάρετε με το αυτοκίνητο.

9. Αναγκάζετε το παιδί σας να αδειάσει το πιάτο του, πριν του επιτρέψετε να σηκωθεί από το τραπέζι.

10. Έχετε την απαίτηση από την κόρη σας να κάνει μπάνιο κάθε μέρα και την ανταμείβετε, όταν το τηρεί αυτό όλες τις ημέρες του μήνα.

11. Τιμωρείτε ή αρνείστε στο παιδί σας κάτι, όταν το πιάνετε να λέει ένα ψέμα.

12. Προσφέρετε στον έφηβο γιο σας κάποιο είδος ανταμοιβής ή του παρέχετε κάποιο προνόμιο για να αλλάξει το κούρεμά του.

13. Τιμωρείτε ή επιπλήττετε το παιδί σας, επειδή έκλεψε χρήματα από την τσάντα σας.

14. Υπόσχεστε στην κόρη σας κάτι που θέλει, αν σταματήσει να φοράει τόσο πολύ μέικ-απ.

15. Επιμένετε να δίνει το παιδί σας κάποιο είδος παράστασης, όταν του το ζητάνε συγγενείς ή καλεσμένοι.

16. Υπόσχεστε στο παιδί σας κάτι που ξέρετε ότι θέλει, αν εξασκείται στο πιάνο για ένα χρονικό διάστημα κάθε μέρα.

17. Αναγκάζετε το δίχρονο παιδί σας να παραμείνει στην τουαλέτα μέχρι να εκπληρώσει το «καθήκον» του.

18. Δημιουργείτε ένα σύστημα, στο οποίο το παιδί σας μπορεί να κερδίσει κάποιο είδος ανταμοιβής, αν κάνει συστηματικά τις δουλειές που του αναλογούν στο σπίτι.

19. Τιμωρείτε ή απειλείτε να τιμωρήσετε το παιδί σας, αν τρώει ανάμεσα στα γεύματα, εφόσον του έχετε πει να μην το κάνει.

20. Υπόσχεστε κάποιο είδος ανταμοιβής για να ενθαρρύνετε την κόρη σας να γυρίζει πάντα στην ώρα της, όταν έχει ραντεβού.

21. Τιμωρείτε ή επιπλήττετε το παιδί σας, επειδή δεν τακτοποίησε το δωμάτιό του, αφού το έκανε άνω κάτω.

22. Δημιουργείτε κάποιο σύστημα ανταμοιβών ως κίνητρο για να μειώσει η κόρη σας τη διάρκεια των τηλεφωνημάτων της.

23. Επιπλήττετε το παιδί σας, επειδή απρόσεκτα έσπασε ή κατέστρεψε ένα από τα ακριβά του παιχνίδια.

24. Υπόσχεστε κάποιο είδος ανταμοιβής στη δεκατριάχρονη κόρη σας, αν δεν καπνίσει.

25. Τιμωρείτε ή επιπλήτετε το παιδί σας, επειδή σας μίλησε χωρίς σεβασμό.

26. Υπόσχεστε στο παιδί σας κάποιο είδος ανταμοιβής, αν τηρήσει το πρόγραμμα μελέτης του, προκειμένου να βελτιώσει τους βαθμούς του.

27. Αναγκάζετε το παιδί σας να σταματήσει να φέρνει τα παιχνίδια του στο καθιστικό, αν αρχίσει να δημιουργεί μεγάλη ακαταστασία.

28. Λέτε στην κόρη σας ότι είστε περήφανοι για εκείνη ή ευχαριστημένοι με την επιλογή της, όταν εγκρίνετε το αγόρι με το οποίο βγαίνει.

29. Αναγκάζετε το παιδί σας να καθαρίσει όλες τις βρομιές μου έκανε, όταν απρόσεκτα έριξε φαγητό στο χαλί.

30. Λέτε στο παιδί σας ότι είναι καλό κορίτσι ή την ανταμείβετε, όταν μένει ακίνητη, ενώ βουρτσίζετε τα μαλλιά της.

31. Τιμωρείτε το παιδί σας, επειδή συνεχίζει να παίζει στο δωμάτιό του, ενώ του είπατε ότι πρέπει να πάει για ύπνο, γιατί είναι η ώρα.

32. Δημιουργείτε ένα σύστημα ανταμοιβών για το παιδί σας, για να συνηθίσει να πλένει τα χέρια του, πριν έρθει στο τραπέζι.

33. Αναγκάζετε το παιδί σας να σταματήσει ή το τιμωρείτε, όταν το συλλαμβάνετε να πιάνει τα γεννητικά του όργανα.

34. Δημιουργείτε κάποιο σύστημα με το οποίο δίνετε ανταμοιβές στο παιδί σας για την ακρίβειά του, όταν ετοιμάζεται για το σχολείο.

35. Τιμωρείτε ή επιπλήττετε τα παιδιά σας, γιατί τσακώνονται φωνάζοντας μεταξύ τους για ένα παιχνίδι.

36. Επαινείτε ή ανταμείβετε το παιδί σας, επειδή δεν κλαίει, όταν δεν γίνεται το δικό του ή όταν νιώθει ότι έχουν πληγωθεί τα συναισθήματά του.

37. Απειλείτε να τιμωρήσετε ή επιπλήττετε το παιδί σας, επειδή σας λέει ότι δεν θα σας κάνει κάποιο θέλημα, ενώ του το έχετε ζητήσει πολλές φορές.

38. Λέτε στην κόρη σας ότι θα της αγοράσετε κάτι που θέλει, αν κρατήσει καθαρά τα ρούχα της μέχρι να βγείτε για φαγητό, δύο ώρες αργότερα.

39. Τιμωρείτε ή επιπλήττετε το παιδί σας, όταν το βλέπετε να τραβά τη φούστα του κοριτσιού που μένει δίπλα και να το φέρνει σε δύσκολη θέση.

40. Προσφέρεστε να δώσετε στο παιδί σας κάποιο είδος χρηματικής ανταμοιβής για κάθε μάθημα στο οποίο θα ανεβάσει τον βαθμό του στο επόμενο τρίμηνο.

| | | | | | | | |
|---|---|---|---|---|---|---|---|
| 1. | Α | Π | ; | 21. | Α | Π | ; |
| 2. | Α | Π | ; | 22. | Α | Π | ; |
| 3. | Α | Π | ; | 23. | Α | Π | ; |
| 4. | Α | Π | ; | 24. | Α | Π | ; |
| 5. | Α | Π | ; | 25. | Α | Π | ; |
| 6. | Α | Π | ; | 26. | Α | Π | ; |
| 7. | Α | Π | ; | 27. | Α | Π | ; |
| 8. | Α | Π | ; | 28. | Α | Π | ; |
| 9. | Α | Π | ; | 29. | Α | Π | ; |
| 10. | Α | Π | ; | 30. | Α | Π | ; |
| 11. | Α | Π | ; | 31. | Α | Π | ; |
| 12. | Α | Π | ; | 32. | Α | Π | ; |
| 13. | Α | Π | ; | 33. | Α | Π | ; |
| 14. | Α | Π | ; | 34. | Α | Π | ; |
| 15. | Α | Π | ; | 35. | Α | Π | ; |
| 16. | Α | Π | ; | 36. | Α | Π | ; |
| 17. | Α | Π | ; | 37. | Α | Π | ; |
| 18. | Α | Π | ; | 38. | Α | Π | ; |
| 19. | Α | Π | ; | 39. | Α | Π | ; |
| 20. | Α | Π | ; | 40. | Α | Π | ; |

Οδηγίες για βαθμολόγηση:

Πρώτα πρώτα μετρήστε όλα τα κυκλωμένα Π στις απαντήσεις με μονό αριθμό (1, 3, 5 ,7 κ.λπ.)
Δεύτερον, μετρήστε όλα τα κυκλωμένα Π στις απαντήσεις με ζυγό αριθμό (2, 4, 6, 8 κ.λπ.)
Τοποθετήστε τους δύο αριθμούς στον παρακάτω πίνακα και γράψτε το σύνολο όλων των Π.

| | **Αριθμός** | |
|---|---|---|
| Ζυγά Π | | Ο αριθμός αυτός δείχνει τον βαθμό στον οποίο χρησιμοποιείτε *τιμωρία* ή απειλείτε να χρησιμοποιήσετε τιμωρία για να ελέγξετε το παιδί σας ή να επιβάλετε τις δικές σας λύσεις στα προβλήματα. |
| Μονά Π | | Ο αριθμός αυτός δείχνει τον βαθμό στον οποίο χρησιμοποιείτε *ανταμοιβές* ή *κίνητρα* για να ελέγξετε το παιδί σας ή να επιβάλετε τις δικές σας λύσεις στα προβλήματα. |
| Σύνολο Π | | Ο αριθμός αυτός δείχνει τον βαθμό στον οποίο χρησιμοποιείτε και τις δύο πηγές της *γονεϊκής εξουσίας* για να ελέγξετε το παιδί σας. |

| **Χρήση τιμωρίας** | | **Χρήση ανταμοιβής** | | **Χρήση και των δύο ειδών εξουσίας** | |
|---|---|---|---|---|---|
| Βαθμολογία | Αποτέλεσμα | Βαθμολογία | Αποτέλεσμα | Βαθμολογία | Αποτέλεσμα |
| 0-5 | Λίγες φορές | 0-5 | Λίγες φορές | 0-5 | Αντι-αυταρχικός |
| 6-10 | Περιστασιακά | 6-10 | Περιστασιακά | 6-10 | Μέτρια αυταρχικός |
| 11-15 | Συχνά | 11-15 | Συχνά | 11-15 | Αρκετά αυταρχικός |
| 16-20 | Πολύ συχνά | 16-20 | Πολύ συχνά | 16-20 | Πολύ αυταρχικός |

## 5. Τα 12 εμπόδια επικοινωνίας: Ένας κατάλογος των αποτελεσμάτων των τυπικών τρόπων με τους οποίους οι γονείς αντιδρούν στα παιδιά

### ΕΝΤΟΛΗ, ΟΔΗΓΙΑ, ΔΙΑΤΑΓΗ

Τα μηνύματα αυτά λένε σε ένα παιδί ότι οι ανάγκες του ή τα συναισθήματά του δεν είναι σημαντικά· πρέπει να συμμορφωθεί με αυτό που ο γονέας του αισθάνεται ή χρειάζεται. («Δεν με ενδιαφέρει τι θέλεις εσύ να κάνεις· έλα μέσα τώρα αμέσως».)

Εκφράζουν τη μη αποδοχή του παιδιού, όπως αυτό συμπεριφέρεται εκείνη τη στιγμή. («Σταμάτα να κουνιέσαι».)

Προκαλούν φόβο για τη δύναμη του γονέα. Το παιδί ακούει μια απειλή, ότι θα το πονέσει κάποιος μεγαλύτερος και δυνατότερος από το ίδιο. («Πήγαινε στο δωμάτιό σου – αν δεν πας με το καλό, θα σε κάνω εγώ να πας».)

Μπορεί να κάνουν το παιδί να νιώσει αγανάκτηση ή θυμό. Συχνά το κάνουν να εκφράσει συναισθήματα μίσους, να έχει νευρικό ξέσπασμα, να αντιπαλέψει, να αντισταθεί, να δοκιμάσει την αντοχή του γονέα.

Μπορεί να επικοινωνούν στο παιδί ότι ο γονέας δεν εμπιστεύεται τη γνώμη ή την ικανότητά του. («Μην αγγίζεις αυτό το πιάτο», «Μείνε μακριά από τον μικρό σου αδελφό».)

### ΠΡΟΕΙΔΟΠΟΙΗΣΗ, ΕΠΙΠΛΗΞΗ, ΑΠΕΙΛΗ

Αυτά τα μηνύματα μπορεί να κάνουν το παιδί να αισθανθεί φόβο και υποταγή. («Αν το κάνεις αυτό, θα το μετανιώσεις».)

Μπορεί να προκαλέσουν αγανάκτηση και εχθρότητα κατά τον ίδιο τρόπο με την εντολή, την οδηγία και τη διαταγή. («Αν δεν πας στο κρεβάτι σου αμέσως τώρα, θα σου τις βρέξω».)

Μπορεί να επικοινωνούν ότι ο γονέας δεν σέβεται καθόλου τις ανάγκες ή τις επιθυμίες του παιδιού. («Αν δεν σταματήσεις να παίζεις το τύμπανο, θα θυμώσω».)

Μερικές φορές τα παιδιά αντιδρούν στις προειδοποιήσεις ή τις απειλές, λέγοντας «Δεν με νοιάζει τι θα γίνει, εγώ εξακολουθώ να αισθάνομαι έτσι».

Αυτά τα μηνύματα προσκαλούν επίσης το παιδί να ελέγξει τη σταθερότητα της απειλής του γονέα. Μερικές φορές τα παιδιά έχουν την τάση να κάνουν κάτι για το οποίο έχουν προειδοποιηθεί, απλώς και μόνο για να δούνε τα ίδια αν θα υπάρξουν πραγματικά οι συνέπειες που ανέφερε ο γονέας.

### ΠΑΡΑΙΝΕΣΗ, ΗΘΙΚΟΛΟΓΊΑ, ΔΙΔΑΧΗ

Τέτοια μηνύματα πιέζουν το παιδί με τη δύναμη μιας εξωτερικής εξουσίας, καθήκοντος ή υποχρέωσης. Ενδέχεται τα παιδιά να αντιδράσουν σε αυτά τα «πρέπει» αντι-

στεκόμενα και υπερασπιζόμενα τη θέση τους ακόμη πιο σθεναρά.
Μπορεί να κάνουν ένα παιδί να αισθανθεί ότι ο γονέας δεν εμπιστεύεται την κρίση του, ότι θα ήταν καλύτερο γι' αυτό να αποδεχτεί αυτό που οι «άλλοι» θεωρούν σωστό. («Οφείλεις να κάνεις το σωστό».)
Μπορεί να προκαλέσουν συναισθήματα ενοχής σε ένα παιδί, και την εντύπωση ότι είναι «κακό» παιδί. («Δεν θα έπρεπε να σκέφτεσαι έτσι».)
Μπορεί να κάνουν ένα παιδί να αισθανθεί ότι ο γονέας δεν εμπιστεύεται την ικανότητά του να αξιολογεί την εγκυρότητα των ιδεών ή των αξιών των άλλων. («Πρέπει πάντοτε να σέβεσαι τους δασκάλους σου».)

## ΣΥΜΒΟΥΛΗ, ΠΡΟΣΦΟΡΑ ΥΠΟΔΕΙΞΕΩΝ Ή ΛΥΣΕΩΝ

Τέτοια μηνύματα συχνά ερμηνεύονται από το παιδί ως ένδειξη ότι ο γονέας δεν εμπιστεύεται την κρίση ή την ικανότητα του παιδιού να βρει τη δική του λύση.
Μπορεί να επηρεάσουν ένα παιδί, ώστε να εξαρτηθεί από τους γονείς του και να πάψει να σκέφτεται μόνο του. («Τι πρέπει να κάνω, μπαμπά;»)
Μερικές φορές τα παιδιά αντιστέκονται έντονα στις απόψεις ή τις συμβουλές των γονέων τους. («Άσε με να το σκεφτώ μόνος μου». «Δεν θέλω να μου λένε τι να κάνω».)
Μερικές φορές η συμβουλή επικοινωνεί στο παιδί στάσεις υπεροχής εκ μέρους σας. («Η μητέρα σου κι εγώ ξέρουμε τι είναι το καλύτερο».) Τα παιδιά μπορεί επίσης να αποκτήσουν ένα συναίσθημα κατωτερότητας. («Γιατί δεν το σκέφτηκα εγώ αυτό;» «Εσύ πάντοτε ξέρεις καλύτερα τι να κάνουμε».)
Η συμβουλή μπορεί να κάνει το παιδί να αισθανθεί ότι ο γονέας του δεν το κατάλαβε καθόλου. («Δεν θα το πρότεινες αυτό, αν πραγματικά ήξερες πώς αισθάνθηκα».)
Μερικές φορές η συμβουλή έχει ως αποτέλεσμα να αφιερώνει το παιδί όλο του τον χρόνο στο να αντιδρά στις ιδέες των γονέων, και παρεμποδίζεται έτσι η ανάπτυξη των δικών του ιδεών.

## ΔΙΑΛΕΞΗ, ΛΟΓΙΚΗ ΕΠΙΧΕΙΡΗΜΑΤΟΛΟΓΙΑ

Η προσπάθεια να διδάξετε κάποιον κάνει συχνά τον «μαθητή» να αισθάνεται ότι τον κάνετε να φαίνεται κατώτερος, υποδεέστερος, ανεπαρκής. («Πάντοτε νομίζεις ότι ξέρεις τα πάντα».)
Η λογική και τα γεγονότα συχνά κάνουν ένα παιδί αμυντικό και μνησίκακο. («Νομίζεις ότι εγώ δεν το ξέρω αυτό;»)
Τα παιδιά, όπως οι ενήλικες, σπάνια ευχαριστιούνται, όταν τους δείχνουν ότι κάνουν λάθος. Συνεπώς, υποστηρίζουν τη θέση τους μέχρις εσχάτων. («Κάνεις λάθος, εγώ έχω δίκιο», «Δεν μπορείς να με πείσεις».)
Γενικά τα παιδιά μισούν τις διαλέξεις των γονέων τους. («Μιλάνε για ώρες κι εγώ πρέπει να κάθομαι εκεί και να ακούω».)

Συχνά τα παιδιά καταφεύγουν σε απεγνωσμένες μεθόδους απόρριψης των επιχειρημάτων των γονέων τους. («Ε, λοιπόν, παραείσαι γέρος για να ξέρεις τι γίνεται σήμερα», «Οι απόψεις σου είναι ξεπερασμένες και παλαιομοδίτικες», «Είσαι παλαιολιθικός».)
Συχνά τα παιδιά γνωρίζουν ήδη πολύ καλά αυτό που επιμένουν να τους διδάξουν οι γονείς, και δυσανασχετούν με το υπονούμενο ότι είναι ανίδεα. («Τα ξέρω όλα αυτά – δεν χρειάζεται να μου τα πεις».)
Μερικές φορές τα παιδιά επιλέγουν να αγνοήσουν τα γεγονότα. («Δεν με νοιάζει», «Και λοιπόν;» «Δεν θα συμβεί σε εμένα».)

## ΚΡΙΤΙΚΗ, ΔΙΑΦΩΝΙΑ, ΚΑΤΗΓΟΡΙΑ, ΕΠΙΚΡΙΣΗ

Αυτά τα μηνύματα, ίσως περισσότερο από οποιαδήποτε άλλα, κάνουν τα παιδιά να αισθάνονται ανεπαρκή, κατώτερα, ανόητα, ανάξια, κακά. Η αυτοαντίληψη ενός παιδιού διαμορφώνεται από την κριτική και την αξιολόγηση των γονέων του. Όπως κρίνει ο γονέας το παιδί, έτσι θα κρίνει και το ίδιο τον εαυτό του. («Άκουγα τόσο συχνά ότι ήμουν κακός, ώστε άρχισα να αισθάνομαι πως πρέπει να είμαι κακός»).
Η αρνητική κριτική προκαλεί αντι-κριτική. («Σε έχω δει να κάνεις κι εσύ τα ίδια», «Δεν είσαι και εσύ τόσο διαφορετικός».)
Η αξιολόγηση επηρεάζει πάρα πολύ τα παιδιά, ώστε να κρατούν τα συναισθήματά τους για τον εαυτό τους ή να κρύβουν πράγματα από τους γονείς τους. («Αν τους το έλεγα, θα με κριτικάρανε».)
Τα παιδιά, όπως και οι ενήλικες, μισούν την αρνητική κριτική. Αντιδρούν αμυντικά, απλά και μόνο για να υπερασπιστούν την αυτοεικόνα τους. Συχνά θυμώνουν και αισθάνονται μίσος για τον γονέα που έκανε την αξιολόγηση, ακόμη και αν η κρίση αυτή είναι σωστή.
Η συχνή αξιολόγηση και η κριτική κάνουν μερικά παιδιά να αισθάνονται ότι δεν είναι καλά παιδιά και ότι οι γονείς τους δεν τα αγαπάνε.

## ΕΠΑΙΝΟΣ, ΣΥΜΦΩΝΙΑ

Σε αντίθεση με την κοινή αντίληψη, ότι ο έπαινος είναι πάντοτε ωφέλιμος για τα παιδιά, συχνά έχει πολύ αρνητικά αποτελέσματα. Μια θετική αξιολόγηση που δεν είναι σύμφωνη με την αυτοεικόνα του παιδιού μπορεί να προκαλέσει εχθρότητα. («Δεν είμαι όμορφη, είμαι άσχημη», «Μισώ τα μαλλιά μου», «Δεν έπαιξα καλά, ήμουν απαράδεκτη».)
Τα παιδιά συμπεραίνουν ότι, αν οι γονείς κρίνουν θετικά, μπορούν επίσης να κρίνουν αρνητικά κάποια άλλη φορά. Επίσης, η απουσία επαίνου σε μια οικογένεια όπου ο έπαινος χρησιμοποιείται συχνά μπορεί να ερμηνευτεί από το παιδί ως κριτική. («Δεν είπες τίποτε καλό για τα μαλλιά μου, επομένως δεν πρέπει να σου αρέσουν».)

Συχνά ο έπαινος ερμηνεύεται από τα παιδιά ως χειραγώγηση, ένας ήπιος τρόπος επηρεασμού του παιδιού να κάνει αυτό που θέλει ο γονέας. («Το λες απλώς για να μελετήσω περισσότερο».)
Μερικές φορές τα παιδιά βγάζουν το συμπέρασμα ότι οι γονείς τους δεν τα καταλαβαίνουν, όταν τα επαινούν. («Δεν θα το έλεγες αυτό, αν ήξερες πώς πραγματικά ένιωσα για τον εαυτό μου».)
Τα παιδιά συχνά ενοχλούνται και αισθάνονται αμήχανα, όταν επαινούνται, ειδικά μπροστά στους φίλους τους. («Έλα, μπαμπά, αυτό δεν είναι αλήθεια!»)
Τα παιδιά που επαινούνται πολύ μπορεί να εξαρτηθούν από τον έπαινο και ίσως να αρχίσουν να τον απαιτούν. («Δεν είπες τίποτε για το ότι καθάρισα το δωμάτιό μου», «Πώς φαίνομαι, μαμά;» «Δεν ήμουνα καλό παιδάκι;» «Δεν είναι αυτή καλή ζωγραφιά;»)

### ΧΑΡΑΚΤΗΡΙΣΜΟΣ, ΓΕΛΟΙΟΠΟΙΗΣΗ, ΤΑΠΕΙΝΩΣΗ

Τέτοια μηνύματα μπορεί να έχουν ισοπεδωτικό αποτέλεσμα στην αυτοεικόνα του παιδιού. Μπορεί να κάνουν ένα παιδί να αισθανθεί ότι δεν αξίζει, ότι είναι κακό, ότι δεν το αγαπάνε. Η πιο συχνή αντίδραση των παιδιών σε τέτοια μηνύματα είναι να ανταποδώσουν στον γονέα. («Κι εσύ είσαι μεγάλος γκρινιάρης», «Κοίτα ποιος με λέει τεμπέλη!»)
Όταν ένα παιδί παίρνει ένα τέτοιο μήνυμα από ένα γονέα που προσπαθεί να το επηρεάσει, είναι πολύ λιγότερο πιθανόν να αλλάξει, αναγνωρίζοντας τον πραγματικό του εαυτό. Αντίθετα, μπορεί να επιτεθεί στο άδικο μήνυμα του γονέα και να δικαιολογήσει τον εαυτό του. («Δεν μοιάζω με αλήτη. Αυτό είναι γελοίο και άδικο».)

### ΕΡΜΗΝΕΙΑ, ΑΝΑΛΥΣΗ, ΔΙΑΓΝΩΣΗ

Τέτοια μηνύματα μεταφέρουν στο παιδί την αίσθηση ότι ο γονέας το έχει «ψυχολογήσει», γνωρίζει ποια είναι τα κίνητρά του ή γιατί συμπεριφέρεται έτσι. Μια τέτοιου είδους γονεϊκή ψυχανάλυση μπορεί να είναι απειλητική και ματαιωτική για το παιδί. Αν η ανάλυση ή η ερμηνεία του γονέα τύχει να είναι ακριβής, μπορεί να φέρει σε αμηχανία το παιδί που έχει εκτεθεί τόσο. («Δεν βγαίνεις ραντεβού, γιατί είσαι υπερβολικά ντροπαλός», «Το κάνεις αυτό μόνο για να προκαλέσεις την προσοχή».) Αν η ανάλυση ή η ερμηνεία του γονέα είναι εσφαλμένη, όπως συμβαίνει πιο συχνά, θα θυμώσει το παιδί, επειδή κατηγορείται άδικα. («Δεν είμαι ζηλιάρης, αυτό είναι γελοίο».)
Συχνά τα παιδιά διαβλέπουν μια στάση ανωτερότητας από τη μεριά του γονέα. («Νομίζεις ότι ξέρεις τόσο πολλά».) Οι γονείς που αναλύουν συχνά τα παιδιά τους, τους επικοινωνούν το μήνυμα ότι είναι ανώτεροι, σοφότεροι, εξυπνότεροι.
Τα μηνύματα «Εγώ ξέρω το γιατί» και «Εγώ σε διαβάζω» συχνά σταματούν εκείνη τη στιγμή την περαιτέρω επικοινωνία με το παιδί και το διδάσκουν να αποφεύγει να μοιράζεται τα προβλήματά του με τους γονείς του.

ΚΑΘΗΣΥΧΑΣΜΟΣ, ΣΥΜΜΕΡΙΣΜΟΣ, ΠΑΡΗΓΟΡΙΑ, ΥΠΟΣΤΗΡΙΞΗ

Μηνύματα σαν αυτά δεν είναι τόσο βοηθητικά όσο νομίζουν οι περισσότεροι γονείς. Το να καθησυχάζετε ένα παιδί, όταν νιώθει ενοχλημένο με κάτι, μπορεί απλώς να το πείσει ότι δεν το καταλαβαίνετε. («Δεν θα το έλεγες αυτό, αν ήξερες πόσο φοβισμένος νιώθω».)

Οι γονείς καθησυχάζουν και παρηγορούν, γιατί δεν αισθάνονται άνετα, όταν το παιδί τους νιώθει πληγωμένο, ταραγμένο, αποθαρρημένο κ.λπ. Τέτοια μηνύματα λένε στο παιδί ότι θέλετε να πάψει να αισθάνεται όπως αισθάνεται. («Μη νιώθεις άσχημα, τα πράγματα θα φτιάξουν».)

Τα παιδιά μπορεί να εκλάβουν τον καθησυχασμό εκ μέρους των γονέων ως προσπάθεια αλλαγής τους και συχνά δυσπιστούν απέναντι στον γονέα. («Το λες αυτό απλώς για να με κάνεις να νιώσω καλύτερα».)

Συχνά η αψήφηση των συναισθημάτων ή ο συμμερισμός σταματούν κάθε περαιτέρω επικοινωνία, επειδή το παιδί νιώθει ότι θέλετε να πάψει να αισθάνεται όπως αισθάνεται.

ΔΙΕΡΕΥΝΗΣΗ, ΕΡΩΤΗΣΗ, ΑΝΑΚΡΙΣΗ

Η υποβολή ερωτήσεων μπορεί να επικοινωνήσει στα παιδιά την έλλειψη εμπιστοσύνης, την καχυποψία ή την αμφιβολία σας. («Έπλυνες τα χέρια σου, όπως σου είπα;»)

Επίσης, τα παιδιά θεωρούν κάποιες ερωτήσεις ως προσπάθεια «να αποκαλυφθούν», μόνο και μόνο για να τους κάνει παρατήρηση ο γονέας. («Πόσες ώρες διάβασες; Μόνο μία. Σου αξίζει λοιπόν να πάρεις κακό βαθμό στο διαγώνισμα».)

Τα παιδιά συχνά αισθάνονται να απειλούνται από τις ερωτήσεις, ιδιαίτερα όταν δεν καταλαβαίνουν γιατί τις θέτει ο γονέας. Σημειώστε πόσο συχνά ρωτάνε τα παιδιά: «Γιατί την κάνεις αυτή την ερώτηση;» ή «Πού το πας;»

Αν κάνετε ερωτήσεις σ' ένα παιδί που συζητάει μαζί σας κάποιο πρόβλημά του, εκείνο μπορεί να υποψιαστεί ότι συγκεντρώνετε στοιχεία για να λύσετε εσείς το πρόβλημά του για λογαριασμό του, αντί να το αφήσετε να βρει μόνο του τη λύση. («Πότε άρχισες να αισθάνεσαι έτσι;», «Έχει αυτό να κάνει καθόλου με το σχολείο;», «Πώς πάει το σχολείο;») Συχνά τα παιδιά δεν θέλουν να βρίσκουν οι γονείς τις απαντήσεις στα προβλήματά τους. («Αν το πω στους γονείς μου, το μόνο που θα κάνουν θα είναι να μου πούνε τι πρέπει να κάνω».)

Όταν υποβάλλετε ερωτήσεις σε κάποιον που συζητάει μαζί σας κάποιο πρόβλημά του, με κάθε ερώτηση περιορίζετε την ελευθερία του να μιλήσει για ό,τι θέλει εκείνος. Κατά μία έννοια, κάθε ερώτηση υπαγορεύει την επόμενη φράση του. Αν ρωτήσετε: «Πότε πρόσεξες αυτό το συναίσθημα;» λέτε στο άτομο αυτό να μιλήσει μόνο για την εμφάνιση του συναισθήματος και για τίποτε άλλο. Αυτός είναι ο λόγος που η αντεξέταση, όπως π.χ. γίνεται από ένα δικηγόρο, είναι τόσο δυσάρεστη – νιώθετε ότι πρέπει να του πείτε την ιστορία σας, ακριβώς όπως απαιτούν οι ερωτήσεις του. Συνεπώς, η ανάκριση δεν είναι καθόλου καλή μέθοδος για να διευκολύνει κάποιον να μιλήσει, αντίθετα, μπορεί να περιορίσει σοβαρά την ελευθερία του να εκφραστεί.

ΑΠΟΣΥΡΣΗ, ΑΝΤΙΠΕΡΙΣΠΑΣΜΟΣ, ΧΙΟΥΜΟΡ, ΕΚΤΡΟΠΗ ΠΡΟΣΟΧΗΣ

Τέτοια μηνύματα μπορεί να επικοινωνήσουν στο παιδί ότι αδιαφορείτε, δεν σέβεστε τα συναισθήματά του ή το απορρίπτετε. Τα παιδιά γενικά είναι πολύ σοβαρά και προσηλωμένα, όταν έχουν την ανάγκη να μιλήσουν για κάτι. Αν αντιδράσετε με αστεία, μπορεί να τα πληγώσετε και να τα κάνετε να νιώσουν απόρριψη.

Η απόσπαση της προσοχής του παιδιού ή η εκτροπή των συναισθημάτων του μπορεί προς στιγμή να φαίνεται ως επιτυχία, όμως τα συναισθήματα δεν εξαφανίζονται πάντοτε. Συχνά επανεμφανίζονται αργότερα. Προβλήματα που παραμερίζονται σπάνια επιλύονται.

Τα παιδιά, όπως και οι ενήλικες, θέλουν να τα ακούνε και να τα καταλαβαίνουν με σεβασμό. Αν οι γονείς τους τα αψηφήσουν, σύντομα θα μάθουν να εκφράζουν κάπου αλλού τα σημαντικά συναισθήματα και προβλήματά τους.

# Ευρετήριο